D0452319

Atlas van de menselijke geografie

Vertaald door Sophie Brinkman en Ester van Buuren

ALMUDENA GRANDES

Atlas van de menselijke geografie

GEMEENTELIJKE P.O.B.
Achterstraat 2
9450 Haaltert
TF. 053/834474

1999 PROMETHEUS AMSTERDAM

Oorspronkelijke titel *Atlas de geografía humana*
©1998 Almudena Grandes
© 1999 Nederlandse vertaling Uitgeverij Prometheus,
Sophie Brinkman en Ester van Buuren
Omslagontwerp Erik Prinsen, Zaandam
Omslagillustratie Monique Cordang
Foto achterplat Jerry Bauer
ISBN 90 5333 789 x

Voor Luis,
die in mijn leven kwam
en de strekking van deze roman veranderde.

En de strekking van mijn leven.

'Schat, we zijn op een leeftijd die ons precies in het epicentrum van de catastrofe plaatst.'
  Ontboezeming van Mercedes Abad aan de schrijfster, op zeker moment na het bereiken van de dertig.

Nu bijna alles al twintig jaar geleden is.
  Jaime Gil de Biedma

I

Al jaren verrast mijn gezicht me niet meer, zelfs niet als ik mijn haar heb
laten knippen.

Toch kwam het borsteltje vol zwarte pasta, dat ik in mijn rechterhand
had, die avond niet bij mijn stijve, onbeweeglijke, perfect gedresseerde
wimpers, die het aan de rand van mijn goed opengesperde oogleden op-
wachtten, doordat ik me een ogenblik voordat het zijn bestemming zou
bereiken, realiseerde dat mijn ogen te veel glansden. Zonder mijn voeten
van de vloer te tillen, boog ik mijn lichaam achterover om mijn hele
hoofd in beeld te krijgen en ik zag er niets nieuws of verrassends aan behalve die troebele schittering, als een laagje vernis doortrokken van stof,
dat glanzend over een paar onbegrijpelijk vochtige pupillen bleef liggen.
Ik nam een paar seconden de tijd om dit verschijnsel te analyseren voordat
ik gehaast de balans opmaakte. Ik ben geen puber meer. Ik had me de hele
dag goed gevoeld. Het was geen koorts, en ook niet bepaald emotie; zal
het de menopauze zijn, zei ik bij mezelf, die helemaal van slag is, net als
het klimaat…? Eén enkele traan, geïsoleerd, koppig, absurd, maakte zich
los van mijn rechteroog en rolde onbeholpen over mijn gezicht zonder
erin te slagen ook maar de kleinste van mijn gelaatsspieren te ontroeren.
Toen begreep ik dat ik het die avond moest doen. Bijna twee maanden al
lag die langwerpige envelop van dik, stevig papier, bijna als crèmekleurig
karton, mij uit te dagen vanuit de lade van mijn schrijftafel. Ik was eraan
gewend geraakt hem daar te zien, tussen de foto's van de kinderen en de
ongeordende rekeningen, en ik rekende erop met een vertrouwen zo
intens als een wanhopige politieagent kan stellen in zijn laatste en meest

geheime wapen, maar op dat moment werd ik me ervan bewust dat ik er op het desolate terrein van de werkelijkheid, waar geen holten zijn waarin je je kunt verbergen, niets aan zou hebben. Vanavond moet het gebeuren, herhaalde ik bij mezelf, vanavond, vanavond. De naam van de geadresseerde was kort, net als het volledige adres, vier regels in totaal, een vierkante vlek van blauwe inkt volmaakt in het midden geplaatst van een rechthoek in de meest onschuldige kleur, en op de achterkant alleen mijn voornaam, vier letters, als laatste toegevoegd, de sluitklep aan de rest geplakt met mijn eigen speeksel en die druppel met een bittere smaak die plotseling, met vertraging, uiteenspatte op de punt van mijn tong toen die belachelijke, hinderlijke traan de spleet van mijn lippen wist te bereiken. Vanavond moet het gebeuren. Precies op dat moment begon Clara op de deur te bonzen.

'Mama…! Doe open, mama, mama, ik moet plassen!'

Ik waste mijn gezicht zo snel als ik kon met koud water en liep in drie grote stappen de badkamer door, maar toen ik de knip van de deur schoof, stond mijn dochter al te schreeuwen alsof haar schoenen in brand stonden.

'Waarom ben je niet naar de andere wc gegaan?' vroeg ik haar toen ze, haar armen losjes op haar benen, op de pot zat en me aankeek. 'Was die bezet?'

'Je ogen zijn doorgelopen, weet je dat?' merkte ze op in plaats van antwoord te geven, en ze glimlachte. De glimlach van je eigen kinderen is zo onweerstaanbaar dat het, zolang deze om hun lippen ligt, onmogelijk is ook maar te denken dat je zonder hen beter af zou zijn. 'Ik plas liever hier. Deze is veel groter.'

Ik trok haar in mijn armen en kuste haar haastig op haar wangen, op haar voorhoofd, op haar haar, zonder aandacht te schenken aan haar protesten, al die gespeelde wanhoop waarmee ze mijn kussen altijd in ontvangst neemt. Ik heb al een tijd geleden geleerd dat er geen doeltreffender methode is om van haar af te komen. Haar voeten hadden de vloer nog niet opnieuw aangeraakt of ze ging er schaterlachend vandoor in de overtuiging dat ze me op zijn minst nog wel twintig kussen afhandig had gemaakt. Ik deed de knip weer op de deur en keek op mijn horloge. Ik had minder dan een kwartier om mijn gezicht te wassen, me opnieuw op te maken, me aan te kleden, instructies aan de oppas te geven, naar de garage te gaan en de auto te pakken. In plaats van bij het begin te beginnen, ging ik op de rand van het bad zitten en sloot mijn ogen.

Hoewel ik dus niet kon zeggen waar die jaren precies gebleven waren, waren er al tweeënhalf voorbijgegaan sinds die andere avond, dat andere etentje, dat zo veel overeenkomsten vertoonde met dit. Toen, in oktober 1992, had ik rond dezelfde tijd een bad genomen, me opgemaakt, me aangekleed en, onderweg naar hetzelfde restaurant, waar Fran dezelfde mensen had uitgenodigd, had ik Marisa opgehaald. De serie was nog niet uitgebracht, maar de eerste zes afleveringen waren vrijwel klaar en de eerste dertig pagina's van het werkschrift dat op het bureau in mijn werkkamer rustte, beloofden, op zijn minst, nog een rustig trimester. Ik had kunnen zweren dat de enige reden voor die bijeenkomst zou bestaan in het om de beurt complimentjes afwimpelen door naar een betoog te luisteren dat aan duidelijkheid niets te wensen overliet – 'jullie zijn fantastisch, meiden, ik weet niet hoe ik het zonder jullie had moeten redden...' – en deed daardoor niet eens een poging de sombere blik te interpreteren die Ana, de grafisch redactrice, me toewierp voordat Fran, een seconde later, zonder enige aankondiging het woord nam.

'We missen Zwitserland.'

'Wat zeg je?' vroeg ik, zonder al te kunnen kiezen tussen verbijstering en die toegeeflijke kalmte waarmee je flauwe grappen over je heen laat komen.

'Precies wat je hoort, Rosa,' zei Fran, die echter volkomen kalm leek. 'Er zijn geen foto's van Zwitserland.'

'Dat is onmogelijk...'

'Ja,' zei Ana hoofdschuddend in mijn richting, alsof haar instemming mij zou kunnen troosten, 'het is onmogelijk, het is ongelooflijk, maar het is waar. Luzern en Zermatt, daar zijn geen foto's van. Dat wil zeggen,' ze liet een bijna dramatische stilte vallen voordat ze, aftellend op haar vingers, zei, 'er zijn slechte foto's, er zijn goede foto's die we niet mogen reproduceren, er zijn goede foto's die te oud zijn om te publiceren, er zijn goede foto's vol skiërs met kleurige mutsen en, als laatste, er zijn goede foto's die zo duur zijn dat ze het illustratiebudget voor het hele deel verstoren. Kortom, er zijn geen foto's.'

Ik balde mijn vuisten en sloeg ermee op tafel.

'Dat is verdomme...!' Voordat ik had kunnen kiezen tussen de verschillende mogelijkheden om die verwensing op een doeltreffende manier af te maken, legde Fran haar rechterhand op een van mijn vuisten. Met de linker overhandigde ze mij het werkschrift, dat ze zo aardig was geweest te pakken voordat ze het kantoor verliet.

Pas toen deed ik mijn jas uit, ging zitten en dronk in één teug een glas wijn leeg. Als ik merk dat mijn zenuwen in alle richtingen beginnen te groeien, en zich spannen en opzwellen, en mij waarschuwen dat ze op het punt staan zich over alle neutrale delen van mijn lichaam te verspreiden, probeer ik me te gedragen als een van de verleidelijke mutantenhelden wier tragische, bijna klassieke lot elke middag mijn kinderen aan de televisie kluistert, die mooie, atletische, betere of slechtere maar altijd onschuldige wezens, die in staat zijn in enkele seconden te anticiperen op de ontketening van het proces dat hen in ware monsters verandert, alsof het twijfelachtige principe zich te verbergen voor de ogen van de andere stervelingen op de een of andere manier een compensatie zou vormen voor de riskante willekeur van hun bestaan.

'De Zwitserse Alpen beginnen in nummer achtentwintig,' verklaarde ik, terwijl ik vocht om de denkbeeldige klauwen onder controle te houden die me vanaf mijn vingertoppen bedreigden, en zonder naar iemand in het bijzonder te kijken. Ik hoefde mijn werkschrift niet te raadplegen; ik kende de planning tot nummer vijftig uit mijn hoofd. 'We kunnen eerst de Fransen en de Italianen doen. Op die manier winnen we vijf weken, en als we doorgaan met de Oostenrijkers hebben we nog twintig dagen meer. Maar dat probleem met die foto's moeten we uiteraard oplossen, ik begrijp niet...'

'Het spijt me.' Ana zat met haar vingers de rand van het tafellaken in elkaar te draaien. Op dat moment had ik haar met de mijne de nek kunnen omdraaien. 'Hans zei tegen me dat hij genoeg materiaal had voor Midden-Europa. Zijn foto's van Duitsland zijn uitstekend, Oostenrijk, Polen... Ik heb zo veel problemen met Afrika en Azië dat ik er niet aan heb gedacht om het te controleren. Toen de zending kwam, vanmorgen, dacht ik dat ik doodging. De nieuwste foto is twintig jaar oud. Het spijt me verschrikkelijk, Rosa, echt waar.'

'Het geeft niet, Ana.' Fran was me voor en antwoordde in mijn plaats, waarbij ze zich zo grootmoedig toonde als altijd wanneer ze de grote uitgeefster wilde spelen. 'Het had iedereen kunnen gebeuren.'

Nee, zei ik bij mezelf, zonder het uit te spreken, niet iedereen, mij niet... De stuitende aard van die conclusie was een merkwaardige troost, maar in elk geval weerhield een overgebleven reflex van mijn oude vertrouwen me ervan om er met luide stem aan te herinneren dat Ana deze ramp rechtstreeks had moeten melden aan degene die direct boven haar stond, ik dus, in plaats van op voorhand bescherming te zoeken bij ons beider bazin.

'G-goed...' In lastige situaties stotterde Marisa erger dan normaal, 'zo erg is het n–niet. Voor mij maakt het eerlijk gezegd niets uit. De beeldverwerking is voor a–alle Alpen hetzelfde…'

In mijn eerste studiejaar sloot ik vijf vakken met een eervolle vermelding af. In het tweede en derde jaar moest ik één tentamen een paar keer overdoen, maar ik denderde mijn specialisatie binnen als een olifant een porseleinkast. Ik was de beste studente van mijn jaar maar dat kon me niet schelen, want ik was ervan overtuigd dat Mijn Leven, een enorme kartonnen doos, verpakt in glanzend rood papier omwikkeld met tientallen kleurige linten die uiteenknalden in geraffineerde strikken en serpentines, niet alleen bestond uit universiteit. In het vijfde jaar ging het met mij steeds beter en met mijn studie steeds slechter. Ik ging 's avonds vaak uit, dronk veel, versierde een heleboel jongens en had honderden plannen: ik zou naar het buitenland gaan, theaterwetenschap studeren, op pianoles gaan, op reis gaan naar exotische landen, maar vooralsnog was ik tevreden als zangeres van een band die nieuwe Spaanse pop bracht, maar er zelfs bij de obscuurste zender van Alcobendas niet in slaagde een demo te laten draaien. Ignacio was de oudere broer van de bassist. Toen ik met hem begon uit te gaan, zei ik bij mezelf dat een zo intelligente meid als ik geen universitaire titel nodig had en ging ik niet eens meer naar de examens. Toen we trouwden, was ik me er sterk van bewust dat ik honderden plannen opgaf, naar het buitenland, theaterwetenschap studeren, naar pianoles en naar de exotische landen, maar ik miste dat alles niet want het was ineens heel leuk om getrouwd te zijn en Mijn Leven bleef een enorm gevuld pakket waarvan nauwelijks een hoekje van de verpakking was afgeknabbeld.

'… eh, Rosa?' De stem was van Fran, maar toen ik opkeek, zag ik één unanieme vraag in drie paar ogen.

'Het spijt me.' Ik probeerde ongedwongenheid voor te wenden. 'Ik ben de draad kwijt.'

'Gaan we weer op jacht of maken we nieuwe foto's?'

'Als het wat het budget betreft kan, zou het veel sneller en zekerder zijn om nieuwe foto's te maken. Bovendien,' ik laste een korte pauze in alvorens recht te doen, 'als Ana zegt dat er geen foto's zijn, is het gewoonlijk zo dat er geen foto's zijn.'

Ik richtte mijn ogen op het tafelkleed om de dankbare blik te mijden van de beste documentaliste met wie ik ooit heb gewerkt, de wandelende catalogus van alle fotografische archieven ter wereld, een luxe die werkelijk alles kon illustreren, van een reclamefolder voor de Galicische aardappel tot een artikel over de preventie van toxoplasmose, en terwijl ik merkte hoe haar zelfvertrouwen met elke lettergreep groeide, vroeg ik me weer af wat er met me gebeurde, waarom ik met de dag onuitstaanbaarder werd.

'Als je wilt, kan ik nog aankloppen bij een paar Engelse en Amerikaanse archieven die ik nog niet heb benaderd.' Ik hoefde niet naar haar te kijken om te weten dat ze tegen mij sprak. 'Ik ben bang dat het veel goedkoper zal zijn om de foto's zelf te laten maken dan ze bij hen te kopen, maar we kunnen altijd een prijsopgaaf vragen en vergelijken...'

Als iemand mij op de dag van mijn bruiloft had gewaarschuwd dat ik het risico zou lopen dat ik de vrouw die ik op een dag zou zijn zou inspireren tot een zo treurig beeld van mijzelf, had ik me doodgelachen. Maar toen was ik nog geen jaren kwijtgeraakt. Als ik terugkeek, vond ik ze altijd op hun plaats, keurig geordend, exact en netjes, in rijen opgesteld, als speelgoedsoldaatjes, waren ze daar allemaal, en voordat ik 22 werd, was ik 21, en daarvoor 20, en daarvoor 19 jaar, het was zo gemakkelijk als op je vingers leren tellen. Nu word ik 37, en probeer ik mijn hoofd nooit meer om te draaien, want ik weet niet goed waar mijn laatste decennium is gebleven, ik begrijp bijvoorbeeld niet in welk gat ik mijn 24ste heb verloren, of waar ik mijn 26ste heb laten vallen, of wat er met me gebeurd is toen ik 29 werd, maar zeker is dat ik ze me niet herinner, ik ben me er niet van bewust dat ik ze heb geleefd, het is alsof de tijd zichzelf verslindt, alsof elke dag die voorbijgaat me berooft van een voorbije dag, alsof de jaren elkaar onderling uitwissen. Ik weet nu dat de vijand met gemerkte kaarten speelt, en ik kan niets meer doen om al die plaatsen, al die personen, al die ochtenden en al die avonden die een vergissing waren ongedaan te maken, maar ik doe in elk geval geen poging de wereld tot de laatste druppel uit te knijpen om hem te dwingen mijn leven elke twaalf uur te rechtvaardigen. Dat is de benepen, treurige maatregel waarin het lot zich grootmoedig heeft getoond ten opzichte van mij in de tweeënhalf jaar die voorbij zijn gegaan sinds dat etentje, toen ik nog razend kon worden bij de mededeling dat de foto's van Zwitserland ontbraken.

'Uitstekend, we zijn het dus eens.' Fran hield zich bezig met wat zij noemde terugkeren naar de vraag en trok haar wenkbrauwen op in de richting van Ana. 'Het enige wat we niet weten is de naam van de fotograaf.'

'We moeten beslissen of we beter hier opdracht kunnen geven, of daar, in Zwitserland zelf. Morgen rond het middaguur kan ik een lijst klaar hebben van beschikbare mensen.'

'En anders...' Marisa beheerste de lettergrepen tot in de perfectie terwijl ze gniffelend zei, 'kunnen we altijd een beroep doen op Forito!'

Carpóforo Menéndez, Forito voor de intimi, was de fotograaf in vaste dienst van onze afdeling, het kruis dat het zwaarst rustte op de schouders van Ana en de belangrijkste beschermeling van ons allemaal, met haar voorop. Hoewel hij vast en zeker jonger was, zag hij eruit als vijfenvijftig, was bijna één meter negentig lang, woog niet meer dan zestig kilo en had een productiviteit die neerkwam op acht foto's die technisch goed waren – dat wil zeggen, goede belichting, goede scherpte en een definitie die bij vluchtige beschouwing acceptabel was – op elk ingeleverd filmrolletje. Daarvan konden we er zo nu en dan een gebruiken, of twee, als we de verleiding konden weerstaan om ze door een loep te bekijken, maar we kozen er veel meer, ook al waren ze overbelicht, onscherp of gesluierd aan de randen, om voor de boekhouding het salaris te kunnen verantwoorden dat hij maandelijks opstreek. Hij was ons daar innig dankbaar voor en vroeg niets anders. Hij had zelfs niet geaarzeld om het baantje te accepteren dat Ana voor hem had uitgevonden toen ze begreep dat het moeilijk werd hem als fotograaf aan te houden in een project als het onze, waarvoor we foto's moesten kopen bij archieven in bijna alle landen ter wereld. De taak om het toegezonden materiaal in ontvangst te nemen en te ordenen leek geschikter voor een stagiaire dan voor een nog werkzame fotograaf, maar hij scheen elke kans op professionele promotie aan te grijpen. Zijn naam zien, gezet in klein kapitaal in korps acht, vanuit de rechterbenedenhoek over een foto omhoogklimmend, deed hem helemaal niets doordat hij in zijn goede tijd gewend was geweest hem elke dag te lezen, groter en centraler geplaatst, in kranten en geïllustreerde tijdschriften. Voordat hij was gaan drinken – of voordat hij dit lang genoeg had meegemaakt om te gaan drinken – was Forito de meest vooraanstaande fotograaf van het stierenvechten in Madrid geweest, winnaar van alle prijzen voor de beste foto van stadsfeesten, de portretfotograaf van de eerste twintig namen van de ranglijst, maar toen ik hem leerde kennen, bestond zijn ontbijt al uit pure cognac en trilde zijn hand zo erg dat hij niet in staat was twee schepjes suiker door een kopje koffie te roeren zonder veel meer dan één druppel te morsen.

Ik neem aan dat ieder van ons een andere reden had om hem te mogen, en ik vrees dat voor hem, hoezeer hij ook zijn best deed om de luidruchtige complimentjes uit zijn repertoire zo gelijk mogelijk te verdelen, min of meer hetzelfde gold, hoewel Marisa, uiteraard, zijn favoriete was. Wanneer mij iets ten deel viel in de stijl van 'hoe gaat het vandaag met jou, lieve hemel, ik moet een zonnebril opzetten om naar je te kijken, zo verblindend ben je!' wist ik al dat Forito het vroeger of later klaar zou spelen om zichzelf te verliezen in de vissenkom en Marisa op zijn knieën voor haar bureau, zijn armen gespreid, zijn voeten op het punt het precaire mozaïek te ruïneren dat de verbindingskabels tekenden op de tegels van kunstkurk, een vers van Miguel de Molina toe te zingen. Zelfs Fran, die altijd zo serieus en gehaast was, werd helemaal week wanneer Forito, vanaf de andere kant van de gang, bij wijze van groet zijn strijdkreet liet horen, schoonheid, schoonheid, wat ben je toch een schoonheid. Mij vertederde hij meer op andere momenten.

Ik moet nog geen maand met de serie bezig zijn geweest, want ik besteedde het grootste deel van de ochtend nog aan gesprekken met redacteuren, vertalers, correctoren, illustratoren of cartografen, en het was niet de eerste keer dat een kandidaat niet voor de afspraak was komen opdagen, maar het was nog nooit in me opgekomen om in de tijd van een mislukte afspraak de straat op te gaan om een kop koffie te drinken. Ik hoefde me niet erg in te spannen om een gelegenheid te kiezen. Het gloednieuwe hoofdkantoor van de groep waar de uitgeverij die me net in dienst had genomen onderdeel van was, stond op een luxe industrieterrein dat er ook precies zo uitzag, hoe luxueus de gebouwen ook waren die stuk voor stuk met een trekpen afgebakende, strikt vierkante percelen in beslag namen, en hoezeer elke straat ook hoogmoedig pronkte met de naam van de respectievelijke gigant van het columnistendom van de nationale journalistiek in plaats van met een hoofdletter of een eenvoudig nummer zonder enige versiering. Links van ons zoemde de autoweg naar Barcelona op alle uren van de dag als een kooi mechanische krekels, maar tussen de afrastering die ons gebied afbakende en de afrastering die het domein van de snelweg markeerde, waren wat lage huisjes gevangen die het ministerie van Publieke Werken om een of andere onbekende reden niet op tijd had onteigend. Klein, laag, witgekalkt, met hun miezerige boompjes en hun rozenstruiken besmet door de eeuwige gesel van de rook die de uitlaatpijpen uitstoten op de gelede maar oneindige ellips die het verkeer tussen Madrid en het vliegveld beschrijft, leken ze al een archeologisch overblijfsel, gecatalogiseerd en beschermd, een bewuste relikwie, vol zorg bewaard om toekomstige generaties, nu de afstand tussen armoede en overvloed – zo gering dat één enkele generatie beide vrijwel gelijktijdig heeft meegemaakt – hen niet meer duizelig kan maken, te laten zien hoe men leefde in dit land. Ik hield van die huizen, ik hield ervan om ze vanuit willekeurig welk gigantisch raam van ons intelligente gebouw te zien, ik vond het leuk om te weten dat ze er waren, zich onverstoorbaar verzettend tegen de speculanten en de synthese van zo veel onuitsprekelijke materialen, met hun heroïsche bescheidenheid een bijdrage leverend aan de grote paradox van de komende eeuw, wanneer deze onbeminde, mishandelde, gehavende stad dankzij zo veel verwaarlozing, zo veel onverschilligheid, zo veel misdaden tegen het gezonde verstand en dankzij de onvermoede kracht van haar karakter, ongetwijfeld zal veranderen in de meest uitputtende en monumentale catalogus van stedelijke architectuur van de vorige eeuw, de onze, want vrijwel alles wat men heeft kunnen vernietigen om daarop te bouwen is hier ook vernietigd, en ook de huid van steden veroudert, zoals die van hun kinderen, maar de tijd legt er poriën van steen over, van glas, van cement, een glanzend en mooi patina, verguld, strak, met de onverbiddelijke macht die ook de voren dieper maakt die diezelfde tijd zonder mededogen ploegt in de hoeken van onze lippen, onze ogen, ons voorhoofd.

Madrid is een geboren verzetsstrijder. Ik ook. Geduld is het overheersende kenmerk van ons karakter, en ongetwijfeld daarom koos ik het Mesón de Antoñita, het café-restaurant dat gespecialiseerd was in gegrilde koteletjes en konijn met knoflook, net als alle andere in de omgeving, en dat zich het dichtst bij de uitgeverij bevond, in weerwil van de geplastificeerde aanbiedingen van de gelegenheden in het winkelcentrum, waar ik te voet in minder dan tien minuten had kunnen zijn. Ik had er geen spijt van, want toen ik voor het eerst een voet over de drempel zette, had ik het gevoel zojuist een Spaanse film uit de jaren vijftig te zijn binnengestapt. Het café was donker en koel, en het meubilair leek op een weinig geraffineerde replica van dat van de Flintstones, een opgesmukte versie van de gekunstelde Castiliaanse stijl op basis van nauwelijks geschaafde boomstammen, in elkaar gezet met spijkers met zwarte koppen en een diameter overeenkomend met die van een soeplepel. De decoratie daarentegen was woest Andalusisch. Traliewerk, lampions van wit en groen papier, poppen gekleed als flamencodanseressen afgewisseld met whiskyflessen van importmerken op een doorlopende plank achter de bar en de radio afgestemd op een station dat vierentwintig uur per dag *copla's* uitzond. Ik weet niet of ik het mooi vond, maar ik vond het wel grappig. Ik wist toen niet dat het Mesón de Antoñita zou veranderen in een soort filiaal van de uitgeverij zelf, een onweerstaanbaar toevluchtsoord wanneer het menu in het bedrijfsrestaurant ons halverwege de ochtend al braakneigingen bezorgde, een symbool van al die kleine arbeidstriomfen die met een speciale maaltijd moesten worden gevierd, een bolwerk van privacy dat onontbeerlijk was om je over te geven aan de ontboezemingen die je nooit aan iemand had willen toevertrouwen. Die ochtend, echter, leek de tent te behoren tot de categorie van die verdoemde gelegenheden die nooit vol komen te zitten, en de enige klant, die op een kruk aan de bar zat, draaide zijn hoofd niet om toen ik de deur openduwde. Forito streek, heel langzaam, met een hand over het voorste deel van zijn schedel, een onzeker gebaar dat absoluut niet op een gewoonte leek, op een van die kleine dagelijkse rituelen waarin we een beetje troost vinden. Toen ik hem groette, draaide hij zijn hoofd in mijn richting en trok zijn wenkbrauwen op. Het bolvormige glas dat voor hem stond, was vrijwel leeg en bevatte nog één vinger van een stroperige vloeistof met de kleur van thee, maar ik ging toch naast hem zitten.

'Wat wil je drinken?' vroeg hij. 'Ik trakteer.'

Hoewel ik aannam dat de cognac duurder was, zag ik met enige spijt af van de croissant uit de oven waarvan de denkbeeldige geur mijn passen hierheen had geleid, en nam genoegen met koffie. Hij vroeg of ze zijn glas wilden bijvullen en zei verder niets. Zijn hand hield maar niet op met het kammen van de schaarse haren die op enige afstand van zijn voorhoofd te tellen waren, hield maar niet op met het oppoetsen van die bijna kale huid en wist maar niet het zweet te verwijderen dat zo onwaarschijnlijk was in die tent, waar de door airconditioning gekoelde lucht, het enige maar krachtige bewijs van de authentieke chronologie van dat tafereel, de warme werkelijkheid van een ochtend in juli logenstrafte. Ik kon niet bedenken wat de zin was van de ritmische, berekenende reis van die vingers die geen moment tot stilstand kwamen, maar toen ik me schaamde om te blijven kijken, hief ik mijn hoofd op en wierp een blik om me heen. Meer dan versierd, leken de muren overwoekerd met zwartwitfoto's, een paar portretten en veel passen, figuren en ererondjes uit het stierengevecht, en op bijna alle foto's dezelfde handtekening, een dikke, zwarte haal die een hoofdletter C vormde waarvan de basis zich doorzette in een paar onleesbare golven, een krabbel die ik heel goed kende.

'Bedankt voor de koffie, Forito.' Ik nam afscheid alsof ik niets had gemerkt. 'Ik ga eens kijken of ik nog wat kan werken…'

'Geen dank, kind,' zei hij glimlachend. 'Ik ga er zo ook weer heen.'

Terwijl ik de beleefde groet van de portier beantwoordde en de groet van de beleefde receptioniste, en de liften voorbijliep om heel langzaam de trappen van de twee volgende verdiepingen te nemen, en de gang doorliep, en de deur van mijn werkkamer opende, en mijn tafel bereikte, en erachter ging zitten, bleef ik me afvragen of het leven mij, op een dag, iets van de waardigheid zou verlenen die ik zojuist had aanschouwd in het magere lichaam van een aan lager wal geraakte, kalende man die zich, vele jaren nadat hij het had aangedurfd om er de brui aan te geven, om half-twaalf 's morgens al te buiten ging aan cognac. Terwijl ik naar het monotone betoog luisterde van de zoveelste illustratrice van sprookjesverhalen die van plan was over te stappen naar het illustratieve werk voor volwassenen omdat de markt voor kinderboeken verzadigd was, vroeg ik me af wat er zou gebeuren als ook ik zou bezwijken voor de eeuwige verleiding van de stiekeme ontsnapping, als ik, zonder grote gebaren, zonder geluid te maken, gewoon op een ochtend in mijn bed bleef liggen in plaats van op te staan en aan het werk te gaan, en daarna zou beslissen dat ik die dag geen eten zou klaarmaken, en naar de bioscoop zou gaan, alleen, 's middags, en daarna weer gaan slapen, lang gaan slapen. Dan zou ik geen jaren meer kwijtraken, want ik zou geen toekomst meer hebben, geen enkel perspectief om de verbruikte uren mee te verrekenen, geen enkel doel om naar te streven in toekomstige uren, niets om nog naar uit te zien. Ik deed er lang over om die comfortabele dronkenschap af te schudden, maar de gevolgen van de kater ben ik nog niet te boven gekomen, en ik lach nooit om de grappen over Forito, want het zwijgen dat hij verkoos als commentaar op zijn oude triomfantelijke foto's bekleedt hem, in mijn herinnering, voor altijd met de gratie van de drenkeling die met opgeheven hoofd ten onder weet te gaan.

Ik, daarentegen, hapte vertwijfeld naar adem, mijn longen voor de helft gevuld met water, toen Fran mij voorstelde die uitgave te gaan coördineren, *Atlas van de Universele Geografie*, een plank waar ik schrijlings op ging zitten terwijl ik mijn ogen tot spleetjes kneep om me ervan te overtuigen dat hij de indrukwekkende contouren van een oceaanstomer had. Ik had die luchtspiegeling zelfs harder nodig dan het geld, want door de schaarste aan interessante opdrachten had ik me, maanden eerder, genoodzaakt gezien om terug te vallen op werk als beëdigd vertaler, het meest ondankbare, saaie en ontmoedigende van de dertien of veertien baantjes waarmee ik onregelmatig de kost verdiende. Gebogen over een document van tweehonderd dichtbedrukte velletjes waarop, toepassing voor toepassing, alle technische specificaties werden beschreven van een gloednieuwe Japanse microchip die een revolutionaire verandering zou betekenen voor het programmeren van wasmachines, vaatwassers, stofzuigers, droogtrommels, airconditioners, afstandsbedieningen voor sproei-installaties en nog zo'n vijftig tot zestig apparaten, voelde ik me niet alleen genoodzaakt om me elk moment af te vragen hoe stom ik wel niet moest zijn om een dergelijk smerig verraad te plegen — mijn lippen fluisterend in het oor van een onbekende dat de IJ150e de huisvrouw een energiebesparing garandeert van ongeveer twee procent ten opzichte van het rendement van de IJ145e of willekeurig welk overeenkomstig apparaat van de concurrentie – maar bracht ik de ochtenden ook door met de wens dat willekeurig welke bende gangsters, van welke leeftijd, welke omvang en welke nationaliteit dan ook, op een goede dag mijn huis zou binnenvallen, de deur van mijn werkkamer zou opentrappen en ons zou ontvoeren, mij en tweehonderd pagina's met technische specificaties, in naam van de heilige belangen van welke multinational dan ook, dat maakte me niet uit, hoewel ik er de voorkeur aan gaf dat onze schuilplaats zich in Zuid-Amerika zou bevinden omdat dat het spannendst leek. En dat was nog niet het ergste. Het ergste was dat ik, omdat de gangsters nooit kwamen, al aandacht begon te krijgen voor de buurman van de tweede verdieping.

Op een gegeven moment, tussen mijn zoon en mijn dochter, nadat ik dertig was geworden, herinnerde ik me Mijn Leven, die grote doos, verpakt in rood papier, omwikkeld met zo veel strikken, en ik vroeg me af waar hij nu eigenlijk mee gevuld was. Sinds die tijd is het enige wat mij compenseert voor de weinige dingen die erin zitten de zekerheid van de liefde die ik voel voor die weinige dingen, een tiental gekleurde lampjes – twee kinderen, een paar boeken die een beetje van mij waren toen ik ze vertaalde, bepaalde vrienden, bepaalde vriendinnen, de herinnering aan een geliefde die in echtgenoot veranderde, het kleine talent dat een autodidactische kokkin van me maakte, de verbazingwekkende emotie die ik nog steeds voel over het spreken van drie talen die niet de mijne zijn, enkele smaken, enkele geuren, enkele gedenkwaardige avonden, enkele lachbuien die nog steeds niet helemaal zijn verstomd – die nauwelijks licht geven tussen vier kartonnen wanden vol van het duistere, dichte niets van mijn ontevredenheid.

Ik ben uiteraard niet het type van wie een dergelijke analyse wordt verwacht. Ik glimlach heel vaak, alsof ik het met graagte doe, geniet van een glas en een gesprek, ben nooit depressief geweest, voer graag een telefonisch gesprek en krijg altijd een orgasme als ik me dat voorneem, en dat betekent in de overweldigende meerderheid van de gevallen. In het algemeen heb ik er geen moeite mee om te werken en tegelijkertijd voor de kinderen te zorgen, en als ik uitgeput thuiskom, na een middag van bioscoop en McDonald's, bijvoorbeeld, en besluit dat ik geen zin heb om te eten, en in bed kruip met het gevoel dat de slaap me genadeloos knockout zal slaan zodra ik mijn hoofd op het kussen leg, overvalt me een gevoel van verrukking dat moeilijk te beschrijven is, het besef van een goed bestede middag, het heerlijke rendement van een lichamelijke vermoeidheid, objectief, meetbaar, de enige die de slapeloosheid verdrijft en daarmee al die onverdraaglijk vulgaire vragen over de toekomst, de richting waarin mijn leven gaat en al het andere. Steeds als ik een moeder hoor zeggen dat ze meer tijd nodig heeft voor zichzelf, gaan mijn haren recht overeind staan. Wat ik nodig heb is minder tijd, pak maar af, schort maar op, laat niet tellen, want als er iets is waar meer dan genoeg van was in al die jaren die ik ben kwijtgeraakt, is het precies dat, tijd. Het enige wat er misschien aan de hand is, is dat mijn ontevredenheid in tegenspraak is met het ontevredenheidsmodel dat algemeen gebruikt wordt in de statistieken voor de geëmancipeerde, goed opgeleide Spaanse vrouw uit de middenklasse van mijn leeftijd. Dat hoop ik, want ik heb ontevreden vrouwen altijd iets vreselijks gevonden.

Daarom schrok ik zo toen ik me realiseerde dat ik me, ongemerkt, zo flirterig was gaan gedragen tegen de buurman van de tweede verdieping. Van alle modellen van ontevreden vrouwen die ik verafschuw, is dat waar ik echt niet goed van word dat model dat geconstrueerd wordt rond de befaamde stelling 'wat ik nodig heb is een avontuurtje'. Onnozeler kun je toch niet zijn. Want het zou iets anders zijn om te zeggen: wat heb ik zin in een avontuurtje, dat wel, of wat zou ik graag een vriend hebben, natuurlijk, en dat geldt ook voor mij, maar deze toepassing van het werkwoord nodig hebben dat bestaat uit het kopen van kleren die twee maten kleiner zijn dan normaal, naar de kapper gaan, je opschilderen als een kerstboom en op jacht gaan, klaar om de eerste de beste naïeveling te strikken die zich aandient om om halfvier in de ochtend het verplichte nummertje te maken op de verplicht alcoholische, gore en moeizame manier en om halfvijf op te staan uit een vreemd bed en geen taxi kunnen krijgen en anderhalf uur voordat de wekker gaat in je eigen bed vallen en daarna, op je werk, de wallen onder je ogen rechtvaardigen met de mededeling dat je een fantastische nacht hebt gehad en dat je je geweldig voelt, daar krijg ik het helemaal benauwd van, dat vind ik dieptreurig, echt... Volgens mij is er geen onwaardiger manier om ouder te worden. En de enige verdienste van de buurman van de tweede verdieping was, eerlijk gezegd, dat hij alleen 's middags werkte, in een hotel, en wanneer mijn overlevingsinstinct me gebood de microchip te laten voor wat hij was en een rondje door het huis te lopen of naar het café naast de deur te gaan om een paar biertjes te kopen, kwam ik hem soms in de lift tegen of groette hij me vanuit zijn raam, aan de andere kant van de binnenplaats.

Het was een lange jongen, te blond voor mijn smaak en met een merkwaardig gezicht, niet zozeer door zijn afzonderlijke gelaatstrekken, noch door de verhouding hiertussen, maar door een soort permanente uitdrukking van verwondering, die zijn ogen opensperde en zijn lippen van elkaar gescheiden hield en het snijvlak liet zien van de rij zeer witte, gave tanden die hij aan zijn uiterlijk van jonge atleet verplicht was. Ik ben er niet achter gekomen of hij nogal zelfingenomen, de onschuld zelve of een volslagen idioot was, maar doordat ik me 's morgens zo verveelde en hij altijd bij de hand was, heb ik hem een paar keer uitgenodigd voor het ontbijt, en hij accepteerde niet alleen, maar vroeg de laatste keer zelfs op luide toon waarom we de straat opgingen terwijl we net zo goed naar mijn huis of naar het zijne konden gaan. De cafés hebben veel betere koffie, antwoordde ik, en bovendien hebben ze *churros*. Dat was waar, gaf hij toe, na een lang stilzwijgen tijdens een vruchteloze zoektocht naar een tegenargument, en daarna zei hij niets meer, maar zijn onbeholpen opmerking was voldoende geweest om alle waarschuwingslampjes aan het branden te maken.

Hoe leeg de doos ook mocht zijn, er kon in Mijn Leven geen plaats zijn voor noodoplossingen met een type als de buurman van de tweede verdieping, en daarom hoefde ik er geen twee keer over na te denken voor ik de geografie om haar universele hals viel, die de vorm had aangenomen van een wonderbaarlijk arbeidscontract dat mij te hulp kwam snellen. Voor het eerst van mijn leven had ik drie jaar van stabiliteit voor de boeg, een vast salaris aan het eind van de maand en zelfs, samen met Ana, een secretaresse. Ik had nog nooit een serie in afleveringen gecoördineerd, maar ik had voor veel coördinatoren en redacteuren gewerkt, onder wie Fran, waarbij ik al die deeltaken had uitgevoerd waarover ik nu de leiding moest nemen, met als enige uitzondering de illustraties en de kaarten. Het is het ideale moment om een werkopdracht om te zetten in een gelukkig toeval, zei ik bij mezelf, en ik voelde me weer de knapste leerling van de klas, maar het was niet alleen zo dat het me nu wel iets kon schelen, het was niet eens genoeg dat ík het wist. Nu zou de hele wereld het weten.

Dat was mijn belangrijkste doel gedurende de termijn van zes maanden die we onszelf hadden gegeven om de uitgave te maken, en tot de foto's van Zwitserland ontbraken, had niets of niemand het ook maar gewaagd om te ontbreken.

'Laat Forito met rust!' De autoritaire, zelfs licht dreigende toon die de laatste maanden spontaan aan mijn keel ontsproot, maakte moeiteloos een einde aan de resten van dat lachje waar ik nooit aan meedeed. 'De fotograaf moet Spaans zijn, en als hij hier woont, des te beter. We kunnen in dit stadium geen risico nemen.'

'Ana,' vroeg Fran, opdat niemand zou vergeten wie daar de baas was.
'Ja, ik ben het ermee eens.'

Pas vanaf dat moment begon de bijeenkomst een echt etentje te worden, maar hoewel ik genoot van de ham, verrukkelijk, en van een paar voortreffelijke met heek gevulde paprika's, hoewel ik vragen stelde en antwoorden gaf, en mijn mening gaf wanneer ze mij daarom vroegen, raakte ik niet echt betrokken bij de gespreksonderwerpen, een klassieke, voorspelbare opeenvolging die begon bij de aanbiedingen van de maand van een bepaalde winkelketen voor woninginrichting, die zo goedkoop waren dat ze het allemaal uit het Verre Oosten moesten halen, en eindigde met de ronding van de kont van Richard Gere, zo nu en dan onderbroken door de onvermijdelijke uitgeverijroddels: wie koopt, wie verkoopt, wie doet het goed, wie houdt ermee op. Gedurende een uur en een kwartier deed ik niets anders dan naar Fran kijken, haar observeren, bestuderen, in haar ontspannen schouders, in de nonchalante precisie die haar rechterhand leidde wanneer ze haar pony uit haar gezicht duwde, in haar elegante manier van roken, van eten, van glimlachen, de tevredenheid lezen van een geslaagde nakomeling van die elite die altijd alles onder controle heeft gehad, en voor één keer twijfelde ik niet aan mijn vermogen om te komen waar ik wilde komen, maar toen de ober de nagerechten kwam opnemen, wist ik niet meer of het knapste meisje van de klas zijn meer compensatie bood dan leven in de verwachting van een fantastische wip met de buurman van de tweede verdieping. Ik wist daarentegen precies welk nagerecht ik moest vragen.

'Voor mij een vanille-ijsje met nootjes en warme chocolade, alstublieft.'
'Groot of klein?'
'Groot.'
'Met slagroom erop?'
'Veel.'

Ignacio junior bonkte met twee vuisten en meer kracht dan zijn zusje op de deur van de badkamer, maar bij hem dacht ik er niet over om toe te geven, hij was al bijna elf.

'Waarom sta je nu weer op de deur te bonzen? Je molt hem nog,' gilde ik.

'Het is Marisa, mama,' gilde hij harder dan ik, en hij onderdrukte een gemeen lachje voor hij vervolgde, 'wa-wa-wanneer je de-de-denkt we-weg te gaan...'

Ik keek op mijn horloge. Het kleine kwartiertje was al bijna tien minuten voorbij en ik had nog niet eens mijn gezicht schoongemaakt.

'Zeg maar dat je me niet hebt gesproken,' brulde ik door de deur van de badkamer, terwijl ik met een vochtig watje over mijn ogen wreef, 'dat ik net de trap afloop... En hou op met mijn vriendinnen nadoen als je wilt dat die van jou in mijn huis kunnen blijven komen, begrepen?'

Vanzelfsprekend gaf hij geen antwoord, maar ik had ook geen tijd om achter hem aan te zitten, vooral niet toen ik besloten had met een schoongemaakt gezicht te gaan eten.

Vervolgens, en dat was nog vanzelfsprekender, besloot ik geen enkele andere beslissing te nemen. Het moest die avond gebeuren. Voordat ik wegging, en hoewel ik al wist dat ik er nooit toe zou komen hem in een brievenbus te gooien, pakte ik die brief en plakte er een van de postzegels op die ik altijd in mijn portemonnee heb. Ik had slechtere geschreven, en toch brandde deze tussen mijn vingertoppen toen ik hem in mijn tas stopte.

2

Twee jaar geleden begon ik weer geluiden te horen.

Het was de eerste keer dat Fran ons uitnodigde voor een etentje in een van haar favoriete restaurants in het centrum, een gelegenheid die zo klein, verfijnd en uitgelezen was als ze op voorhand had verondersteld, maar eerlijk gezegd hadden we niets te vieren. Vooral ik niet. Ik werkte nog maar zes maanden voor haar, maar toch was ik ervan overtuigd dat ze me ging vertellen dat het beter zou zijn het werk uit te besteden, want de computers lagen dwars en gaven ons meer problemen dan we hadden verwacht, ook al deed iedereen zijn best om mij te troosten door hardop te veronderstellen dat dat in het begin waarschijnlijk normaal was. Ik had me dus vergist, want het enige wat er aan de hand bleek te zijn was dat er foto's ontbraken van ik weet niet waar en dat de programmering moest worden aangepast om tijd te winnen; de angst is echter niet alleen vrij, maar ook dwaas, en daardoor kwam mijn huis, na een bestand van een paar weken, weer tot leven. Het was uiteraard de schuld van Rosa, omdat ze altijd zo laat was, en vervolgens van mij, want ik lijk wel achterlijk, en in plaats van de televisie aan te zetten of naar het portaal te gaan om op haar te wachten, bleef ik als vastgenageld in de kamer staan, zoals in het begin, met mijn oren wijdopen, tot het zich een keer herhaalde, en nog eens, en nog eens.

Mijn huis ademt. Ik weet dat niemand me zou geloven als ik het zou vertellen, en daarom heb ik hier nooit met iemand over durven praten, maar ik weet het, want ik hoor het, en hoewel ik het zelf niet eens geloof, weet ik dat het huis ademt, want het zuigt eerst lucht naar binnen, net als een mens, en blaast die dan weer uit, heel langzaam. Vervolgens herinner ik me eraan dat het huis heel oud is. Alle balken zijn van hout, zeg ik tegen mezelf, en de bakstenen massief, zwaar als natuursteen, en boven de plafonds, die mijn ouders bedekt hebben met andere, lagere, valse plafonds, voordat ik geboren werd, moeten zich nog de resten bevinden van het vlechtwerk van riet waarop, ongeveer een eeuw geleden, het oorspronkelijke stucwerk is aangebracht. Het hout zet uit met de koude, of met de warmte, dat weet ik niet meer, en de wisseling van de seizoenen brengt het terug tot zijn oorspronkelijke volume, dat is het eerste wat ik voor mezelf herhaal, en dat de bakstenen massa's die zich achter het grove schilderwerk bevinden, en zelfs de tussenwanden, zo zwaar zijn dat de muren dag na dag in de grond zakken, het hele gebouw zakt weg, hoewel het jaarlijks maar een duizendste van een millimeter daalt; dat alles heeft mijn neef Arturo, de architect, mij verteld, en hij voegde eraan toe dat, bovendien, de oude rietlaag, boven mijn hoofd, voortdurend kraakt, van pure droogte scheurt en langzaam uit elkaar valt en in zijn ondergang de lagen gips meesleept die voortdurend kromtrekken, dat herinner ik me ook, hij zei tegen me dat oude huizen nooit ophouden te beklinken, maar toen mama nog leefde, ademde het huis niet, en nu ademt het.

Ik was al vijfendertig jaar geworden toen ik voor het eerst van mijn leven alleen woonde, maar ik heb de eerste avond geen enkel geluid gehoord, en ook de volgende ochtend niet, en er gingen weken, hele maanden voorbij voordat de stilte me parten begon te spelen, want soms denk ik dat het alleen maar dat is, te veel stilte, en dat terwijl ik die mijn halve leven had gemist. Nog steeds vraag ik me liever niet af of ik in werkelijkheid zoveel van mijn moeder hield als ik in het openbaar altijd heb verklaard, zoals ik zelfs nu nog beweer, steeds wanneer het onderwerp ter sprake komt, maar de eerlijkheid gebiedt me te zeggen dat ze tot dat soort chronisch zieken behoorde die jaar na jaar de doorgaande kwelling van een verschrikkelijke pijn overleven, die patiënten aan wie zelfs de huisarts een goede en snelle dood zou voorschrijven, en ik verlangde ernaar alleen te zijn, zelfs als ik daarvoor opnieuw naar het kantoor van de gemeentelijke begrafenisonderneming moest.

Op mijn negentiende debuteerde ik als organisatrice van begrafenissen. Mijn vader was te ontdaan door de dood van zijn moeder, en de mijne werd te veel in beslag genomen door het brengen van alle kleren naar de stomerij. Ik ben enig kind, en mijn tante Piluca, de enige dochter van vaderskant, bood niet aan me te vergezellen, dus ging ik alleen en bestelde een doodkist van eikenhout met hang- en sluitwerk van verguld brons, eerder duur dan goedkoop, en drie kransen, een van witte anjers, je zoon vergeet je niet, een van rode rozen, je dochters vergeten je niet, en een veelkleurige, je kleindochter vergeet je niet, van margrieten, irissen, tuinanjelieren en veel groene thuja, die naar mijn smaak de mooiste van de drie was, hoewel hij minder kostte dan de andere twee en me na de begrafenis thuis een ruzie opleverde omdat ze hem blijkbaar te frivool hadden gevonden. Het leek wel een van die moderne bruidsboeketten, Ibizaans, zei mijn moeder er nog bij. Ik had geen idee dat mama haar eigen oordeel had over de gebruiken op Ibiza, maar hoe dan ook, toen haar eigen moeder overleed en ik weer alleen naar de begrafenisonderneming moest omdat al mijn neefjes en nichtjes te jong waren, behalve Arturo, die in Amsterdam zat, met een vriendin, en Milagritos, een nichtje van beiden, die zes maanden daarvoor van huis was weggelopen, ook met een vriendin, naar het schijnt, bestelde ik, naast de vertrouwde eikenhouten doodkist – mijn vader zei dat hij niet kon toestaan dat zijn schoonmoeder een begrafenis zou krijgen die luxer was dan die van zijn moeder – vier rigoureus gelijke kransen, je man, je zoons, je dochters, je kleinkinderen vergeten je niet, rode rozen, witte rozen, roze rozen en gele rozen. Mijn familie was zo tevreden dat, toen de vader van mijn moeder overleed, nauwelijks nog een woord gewijd werd aan de vraag wie zich zou bezighouden met de formaliteiten, een eufemisme dat in onze familie traditioneel gebruikt werd voor alle onaangename zaken en een formule waarop ik geen beroep meer hoefde te doen na de dood van tante Piluca, want ik vroeg direct om geld voor de taxi en niemand nam de moeite om me instructies te geven. Ik deed het allemaal geweldig. Mijn vader, daarentegen, had ik liever niet zelf begraven, maar er bleef me niets anders over want er waren geen andere familieleden meer en mijn moeder was al twee jaar ziek. Het einde van deze angstaanjagende epidemie leek ophanden te zijn, maar het duurde elf jaar voor ik de M-30 weer overstak, en toen besloot ik, zonder enig schuldgevoel, enige angst, enige spijt, tweeëntwintigduizend peseta te besparen op de kist – van vurenhout, met alleen twee ijzeren handvatten. Toch durfde ik op het laatste moment geen Ibizaanse krans te kiezen en bestelde de traditionele rozen, maar, dat wel, in verschillende kleuren.

Ik geloof dat ik, tot ik naar school ging, op zesjarige leeftijd, geen ander jongetje of meisje had leren kennen behalve mijn neefjes en nichtjes van moederskant, die ik hoogstens drie keer per jaar zag, met Kerstmis, Driekoningen en de verjaardag van mijn grootouders, die slechts een paar dagen in leeftijd scheelden en, om te bezuinigen, hun verjaardag samen vierden. Op mij kwam dit niet zo vreemd over want in mijn familie werd altijd op alles bezuinigd wat maar mogelijk was, dat was het enige punt waarover de drie vrouwen des huizes het eens waren. Als mijn grootmoeder Pilar besloot het vlees dat overgebleven was van de stoofpot te bereiden met een tomatensaus en gebakken groene paprika's, twijfelde tante Piluca er geen moment aan dat het beter zou zijn om er een soort roerschotel van te maken met een stuk of zes eieren en was mijn moeder vervolgens van mening dat het gerecht veel smakelijker zou worden als het gesmoord werd met een weinig azijn en gesnipperde ui. Het eerste halfuur gaven ze geen van allen terrein prijs maar, hoeveel geschreeuw het methodologische aspect van het vraagstuk ook teweegbracht, waar nooit over gediscussieerd hoefde te worden was dat we twee of, met een beetje geluk – zoals een van hen altijd preciseerde – zelfs drie dagen kliekjes zouden eten. Zo ging mijn kindertijd voorbij.

Bij mij thuis waren alle kleren uiteindelijk tweedehands, want als ze mijn grootmoeder te krap werden, vermaakte mijn moeder of mijn tante ze voor zichzelf en ze gebruikten ze tot de stof begon te glimmen, de zomen net zo versleten als het weefsel, dat niet zozeer begon te rafelen, maar opging in minuscule deeltjes, als gekleurd stof. Toen mijn moeder dikker begon te worden – gelukkig is tante Piluca altijd een bezemsteel gebleven – was het mijn beurt om haar kleren te erven, strenge blouses, tot aan de kraag toe dichtgeknoopt, in discrete, lichte kleuren – beige, crème, lichtroze, nooit wit, want dat is zo snel vuil – en rokken van onduidelijke snit en stevige stoffen, altijd donker – bruin, marineblauw, donkergrijs en zwart, want ze mogen zeggen wat ze willen, maar dat is het minst besmettelijk – die ik aantrok zonder tegen te sputteren, want ik was ervan overtuigd dat we erg arm waren, en voor Driekoningen vroeg ik altijd een spijkerbroek.

Ik leerde potloden gebruiken tot ze zo klein waren dat het onmogelijk was ze te slijpen zonder dat ze uit je vingertoppen gleden, en meer dan eens viel een piepklein stukje gum uit elkaar op het papier terwijl ik ermee probeerde te gummen, en dat alles om het kleine drama te vermijden dat zich steeds in de woonkamer afspeelde wanneer ik geld vroeg om een liniaal te kunnen kopen, of een schrift, of een balpen van het merk Bic, zo'n gewone, de goedkoopste.

'Kijk toch eens wat dat kost, kind! Ze zouden daar weleens een beetje rekening mee mogen houden, de nonnen…'

Lang voordat ik ontdekte dat mijn familie er de voorkeur aan gaf om geld uitsluitend aan begrafenissen uit te geven, werd ik gekweld door het vermoeden dat net zoveel op mijn opleiding als op de boodschappen werd bezuinigd. Ik herinner me de angst, als een vacuümpomp die in staat was de lucht uit mijn longen te drijven, die me het eerste uur van een maandagochtend blokkeerde, altijd dezelfde, elk jaar dat ik op school zat, wanneer de lerares hardop de inhoud telde van de spaarbusjes voor de missie, die ze ons de vrijdag ervoor hadden meegegeven om thuis een bijdrage te vragen. En op mysterieuze wijze noteerde de klassenvertegen-woordigster dan een heel behoorlijk bedrag naast mijn lijstnummer op het bord, nauwelijks minder dan het gemiddelde van de klas, en ik hield me stil, maar ik wist zeker dat er een fout was gemaakt, er moest een fout zijn gemaakt, want alleen al de aanblik van die gele, plastic cilinder, bekroond door een blauwe deksel met een sluiting van ijzerdraad en een loodzegel, was genoeg om bij mij thuis al op de drempel een heel schandaal te ontke-tenen.

'Ja, ja!' schreeuwde mijn grootmoeder. 'Van liefdadigheid moet ik niks hebben!'

'Laten zij ons maar geld geven.' Mijn tante Piluca zette haar armen in haar zij om haar verontwaardiging te onderstrepen. 'Zij hebben tenminste geld genoeg…!'

'Wat een onzin!' merkte mijn moeder op. 'Nou, het spijt me voor jou, kind, en voor de negertjes, maar ik denk er niet over je ook maar een cent te geven…'

Ik leegde mijn missiebusje, vier armzalige munten, en wist nog hoog-stens tien peseta aan mijn vader te ontfutselen, die niet minder krenterig was, maar die er een hekel aan had om in discussie te gaan en nooit zijn stem verhief, en op zondag kon ik niet slapen, en op maandag ging ik bevend naar school, maar er gebeurde nooit iets. In de lente begon ik weer te beven, want bij het aankondigen van het schoolreisje aan het eind van het jaar richtte de verantwoordelijke lerares zich, met een arrogantie die ik nooit bij enig ander menselijk wezen heb waargenomen, tot twee of drie meisjes die we allemaal kenden voor die gehate mededeling waar-voor ik mij tot in de huid van mijn ziel schaamde – en jullie hoeven je geen zorgen te maken, want we weten dat jullie ouders het niet hebben, stakkertjes, en wij zullen de bus voor jullie betalen – en nooit zeiden ze, jij ook, Marisa, maar ik verwachtte het altijd, voor jou ook, arme Marisa, en zoals ik niet kon geloven dat mijn moeder het missiebusje 's avonds vulde, in het geheim, lukte het me niet te geloven dat ze, nadat ze me naar mijn klas had gebracht, naar het secretariaat zou zijn gegaan om het schoolreisje te betalen, maar ik heb nooit van de liefdadigheid hoeven reizen. Ik begon daarentegen wel te stotteren.

Toen de notaris het testament had voorgelezen, wist ik niet of ik in lachen of huilen moest uitbarsten. Ik wist al dat ik het huis zou erven, uiteraard, dat appartement was altijd van ons geweest, of, liever gezegd, van mijn grootvader Anselmo, want in mijn familie was het de gewoonte met nauwgezette precisie de eigenaar vast te stellen van elk goed dat in gemeenschappelijk gebruik was, hoe onbetekenend ook, maar ik kon me niet voorstellen dat die papieren die mijn vader mij zo veel jaren eerder had laten tekenen, nadat hij me gewaarschuwd had dat ik het niet in mijn hoofd moest halen om een vraag te stellen, mij nu aanwezen als houder van een stuk of vijf deposito's met vaste looptijd waarvan sinds meer dan tien jaar, toen zijn weduwe de kracht niet meer had om de straat op te gaan, geen cent was opgenomen. Ook wist ik niet dat tante Piluca een appartement in Fuenlabrada had. Toen ik begon te werken, had mijn moeder me al heel duidelijk te verstaan gegeven dat ze verwachtte dat ik zorg zou dragen voor de helft van de kosten van het huishouden, en we hadden hiervoor een gezamenlijke rekening geopend, maar zij had me gezegd dat het bedrag van dertig en nog wat duizend peseta, waarvan de herkomst voor mij onduidelijk was en dat stipt elke eerste van de maand bij de bank binnenkwam, het geld van een invaliditeitspensioen van haar vader was waar zij nog steeds recht op had, en ik twijfelde niet aan haar woord omdat ik geen enkele reden had om te twijfelen.

Ik had me tot op dat moment zelfs enigszins trots gevoeld op mijn bijdrage aan het huishouden, op de zorg voor mijn moeder, op het betalen van een hulp van wie ze 's morgens afhankelijk was, en andere zaken die ze, altijd volgens haar speciale versie van de dingen, niet had hoeven bekostigen als ze alleen was geweest. Sinds dat moment voel ik me een idioot, en geen van de maatregelen die ik in de maanden volgend op haar dood heb genomen, allemaal schaamteloos in mijn eigen belang, heeft dit gevoel kunnen wegnemen, dat onnozele gevoel dat ik sinds die dag heb. En toch hield ik van haar. En ik hoorde geen geluiden toen zij er nog woonde.

Wellicht hadden de muren een voorkeur voor de kleur oker, waren ze gewend geraakt aan die discrete dofheid die zo geschikt was om de vlekken te verbergen die zo snel het stralend delicate van het wit beginnen aan te tasten. Misschien beklagen de lege ruimtes zich, eisen ze een vuil bruin, hebben ze heimwee naar de oude, verrotte kozijnen van die deuren en ramen die ik door nieuwe heb laten vervangen, van nieuw hout, net geschilderd en gelakt, en wit. Het kan zijn dat de plafonds mijn lampen afwijzen, de eenvoudige, bijna klassieke bollen van matglas die de gang verlichten op de punten waar voorheen die uiterst sombere lantaarntjes hingen van roestig ijzer met gele ruitjes van melkglas, die mijn ouders als huwelijksgeschenk hadden gekregen van een kanunnik uit Toledo, van wie ik de precieze verwantschap met hen nog steeds niet kan vaststellen. Ik had de ronde tafel weggedaan, met zijn onvriendelijke rok van groen, geschoren fluweel, en de schilderijtjes van de Maagd met het Kind in hun eenvoudige houten lijst, die boven het hoofdeinde van alle bedden hingen. Ik wilde de meubelen uit de keuken aan de portierster geven, maar ze wilde ze niet, en uiteindelijk moest ik een voddenman tweeduizend peseta betalen om ze mee te nemen. Het kon me niet schelen. Voor het eerst in lange tijd kon ik ademhalen toen ik bevrijd was van het vreselijke formica in die vreselijke lichtgrijze kleur die donker was geworden door het ranzige patina van veertig jaar vet dat ik met geen van de schoonmaakmiddelen die ze op de markt verkopen had kunnen wegkrijgen, en ik verving ze door nieuwe, vol van verrassende en zeer moderne snufjes, een hoekkast voor de groenten die automatisch naar buiten komt bij het openen van de deur, een module waarin de afvalemmer is ingebouwd, een verticaal flessenrek in een hoek die dood leek, een exclusieve afzuigkap die aangaat door hem alleen maar uit te trekken, waarbij op hetzelfde moment een lamp aangaat die gericht is op de keramische kookplaat... Hele weken heb ik de kokkin gespeeld, en nog steeds kan ik een steek van verrukking niet onderdrukken wanneer ik binnenkom in mijn eigen versie van het licht en de vooruitgang, witte tegels, witte meubels, een vloer in dambordpatroon, zwart en wit, net als de wanden van de badkamer, als het nieuwe bad en het nieuwe toilet, alles wit, zodat ze vuil kunnen worden, zoals de straten vuil worden, zoals kinderen vuil worden, en mijn lichaam, alles wat leeft. Maar wellicht is mijn huis te oud en verlangt het naar zijn ouderwetse begrafenisaankleding, en jaagt het me daarom angst aan.

De belangrijkste decoratieve uitspatting die ik mezelf heb toegestaan toen alle werklieden eenmaal weg waren, is van dezelfde kleur als de andere, hoewel de oorsprong ervan sterk verschilt. Ik kende de bewoners niet van dat huis, een chaotisch appartement van studenten, overbevolkt en overtrokken van een uniforme korst van recent vuil, waar dat verfijnde en unieke voorwerp een volledig mysterie vertegenwoordigde, of de sleutel tot een ander, dieper mysterie, dat ik niet kon doorgronden. Daardoor ben ik hem nooit vergeten, hoewel ik dat huis nooit meer heb betreden. Het was een vreemde, versleten en luidruchtige ventilator, die op dat moment, bijna twintig jaar geleden, al volledig uit de mode was. De bladen van donker hout en goudkleurig metaal gingen ritmisch piepend rond en verspreidden tegen het plafond een bundel van scherpe, lange schaduwen die het licht in repen sneden, de witte bol, bevestigd aan zijn as, brandend en onbeweeglijk, als onverschillig ten opzichte van de beweging. Onder zijn dikke, glazen buik was een omgewoeld bed, en in dat bed bevonden zich een jongen die Pepe heette, van wie ik weinig meer wist dan van de onbekende die hem de sleutels van dat huis had geleend, en ik, heel jong allebei, zoals hij voor altijd in mijn herinnering zal blijven, want ik heb hem na die zomer nooit meer gezien, en zoals ik me al nauwelijks meer kan voorstellen dat ik ooit ben geweest. Het was geen grote trofee, maar zoveel heb ik er aan de wanden van mijn leven ook niet kunnen ophangen, en de ventilator was prachtig en zo absurd dat ik er een kocht, met een lamp eronder, precies zoals die, en ik hing hem aan het plafond, boven mijn bed, en ik ging liggen om ernaar te kijken, één avond, en nog een, en nog een, en het was zo romantisch, het kostte me geen enkele moeite om me voor te stellen dat hij me onder zijn vleugels nam, en dat ik tussen de lakens rolde met een onverwachte geliefde, hard en teder tegelijk, nog onbekend, ik zou veel zweten, zoals in de films, en hij zou ook zweten, de vochtigheid condenserend in minuscule druppels die over zijn hele rug een kaart zouden schetsen van emotie en genot, krachtige sporen die nooit zouden opdrogen zolang de wieken van wit hout langzaam bleven draaien boven onze gelukkige en schuldige lichamen, de verzadigde huid, en die gelukzalige onzekerheid van niet kennen, van niet zijn, van plotseling verloren zijn in het vertrouwde, alledaagse landschap.

Ik had al snel genoeg van de groentekast, en van de exclusieve afzuigkap met ingebouwde spot, maar het lukte me niet om een hekel te krijgen aan de ventilator, en ik liet me wiegen op zijn vleugels, nacht na nacht, gedurende weken, maanden, te veel tijd om hem vanuit een leeg bed te bekijken. Daar begon het bergafwaarts te gaan en begon mijn huis te ademen. Toen ik het einde van de helling niet meer kon ontwaren – en wie zou mij begraven? – pijnigde de duizeling mijn armen, en verlamde mijn benen, en sloot zich over mijn longen als de vingers van die oude angst die me verhinderde te ademen, en ik zei bij mezelf dat het moment was aangebroken om een belangrijke beslissing te nemen.

De volgende dag noteerde ik het adres van drie of vier reisbureaus, de grootste en bekendste van het centrum, om er na mijn werk heen te gaan en inlichtingen te vragen, maar halverwege de ochtend riep mijn baas – of, liever gezegd, mijn directe chef in die gigantische piramide van teams, onderafdelingen, afdelingen, departementen en ondernemingen, als het meest logge ministerie – mij bij zich voor een dringende bijeenkomst om me de bijzonder ingewikkelde dummy uit te leggen van een nieuwe serie in het kader van de Grote Werken, de Geschiedenis van de Kunst, in een aantal rode deeltjes van 128 pagina's, heel mooi, bedoeld voor verkoop in kiosken, en ik weet niet goed waarom, maar het kleine segment van mijn leven dat ik kon veranderen, veranderde in een totaal andere richting dan ik had voorzien.

Ramón was altijd, in de eerste plaats, op me overgekomen als een genie, maar dan een echt, een authentiek genie. Toen ik hem leerde kennen, was ik een eenvoudige opmaakster op de afdeling Beeldschermopmaak en hij kwam van Informatica, waar hij zich vooral bezighield met allerlei klussen – facturen en briefpapier ontwerpen, boekhoudprogramma's maken, verschillende databanken aanpassen aan de behoeften van het middenkader –, werk dat zo armzalig en deprimerend was dat hij zich geen twee keer bedacht toen ze hem voorstelden om in huis een afdeling desktop publishing op te zetten. Ik twijfelde evenmin toen ik begreep dat hij bezig was medewerkers te selecteren. Na de test stelde hij me slechts twee vragen.

'Ben je bang van computers?'

'N-nee,' antwoordde ik, 'integendeel, ik vind ze interessant.'

'Ja, maar ik neem aan dat je nooit zo'n videospelletje hebt gespeeld in een café.'

'N-natuurlijk wel!' protesteerde ik heftig, een fractie van een seconde voordat ik door kreeg dat ik een blunder maakte. 'Goed, een paar keer... Vooral Tetris en Hersenkraker.'

Toen nam hij me aan, en vanaf het eerste moment realiseerde ik me dat hij alles tegen had, en juist daarom – en omdat hij heel donker was, erg bijziend, erg gedrongen, erg onhandig en absoluut betoverend, en als laatste, en vooral, een genie – besloot ik onder zijn vlag verder te varen, waarbij ik me met mijn hele lichaam blootstelde aan de tomaten en rotte eieren. Het hele bedrijf verwachtte dat Ramón zou mislukken. Mijn voormalige bazen van Fotocompositie, die van niemand afhankelijk wilden zijn, de medewerkers van productie, die provisie kregen van de fototechnici en de zetters, de bureauredacteuren, die geen idee hadden van de nieuwe technologieën en daar ook niet op uit waren, de dummymakers en ontwerpers, die niet bereid waren zich om te scholen, de beeldredacteuren, die weigerden de illustraties met behulp van een toetsenbord te bewerken, en zelfs de administratief medewerkers, want voor het bouwen van de eerste vissenkom hadden we de helft van hun ruimte in beslag genomen, dat wil zeggen, zo ongeveer alle medewerkers van de groep, waren het grootste deel van hun verloren uurtjes bezig met samenzweren bij de koffiemachines, weddenschappen afsluitend op de datum van onze ondergang, die ze alvast aan het berekenen, oproepen en vieren waren.

Maar toen we met zijn tweeën alle mogelijke en uitzonderlijke storingen hadden overwonnen, en de fundamentele nutteloosheid hadden vastgesteld van de informaticaboeken die op de markt waren, en erachter waren gekomen dat de benodigde bronnen nooit in Spanje waren uitgebracht en met een levertijd van twee maanden besteld moesten worden in Valle de Adobe, Californië, Amerika, en hele weekeinden bezig waren geweest met het ontcijferen van onbegrijpelijke handboeken om ze echt in het Spaans te vertalen, en we ons hoofd verscheidene keren hadden gebroken over het uitvinden van kegeltjes, diagonale pijltjes, handjes met een uitgestoken vinger, sterretjes met zeven punten – die met vijf punten waren niet goed, moet je dat nou toch zien, noch die met zes punten, noch die met acht punten – en allerlei andere grafische rotstreken, die dat stelletje klootzakken van alle afdelingen ons had opgedragen als troost voor het feit dat ze ons niet door steniging hadden kunnen uitschakelen, kortom, toen ons duidelijk was geworden dat we zouden triomferen, kreeg Ramón voor elkaar dat ze mij een promotie gaven, en op het eerste moment van rust begon hij tegen me te praten op een toon waarop niemand zich ooit tot mij had gericht.

'Je weet maar al te goed dat dit de toekomst is, Marisa, we hebben niet meer gedaan dan een begin maken.'

Hij begon altijd zo, langzaam sprekend op een neutrale toon, informatief, bijna docerend, als een witte vlag in handen van een ontwapende soldaat.

'Binnenkort, misschien zelfs al voor 2000, in tien jaar, mogelijk in niet meer dan vijf jaar, zullen alle uitgeverijen van deze groep, en die van buiten, en zelfs de onafhankelijke, hun eigen desktop publishing hebben. Het is goedkoper, het is sneller, het is directer, het is beter, van welke kant je het ook bekijkt, en in de informatica gaan de prijzen alleen maar omlaag, dat is duidelijk, ik vertel je niets nieuws…'

Toen begon hij warm te lopen en hij keek me in mijn ogen alsof hij mijn pupillen in de zijne wilde laten oplossen, en ik luisterde nog steeds aandachtig naar hem, hoewel de moedeloosheid met grote snelheid op kwam zetten.

'Ik zal hier handen te kort komen als ze me Tekst en Grote Werken geven, en ik zeg je dat dat ons te wachten staat, ik zal zo ongeveer vastlopen, meer zal ik niet aankunnen, en vroeger of later, hoe ze er ook van balen, zullen ze nieuwe mensen moeten aannemen om nieuwe afdelingen op te zetten. En ze doen echt niet allemaal zo moeilijk. Fran Antúnez, van Naslagwerken, wil het zo gaan gebruiken, en dat kan ik goed begrijpen, want voor het maken van woordenboeken is dit je van het. Daar gaat het om, Marisa.'

Normaal gesproken waarschuwde deze laatste zin mij dat de aanval was ingezet, en ik verdedigde me door achteruit te wijken, zodat hij als vanzelfsprekend de afstand overbrugde en heel langzaam in mijn richting kwam.

'Ik zal nooit een betere medewerkster hebben dan jou, maar ik werk duizend keer liever naast je dan dat ik netwerken, bronnen, machines en systemen moet delen met een of andere gladjakker die aan de andere kant van de oceaan een of andere master in god mag weten wat is geworden en geen flikker weet, want ze weten geen flikker, meid, in elk geval nu nog niet, je kent ze, en dit is geen wetenschappelijke studie, dit is een mysterie, en wat die handboeken ook mogen beweren, wat je moet doen als een computer blijft hangen, is hem uitzetten, een kop koffie gaan drinken en hem weer aanzetten, en dan loopt de rotzak...'

Zijn woorden maakten me bang, want ik wist dat hij gelijk had, volkomen gelijk, en ik moest hem wel vertrouwen, want terwijl hij aan mijn welzijn dacht, beschermde hij ook zijn eigen belangen, en hij was eerlijk. Ramón zag mij als een projectie van zichzelf, de hoogbegaafde hulp die de wereld binnenstebuiten keert zoals je een handschoen omkeert, om te triomferen en van bovenaf diegenen de grond in te boren die altijd geloofden dat ze hem onder zich hadden. Hij wel, maar ik zou het niet kunnen, ik was er zeker van dat ik het niet zou kunnen, ik was niets zonder zijn bescherming, zonder zijn instructies, zonder zijn zelfvertrouwen. Hoezeer hij ook mocht aandringen, mijn succes zou het zijne nooit voortzetten, want ik zou domweg nooit succes hebben.

'Je weet heel veel van dingen waar heel weinig mensen iets van weten, en je bent onderbenut, want je beheerst de praktijk maar je kent de theorie niet goed, en wat je zou moeten doen is aan de studie gaan, en meteen, QuarkXPress, Ventura Publisher, Photoshop, McLink... Trek niet zo'n gezicht, alsjeblieft! Zoveel zijn het er niet, en je hebt ze vaak genoeg gebruikt.'

Op dit punt gekomen, zat ik al als een hysterica mijn hoofd te schudden, het laatste restje van mijn gemoedsrust verpulverend, als een draad die voorvoelt dat hij gaat breken, als een batterij die aanvoelt dat zij uitgeput raakt, als mijn eigen verdoemde tong, bij het vermoeden dat hij verstrikt zal raken tussen mijn tanden.

'N-n-nee, nee, nee, Ramón, eerlijk,' wist ik na enige tijd uit te brengen. 'Ik ben niet geschikt om te studeren.'

'Ach! Nee?' hield hij vol, met een bijna woeste uitdrukking om zijn mond. 'Nou, ik denk van wel, meid, want je hebt een geweldig geheugen en je bent heel slim.'

'Ik ben n-n-niet slim.' Hoe zou ik dat nou kunnen zijn met dat gestotter van me, vroeg ik me altijd af wanneer ik me tegen die enthousiaste beschuldiging verdedigde. 'En ik heb n-niet op de universiteit gezeten…'

'En wat dan nog? Vertel jij me maar wat ik aan mijn studie economie heb gehad om bij desktop publishing terecht te komen.'

'Maar jij… Dat is a-anders. Ik ben veel ouder.'

'Juist daarom. Je werkt al tien jaar met computers. Die machines kennen je, houden van je, gehoorzamen je.'

'Dank je, Ramón, maar nee.'

'Maar ja, meid, ja! Luister naar me en denk eens even na. Je zou veel meer verdienen, veel beter zijn, veel interessanter werk doen en je zou kunnen werken waar je maar wilt, want binnen een paar jaar zijn we zo gewild als operazangers, daar kun je zeker van zijn, het heeft zo zijn voordelen om de eerste te zijn, niet dan…? Je moet het gewoon durven, verdomme!'

Toen ik mijn eindexamen had gedaan, hadden ze bij mij thuis al voor me besloten dat ik niet naar de universiteit zou gaan. Het maakte me niet uit. Ik had geen echte roeping en ik was altijd met de hakken over de sloot overgegaan, dus schreef ik me in bij een opleidingsinstituut om mijn secretaressediploma te halen, de eenvoudigste vorm, want ik schaamde me om in het Engels of in het Frans te stotteren; ik had al genoeg aan het Spaans. Op mijn twintigste vond ik een baan bij deze uitgeverij, maar ik begreep onmiddellijk dat ik het nooit tot directiesecretaresse zou brengen, vanwege het gestotter en de vreemde talen, en omdat ik klein ben en, eerlijk is eerlijk, niet bepaald knap. Daarom werkte ik uiteindelijk als opmaakster, en tot ik met Ramón begon te werken, beviel dat werk me goed. Ik heb snelle vingers en een goed geheugen, dat is waar, ik maak nooit spelfouten, want ik heb het grootste deel van mijn leven met lezen doorgebracht, en vanaf het moment dat ik de eerste zag, begreep ik dat ik computers interessant zou vinden.

Toen ze ze uitvonden, heeft natuurlijk niemand gedacht aan mensen als ik, maar ze lijken voor ons gemaakt als rode sportwagens voor James Bond of lycra stoffen voor mooie meiden. Mensen als ik, die geboren zijn zonder tanden om de wereld te verslinden, kunnen er alleen maar naar streven een hap te nemen van achter een scherm dat geen ogen heeft, geen oren heeft, maar gezicht geeft aan een slaaf die zo trouw is als de geest van Aladdin, en die niet onder de indruk is van cv's, niet meer begrijpt dan zijn eigen taal en niet afgaat op een mooi uiterlijk. Hij is net zo dom of net zo slim als zijn baas en net als hij nuttig of nutteloos, en nog meer. Een computer brengt macht binnen bereik van iemand die verlegen is, mank is, dik is of stottert. Niemand die meer geluk heeft gehad, kan zich de huivering van zuiver genot voorstellen, als een rilling van geluk, als een orgasme zonder seks, als een verrukkelijke smaak die langzaam explodeert tegen de boog van het gehemelte, die door ons heen ging, door Ramón en mij, wanneer een of andere uiterst knappe, gebruinde en opgedofte hoge piet nederig de vissenkom binnenkwam om ons een gunst te vragen. Want ze konden niet meer zonder ons, dat was waar, en toch, en hoewel de enige echte luxe die ik mezelf gunde toen ik mijn erfenis kreeg – de opknapbeurt van mijn huis was een echte noodzaak – de aankoop was van de beste Macintosh, met het beste kleurenscherm, de beste printer en een goed pakket randapparatuur, zei ik altijd hetzelfde wanneer Ramón het onderwerp aanroerde: nee, ik niet, ik kan het niet, het spijt me.

Die dag zei hij niets tegen me. Hij vond me waarschijnlijk onmogelijk, maar terwijl ik zijn kantoor uit liep met dat nieuwe project, Algemene Geschiedenis van de Kunst in deeltjes van 128 pagina's, zo mooi, herinnerde ik me dat ik een belangrijke beslissing had genomen, en het project om langs drie of vier reisbureaus te gaan, de grootste en bekendste van het centrum, zodra ik klaar was met mijn werk, leek me plotseling veeleer ongelooflijke onzin.

'Luister,' ik draaide me om toen ik bijna bij de deur was, en ik wist dat ik zonder haperen zou spreken, en zei bij mezelf dat dat het beste teken was, 'heb jij een handboek voor me voor QuarkXPress?'

'Natuurlijk,' zei hij, maar met zijn ogen op het scherm gericht en zonder meer aandacht aan mijn vraag dan aan zijn antwoord te schenken, 'waar wil je het voor hebben?'

'Ik denk dat ik er maar eens op ga blokken.'

Hij draaide zich onmiddellijk met stoel en al om en keek me glimlachend aan. Ik kreeg de slappe lach.

Vier jaar na deze scène, toen er nog vijf ontbraken om bij de 2000 te komen, nodigde Fran ons uit voor een etentje om te vieren dat het laatste deel van de *Atlas*, waarvan ik in mijn eentje de geautomatiseerde uitgave had bedacht, ontworpen en uitgevoerd, nu definitief klaar was. Toen moest ik de berg reisgidsen opruimen die de salontafel bedekten om de telefoon te vinden en Rosa te bellen, die er al bijna een halfuur eerder had moeten zijn, en herinnerde ik me dat andere etentje, het eerste van alle etentjes, toen zij net zo verlaat was als altijd en ik weer geluiden begon te horen.

Mijn huis ademt. Het zuigt eerst lucht naar binnen, als een mens, en blaast die dan weer uit, heel langzaam, maar sinds een paar maanden let ik er niet meer op, want ik sta op het punt een enorme dwaasheid te begaan, die ik verdien, en ik kan nergens anders aan denken. Ik ben gewend geraakt aan haar gehijg, maar waar ik nooit aan zal wennen is te laat zijn voor een afspraak, groeten alsof er niets aan de hand is en de schuld op de oppas schuiven. Ik neem aan dat alle mensen die lang alleen leven uiteindelijk hun eigen neurose ontwikkelen, en punctualiteit is een van de mijne, ik kan er niets aan doen. Ik was vastbesloten te protesteren zodra Rosa er was, maar toen ik naast haar ging zitten, terwijl de motor liep, besefte ik dat er iets vreemds met haar ogen was.

'Is er iets gebeurd?' vroeg ik, op een toon die misschien wat zwaar en somber was.

'Nee.' Rosa glimlachte tegen me, en gedurende een fractie van een seconde had ik de indruk dat ze zichzelf hiertoe dwong, maar meteen daarna verbreedden haar lippen zich tot ze de grenzen veroverden van een normale glimlach, haar glimlach van altijd. 'Hoezo?'

'Ik weet niet...' zei ik twijfelend. 'Het leek alsof je betraande ogen had.'

'O, dat...!' Op dat moment sloeg een taxichauffeur zonder waarschuwing linksaf, en we raakten hem bijna. 'Zag je dat? De klootzak. Maar goed... Ignacio was nog niet thuis en de oppas was te laat. Ik moest me zo snel klaarmaken dat ik met het mascaraborsteltje in mijn rechteroog terechtkwam, en toen ik dat probeerde op te lossen, heb ik te veel remover gebruikt en ben ik er met het wattenschijfje in gekomen, dus... Ziet het er erg uit?'

'Nee, maar ze zijn een beetje geïrriteerd.' Nu het mysterie was opgelost, vulde mijn verontwaardiging moeiteloos de ruimte van mijn nieuwsgierigheid. 'Hoe dan ook, dat overkomt je doordat je altijd te weinig tijd neemt, en verder nergens door, want we mogen blij zijn als we vanavond nog te eten krijgen, kijk eens hoe laat het is...'

'Ach nee. Ana zal er vast al zijn, maar het is donderdag vandaag.'

'En...?' Toen begreep ik wat ze wilde zeggen. 'Welnee, want Fran is opgehouden met fitness.'

'Ja? Weet je het zeker...? Dat wist ik niet.'

'Voor de verandering.'

'In elk geval, je zult zien dat ze te laat is. Waar zullen we om wedden?'

Toen we bij het restaurant aankwamen, was Ana echter nog niet verschenen. Fran zat alleen op ons te wachten, en ook haar vond ik een beetje vreemd, want ze had zich niet echt gekleed en droeg een verschoten spijkerbroek en een hemelsblauwe trui die zo groot was dat hij wel van haar man moest zijn, maar vooral omdat ik er de hele avond niet achter kon komen of ze zich ergens zorgen om maakte, of juist het omgekeerde, ergens blij om was.

3

De persoon in de kamer was jonger dan ik verwachtte, en bovendien een vrouw, maar ik had de moed niet rechtsomkeert te maken.

'Waarom hebt u voor een jongensnaam gekozen?'

Zo begon het. Het was donderdag en ik had de rest van het team om tien uur ontboden om gezamenlijk te gaan eten aangezien er een probleem opgelost moest worden, foto's van het een of ander, ik weet het niet meer, iets onbelangrijks, de eerste aflevering was nog niet verschenen en alles liep gesmeerd, maar ik had geen zin om rechtstreeks naar huis te gaan vanuit die kille, technische kamer die zo leek op mijn eigen kamer op de uitgeverij.

'Kijk,' waarschuwde ik haar, op een toon die scherp genoeg was om haar te laten merken dat ze, vooralsnog, geen antwoorden van me hoefde te verwachten, 'voor we beginnen zou ik een paar dingen graag heel duidelijk stellen. In de eerste plaats heb ik liever dat u me niets vraagt. Ik kom hier iedere week, vertel u mijn leven, en u luistert naar me. Als u van mening bent dat het van wezenlijk belang is dat we een bepaald punt behandelen, kunt u dat aan het begin opperen en dan zal ik u ter wille zijn, het ligt absoluut niet in mijn bedoeling geld over de balk te gooien. In de tweede plaats zou ik u dringend willen verzoeken geen aantekeningen te maken terwijl ik hier ben. Het spijt me ontzettend, maar toen ik u daar zo zag zitten, met die schrijfmap en die balpen, voelde ik me precies als een aap in de dierentuin. Als u uw geheugen niet vertrouwt, kunt u opschrijven wat u wilt zodra ik weg ben. Ik neem aan dat u, gezien uw beroep, in staat zult zijn een aanzienlijke hoeveelheid gegevens gedurende anderhalf uur vast te houden, zo lang duren die sessies ook weer niet.'

Ze klapte de map dicht en legde hem op tafel, met de balpen erboven-op. Ze leek niet boos op me, zelfs niet verbaasd over mijn houding, en ik besloot de scherpe kantjes van mijn meest bitse toon nog wat aan te zetten om verder te gaan met een absoluut noodzakelijk betoog, want ik stond op het punt vanbinnen te knappen, ik zou onherroepelijk instorten op het moment dat ik zou ophouden met praten.

'In de derde plaats waarschuw ik u er liever bij voorbaat voor dat ik dit alles, inclusief mezelf in de rol die ik nu voor het eerst speel, een soort ouderwetse, zinloze klucht vind, dus ik kan u niet garanderen dat u mij lange tijd tot uw patiënten zult mogen rekenen. Dat ik hier ben is omdat het niet goed met me gaat, zonder dat ik begrijp waarom. Het is niet de eerste keer dat dat me overkomt, maar zo erg is het nog nooit geweest. Uit principe verplicht ik mezelf ertoe alle mogelijke middelen aan te wen-den om een probleem op te lossen, en voor mij bent u momenteel niet meer dan dat, een mogelijk middel. Ik hoop dat u mij niet onuitstaanbaar arrogant of onhebbelijk vindt, maar ik ben maar liever eerlijk. Ik heb nie-mand willen vertellen dat ik in psychoanalyse ga, niemand weet het, thuis niet en op het werk niet. Voor de rest van de wereld ben ik op dit mo-ment fitnessen. Dat is een goed excuus, want sport is een van de mogelijke middelen waar ik tot nu toe het meest gebruik van heb gemaakt.'

Op een dag zal ik haar de waarheid vertellen, hield ik mezelf voor, en ik loog maar half, ieder woord verpakkend in de uitgekiende afstandelijk-heid van een werktuiglijk gezaghebbend taalgebruik, of liever gezegd, wat ik denk dat de waarheid is, die gigantische bol, volmaakt als alles wat rond is, die plotseling geëxplodeerd is en miljoenen kleine splintertjes waarheid heeft gebaard, primitieve, weerloze cellen van een werkelijkheid die het tegelijk met hen begeven heeft, zonder instructies voor me achter te laten voor haar reconstructie. Op een dag zal ik haar stukjes nog eens bijeen-sprokkelen, beloofde ik mezelf zonder mijn lippen te bewegen, maar pas wanneer de gemakkelijk te beantwoorden vragen zijn uitgeput, later, de volgende keer, ooit op een middag.

'Goed, ik geloof dat het nu mijn beurt is.' Op het moment dat ik het al niet meer verwachtte, ging de onbekende vrouw frontaal in de aanval, haar stem kalm genoeg om me geen schrik aan te jagen, maar zonder een zekere dosis ongevoeligheid te maskeren, waardoor ik erop gewezen werd dat, in tegenstelling tot wat ik verondersteld had tot vlak voor ze haar mond opendeed, niet ik bepaalde wat er gebeurde. 'Als ik net een boek af had en overwoog het naar uw uitgeverij te sturen, dan zou ik die toon van u wel moeten pikken, maar ik kan u verzekeren dat dat vooralsnog niet het geval is. Ik neem aan dat u hier gekomen bent omdat u een probleem hebt waarvan u denkt dat ik u dat kan helpen oplossen. Als dat niet zo is, dan zijn we beiden onze tijd aan het verdoen en kunt u maar het best nu meteen vertrekken en niet meer terugkomen.'

Ik weet niet meer wanneer ik ontdekte dat de enige formule die me gegarandeerd in staat stelt de dingen goed te doen, eruit bestond in iedere situatie de touwtjes in handen te hebben vóór de andere betrokkenen ook maar de noodzaak gevoeld hadden me dat te betwisten. Vanaf dat moment – en ik heb het nu over een tijd waarin mijn lengte met moeite de één meter vijftig te boven ging – wordt mijn relatie met de rest van de wereld, personen, gebeurtenissen, gemoedstoestanden, en zelfs voorwerpen, bepaald door de noodzaak op ieder moment de zaak in handen te hebben, zonder ooit mijn waakzaamheid te laten verslappen. Martín is de enige uitzondering op deze regel, het enige levende wezen waarvan ik erken dat hij gezag over me heeft. Daarbuiten weet ik niet en heb ik nooit geweten hoe ik me moet redden in situaties die door anderen gecontroleerd worden. Ik haat het daartoe gedwongen te worden.

Ik keek de onbekende vrouw strak aan, die mijn blik zonder te knipperen weerstond, terwijl ik voor mezelf het antwoord oefende waar zij op wachtte. Ik ben 37 en begrijp sinds kort dat meer dan de helft van mijn leven er ongetwijfeld al op zit. U zult het niet geloven, maar tot nu toe had ik me dat niet gerealiseerd. Drie maanden geleden is mijn beste vriendin doodgegaan aan baarmoederhalskanker. En er is nog wel meer veranderd. Twintig jaar lang – en dat is geen holle frase, het waren er daadwerkelijk twintig, een voor een, al kan ik het zelf amper geloven – heb ik de utopie van een betere, rechtvaardiger en gelukkiger wereld voor iedereen gekoesterd, met dezelfde aanstellerige en gekunstelde gebaartjes als waarmee de nufjes in de sprookjes die ze me toen ik klein was nooit verteld hebben in hun tuin werkten. En plotseling zijn al mijn rozenstruiken verdwenen, ik weet niet of u het begrijpt, maar hoe dan ook, ze zijn foetsie, als sneeuw voor de zon, in rook opgegaan, zoals alle dingen die nooit werkelijkheid zijn geworden, zoals utopieën bijvoorbeeld. Intussen is het mij goed gegaan. Ik verdien ontzettend veel geld, ik heb het heel goed, niet zo goed als mijn ouders natuurlijk, al is dat detail voor mijn ouders – of misschien is het juister alleen over hem te spreken, want mijn moeder was altijd de aanhangwagen, aan haar man vastgekoppeld als een caravan aan een auto – nooit van belang geweest. Hij was een verliezer, zoon van verliezers, waardig en standvastig in de nederlaag. Ik heb zelfs nog nooit een nederlaag geleden, en uiteraard zal dat ook niet meer gebeuren, dat spreekt voor zich. Ik heb nooit kinderen gekregen omdat mijn torenhoge idealen meer dan genoeg zin aan mijn leven gaven, en nu ik zelfs niets meer heb om naar te streven, heb ik spijt, maar ik heb me nog niet gewonnen durven geven, en bovendien, en dat is niet het minst belangrijk, neukt mijn man de laatste tijd met andere vrouwen. Ik neem aan dat ook hij zich gerealiseerd heeft dat hij al meer dan de helft van zijn leven achter de rug heeft, dat ook hij de herinnering aan de niet bestaande rozenstruiken en zo heeft moeten begraven, maar hij is altijd pragmatischer geweest dan ik, en slimmer. Uiteraard heeft hij me niets verteld. We zijn alle twee bijzonder goed gemanierd, we zijn van zeer goeden huize, u kunt zich er vast wel iets bij voorstellen, maar ik weet het, en ik weet dat de mogelijkheid bestaat dat hij bij me weggaat, al wil ik daar niet eens aan denken, en ik weet ook dat ik hierover met hem zou moeten praten, maar ik kan het niet. Ik ben vergeten hoe ik met Martín moet praten. Vroeger deden we het wel, maar nu kan ik me niet meer herinneren hoe we begonnen. Ik heb dus altijd controle over mijn leven gehad, controle over mijn werk, en controle over mijn vriendschappen, en over de verhouding met mijn familie, en over mijn ideologie, en over mijn toekomst, maar al meet ik inmiddels bijna dertig centimeter meer, ik heb er niets meer aan, want ik weet niet meer welke kant ik op moet, wat ik aan moet met de jaren die me nog resten, ongetwijfeld minder dan die ik al geleefd heb, vergeet u dat niet. En Martín, de enige die erin geslaagd is controle over mij te hebben, lijkt daar niet meer bijster in geïnteresseerd te zijn. Zo liggen de zaken. Wat zegt u ervan?

Ik rookte een sigaret op tot aan het filter, en daarna nog een, en daarna doorzocht ik mijn tas tot ik een doosje zuigtabletten vond, zonder suiker, en stopte er een in mijn mond, en ik reduceerde het praktisch tot de helft door het met mijn tong tegen mijn verhemelte te duwen terwijl ik me afvroeg wat ik daarna zou doen. De verstandigste oplossing was geweest naar die vrouw te luisteren, op te staan en nooit meer terug te komen. De tweede verstandige optie zou hebben bestaan uit het hardop uitspreken van het betoog dat ik zojuist voor mezelf geconstrueerd had tussen de smaak van de tabak en die van de eucalyptus door. Desondanks koos ik de onverstandigste mogelijkheid, omdat ik het haat een situatie niet onder controle te hebben, ik weet niet goed hoe ik me dan moet gedragen, en daarom beantwoordde ik uiteindelijk gewoon haar eerste vraag alsof er verder niets gebeurd was.

'Ik heet Francisca. Francisca María Antonia Antúnez, als u het helemaal wilt weten. Het zijn allicht geen erg fraaie namen, maar het is ook geen drama om zo te heten, vooral niet omdat ze allemaal een betekenis hebben. Mijn vaders oma heette Francisca Merello de Antúnez, komt die naam u bekend voor?' – ze schudde ontkennend haar hoofd – 'nee, natuurlijk, u hebt waarschijnlijk nooit solfège gehad.' Ze maakte hetzelfde gebaar om me gelijk te geven. 'Toch was het een heel belangrijke vrouw, een eersteklas muziekpedagoge, docente aan een speciale school in Madrid, een opleiding die sterke verwantschap voelde met het gedachtegoed van de Vrije-Onderwijsopleiding. Ze kreeg vier kinderen, allemaal jongens, maar ze wond er geen doekjes om dat als ze een meisje had gekregen, dat Elisa had geheten, naar de muze van Beethoven. Ik had zo moeten heten, want ik ben het eerste meisje van drie generaties Antúnez, maar mijn vader noemde me Francisca ter ere van haar. María, dat was een idee van mijn moeder, aanstellerij, ze heeft altijd geprobeerd die naam aan de anderen op te dringen maar dat is haar nooit gelukt. Mijn oma, in de eerste plaats leerlinge en pas daarna schoondochter van Francisca, heette Antonia Valdecasas. Ze was geboren in Granada, kwam voor haar opleiding naar Madrid. Ze was schilderes, dochter van een vriend van Ángel Ganivet, zus van een communistische gedeputeerde. Ze had veel talent en erg veel pech. In de lente van 1936 ging ze op bezoek bij haar ouders en werd ziek. Tyfus. Toen de nationalisten haar broer kwamen ophalen, troffen ze alleen haar aan, in bed, met koorts. Daar deden ze niet zo moeilijk over. Ze namen haar mee, zetten haar op een vrachtwagen, en fusilleerden haar tegen de muur van het kerkhof. Ze was 34. Haar man bracht de oorlog in Madrid door, en uiteindelijk week hij uit naar Frankrijk. En daar stierf hij ook, een paar maanden later, in een van die verschrikkelijke concentratiekampen waarin de Fransen de Spaanse republikeinse vluchtelingen opsloten, alsof die niet al genoeg doorstaan hadden. Niemand heeft ooit kunnen achterhalen wat de echte oorzaak van zijn dood is geweest. Mijn vader was zeventien toen hij hem voor het laatst zag en probeerde hem ervan te overtuigen dat hij hem met zich mee moest nemen, maar hij weigerde en liet hem achter bij zijn ouders in Madrid, mijn overgrootouders Antúnez, en die mochten dan progressief zijn, maar ze waren altijd zo voorzichtig en discreet dat ze amper iets meer verloren hebben dan de oorlog. De familie van mijn oma Antonia daarentegen had het heel zwaar, want iedereen kende hen in die hardvochtige stad, die plotseling zo klein was geworden…'

Toen ik veertien was, dacht ik dat ik mijn beroemde overgrootmoeder herkende op een illustratie in een schoolboek, en ik was zo ontroerd dat mijn handen trilden toen ik de bladzijde omsloeg, maar het bleek dat die explosieve combinatie van een norse, bijna mannelijke gelaatsuitdrukking en weelderige, onmiskenbaar vrouwelijke vormen, die haar kin in haar eigen onderkin liet verdwijnen om met een bijna theatrale hooghartigheid in de lens te kijken, *doña* Emilia Pardo Bazán was. Maar verder, hetzelfde witte knotje, dezelfde stijve, tot aan de taille nauwsluitende jurken, zwarte, glanzende zijde, een soortgelijke bril die aan een kettinkje op haar rok hing, en een opengeslagen boek in haar handen, al moest ik, toen ik wat beter keek, niet geheel zonder ontgoocheling toegeven dat Francisca aanzienlijk lelijker was.

Zonder dat zij nou wel een uitgesproken schoonheid was, lijkt Antonia daarentegen op de weinige foto's die ik van haar gezien heb bijna een actrice uit de tijd van de stomme film. Donker, klein, frêle kijkt ze met wijdopen ogen in de camera, een moment van opperste verbazing voorwendend dat altijd hetzelfde is. Ze waagde het haar haar los te dragen, een donkere, krullende haardos, bij haar slapen met een heel arsenaal gekleurde spelden en kammetjes vastgezet, net als bij zigeunerinnen, en ze overdreef stelselmatig met sieraden. Op foto's waarop haar handen te zien zijn, verdringen de ringen zich met twee tegelijk aan haar vingers, soms zelfs met drie, en de huid van haar decolleté, dat altijd onbedekt is, is nauwelijks zichtbaar tussen een wirwar van kralenkettingen, met vreemde medaillons en hangers, Zuid-Amerikaans misschien, of misschien Afrikaans. Ze vond het leuk als haar tepels door haar bloes heen te zien waren, en om twee enorme ringen in haar oren te dragen. Misschien is het wel daarom dat iedere geletterde bezoeker – in mijn vaders huis zijn de niet-geletterden nooit verder dan de keuken gekomen – die haar voor het eerst bekijkt, onveranderlijk geboeid wordt door de opvallende verschijning van die raadselachtige vrouw die voor haar twintigste met mijn opa trouwde, en zonder zijn blik af te wenden, nog in haar macht, vroeg of laat mompelt dat ze een typische intellectueel uit de jaren dertig was. Ik ben bang dat ook ik gezien kan worden als een typische vrouw van mijn tijd, maar sommige archetypen, net als sommige kleuren, flatteren meer dan andere.

'Op de middelbare school besloot ik mijn naam af te korten. Daar beseften ze ook dat het een afkorting was die gebruikelijker was voor jongens, maar ze vonden het niet alleen niet erg, ze prezen me er zelfs om. Mijn leraren vonden het niet zo van belang dat we niet wisten waarlangs de Donau stroomt, maar ze hechtten de grootste waarde aan het vormen van een eigen persoonlijkheid, en de naam die ik koos stond er naar hun mening garant voor dat we op de goede weg waren. Als ik besloten had dat ik voortaan Paquita heette, zou het gebruikmaken van mijn vrije wil tot een paar zelfmoorden hebben geleid...' Ik zweeg even voor ik aan de verplichte, afschuwelijke proloog van de feiten van mijn leven begon. 'Eerlijk gezegd kom ik namelijk niet bepaald uit een doorsneefamilie, in geen enkel opzicht, ik kreeg een speciaal uitgekozen opleiding, de meest buitenissige die je een in 1955 geboren meisje in Madrid kon geven. Ik werd opgeleid op een school van lekenzusters. Iedere keer dat tegenwoordig een nieuwe verovering van het politiek correcte de alarmbellen doet rinkelen, lach ik me kapot, want ik heb het volledige programma met de paplepel ingegoten gekregen in een tijd dat er niets incorrecters op de aardbodem te vinden was. Clerus is en blijft clerus, of ze nou links of rechts zijn, katholiek of atheïstisch, traditioneel of alternatief, het maakt niets uit, het is clerus, streng, dogmatisch, onbuigzaam, blind, en doof, en stom, uit pure onverschilligheid meedogenloos tegenover iedere werkelijkheid die hun geloof onwelgevallig is. De wereld was klassenbewust, maar mijn opvoeding hield daar geen rekening mee. De straten waren vol fascisten, seksisten, racisten, moordenaars en, in het algemeen, klootzakken van allerlei allooi, maar mijn opvoeding was uitdrukkelijk niet competitief, en ze gaven ons cijfers op een schaal van twaalf zodat het moeilijker was iets niet te halen. Alleen sprookjes waren verboden. Bij iedere kleuter die werd ingeschreven kregen zijn ouders te horen dat het lerarenkorps van mening was dat die door verwonding met een blank wapen in bloed gedrenkte verhaaltjes een verwarrend soort agressie met seksuele connotaties overdroegen die bijzonder schadelijk was, moet u nagaan, ik kan het nog steeds uit mijn hoofd opdreunen. U kunt zich niet half indenken wat een stompzinnige verhalen wij in de klas lazen, de solidaire locomotief, de verantwoordelijke chirurg, de boom die vriendjes werd met een slak, het geweer dat weigerde te schieten... Iedere blanke hoofdpersoon had een zwarte vriend, of een Chinese, en het geslacht van de hoofdpersonen was strikt in evenwicht, evenveel jongens als meisjes. Als er een volwassen vrouw in voorkwam was ze ingenieur, of dirigent. De mannen daarentegen deden de afwas en konden geen auto rijden. Hoezo virtuele werkelijkheid? Het was allemaal gelogen. En onze dagen leken weggeplukt uit een van die verhalen. In elke klas hadden we namelijk een kansarm klasgenootje, een zigeuner, of het kind van alcoholisten, of gewoon arm, dat dienstdeed als schaamlap, maar onze ouders betaalden iedere maand een enorme klap geld, want de franquistische staat subsidieerde uiteraard niet de vijand. Vindt u het vervelend als ik rook?'

'Uiteraard niet, zeker niet na wat u me vertelt...' Ze glimlachte naar me en ik beantwoordde haar ironie eveneens met een glimlach en met het gevoel een niet-aanvalsverdrag te tekenen.

'Ik zou niet graag willen dat u me verkeerd begrijpt,' ging ik verder, op een wat meegaander toon, oprechter misschien, 'en uiteraard geloof ik niet dat die school erger was dan een nonnenschool. Maar hij was ook niet veel beter, dat is alles. Het is niet goed als ze je vanaf een verhoging vertellen dat je blind wordt als je masturbeert, maar het is evenmin goed als je leraar natuurwetenschappen je vanaf een vergelijkbare verhoging aanmoedigt te masturberen. Het verschil is dat als je het uiteindelijk doet, het veel opwindender is als je je en passant zondig en schuldig voelt en desondanks je gezichtsvermogen niet verliest, maar op andere gebieden waren wij in het voordeel, dat moet ik ook erkennen.'

Ik hield abrupt mijn mond en bestudeerde enkele minuten een hoek van het plafond. Ik sprak al jaren zo, ik hing al vele jaren de meest gruwelijke ketterij aan voor diegenen die van hun ketterij een orthodoxe leer hadden gemaakt, twijfelde al vele jaren aan het wezen van sommige privileges, maar kortgeleden had ik me gerealiseerd dat ik, al waren de woorden die we gebruikten heel anders en de concepten die ze vertolkten welhaast onverenigbaar, in feite net zo als mijn moeder begon te praten.

Bij haar geboorte heette ze Inmaculada Concepción de María Martínez Pacheco, dochter van kapitein Martínez, van het Wapen der Genie van de Landmacht, en van doña Mercedes Pacheco, van beroep huisvrouw. Haar schoolgenootjes, ex-leerlingen van de zusters trinitarissen, kenden haar als Inma Martínez tot aan het eind van haar middelbare school. Ze was een heel ijverige leerling, gedisciplineerd en verantwoordelijk, vroom zonder een kwezel te zijn, vrolijk, sociaal, een gelukkig meisje dat in het algemeen goede cijfers haalde en uitstekende voor vreemde talen. Het laatste jaar reciteerde ze op het eindejaarsfeest uit haar hoofd Corneille, met een vlekkeloze uitspraak. Ze had al het meest sensationele lichaam van het Centrumdistrict, en zelfs een kippig iemand zou geen tel geaarzeld hebben er willekeurig wat om te verwedden dat haar schoonheid op onverbiddelijke, zeer korte termijn pukkels en mee-eters zou verslaan, om vervolgens dat ondefinieerbare pubervernis te doen verwateren, de rode aanval die de wangen uitrangeert en het ronde gezicht van de middelbare scholieren verandert in een soort slecht gebakken pasteitje overdekt met sesamzaadjes. Vervolgens leerde ze niet verder. Haar vader had het liefst gewild dat ze was thuisgebleven, maar een vriendin van de familie, echtgenote van de kolonel van het regiment, begon een kleine, luxe parfumerie in de lobby van het Palace-hotel en bood haar een comfortabele, rustige en redelijk goed betaalde baan aan, en zij ging erop in, enorm gestimuleerd door haar moeder, die zich de rest van haar leven de haren uit het hoofd zou trekken dat ze bij die gelegenheid tegen haar man was ingegaan.

Miguel Antúnez Valdecasas kwam met een pakje uit de bar van het Palace toen hij haar voor het eerst zag, achter een glazen deur. Hij vond haar zo leuk dat hij de winkel binnenging zonder te bedenken wat hij vervolgens zou doen. Toen zij hem vroeg wat hij wenste, vroeg hij haar gewoon, zomaar, om een stukje zeep, en incasseerde op elegante wijze de verbazing van die enorme ogen, die plotseling als verdwaald leken in die kleine ruimte waar alleen zo nu en dan een verstrooide buitenlander was binnengekomen om dat soort kleinigheden te kopen. 'Geparfumeerd of ongeparfumeerd?' vroeg zij na een tijdje, 'geparfumeerd' preciseerde hij, 'lokaal of import, import, wilde roos of abrikozen? Wilde roos,' en zijn stem klonk voller, heser, dieper toen hij die twee woorden uitsprak, die uitdijden in de lucht als de helften van een obscene verwensing, groot of klein?, groot, hij gaf zo zelfverzekerd antwoord dat niemand had durven vermoeden dat hij dat stukje zeep niet wanhopig hard nodig had, maar zij hield het even tussen haar vingers voor ze de laatste vraag formuleerde, is het op bestelling van een vrouw of gaat u het zelf gebruiken?, ik ga het zelf gebruiken, antwoordde hij, om de schroeven te smeren. Toen schoot ze in de lach, ze kon het niet helpen, alvorens zich weer te gedragen naar wat ze was, een meisje van goeden huize, weet u, zei ze, in iedere gewone parfumeriezaak kunt u een eenvoudiger stuk zeep kopen voor minder dan de helft van de prijs, ja, hij knikte bevestigend, alsof ze hem niets nieuws had verteld, maar ik wil deze, want mijn schroeven zijn heel gevoelig… Voor hij betaalde keek hij op zijn horloge, kwart over zeven. Achter de kassa liet een ingelijste mededeling – net zo irritant nietszeggend en alledaags als de rest, bedacht hij – weten dat de winkel om halfnegen 's avonds dichtging. Miguel Antúnez had de onweerstaanbare neiging zich verantwoordelijk te gedragen, maar hij verzamelde al zijn moed om zich daartegen te verzetten. Winkelmeisjes bewaren gevonden voorwerpen een paar dagen onder de toonbank, zei hij bij zichzelf, voor ze de politie waarschuwen, en uiteindelijk kunnen ze in Parijs toch niets belangrijks toevertrouwd hebben aan zo'n onbeduidende koerier, een oude Franse vriendin van zijn grootouders, en ik laat het ook niet in de steek, geen sprake van, ik neem zo meteen plaats in een van die fauteuils, scherm mijn gezicht af met de krant en houd de boel op een gerieflijke manier in de gaten, het is tenslotte maar een uurtje, de risico's zijn zo minimaal dat ze niet be-

staan… Het pakje werd expres vergeten boven op een monsterlijke toonbank van witgelakt hout met versieringen in verguld purpurine, en mijn
vader verliet de winkel met trage, bestudeerde pas terwijl de veiligheid van
de voornaamste, bijna enige Spaanse antifascistische organisatie die illegaal
opereerde binnen het land, kraakte en barstjes begon te vertonen in elk
van de flatteuze stappen van zijn handgemaakte schoenen.

Ik heb mijn moeder er altijd van verdacht dat ze die toonbank mooi
vond, en toen ik nog een kind was vroeg ik me, iedere keer dat ik dat
verhaal hoorde, met meer of minder details al naar gelang mijn leeftijd, de
omgeving, of de ideologie van de aanwezigen – hij deed niets liever dan
het in het openbaar vertellen, zij keek naar de grond, kreeg een kleur en
corrigeerde haar man nooit –, af hoe het mogelijk was geweest dat ze die
toonbank verlaten had om mijn vader te volgen. Maar ik ben nooit zo
slim geweest.

Ze was alleen in de winkel, en toch wachtte ze tot het precies halfnegen
was voor ze begon op te ruimen. Toen zag ze het pakje, en nadat ze de
kassa had afgesloten, alle monsters had teruggelegd op hun plek in de
schappen en de kasten en vitrines op slot had gedaan, pakte ze het op,
samen met haar tas, om het bij de receptie af te geven voor ze wegging.
Vanuit een fauteuil die zich op enige afstand bevond zag hij haar naar buiten komen, volledig in zijn element. Het had niet beter gekund, bedacht
hij, en hij stond op om haar tegemoet te lopen, zonder op te merken dat
op hetzelfde moment aan de andere kant van de lobby een officier van de
Landmacht opstond, gekleed in het reglementaire tenue, om zich naar
precies hetzelfde punt te begeven, alsof hij van plan was een denkbeeldige
lijn op de vloer te trekken die samenviel met zijn eigen passen. Zij zag
eerst de onbekende, en stak haar rechterhand op, alsof ze heel blij was
hem te zien. Daarna riep de vaandrig haar, 'Conchita!', en zij draaide haar
hoofd om naar hem te glimlachen. Je bent de lul, Antúnez, hield degene
die eventjes alle moed verloor ooit mijn vader te worden zichzelf voor,
en niet zo'n beetje ook, godverdomme, zei hij nog eens bij zichzelf, en hij
stond abrupt stil op het geometrische midden van het gigantische tapijt.
Inma/Conchita Martínez stond naast hem voor hij tijd had iets tot zich
door te laten dringen. Dit is van u, zei ze, terwijl ze hem het pakje aanreikte, dat klopt toch?, en hij nam het aan voor hij antwoordde, ja, inderdaad, heel erg bedankt, ik kwam juist terug omdat ik ontdekt had dat ik
het kwijt was… Vaandrig Barrachina was haar verloofde, en hij salueerde
krijgshaftig ter begroeting. Ik haal haar iedere avond op, zei hij tegen hem,
op die gespierde vertrouwelijke toon die mannen uitkiezen om met man-

49

nen te praten, want ik moet er niet aan denken dat dit snoepje alleen over straat loopt, dat zult u wel begrijpen… Ja, uiteraard, zei mijn vader, dat is heel verstandig, en toen hij afscheid van hen nam, bij de ingang van het hotel, zwoer hij hen nooit meer te zien.

Desondanks duwde hij de volgende dag om kwart over zeven 's avonds de glazen deur open, liep naar de monsterlijke toonbank en vroeg om een stuk zeep. Hij kocht er uiteindelijk achtentwintig – dat weet ik zo precies omdat ik ze al mijn hele leven heb zien liggen, zorgvuldig opgestapeld, de verpakking nog intact, in een kleine vitrine van Engels hout, het enige meubelstuk in zijn werkkamer dat geen boeken bevat, als jachttrofeeën – voor zij erin toestemde na het werk iets met hem te gaan drinken, maar alleen omdat mijn verloofde dienst heeft, waarschuwde ze hem terwijl ze haar jas aantrok, heel serieus. Ondertussen had hij heel wat opgestoken in zijn gesprekken met haar over de toonbank, en hij had hoop. Van zijn kant had hij haar alleen verteld wat hem uitkwam, dat hij enig kind was, een wees, dat hij van jongs af aan ontzettend veel verdriet had gehad over de afwezigheid van zijn vader en moeder, dat hij zichzelf had moeten vormen, dat hij eigenaar was van een boekhandel en een kleine uitgeverij, opgezet met de hulp van zijn grootouders – en dat hij, eerlijk is eerlijk, aardig verdiende, waarom zou hij daar om liegen –, dat hij geen vriendinnetje had omdat hij niet geïnteresseerd was in onbetekenende affaires maar in ware liefde, voor het leven, et cetera. Zij geloofde nog niet eens de helft, ja, ja, zei ze tegen hem, je weet het leuk te brengen…, maar uiteindelijk moest ze altijd glimlachen, alsof ze dat idee niet zo erg vond. De tweede keer gingen ze naar een bioscoop aan de Gran Vía. Er draaide er eentje van John Wayne, de favoriete filmster van mijn moeder. Mijn vader observeerde haar gedurende de hele film, en hij zei niets, maar hij zag hoezeer ze leek te vallen op die supermacho, en hij kreeg nog meer hoop, want hij was wel niet zo knap als zijn rivaal maar hij was, uiteraard, bijna twee keer zo breed. En zonder uniform, dat telt des te meer, verduidelijkte hij graag. Vervolgens ging vaandrig Barrachina een maand voor oefeningen naar de Bardenas Reales. Zo makkelijk maakten ze het zelfs koning David niet, dacht Miguel Antúnez.

Hij buitte de conjuncturele vrijheid van zijn prooi uit vanaf de eerste middag, en ging in de aanval met een dichtbundel, *Azul*, van Rubén Darío. Later haalde hij Bécquer erbij – *Rimas* –, Lorca – *Romancero gitano* –, Juan Ramón – *Diario de un poeta reciencasado* – en, toen hij zich zeker van zijn zaak voelde, Salinas – *La voz a ti debida* –, met poëzie heb je ze zo je bed in, is nog steeds een van zijn favoriete motto's. Hij las haar gedichten voor en becommentarieerde die gewiekst, ze opsmukkend met het soort stichtelijke verhalen dat hem het best van pas kwam, zoals de affaire van koning Salomo met de koningin van Scheba, de vlucht van Verlaine met Rimbaud, of de hartstocht van lord Byron voor zijn zuster Augusta, maar altijd over heel verre dichters, van vroeger, of buitenlandse, om haar niet al te veel schrik aan te jagen, en zij keek hem heel ingespannen aan onder het luisteren, haar ogen vochtig, glanzend, en ten slotte zei ze, afijn, god-zijdank gebeuren dit soort dingen in Spanje niet, vlak voor ze naar details begon te informeren.

En zij was het die, zelfs zonder het te weten, de definitieve stap zette. Ze kwamen net uit de bioscoop, altijd een western, en bij Callao namen ze het rechtertrottoir van de Gran Vía in de richting van Alcalá. Ze zouden koffie gaan drinken in de Círculo de Bellas Artes, maar een rood stoplicht hield hen op ter hoogte van het Red de San Luis. Zij maakte van de gelegenheid gebruik om even in de etalage van Alexandre te gaan kijken, die luxueuze juwelenzaak die inmiddels veranderd is in een droef-geestige tent met hamburgers voor veertig stuivers per stuk, maar de af-stand was niet zo groot dat ze niet de hese klank van een drankstem op-ving, heb je een vuurtje, schatje?, en ze draaide zich even abrupt om alsof een schorpioen erin geslaagd was haar in haar nek te steken. Een vrouw die eruitzag alsof ze een jaar of dertig was, een witte jas over haar schou-ders, een hoge en erg overdadige knot, als een wolkenkrabber die ruim-hartig gepleisterd is met verschillende lagen kanariegele verf, haar lippen, meer dan geverfd, verwond door een lippenstift met de kleur van geron-nen bloed, bracht een sigaret naar de aansteker die Miguel in zijn rechter-hand hield, en terwijl ze dat deed zorgde ze ervoor dat een heel strak zwart jurkje zichtbaar werd, met een decolleté in v-vorm dat zo diep was uitgesneden dat het niet eens als uitdagend bestempeld had kunnen wor-den. De lievelingsdochter van de luitenant-kolonel handelde puur intuï-tief. Nog voor de sigaret trok, hing ze al aan de arm van haar begeleider. Rustig maar, meisje, ik ga al, zei die vrouw, niet te geloven zeg, alsof ik iets verkeerds doe...!

Het stoplicht sprong op groen, maar geen van beiden maakte aanstalten over te steken. Hij besloot te wachten tot zij eerst iets zou zeggen. Dat was een hoer, hè? vroeg ze uiteindelijk, en hij knikte bevestigend, dat dacht ik al... Gustavo wil me nooit iets vertellen, vertrouwde ze hem even later toe, vaandrig Barrachina voor het eerst bij zijn roepnaam noe-mend, hij zegt dat hij er nooit met eentje naar bed is geweest, maar dat geloof ik eerlijk gezegd niet, hoewel, je weet het maar nooit, hij is zo onhandig… Ga jij naar de hoeren, Miguel? Hij keek haar gedurende een paar seconden doordringend in haar ogen, terwijl hij in stilte overwoog welk antwoord ze het liefst zou horen, en uiteindelijk was hij eerlijk, ja, natuurlijk ga ik naar de hoeren, en hij zag het vonkje emotie dat haar ogen deed oplichten, en hij ging nog wat verder, zoals het er in dit land toegaat heb je geen keus, en nog een paar meter verder, waarom vraag je me dat?, ben je in ze geïnteresseerd? Zij was in de war en heel zenuwachtig, dat erkende ze altijd, heftig knikkend iedere keer dat hij het verhaal vertelde, ik weet het niet…, zei ze ten slotte, ik mag graag naar ze kijken, die kleren die ze aanhebben, zo opgeschilderd, ik begrijp ze niet zo goed, soms vraag ik me af wat ze voelen, hoe ze zo kunnen leven…

Miguel Antúnez nam Inma/Conchita Martínez Pacheco bij de arm, stak Montera met haar over, en een paar meter verderop zette hij alles in op een twijfelachtige kaart. 'Aan de overkant is Chicote,' zei hij mompelend, bijna fluisterend in haar oor, 'wil je naar binnen?' Zij schudde niet erg overtuigend haar hoofd. Oké, antwoordde hij, maar besef goed dat er geen rare dingen zouden gebeuren. Daarbinnen zijn heel veel hoeren, maar ook gewone stelletjes, groepjes vrienden, zelfs schrijvers, schilders, journalisten, normale mensen die een borrel drinken, dat is geen zonde. Zij twijfelde met haar gezicht, haar handen, haar ogen, met haar hele lichaam. 'Weet je het zeker?' vroeg hij haar uiteindelijk, heel zeker, was het antwoord, en mijn moeder ging mondeling uiteindelijk niet akkoord, maar hij stond stil bij een volgend stoplicht en ze staken samen de Gran Vía over, en een paar meter voor ze de draaideur bereikten dwong hij haar stil te staan, ging vlak achter haar staan en begon de spelden waarmee haar pony in bedwang werd gehouden eruit te trekken, voor hij haar hele opgestoken kapsel van fatsoenlijke vrouw ruïneerde door een brede metalen haarspeld versierd met stoffen bloemetjes los te maken, die hij in een van zijn zakken stak. Zij zei niets tot een ijskoude hand met gestrekte vingers vanaf haar nek naar boven over haar schedel ging, om de platgedrukte haren van haar huid los te woelen. 'Waarom doe je dat?' vroeg ze ten slotte, en hij merkte dat ze trilde, dus deed hij zijn best een luchtige toon aan te slaan, jij bent veel te knap van jezelf, zei hij, je hoeft niet zo uit de toon te vallen alsof je eropuit bent de aandacht te trekken…

De bar was een kleinere ruimte dan zij had verondersteld, en toch stelde hij haar niet teleur, want het was er stampvol mensen en heel rokerig, en in de lucht vermengden zich allerlei frivole geluiden – het weergalmen van lachsalvo's, van kussen, aanstekers die klikten, flessen die geopend werden, klinkende glazen waarmee onophoudelijk toosten werden uitgebracht – die zachte achtergrondmuziek overstemden. Miguel kreeg een stelletje in het oog dat op het punt stond twee krukken aan de bar vrij te maken en nadat ze die bezet hadden bestelde hij een whisky met ijs. 'Wat wil jij?' vroeg hij haar, ik weet het niet, bekende zij na een tijdje, ik drink nooit, maar… en als ik nou eens een droge martini neem, want dat bestellen ze altijd in films?, 'uitstekend,' zei hij, en uiteindelijk dronk ze er drie, achter elkaar, terwijl ze ontdekte dat die vrouwen niet zo verdorven leken als zij altijd verondersteld had, en sommigen gedroegen zich zelfs alsof ze het echt naar hun zin hadden. Hij ging even naar het toilet, en zelfs gedurende zijn afwezigheid had hij geluk. Toen hij terugkwam, deden een paar volwassen, goedgeklede mannen pogingen een praatje aan te knopen met de verloofde van de vaandrig, die zo dronken was dat ze glimlachte zonder de betekenis van die conversatie goed te begrijpen. Ik ga je kussen, kondigde hij aan, nadat hij ze had weggejaagd, dan weet iedereen dat je met mij bent, dat is het beste, het veiligste, goed?, en hij kuste haar één keer, en nog een keer, en nog eens, en aanvankelijk liet zij zich alleen maar kussen, maar daarna sloeg ze haar armen om zijn nek en begon hem te kussen, en ze protesteerde niet toen hij een hand tegen haar middel legde, en ook daarna niet, toen zijn vingers langs haar zij bewogen, omhoog tot waar haar borst begon, omlaag tot het uiteinde van haar heup, een dij strelend, zij profiteerde van een pauze om op te biechten dat ze zich niet zo lekker voelde. Laten we naar mijn huis gaan, stelde hij toen voor, dan maak ik koffie voor je, en zij volgde hem zonder iets te zeggen, en voor het eerst sinds hij haar kende trilden zijn benen, want hij had het op haar gezicht gelezen, een onmerkbare zwelling van haar lippen, de begerige spanning van haar kin, en dat troebele waas dat haar ogen bevochtigde, er was geen twijfel over mogelijk, ze is geil, diagnosticeerde hij voor zichzelf, hopeloos geil, herhaalde hij nog eens in zichzelf, en vannacht gaat het gebeuren, dat zei hij bij zichzelf, het is nu of nooit…

Op dit punt in het verhaal aangeland, als de spanning ten top steeg, vertelde mijn vader dat hij op dat moment niet had kunnen begrijpen hoe het mogelijk was dat zij zich zo gedwee naar haar lotsbestemming had laten voeren. Een paar dagen later echter vertrouwde mijn moeder hem toe dat ze dat van die koffie voetstoots had aangenomen, een ontzettend vriendelijk en hoffelijk aanbod, en ze moesten allebei lachen, en ze moesten nog steeds lachen als ze er weer aan dachten. Daar eindigde het verhaal, maar de rest is niet moeilijk voor te stellen.

Op een koude nacht in maart 1949 beging Inma/Conchita minstens één misstap, misschien wel meer. En het beviel haar goed. Toen Gustavo Barrachina terugkeerde van de Bardenas Reales, had hij geen verloofde meer. Voor het jaar om was trouwden mijn ouders in de Santa-Barbarakerk, een prachtig bordes voor de foto's van een bruiloft die tegelijkertijd een verhulde begrafenis was. Inmaculada Concepción de María Martínez Pacheco stierf die dag voorgoed. De vrouw van mijn vader droeg nooit een andere naam dan Coco Antúnez. En ze zou nooit meer een eigen plek in de wereld hebben.

'Neem me niet kwalijk' – de pauze had zo lang geduurd dat ik me verontschuldigde voor de stilte, alsof zij betaald had om naar mij te luisteren – 'maar door het over school te hebben, bleven mijn gedachten hangen aan verhalen uit die tijd. Het is vreemd, weet u, maar nu ik de veertig nader, moet ik steeds vaker aan mijn jeugd denken, het is alsof ze dichterbij me staat dan andere episoden die later volgden. Het kost me geen enkele moeite me mezelf als kind voor te stellen. Laatst had ik het er nog over met een collega die iets jonger is dan ik, en zij vertelde me dat het voelde alsof ze de jaren kwijtraakte, alsof de nabije herinnering van het afgelopen jaar de herinneringen van een ander jaar uitwist, van acht of tien jaar daarvoor. Het is vreemd, maar ik ben niet in staat goed te beschrijven hoe ik een adolescent ben geworden, ik herinner me niet eens meer precies hoe ik op de universiteit was, in het algemeen wil ik zeggen… Misschien is het enige probleem wel dat ik deel uitmaak van een te eigenaardige familie, die te zeer ingenomen is met haar excentriciteit, en voor buitenstaanders kan dat heel aantrekkelijk zijn, maar voor de direct betrokkenen is het verstikkend. Het is moeilijk concurreren met de herinnering aan een geniale overgrootmoeder met een al even geniale schoondochter die bovendien een martelares is, maar, al lijkt dat onzin, het is nog veel erger een moeder te hebben die zo oogverblindend knap is als de mijne, en de enige van haar kinderen te zijn die niet haar gezicht geërfd heeft maar dat van mijn opa, de opa die in Frankrijk gestorven is… Hoe het ook zij, ik mag niet al te zeer klagen. Na zijn afstuderen ontfermde mijn vader zich over de boekhandel van zijn grootouders in de Arenalstraat, en begon zelfstandig boeken te publiceren, een kleine, heel moderne uitgeverij, elitair omdat ze zo marginaal was, u kent dat wel, een reeks poëzie, eentje over menswetenschappen, afijn. Aanvankelijk was het een soort hobby, maar daarna begon het te lopen, dankzij een serie wetenschappelijke teksten van marxistische auteurs, die in de jaren zeventig voor vele docenten in het hele land zo ongeveer de bijbel waren. Ongelooflijk maar waar, Noam Chomsky heeft ons rijk gemaakt. En de uitgeverij, die inmiddels niet meer zo klein was, fuseerde met andere onafhankelijke bedrijven die ook onderweg groot waren geworden, kortom… De rest van de geschiedenis zal u bekend zijn. Ik heb zestien procent van het totaal aantal aandelen van de groep, een plek in de raad van bestuur, en de afdeling Naslagwerken voor mij alleen. Mijn vader is allang met pensioen en heeft zijn deel van de uitgeverij in gelijke delen over zijn drie kinderen verdeeld, en hij zeurt nooit, de arme man. Ik zal u zijn levensverhaal een keer uit de doeken doen, dat zal u vast bekoren, het is erg romantisch, en bovendien geloof ik dat ik het nu pas begin te begrijpen. Als kind was ik niet erg slim…'

'En niet erg knap,' voegde zij eraan toe, en het geluid van haar woorden deed me opschrikken, alsof ik vergeten was dat zij ook kon praten.

'Inderdaad, niet erg slim en niet erg knap, en bovendien heet ik Francisca.' Ik glimlachte. 'Niets aan te doen.'

'Mijns inziens bent u een erg aantrekkelijke vrouw.'

'Ja? Dat meent u niet… Het is heel vriendelijk van u, maar ik was toch wel van plan te betalen.' Ik lachte met tegenzin terwijl ik tersluiks op mijn horloge keek. 'Trouwens, ik moet gaan. Ik kom de volgende week terug, is dat goed?'

Zij knikte en ik begon zwijgend mijn spulletjes te verzamelen. Ik stopte mijn sigaretten in mijn handtas, stond op, deed mijn jasje aan, en toen ik op het punt stond te vertrekken, hield haar stem me tegen.

'Mag ik u nog één vraag stellen?' Ik knikte. 'Bent u getrouwd, of hebt u een partner?'

'Ja, ik ben getrouwd.'

'En bent u gelukkig?'

'Dat is een tweede vraag… Ik weet het niet, eerlijk gezegd. Ik veronderstel niet echt. Maar ik ben erg verliefd op mijn man. Heel erg verliefd, dat meen ik. Ontzettend verliefd, eigenlijk zou ik… Ik zou niet weten wat ik zonder hem moest beginnen.'

Zij zei niets meer, en ik verliet haar kamer, de etage, het pand, en voelde me beroerder dan toen ik daar naar binnen was gegaan. En toch, en hoe onecht en wanhopig dat laatste betoog ook mijzelf in de oren had geklonken, was alles wat ik gezegd had waar. De enige waarheid die me nog restte.

Iedere dag, twee jaar lang, voelde ik de verleiding te vluchten, het op te geven, definitief af te haken. Iedere ochtend streelde ik de telefoon, verzon een smoes, een onnodige formulering om iets zo simpels te zeggen, ik wil mijn volgende afspraak en de toekomstige afspraken afzeggen, ik kom niet meer, het spijt me, bedankt voor alles. Iedere donderdag verscheen ik weer, alleen, met tegenzin, om halfnegen 's avonds. Ik voelde me ongelooflijk zwak, voorgoed mislukt, alleen maar omdat ik mijn toevlucht nam tot die kamer. En toch voelde ik de laatste keer niets bijzonders. En daarna belde ik niet om de volgende afspraak af te zeggen. Plotseling had ik niet eens de telefoon meer nodig.

Zes maanden nadat ik uit mezelf besloten had dat de analyse voor eens en voor altijd verleden tijd was, had ik ook afgesproken om met mijn team te gaan eten, en die avond betaalde ik, we moesten het ter perse gaan van de laatste aflevering vieren. Toen ik op het punt stond een van de voor mijn werk bestemde mantelpakjes aan te trekken, zag ik de trui, over een stoel gegooid. Martín had hem net uitgetrokken, hij was nog warm. Ik hield mijn spijkerbroek aan en trok hem aan over mijn T-shirt, en ik voelde me lekker, het was jaren geleden dat ik kleren van hem had gedragen. Ik keek in de spiegel en vond dat ik er vreemd uitzag. Ik moest er wel vreemd uitzien, alles was goed. Ik was vóór de anderen in het restaurant, maar voor één keer vond ik het ook niet belachelijk alleen aan een tafeltje te gaan zitten en op hen te wachten.

4

Ik moest om halfvijf opstaan om op tijd op het vliegveld te zijn, en alleen daardoor was ik al in een rothumeur. Ik bleef maar aan Clara denken. Het moment waarop ik haar, de vorige middag, de deur had zien binnenlopen, en niet op de tv af zag stormen terwijl ze struikelend over haar eigen voeten kledingstukken afwierp in de gang, zoals ze altijd doet om maar niets te missen van de heldendaden van haar favoriete mutanten – Lobezno en Júbilo, al was het alleen maar om ruzie te kunnen maken met haar broer, een vaste volger van Cíclope en Doctor x – had ik niet alleen een vermoeden van wat er gaande was, maar ook van wat er de volgende uren zou gebeuren, en er was vrijwel geen detail dat ik miste.

Om te beginnen stond ze me uit vrije wil een dikke kus op elke wang toe, een voor haar doen zeer ongebruikelijke gunst, volgde me naar de bank in de zitkamer – ik hou ook van de mutanten, hoewel ik, doordat ik er op volwassen leeftijd aan begonnen ben, nog geen duidelijke voorkeuren heb – en klom op mijn knieën om tv te kijken, een vertoon van kinderliefde dat bij haar absoluut onverenigbaar is met een goede gezondheid.

'Ik heb een beetje pijn in mijn buik, mama…' was het enige dat ze zei en ze viel in slaap. Ik hoefde haar voorhoofd niet aan te raken om haar temperatuur te schatten. Terwijl ik haar op haar haar kuste, op haar slapen, op haar handen, ging ik een wedje aan met mezelf, zevenendertig en een half. De thermometer corrigeerde me met niet meer dan een tiende.

'Ignacio…' mijn zoon lag op zijn buik op het vloerkleed en deed alsof hij me niet had gehoord; ik denk weleens dat hij de geschiedenis in wil gaan als 'de jongen die altijd twee keer geroepen moest worden'. 'Ignacio!' zei ik nog eens, en hij draaide zijn hoofd om. 'Je zusje heeft verhoging. Heeft ze iets tegen je gezegd toen jullie uit school kwamen?'

'Nee, niets.' Zijn ogen gingen al terug naar het televisietoestel voordat zijn lippen er verveeld in toestemden het eerste woord uit te spreken.

'Ze zegt dat ze buikpijn heeft. Kan het eten verkeerd zijn gevallen?'

'Ik weet niet.'

'Wat hebben jullie gegeten?'

'Ik weet niet.'

'Hoezo weet je het niet?' Ik was zo boos dat ik mijn stem verhief met het risico de zieke wakker te maken. 'Wat is er? Heb je soms niet gegeten vandaag?'

'Jawel, maar ik weet niet meer...'

'Goed.' De afstandsbediening is Macht. De Macht rustte in mijn rechterhand. De top van mijn wijsvinger sprak recht. 'Je wordt bedankt.'

'Hé, mam, alsjeblieft...!' Eindelijk kreeg ik zijn gezicht te zien, zijn gelaatstrekken vervormd door de plotselinge snelheid van zijn woorden, terwijl zijn handen grote cirkels door de lucht beschreven voordat hij ze, een ogenblik later, in elkaar sloeg. 'Je bent echt... Ongelooflijk. Goed, mama, zo is het mooi geweest, doe de tv weer aan, alsjeblieft, ik smeek je, alsjeblieft, toe nou... Ik heb toch niets gedaan! Het is niet eerlijk!'

'Wat hebben jullie vandaag gegeten, Ignacio?'

Hij hoefde er nog geen fractie van een seconde over na te denken.

'Paella, gepaneerde filet en een banaan.'

'En was er iets niet lekker?'

'Nou, de paella op school is smerig, ugh...! Ze stoppen er sperziebonen in. Maar die is altijd zo. Het vlees was lekker, en de banaan, nou ja... goed. Zoals alle bananen.'

Ik zette de televisie weer aan en zat nog een kwartier naar de nek van mijn zoon te kijken. Toen Fran me vertelde dat ze van de Zwitserse vvv, in ruil voor opname van hun naam als sponsors van het project, niet één maar twee tickets plus verblijfskosten had losgekregen, en mij voorstelde om gebruik te maken van het tweede ticket om daarna te kunnen verantwoorden dat ik mezelf de verantwoordelijkheid had gegeven voor alle begeleidende teksten van de corresponderende nummers – we weten natuurlijk allebei wel dat het niet nodig is om daarheen te gaan om je te documenteren, vatte ze de situatie kort samen, maar, luister, meid, als je toch gratis kunt reizen – hield ik in de eerste plaats rekening met de financiële last die we ons op de hals hadden gehaald door de koop van een huis dat me nog steeds niet beviel, en vervolgens, hoe goed een reisje naar Midden-Europa me zou doen doordat ik vier dagen bevrijd zou zijn van kinderen, roosters, taken, scholen, werk en de rest. Ik berekende hoeveel tijd ik op kantoor zou moeten doorbrengen om de verloren uren in te halen, en de zaterdag- en zondagochtenden die ik nodig zou hebben om enkele tientallen korte stukjes te schrijven, die heel gemakkelijk waren, over geschiedenis, kunst, tradities, bezienswaardigheden, gastronomie en dat soort dingen, maar nadat ik zo veel keer in uren en peseta's had gerekend, vergat ik rekening te houden met de wispelturige gezondheid van mijn twee kinderen.

Ik weet niet of alle kinderen van de wereld hetzelfde zijn of dat het alleen die van mij overkomt, maar het gaat altijd zo. Een paar uur voordat ik van Clara beviel, braakte Ignacio, die drieënhalf was, zijn ontbijt uit als symptoom van een heftig darmvirus dat verschijnselen bij hem veroorzaakte als misselijkheid, diarree en zelfs wat verhoging. Toen mijn vader naar het ziekenhuis ging om een maagtumor te laten verwijderen, waar niemand een prognose over durfde te geven omdat hij er zo slecht uitzag en die uiteindelijk goedaardig bleek te zijn, kregen die twee op hetzelfde moment waterpokken. Terwijl ik mijn koffers pakte om met mijn man naar Barcelona te gaan, waar een zus van hem de volgende dag zou gaan trouwen, kreeg Clara plotseling een koortsaanval die met geen enkel symptoom in verband te brengen was en die, een paar uur later, toen ik al van de reis had afgezien om voor haar te zorgen, als bij toverslag verdween tijdens het consult van de kinderarts. Hij diagnosticeerde asymptomatische koorts en maakte zich geen zorgen, maar ik begon me af te vragen of het voor mij ooit mogelijk zou zijn om zonder schrik buitenshuis te slapen of met de onvermijdelijke dosis angst in een vliegtuig te stappen. In de loop der tijd zorgden de gebeurtenissen ervoor dat het antwoord nee was, dat het op dat moment niet mogelijk leek.

Toen Ignacio thuiskwam, trof hij mij op de rand van Clara's bed aan, die niet wakker was geworden toen ik haar in mijn armen uit de kamer daarheen had gebracht, en nu, met een ademhaling die regelmatig was, diep, als die van alle zieke kinderen, nog steeds sliep.

'Alweer!' Mijn man beperkte zich tot het uitspreken van dit ene woord, terwijl hij tegen de deurpost geleund stond, zijn hoofd iets naar achteren gebogen als enig teken van een licht gevoel van wanhoop.

'Ja,' mompelde ik, 'alweer. Het spijt me heel erg, maar maak je geen zorgen, ik heb alles al geregeld...'

Ik stond op om naar hem toe te gaan, gaf hem een lichte kus op zijn lippen, zoals elke middag, en leidde hem bij zijn arm naar de gang.

'Paulina is al gewaarschuwd.' Ik sloot de deur voor ik doorging met het opnoemen van de positieve resultaten die een stuk of vijf telefoontjes hadden opgeleverd. 'Ik heb haar gezegd dat ze voor morgen alleen wat witte rijst moet maken en haar niets anders mag laten eten, behalve wat yoghurt als toetje, als ze dat wil. Ik heb de indruk dat het iets met haar darmen is, ik weet niet. Ik heb de kinderarts gebeld en die zei dat hij, uiteraard, helemaal niet verbaasd is. Mijn zus Natalia komt om halfnegen, voordat ze naar de faculteit gaat, en ze kan een uur blijven. Paulina zei dat ze het prima vindt om om halftien te komen en dat ze, als het kan, nog eerder komt. Jij staat op, kleedt Ignacio aan, brengt hem naar school en klaar is Kees. Als Paulina komt, gaat mijn zus naar college, en 's middags, na het eten, komt je moeder, die zei dat ze niets beters te doen had. Overmorgen herhalen we de hele manoeuvre; op woensdag begint Natalia pas om elf uur, maar dan is het mijn moeder die 's middags komt, je hoeft je nergens zorgen over te maken... Ik heb voor Paulina een boodschappenlijstje achtergelaten op de deur van de koelkast en een briefje dat ze voor 's avonds een tortilla moet maken, maar Clara geen hap, hè, voor Clara twee plakjes gekookte ham, weer wat yoghurt en dat is het. Mocht je op een avond nog weg moeten, dan kun je Natalia bellen, want ze heeft me gezegd dat ze door de week best wil oppassen. Toen ik het daar terloops met je moeder over had, begon Álvarito te roepen dat zijn vriendin ook wel zou kunnen komen, want ze zitten nogal krap bij kas, begrijp je. Maar je weet, als je Julia belt, komt Álvaro met haar mee en zullen ze een wip maken op de futon in de studeerkamer, maar dat vind ik niet erg omdat ze voordat ze weggaan de lakens altijd in de wasmachine stoppen; ik vind het wel leuk dat je broer zo netjes is... O! En vrijdag is het verjaardagsfeest van mijn neefje Pablo, dat zou Ignacio voor geen goud willen missen. Mijn ouders gaan er zeker heen, en de meeste van mijn broers en zusters ook, neem ik aan, maar als je geen zin hebt om die trut van een schoonzus van me te zien, iets wat ik volledig zou begrijpen, hoef je er niet heen. Bel mijn ouders en vraag of zij hem meenemen, akkoord? Als Clara weer helemaal in orde is, kan ze mee, zo niet, dan moet ze thuisblijven, hoe hard ze ook huilt. Mijn vliegtuig vertrekt zaterdag om elf uur uit Zürich. Ik neem aan dat ik rond etenstijd terug ben en ik zal uiteraard elke dag bellen. Wat je vooral niet moet doen is je ongerust maken, ik ben ervan overtuigd dat Clara niets ernstigs heeft.'

Ik was even stil om adem te halen, en pas toen keek ik hem weer aan.

'Je bent ongelooflijk,' zei hij glimlachend. 'Als ik een secretaresse als jij had, zou ik de helft minder hoeven te werken, serieus.'

En misschien, dacht ik, zouden we dan zelfs weer eens kunnen vrijen als in het begin.

Nu, nu ik ben gaan betwijfelen of dat verhaal ooit werkelijk heeft plaats-gevonden – ik heb er zoveel van mezelf in geïnvesteerd, zo veel energie, zo veel tijd, zo veel zenuwcellen versleten om, met de obsessieve precisie van een gekke horlogemaker die door zijn eigen gekte veroordeeld is om elke ochtend het ingewikkeldste opwindmechanisme uit elkaar te halen en het onmiddellijk daarna weer in elkaar te zetten, een paar uur te recon-strueren – nu ik, door het op te roepen, het me te herinneren, het te on-dermijnen, ben gaan vermoeden dat ik het helemaal zelf heb bedacht, denk ik weleens dat wat er voor wat er in Luzern gebeurde, en vooral voor wat er met mij gebeurde, na Luzern, geen andere verklaring is dan de gelijkenis met die oude en goede tijden van het begin.

'De fotograaf heet Nacho Huertas,' had Ana, met een glimlach om haar lippen die iets te breed was om onschuldig te zijn, een paar weken tevoren meegedeeld toen we na het eten terugkwamen op de uitgeverij. 'Hij is heel goed. En hij ziet er nog goed uit ook. Lang, blond, en schouders die breed genoeg zijn om al die apparatuur te dragen…'

'Oei-oei-oei!' Marisa begon te lachen, waarbij ze, een van haar meest infantiele gebaren, haar wenkbrauwen als alarmsignaal tot boogjes trok. Normaal werd ik zenuwachtig van dat lachje, maar die middag maakte het mij zelfs aan het lachen, want er waren twee flessen wijn doorheen ge-gaan, ten koste van de witte bonen met patrijs die het Mesón de Antoñita elke donderdag serveert, en we waren alle vier iets meer dan voldaan.

'Wees voorzichtig,' zei Ana, terwijl ze een slappe, vriendelijke, bijna komische vinger de lucht in stak, 'want het is heel gevaarlijk…'

'Oei-oei-oei-oei!'

'… en zeg later niet dat ik je niet gewaarschuwd heb.'

'Ooeeei!'

'Hou op zeg!' protesteerde ik, terwijl die twee midden in de gang dub-bel lagen van het lachen en Fran met getuite lippen stond te blazen om ze tot een beetje ernst te manen.

'Luister,' Marisa boog haar hoofd omhoog om haar gezicht te laten zien, 'als ik n-nou eens op dat andere ticket ging, wa-ant ik heb het het meest nodig!' Zelfs Fran moest hierop lachen.

Maar toen ik in het vliegtuig stapte, op weg naar Zürich en naar de oorsprong van alle verwarring, dacht ik niet meer aan de waarschuwingen

van Ana, aan de dreiging van dat gevaar die ik nooit serieus had genomen
De tas van de taxfreewinkel op Barajas, die ik niet in de koffer wilde stoppen, zat vol met cosmetica en allerlei crèmes, voor een prijs die het opof-
feren van een halfuur slaap meer dan goed maakte, en de tijd die ik niet
had besteed aan het verwerven ervan bracht ik door met het openen van
dozen, het optillen van deksels, het vergelijken van geurtjes en het lezen
in de verschillende bijsluiters hoe fantastisch ik er over een paar maanden
uit zou zien. Ik genoot echt, want deze praktijk kwam op mij nog over als
een, zeer recente, ondeugd. Ik was kort tevoren vierendertig geworden
en elke avond, wanneer ik me uitkleedde, kon ik die jaren tellen in de
hoeken van mijn lichaam, hoewel ik gekleed, ook nu nog, met drie jaar
erbij, acht of tien jaar jonger kan lijken. Misschien heeft Ignacio daardoor
nooit begrepen wat hij, diep vanbinnen, wel beschouwd moet hebben als
een liefhebberij die te duur was om nutteloos te zijn. Maar uiteindelijk
kon hij, net als vroeger, met me blijven pronken, in het openbaar, voor
zijn vrienden.

Ik was me er onmiddellijk van bewust, misschien al de eerste avond dat
we samen uitgingen. Hij keek me met van die begerige ogen aan vanaf
het moment dat hij ons ontmoette in het huis van zijn ouders, toen hij de
deur van zijn oude kamer met zo veel heftigheid opengooide dat hij de
bekkens van het drumstel uit balans bracht en begon uit te varen tegen
zijn broer Enrique, onze bassist, en er een knallende ruzie ontstond, maar
zo nu en dan, tussen het geschreeuw door, keek hij naar mij, daarvan was
ik me bewust, en hij leek me een ontzettende zak, want als hij daar niet
meer woonde, wat maakte het hem dan uit dat wij in die kamer oefenden.
Bij Domingo, die akoestische gitaar speelde, hadden ze thuis al gezegd dat
we weg moesten uit de garage, die precies onder de zitkamer lag, en het
appartement van Enrique was zo groot, bijna tweehonderd vierkante meter, in San Francisco de Sales, dat niemand er last van had, en als zijn ouders er niets van zeiden, wie was hij dan wel om zo tegen zijn broer tekeer
te gaan, en daarom leek hij me een zak, maar wel een zak die er eerlijk
gezegd behoorlijk goed uitzag, en daarom vond ik het heel leuk om hem
zo snel weer te zien. Een week later verscheen hij met twee vrienden bij
de repetitie en was hij heel aardig tegen iedereen, en tegen mij veel meer,
en ik weet niet precies meer waarmee het begon, maar het was heel duidelijk dat hij niet alleen gekomen was om op de versiertoer te gaan, maar
ook om zijn vrienden te laten zien hoe hij op de versiertoer ging. Het was
allemaal heel brutaal, hoewel zijn gedrag eerlijk gezegd niet zo veel indruk
op me maakte, omdat ik in die tijd zo vaak op de versiertoer ging, ik vond

al bijna gewend om aardig te zijn voor kerels voordat ze aan me werden voorgesteld en ik deed mijn best om mijn succes met gelijkmoedigheid te dragen. De ervaring hielp me om kalm te blijven terwijl hij naderbij kwam, terwijl hij tegen me praatte, en later op straat, onderweg naar het café, waar we elke donderdag bijeenkwamen om de zojuist afgelopen repetitie te vieren of te betreuren, dat was moeilijk te bepalen, maar toen begonnen de biertjes te komen, bier, bier en nog eens bier, hele liters bier, en viel de homogene groep die we aan de bar hadden gevormd langzaam uiteen in kleinere eenheden, waarbij mijn muzikanten in koppels praatten, onder elkaar, en Ignacio met mij en een van zijn vrienden, en op een gegeven moment was ik me ervan bewust, zijn ogen schitterden, brandden van een oranje en koel vuur, geweven van de dichte hitte van het verlangen en een zeer koude, zeer fijne draad, geboren uit sluwheid en berekening, en ik werd gek van de schaduw van dat licht, verloor mijn zelfbeheersing, mijn hoofd, en mijn verstand, en kreeg daarvoor in de plaats een toekomst zoals ik me nooit had voorgesteld.

Die blik bleek een te broze beloning voor mijn gekte, want die verdween al snel en zonder zijn eigen verval te voorzien, als een oude knipperende neonlamp die, bij het doven, besloten had elke seconde een fractie van een seconde op het licht te beknibbelen, tot het natuurlijke, harmonieuze ritme werd doorbroken en hij alleen zo nu en dan nog brandde, grillig, onverklaarbaar, steeds dreigend helemaal op te houden, en toen begon ik me af te vragen of Ignacio, die, na een overgang die zo zacht en pijnloos was als de slaap, was opgehouden een bijna volmaakte minnaar te zijn om te veranderen in de vader van mijn kinderen, ooit een echtgenoot voor mij was geweest. Ik hou meer van je dan van mijn leven, zegt het liedje, en de gedachte dood te gaan zonder dat ooit tegen iemand te hebben gezegd is zo moeilijk voor me, dat ik soms, wanneer ik meer dan twee glazen heb gehad, op een feestje of tijdens een etentje, nog steeds een beetje emotioneel word als ik de vonk vermoed, de knop van een onzichtbare schakelaar die moeizaam van positie verandert, en de bleke weerspiegeling van het licht van vroeger in een paar ogen die ouder zijn, vermoeider, die zich alleen nog voeden met het verlangen van de anderen. En de anderen, zijn vrienden, de mijne, de vrienden en echtgenoten van zijn vriendinnen en mijn vriendinnen, alle mannen die we tegenkomen wanneer we samen ergens heen gaan, kijken nooit naar me wanneer ik naakt ben. Ignacio evenmin, want de vertoner die tevreden is met zichzelf en het materiaal dat hij tentoonstelt, en die mij, in de ochtendlijke uren die volgen op enkele nachten die steeds langer zijn, steeds zeldzamer, naar het bed sleept om boven op me in elkaar te zakken met een begeerte die zo schamel en kortstondig is dat die nooit kan worden aangehouden, heeft tijd noch ruimte om naar me te kijken. Ik verwijt het hem niet. Het enige verschil tussen ons is dat hij tevreden lijkt met zijn lot en dat ik dat niet ben, en daardoor, neem ik aan, ambieert hij jonge en verrukkelijke minnaressen die zijn leven niet compliceren, terwijl ik juist verlang naar zo'n echte man die mijn leven onherstelbaar en voor altijd compliceert, zelfs als dit betekent dat het er van buitenaf uitziet als een koortsachtig, meelijwekkend streven naar overspel. Maar ik ben er vrijwel zeker van dat hij dit laatste zelfs niet vermoedt, en daarom begrijpt hij niet dat ik zo veel geld aan crèmes uitgeef.

Nacho Huertas, een wispelturige en besluiteloze mutant, hoewel onberispelijk gecamoufleerd door een authentiek menselijk lichaam, bleek geen echte man te zijn, maar zeker is dat hij, net als Clark Kent, daarop leek, en hoewel hij niet kon vliegen, kon hij wel naar me kijken. Toch had ik geen moment rekening met hem gehouden, ondanks de waarschuwingen van Ana, en het is mogelijk dat ook deze onvoorzichtigheid iets te maken had met wat er in Luzern gebeurde, of met wat er met mij gebeurde, na Luzern, want ik was zo gewend om, altijd met funeste gevolgen, de mogelijkheden in te schatten van de weinige briljante kerels die mijn pad kruisten, dat Nacho me een teken scheen, een geschenk van het lot, een redelijke belichaming van het definitieve. Ik had mezelf al zo vaak, duizenden keren, voorgehouden dat dat niet de manier was om met mijn problemen om te gaan, om me vervolgens voor te houden, met meer of minder energie, dat mijn problemen ten eerste niet zo ernstig waren en dat er ten tweede geen enkele manier was om ze op te lossen, maar ik had niet de kracht om mijn eigen fantasieën op te geven, het leek zo eenvoudig, opnieuw verliefd worden, opnieuw verliefd te worden en de sprong te wagen, een eind te maken aan het grijze leven, aan de verspilling van de jaren, aan het verlangen naar zo veel dingen die ik nooit heb bezeten. Andere vrouwen dromen van een verhuizing naar een andere buurt, van een promotie van hun man, van inbouwkasten, van een kind, of van het zien van een van degenen die ze al hebben in het tenue van generaal, of van minister of van diplomaat. Ik ben zeer jaloers op ze. Ik wil alleen maar zweven, en hoezeer ik ook bereid ben om het toeval de nek om te draaien om dat te bereiken, niemand lijkt bereid mij het recept te geven.

Ik weet niet meer of mijn voetzolen zich in Luzern boven de grond verhieven, hoewel ik moet erkennen dat mijn ogen meer dan getraind waren om optische illusies voor waar te verklaren. Maar toen ik in het hotel aankwam, ongerust over Clara, moe van het gesleep met mijn koffer door de straten op zoek naar een van de vvv-kantoren, die zich, zo bleek, in elk van de uithoeken van Zürich bevonden, afgepeigerd na de treinreis die op die excursie was gevolgd na drie kwartier van wachten op een station dat zo schoon was als de keuken van mijn schoonmoeder – die ik alleen maar voor me hoef te zien om uit mijn vel te springen – en ontzet over de prijs van de taxi's, had ik nergens anders zin in dan het bad met warm water vullen, me uitkleden en er tot aan mijn neus toe in wegzakken, en ik besteedde niet veel aandacht aan het briefje dat in het postvakje op me wachtte. De fotograaf, die een dag eerder vanuit Zermatt had moeten arriveren, wilde me spreken, maar toen ik de deur van de badkamer opendeed, was ik dat op slag vergeten. Een kwartier lang ervoer ik een transformatie die alleen vergelijkbaar is met die van de Ongelooflijke Hulk wanneer die formidabele groenachtige spiermassa, die hij overal met zich meedraagt als een geheim en onnaspeurbaar stigma begint te groeien en groeien tot die bescheiden kleren van een schuwe vrijgezel volkomen aan flarden zijn gescheurd. Ik nam geen genoegen met minder dan hartgrondig en met heilige woede die viespeuken van een Midden-Europeanen te vervloeken, die sinds de grondlegger van het Heilige Roomse Rijk, generatie na generatie, hebben afgezien van een zo onmisbare ruimte als een badkamer en deze te vervangen door een armzalig vierkant van halfverzonken tegeltjes voorzien van een gammele handdouche. Intussen vergat ik ook mijn naam, die van mijn kinderen, mijn adres, en elk ander onvergetelijk gegeven, en toen de telefoon ging, bleef ik in mezelf doorgaan dat, ja ja, en maar poetsen op die tegeltjes van de stations en dan moest je daarna eens zien waar het uniform van die schoonmaaksters naar ruikt.

'*Allo!*' zei ik in mijn beste Duits.

'Rosa?' Het nadrukkelijke rollen van de begin-'r' verried onmiskenbaar een landgenoot aan de andere kant. Het was hem, maar ik voelde niets bijzonders.

Toen we elkaar een uur later in de hal ontmoetten, herkende ik hem echter onmiddellijk, want hij was een getrouwe weergave van de beschrijving van Ana, lang, blond, grijzend, met schouders die heel breed waren, heel gevaarlijk, dat type mannen dat het voor ze je de hand hebben geschud al heeft klaargespeeld je van opzij te bekijken, van boven naar beneden, en in staat is met minimaal risico op een fout je maat te schatten, maar dat goed doet, zonder agressief te lijken, zonder je lastig te vallen, alsof ze gedwee gehoorzamen aan hun aard en hun aard precies daarin bestaat, in vrouwen van opzij bekijken zonder verder iets te zeggen en hopen dat ze in de val lopen van een verleiding die daar nooit naar uitziet. Terwijl hij zei dat hij heel blij was dat we elkaar hadden getroffen omdat het historisch centrum van Luzern veel groter en interessanter was dan hij had gedacht en hij niet precies wist aan welke wijken, welke stijl en welk soort gebouwen de meeste aandacht moest worden besteed, bleef ik me afvragen of ik in vorm was en was ik met de minuut meer geneigd om mijn vraag te beantwoorden met ja, hoewel het zelfs niet in mijn hoofd opkwam dat deze onbeduidende, oppervlakkige neiging tot flirten ook maar enige consequentie met zich mee zou kunnen brengen.

'Anita heeft me niets concreets gezegd,' begon hij, en ik glimlachte in mezelf bij het horen van dat verkleinwoord dat betrekking had op een vrouw die langer was dan één meter zeventig en kort tevoren vijfendertig was geworden. Ik heb nooit begrepen waarom die versierders zo graag verkleinwoorden gebruiken, 'maar Zermatt was gemakkelijk. Daar heb je bergen en een skistation, dat is het, maar hier weet ik niet goed waar ik moet beginnen. We kunnen nu een eindje gaan lopen, als je wilt,' stelde hij ten slotte voor.

'Na het eten,' zei ik tegen hem. 'Ik heb nog geen tijd gehad om te gaan eten en ik heb honger.'

'Ik vind dat zo leuk, de manier waarop vrouwen laten weten dat ze honger hebben.'

'O ja?' We verlieten het hotel en hij duwde, uiteraard, de deur open om mij voor te laten gaan. 'En waarom?'

'Ik weet niet, maar het komt op mij altijd een beetje als een spel over, als...' Hij waagde het niet om de zin af te maken en zei in plaats daarvan glimlachend: 'Nou ja, het lukt me nooit om het helemaal te geloven.'

'En als een man zegt dat hij honger heeft?'

'Dan geloof ik het wel, en dan weet ik dat er gewacht moet worden tot het nagerecht voordat we verderpraten, of grappen maken, of over een bepaald punt discussiëren. Hongerige mannen denken alleen aan eten; hongerige vrouwen kunnen tegelijkertijd aan andere dingen denken of over andere dingen praten. Dat vind ik juist zo leuk. En bovendien...' hij zweeg even, zodat ik woord voor woord kon raden wat hij ging zeggen, '... vind ik vrouwen in het algemeen altijd interessanter dan mannen.'

Ik had het begrepen, maar hij legde onmiddellijk daarna uit dat hij veel van vrouwen hield, alsof hij niets aan het toeval wilde overlaten. Terwijl ik op zoek was naar een scherpzinnige opmerking die hem op een subtiele manier zou duidelijk maken dat ik niet dom ben, bleef hij stilstaan voor een brasserie die er uitstekend uitzag. Hij bekeek de kaart met de houding van een kenner en ik zei dat ik alles goed vond, want afgezien van het gat in mijn maag dat met de seconde groter werd, was het drie december en godvergeten koud op die hoek.

We gingen aan een wat apart staande tafel zitten, die klein was en vol stond met voorwerpen, een rode kaars, die brandde, een vaasje met één roos, enorme, ronde, metalen onderborden en servetten die zo ingewikkeld waren gevouwen dat ze op bloemkolen leken; het was allemaal heel romantisch, en hoewel mijn eetlust net zo echt was als die van welke hongerige man dan ook, kreeg ik plotseling het gevoel dat het lot de kaarten al aan het schudden was.

'Hou je van gebakken camembert?' vroeg ik hem, en hij knikte instemmend. 'We kunnen er een delen, om te beginnen.'

'Natuurlijk, maar… had je niet een ontzettende honger? Eet hem maar alleen.'

'Nee, ik zou het wel willen, maar ik kan het niet.' Ik liet mijn stem wat overdreven klinken en gebruikte een bijna komische toon om het uit te leggen, want in feite schaam ik me een beetje om steeds hetzelfde te zeggen: 'Je wordt er nogal dik van.'

Hij barstte in lachen uit.

'Maar je bent niet dik.'

'Toe nou… Het lijkt alleen niet zo, want ik heb een meisjesachtig gezicht, en ik ben tenger, en ook niet al te lang, nietwaar, en ik heb een fijne botstructuur, en daardoor word ik niet in het rond, maar in het vierkant dik… begrijp je?' Hij schudde zijn hoofd en glimlachte. 'Het verbaast me niet, maar het maakt niet uit; het punt is dat ik niet in mijn eentje zo'n hele camembert wil eten.'

'Al dat dieetgedoe, vrouwen doen daar veel te moeilijk over, dat meen ik,' vervolgde hij, toen de ober de wijn had gebracht en het ernaar uitzag dat we het probleem hadden opgelost. 'Voor mij moeten vrouwen niet al te slank zijn, weet je, en ik heb er veel gekend, heel veel, die broodmager waren. Ik ben meer dan vijftien jaar modefotograaf geweest en ik heb honderden modeshows gedaan, duizenden reportages, covers, catalogussen… tot die hele modewereld me de strot uit kwam. Er kwam een moment waarop ik dacht dat ik gek werd. Al die mensen die het over de trend hadden van de lange mouw, alsof die mouwen levend waren, alsof ze belangrijk waren, alsof de wereld ten onder zou gaan doordat Chanel besloten had de manchetten korter te maken, altijd hysterisch, altijd aan het draven, altijd haast, ik weet niet… Ik ben een beetje frivool, uiteraard, maar niet zo erg, en het ziet er misschien niet naar uit, maar die gekte is besmettelijk, en op een goede dag besloot ik de studio te sluiten en nooit van mijn leven meer een portretfoto te maken. Nu fotografeer ik land-schappen, steden, gebouwen, en de mensen die erin wonen, gewone mensen, die geen geld krijgen om in de bladen te verschijnen. Ik verdien minder, maar ik voel me beter en ik heb geen maagpijn meer.'

'En heb je foto's van beroemde modellen gemaakt?'

Heel veel.'

'Spaanse?'

'Ook buitenlandse.'

Hij begon op zijn vingers te tellen terwijl hij minstens een stuk of tien heel bekende namen noemde, een hele reeks van nieuwe godinnen, voor-al Amerikaanse, maar ook een Duitse, een Française, een Italiaanse, voordat hij overging op de nationale selectie, waar een bepaalde naam op een opvallende manier aan ontbrak.

'O nee!' zei hij heftig gebarend. 'Die niet, natuurlijk niet, vergeet het maar. Weet je wat die meid is? Een paard, niet meer en niet minder. Ze is lang, dat wel, en ze mag dan weinig wegen, maar ze ziet er niet naar uit. Ze heeft geen stijl, geen greintje van die natuurlijke elegantie die een mo-del toch hoort te hebben. Het is me altijd gelukt om die te ontlopen. Ik zou voor geen geld ter wereld foto's van haar maken, behalve in badpak… Dat zou nog iets kunnen worden, maar al het andere zou tijdverspilling zijn.'

'Ik begrijp je niet.' Ik begon te lachen. 'Ik dacht dat je vrouwen als Ana leuk vond…'

'Welke Ana?' Hij keek me met plotselinge belangstelling aan, zijn voor-hoofd gefronst, opgetrokken wenkbrauwen, in al zijn trekken lag een uitdrukking van pure verbazing.

'Anita,' legde ik uit, op enigszins spottende toon, en hij lachte.

'Ah, Anita!' herhaalde hij. 'Ja, ja, die vind ik zeker leuk. Heel erg leuk. Anita is geweldig.'

'Ze is tenslotte lang, en heel wat weelderiger dan het paard.'

'Ja, maar ze is geen model.'

'Dat is duidelijk, en ik begrijp je niet,' hield ik vol. 'Ik dacht dat je niet van magere vrouwen hield.'

'Ik niet, maar mijn camera wel.' Hij zweeg even voor hij zich nader verklaarde, en daarbij koos hij zijn woorden met zorg. 'Het is niet hetzelf-de. Heb je ooit echt gelet op de vorm van etalagepoppen of op de houten paspoppen die de goede kleermakers gebruiken? Toen ik modefoto's maakte, was de kleermaker mijn klant, niet het model. Mijn taak was de kleding te fotograferen, niet het lichaam dat de kleding droeg. En het eer-ste wat je leert als je met mode bezig gaat, is dat het lichaam altijd de te-kortkomingen onthult, en de paspoppen verhullen ze. Misschien heb je ooit in een winkel een jurk gezien die je saai leek, en die je, toen je hem eenmaal aangetrokken had, prachtig vond, maar ik ben ervan overtuigd dat het omgekeerde je heel wat vaker is overkomen. Daarom koos ik altijd modellen die het meest op paspoppen van de kleermakers leken, plat, vlak, met zo weinig mogelijk volume, en terwijl ik werkte, zei ik voortdurend tegen ze dat ze zo geweldig waren, zo knap, zo betoverend, zo onweer-staanbaar, om te voorkomen dat ze zouden instorten. Ze geloven het al-tijd.'

'Maar je vond ze niet...'

'Nee, ik niet, want hoewel ik er wat voor gegeven had om het te ver-mijden, zag ik ze vroeger of later een keer naakt.'

'Aha.' En ik glimlachte, als een vriendelijke inleiding op mijn ironie. 'En zijn ze zo verschrikkelijk?'

'Auschwitz, dat zijn ze.' Hij deed niet met me mee, en hij werd ernstig toen hij antwoordde, alsof hij moeite had met het idee dat ik zijn woor-den niet serieus zou nemen. 'De meesten hebben dijen van het formaat van mijn armen. Ik neem aan dat er mensen zijn die dat mooi vinden, maar ik heb nooit roeping gevoeld als folteraar.'

De echo van dat woord sneed zo scherp door de lucht als het blad van een bijl en boorde zich vervolgens in het midden van de tafel, waarna aan beide kanten een vreemde stilte viel. Soms besmetten woorden elkaar met zwaarte, belasten elkaar tot het geheel een ondraaglijk gewicht krijgt voor degene die ze uitspreekt, voor degene die ze aanhoort, tot gesprekken de verstikkingsdood sterven, verpletterd door één enkel woord als dat. Ik keek aandachtig naar hem, naar zijn opeengeklemde lippen, en ik voelde dat hij hun effecten niet had ingeschat voor hij ze uitsprak. En terwijl ik alleen maar terug wilde naar een etentje waarbij ik me tot een moment tevoren echt had vermaakt, schatte ook ik de effecten niet goed in van de opmerking die ik waagde te maken om de stilte te doorbreken.

'Met andere woorden, van mij zul je geen foto's maken...'

Ik had heel zacht gesproken, fluisterend bijna, mijn ogen op het tafel-kleed gericht, en hij antwoordde aanvankelijk niet. Toen ik mijn hoofd ophief, krulden mijn lippen zich als vanzelf en vormden een glimlach die ik me niet bewust was te hebben gevraagd, alsof ze hadden aangevoeld, alleen zij, dat ook hij glimlachte.

'Gekleed niet.'

Mijn glimlach verbreedde zich om een subtiele, discrete, bijna intieme lach door te laten, die mijn blijdschap meer vertaalde dan dat hij in overeenstemming was met de bedoelingen van de ironische, zelfverzekerde vrouw, in de meest zuivere stijl van Catwoman, die ik, aan de andere kant, precies op dat moment niet meer pretendeerde te zijn.

'Wees niet al te zeker van je fotografeninstinct,' waarschuwde ik toch maar. 'Het lichaam mag dan de tekortkomingen van de kleding onthullen, maar soms verhult de kleding de tekortkomingen van het lichaam.'

'Mijn instinct laat me nooit in de steek,' antwoordde hij lachend, voordat zijn stem lager van toon en plotseling diep werd. 'Bovendien... Gekleed zie je er goed uit. Heel goed zelfs. Je hebt mooie vormen.'

Toen zag ik de schittering die zijn ogen deed glanzen, zag ik mezelf in een oranje en koel licht, en vond ik tegelijkertijd koude en warmte, berekening en verlangen terug, en de beloning was dat ik in één klap vijftien jaar terugwon, al die jaren die ik verloren had in de hoeken en gaten van mijn leven kwamen naar me terug, en ik was weer negentien, want ik werd zo zenuwachtig dat ik een gillend lachje liet ontsnappen terwijl ik op hetzelfde moment met een onbeheerst gebaar van mijn linkerhand mijn waterglas omgooide en mijn servet op de grond liet vallen, dat niet in evenwicht wist te blijven op een uitzinnig benenspel.

'Wil je een toetje met me delen?' vroeg ik hem ten slotte.

'Meer dan dat,' antwoordde hij.

Toen het vliegtuig van Swissair vier dagen later op Barajas landde, precies op de aangegeven tijd, deed niets me vermoeden dat de vrouw die het vliegtuig via de achterdeur voor de rokers verliet, een plaatsje veroverde in een afgeladen bus, geduldig wachtte op de laatste bagage, en vervolgens merkte dat er niemand was gekomen om haar af te halen, anders was dan de vrouw die al die stadia van een precies omgekeerd proces 96 uur eerder had doorlopen. Ik voelde me geweldig, uiteraard, want ik had iemand versierd en dat is zo ongeveer het beste wat je kan overkomen in het leven als vervolgens al het andere goed uitpakt, en in Luzern had het onwaarschijnlijk goed uitgepakt, maar als ik het allemaal aan een of andere vertrouwde vriend of vriendin had kunnen vertellen en hij of zij me op dat exacte moment had gevraagd of ik verliefd was, had ik nee geantwoord, en dat was eerlijk geweest.

Nacho Huertas, zo brutaal, zo bruusk, zo vervelend zo nu en dan, was een zachte man. Niet aangeleerd gevoelig, geen verwijfde progressieveling, geen macho met een complex, geen moderne verleider, van het soort dat geleerd heeft zachtaardigheid te gebruiken als een werpwapen, maar een zachte man die in staat was mij in zijn armen te sluiten wanneer hij me omhelsde, zijn smaak op me over te brengen wanneer hij me kuste, zachtjes in mijn oor te ademen tot ik in slaap was, en die bovenal in staat was zich niet te verplichten om zo te zijn, zichzelf niet op te leggen om al die dingen te doen die zo fundamenteel lijken en dat vrijwel nooit blijken te zijn, en in wie ik daardoor niet eens de hartstochtelijke, heftige minnaar had durven vermoeden die zich aan de bar van het enige café dat nog open was op me had gestort en me in mijn lippen had gebeten terwijl hij met zijn linkerelleboog – deze keer hij – de lege glazen omgooide die een ober die moe was van het nietsdoen nog niet had weggehaald, voordat hij, tot grote ontsteltenis van het aanwezige publiek, aanstalten maakte mijn kleine lichaam met zijn grote handen te verkennen. Al die keurige inwoners van de Zwitserse Federatie konden hoogstwaarschijnlijk een blik werpen op het verstevigde deel van mijn kousen, zwart schuim aan de rand van mijn dijen en de kleur van mijn witte, kanten beha, terwijl ik daarboven, daaronder, verslapte tussen die enorme vingers die meer bedoeld leken voor het hanteren van een spade dan voor het instellen van de subtiele mechanismen van precisielenzen. Daarna hield hij zonder aankondiging op, net zoals hij begonnen was, en wilde me niet aankijken, de golf van hitte niet opmerken die mijn wangen, mijn hals, mijn voorhoofd rood kleurde, en ik vroeg me af of het hem speet dat hij zo snel zover was gekomen of ten prooi was gevallen aan een plotselinge aanval van die ongewenste schroom die je, ondanks zijn inspanningen, zou kunnen vermoeden achter een façade van snedigheid en clichés, maar ik vergiste me, want hij zocht alleen naar geld in zijn zakken, en toen hij het gevonden had, legde hij het op de bar en mompelde iets.

'Ik had zo'n zin in je,' en vanaf dat ogenblik keken zijn ogen strak in de mijne, 'zo'n zin, vanaf het moment dat ik je zag… Dat overkomt me niet vaak, en het kost me veel moeite om me te beheersen.'

Toen was ik degene die van de kruk stapte, degene die zich op hem stortte, degene die in zijn lippen beet, en een paar oudjes achterin klapten. Ik herinner me niet eens hoe we bij het hotel zijn gekomen, welk mysterieus instinct hem leidde terwijl we ons struikelend voortbewogen, zijn handen verborgen in de ruimte van mijn regenjas, al mijn knopen los, mijn rok op wonderbaarlijke wijze alleen nog op mijn heupen hangend, en mijn kousen ontploffend in een klein geraas van parallel lopende ladders, verward in elkaar, meer dan elkaar omhelzend, en verdwaald, dacht ik, tot ik de deur van het hotel herkende en deze doorliep zonder me ook maar ergens van bewust te zijn. Hij had eensklaps zijn zelfbeheersing hervonden en liep naar de receptie om twee sleutels te vragen, stak mij er een toe en leidde me bij de hand naar de lift. Zijn kamer was op de vierde verdieping, de mijne ook. Toen we die bereikten, liet hij me voorgaan en stapte na mij naar buiten, en toen stonden we verbijsterd stil in de gang, tegenover elkaar, elkaar zwijgend aan te kijken, alsof we plotseling niets meer te doen hadden, niets te zeggen hadden.

'We kunnen naar jouw kamer gaan, als je wilt,' mompelde hij na een tijdje, en hij voegde er, om zijn ongeduld te verhullen, zijn onzekerheid misschien, een hoffelijke opmerking aan toe, dat traditionele middel van afstand. 'Dat zal veel prettiger zijn voor jou.'

Ik glimlachte tegen hem terwijl ik me afvroeg of ik, ondanks alles, echt zin had om met hem naar bed te gaan, en ik herinner me duidelijk, en ondanks de vastbeslotenheid waarmee ik later weigerde me dit detail te herinneren, dat ik een beetje moe werd bij het idee, maar ik was erg opgewonden, merkwaardig, ik ben er nu vrijwel zeker van dat de opwinding de plaats innam van heel veel andere gevoelens die zelfs niet in mijn binnenste opwelden, alsof ze al voor ze konden ontluiken de verstikkingsdood waren gestorven, verlangen, onzekerheid, wellust, medeplichtigheid, genegenheid, bewondering of zelfgenoegzaamheid, niets van dat alles trof ik in mezelf aan, alleen opwinding, de belofte van een twijfelachtige triomf, een sleutel die precies leek te passen in het slot van die deur waardoor de tijd ontsnapt, mijn tijd.

Ik zei geen ja, maar begon in de richting van mijn kamer te lopen, en hij volgde me. De rest bleek te vergelijkbaar met een klassiek avontuur van gewone stervelingen, veel meer dan ik zou hebben gewild, en toch, en hoewel ik zijn lichaam niet kende, en hij het mijne niet kende, herkende mijn huid de zijne vanaf het begin, en ik kon hem kussen, in mijn armen nemen, strelen zonder die irritante stem te horen die me andere keren, vanuit mijn eigen ingewanden, had aanbevolen om er zo snel mogelijk hollend vandoor te gaan, met mijn ogen strak op de enige uitgang gericht, zonder tijd te verliezen en zonder iets te zeggen, mijn handen, mijn benen, mijn geheugen en de hele inhoud ervan eenstemmig gericht op de urgente redding van mijn waardigheid. Maar niets van dat alles gebeurde, Nacho Huertas was een zachte man.

'Blijf ik hier slapen?' vroeg hij later. 'Ik weet nooit goed wat ik moet doen, of het beter is om te gaan of te blijven…'

'O, nou…!' zei ik om tijd te winnen, want ik had me eerlijk gezegd al voorgesteld hoe heerlijk ik me zou voelen als ik alleen zou achterblijven in dat grote, warme bed en al zijn woorden zou oproepen, al zijn daden, de precieze druk van al zijn vingers op het oppervlak van mijn lichaam. 'Blijf als je wilt, maar alleen als je er echt zin in hebt, en anders… Doe maar wat je wilt.'

Hij stond op om naar de badkamer te gaan, en ik stelde vast dat hij een fantastische kont had, rond, en vlezig, en hard, een kont om in te bijten, om te kneden, ik ben gek op mannenkonten en ik zei het tegen hem, en ik hoorde hem lachen aan de andere kant van de deur. Daarna deed hij het licht uit voor hij in bed stapte, en hij nam me in zijn armen en liet zijn handen over mijn rug glijden terwijl hij zacht mijn gezicht kuste en zoete woordjes fluisterde zoals je bij kleine kinderen doet.

'Mijn instinct laat me nooit in de steek,' hoorde ik nog net voordat ik in slaap viel. 'Dat heb je nu gemerkt…'

Ik werd wakker aan de rand van het bed, terwijl hij helemaal aan de andere kant lag, maar ik vond het prettig om hem onder dezelfde lakens aan te treffen. In tegenstelling tot wat te verwachten viel, was ook het ontwaken zacht, zo zacht dat ik hem iets durfde te vragen. Ik had altijd gedacht dat er een familie van tekens bestaat, misschien een tiental korte, onbelangrijke gebaren, die voldoende zijn om een man te veranderen in iets kostbaars, zo onvervangbaar en zo wezenlijk als slechts enkele mannen weten te worden. Het eerste ervan heeft te maken met het ontbijt. Een vent die op eigen initiatief de telefoon kan pakken om voor twee personen een Europees ontbijt te bestellen met verse jus, zelfverzekerdheid en besluitvaardigheid, kan voor elke vrouw de man van haar leven worden; dat dacht ik, hoewel ik niet zover durfde te gaan dat ik het hem zou suggereren.

'Maar ik spreek geen Duits,' zei hij echter, 'en ik ontbijt liever beneden, dan verlies je minder tijd, toch?'

'Natuurlijk, natuurlijk,' antwoordde ik, en ik stond mezelf niet het geringste teken van teleurstelling toe.

Een paar dagen later, toen ik het kantoor van Ana binnenliep om haar te vertellen hoe alles was gegaan, merkte ik dat ik bijna zonder er erg in te hebben over Nacho zat te praten, en ik was me er niet eens van bewust dat datgene wat ik haar vertelde, doordat ik mezelf elk teken van teleurstelling verbood, steeds minder te maken had met wat er in werkelijkheid was gebeurd.

5

Ik kan me niets frustrerenders voorstellen dan total loss thuiskomen en op het beeldvenstertje van je antwoordapparaat zien staan dat er 23 berichten zijn binnengekomen.

'Klik. Piiiep, Ana Luisa, kindje, met mama. Ik hoorde je berichtje net en ik kan het niet geloven, wat moet ik zeggen... Het lijkt wel of ze het expres doen, al die vergaderingen van je werk, ik weet niet... Met wie moet ik nou naar de opera? Als je vanaf kantoor naar huis belt, bel me dan alsjeblieft even, ik ben helemaal de kluts kwijt, ik weet gewoon niet wat ik moet doen. Een kus. / Klik. Piiiep, Anita, kindje, met je vader. Door wie denk je dat ik net gebeld werd? Door je moeder! Het is niet te geloven, toch? En ze begon tegen me aan te zeuren omdat ik niet met haar naar de opera wil, *Rigoletto*, wat denkt ze wel! Waarom zijn we nou eigenlijk gescheiden, hè, zou ik dat eens mogen weten...? Afijn, ik neem aan dat je er niet bent. Bel me vanavond even, dan kunnen we praten, veel kussen, meisje. / Klik. Piiiep, Ana Luisa, liefje, ik weet wel dat je er niet bent, maar op kantoor zeiden ze dat je net weg was, naar ik weet niet wat, afijn, het verbaast me niets, als je er bent ben je altijd in bespreking... Met mama. Papa heeft me net weer zo verschrikkelijk boos gemaakt, moet je nagaan dat ik hem uiteindelijk gevraagd had omdat ik niet meer wist wie ik anders nog moest bellen. M'n vriendinnen konden namelijk geen van allen, Elena is op reis, Ángela had afgesproken met een of ander raar vriendje dat ze tegenwoordig heeft, en Marisol had al beloofd om thuis te blijven en op haar kleindochter te passen, dus ik zei tegen hem, alsjeblieft, Pablo, zou je met me mee willen naar de opera...? En hij ging altijd zo graag uit, je weet niet half hoe vaak we daar ruzie over hebben gemaakt, nou ja, in ieder geval begon hij te razen en te tieren, en hij kwam met allerlei onbeschofte opmerkingen aanz… / Klik. Piiiep, Nog steeds met mij, kindje, niet te geloven, wat is dat antwoordapparaat van jou ongeduldig… Waar was ik ook weer gebleven? Oh ja, over je vader, dat ik me zo boos heb gemaakt, want we mogen dan gescheiden zijn, maar dat betekent toch niet dat we na dertig jaar samenwonen niet eens meer een avondje samen uit kunnen, lijkt mij hoor… Afijn, het maakt niet uit, er is toch allemaal niks meer aan te doen. Ik hou van je. Bel me alsjeblieft. Een kus. / Klik. Piiiep, Mama, met Amanda. Bel je me even, je weet dat papa niet wil dat ik geld uitgeef aan telefoontjes en ik moet ontzettend verschrikkelijk dringend met je praten. Dag. / Klik, Piiiep,… Hallo… Hallo Ana, met Angustias… Eh… Ja, ik moest een half uur eerder bij je weg omdat ik een afspraak had bij de ziekenfondsarts… vanwege de rug van mijn man, weet je wel…? De mensen van de wasmachine zijn niet geweest… Oké… Nou, dag hè, ik kan niet praten met dat ding… / Klik. Piiiep, Anita, met je vader. Misschien ben ik wel iets te ver gegaan bij je moeder, kindje, of, nou ja, eigenlijk ben ik gewoon te ver gegaan. Maar ik hou helemaal niet van opera! En dat weet ze, dat weet ze toch? Ik snap eigenlijk niet waarom ze nou zo nodig moest scheiden… Als je haar spreekt, zeg haar dan dat het me erg spijt dat ik gezegd heb dat ik er verdomme geen zin in had, en… en de rest, ze weet wel wat ik bedoel… Ik wil niet dat ze boos is. Bel haar even, en bel mij daarna. Veel kussen. / Klik. Piiiep, Ana? Met Paula. Ik weet wel dat je er niet bent, maar ik bel even, want misschien ben ik nog op tijd. Mama heeft me namelijk net gebeld, ze huilde want ze heeft weer eens ruzie met papa gemaakt, et cetera. Het ouwe liedje dus. Volgens mij gaan ze hoe dan ook weer gewoon bij elkaar wonen. Goed, waarom ik bel. Zou jij vanavond op mijn zoon kunnen passen? Dan zou ik met mama naar de opera kunnen. Tot halfnegen is het kindermeisje bij hem, en die kan hem als ze weggaat bij jou langs brengen. Adolfo is in Asturias, op een congres van histologen. Ik bel je nog, een kus. / Klik. Piiiep, Ana?, met Forito. Wil je me alsjeblieft even bellen als je thuiskomt, ik moet met je praten. / Klik. Piiiep, Mama, nog een keertje met Amanda, voor het geval je al thuis zou zijn. Oké, bel me *please. Au revoir.* / Klik. Piiiep, Ana?, met Félix. Als je Amanda belt, zeg dan tegen haar dat ze je mij ook even geeft. We moeten nog wat zaken afhandelen, schulden bij de fiscus namelijk, het spijt me. Over een maand, hooguit twee, kom ik naar Madrid, je hoort het nog wel, een kus. / Klik. Piiiep, Goedenavond, u spreekt met de Technische Hulpdienst.

We zijn vanochtend bij u langs geweest en hebben de reparatie niet kunnen uitvoeren omdat er niemand thuis was… Tot ziens… Dank u… / Klik. Piiiep, Ana Luisa, kindje, met mama. Het ziet ernaar uit dat Paula met me mee kan naar de opera als jij op het jongetje kunt passen als het kindermeisje weggaat. De voorstelling begint om acht uur. Ik hoop dat je voor halfacht thuis bent, want anders… Afijn, een kus. Ik hou van je. Met mama. / Klik. Piiiep, Anita, liefje, met je vader. Paula belde net en die is behoorlijk tegen me uitgevaren, maar volgens mij heeft ze geen gelijk. Waarom zou ik van opera moeten houden, hè, nou? Ik wil niet dat jullie straks allemaal boos op me zijn. Toe, bel me vanavond even. / Klik. Piiiep, Ik hoop dat dit het antwoordapparaat is van Ana Hernández Peña. Dit is Marta Peregrin, en… Ik weet niet waarom, maar mijn rekening is deze maand niet betaald, en het waren vier reportages. Ik heb het geld uiteraard nodig, ik kan niet van de lucht leven. Goed, ik neem maar aan dat het niet jouw schuld is, maar het zou prettig zijn als je me even belde. Tot ziens. / Klik. Piiiep, Ha Ana, met Mariola. We hebben vanavond een heel belangrijke afspraak en de oppas heeft ons in de steek gelaten. Ik belde je om te kijken of jij soms niets te doen had… maar je bent er niet. Als je gauw thuiskomt, bel me dan in ieder geval even. Bedankt. / Klik. Piiiep, Anitaaa! Met je broer, Antonio. Mama maakt me horendol, en ik wilde van jou even horen hoe het zat, want ik peins er uiteraard niet over het antwoordapparaat af te zetten… Oké, we zien elkaar nog wel. Een dikke kus, engel. / Klik. Piiiep, Ana Luisa, kindje, met mama. Het is allemaal geregeld, je hoeft je geen zorgen te maken. Ik heb mijn vriendin Marisol gebeld en die zei tegen me dat het haar niets uitmaakte of ze nou alleen op haar kleindochter paste of ook op mijn kleinzoon, dus Paula en ik gaan naar *Rigoletto*. Ik heb zo'n zin! Je hoort het nog wel. Een kus. / Klik. Piiiep, Ha Ana, met Paula. Nou, Jorge gaat uiteindelijk naar Marisol, dus het is allemaal geregeld. Ik hoop dat ik niet in slaap val tijdens de opera. Ik bel je nog, een kus. / Klik. Piiiep, Ana? Met Félix… Ben je nou nog niet thuis? Jezus, wat een leven leid jij! Bel ons even. Amanda wil met je praten en ik ook. / Klik. Piiiep, Anita, kindje, met je vader… Bij mama thuis neemt niemand op, bij Paula ook niet, Antonio en jij op het antwoordapparaat en Mariola weet weer van niks, zoals gewoonlijk. Jullie zijn toch niet boos op me, hè? Laat alsjeblieft iets horen. ik hou veel van je, kindje, veel kussen. / Klik. Piiiep, Gefeliciteerd, Ana! Met Fran. Ik neem aan dat je nog niet thuis kan zijn, maar ik moest je even vertellen dat er vooralsnog in de indexen van de ISBN geen enkele *Atlas van de Menselijke Geografie* in afleveringen voorkomt. Je bent een kei! Dan weet je dat.

76

Tot morgen en een kus. / Klik. Piiiep, Ana, met Forito... Het is dringend, want eh... ik heb deze maand geen geld gehad. Ik weet niet of dat bij iedereen zo is, of... Kun je me alsjeblieft even terugbellen. / Klik. Piiiep, Anita? Met Nacho Huertas. Ik bel je voor het telefoonnummer van Rosa Lara. Ze... ze heeft me gebeld, en ik moet ook met haar praten. Ik hoop dat alles picobello met je gaat, veel kussen. / Klik. Piiiep. Klik. Pii.'

Niets ontmoedigenders dan juist die 23 berichten aanhoren als ik total loss thuiskom, zou ik mezelf hebben kunnen voorhouden, maar ik troostte me met de gedachte dat de uitgave tenminste gered was, en dat ík dat gedaan had. Ik kreeg het nog iedere keer benauwd als ik aan dat etentje dacht, die ramp met die foto's van Zwitserland, die stomme fout die ik mezelf juist daarom nooit zal vergeven, en vooral niet omdat het gebeurde toen het met Rosa helemaal mis was, de meest kritieke fase van de carrièrekoorts, dat vraatzuchtige virus dat haar onmiddellijk had aangevallen zodra ze haar naam op de deur van een kantoorruimte zag staan, en haar van het ene op het andere moment had veranderd in een soort onevenwichtige bastaard van Fran en de leuke, intelligente en heel gewone redactrice die ze zelf was toen ik haar leerde kennen, in een andere kantoorruimte in hetzelfde pand. Ik vind mensen over het algemeen snel aardig, maar voor Rosa heb ik zelfs genegenheid opgevat, daarom maakte het me zo kwaad dat ik haar nog een reden verschafte om te volharden in dat verachtelijke gedrag van meedogenloze superieur. Toch, toen Fran ons vanmiddag volkomen onverwacht allemaal bij zich liet komen, zonder ergens rekening mee te houden, en zonder een mistroostige borrel erbij, die spaarzame hartelijkheid die de echte noodgevallen aankondigt, gaf haar afwezige glimlach, de onverstoorbare uitdrukking op haar gezicht – alsof haar lippen waren bevroren op de dag dat ze, terug uit Luzern, bij me binnen was komen lopen, een week geleden al weer – me hooguit het idee dat de remedie soms erger is dan de kwaal.

'Klootzakken!'

Dat was alles wat ze zei, en dat was natuurlijk niet niks. Ik kwam niet eens zover, want vanaf het moment dat ik Fran zag zitten in plaats van staan, zwijgend en niet een bijna komisch betoog houdend dat aan elkaar hing van de clichés – ik heb jullie bij elkaar geroepen om van gedachten te wisselen, volgens mij moet het programma opnieuw geactualiseerd worden, dit is het juiste moment om de balans eens op te maken... –, en ernstig, niet met de glimlach van een net afgestudeerde master in public relations, verwachtte ik slecht nieuws, maar niet een dergelijke klotestreek.

'Planeta-Agostini komt aanstaande maandag op de markt met een *Atlas van de Universele Geografie* in 122 afleveringen, voor de verkoop in kiosken,' was de enige informatie die ze ons gaf, op haar meest norse, meest kortaffe toon. 'De publiciteitscampagne op televisie start dit weekend. Op vier netten.'

'Klootzakken!' zei Rosa. En verder durfde niemand iets te zeggen.

Toen de stilte zich zo had opgehoopt dat ik het binnenste van mijn eigen oren begon te horen, bracht ik zelf de onvermijdelijke conclusie naar voren.

'Dan moet de onze een andere naam krijgen.'

'Uiteraard' – Fran knikte omdat ik haar niets nieuws vertelde – 'maar dat wordt een regelrechte ramp, want *Atlas van de Algemene Geografie* bestaat al, *Atlas van de Wereld* ook, die hebben we zelf uitgegeven, in een schooleditie, *Algemene Atlas van de Geografie* is een geregistreerde naam, al is er nooit een werk verschenen onder die titel. Als ik jullie vertel dat er zelfs een *Atlas van de Aarde* bestaat, dan weten jullie genoeg. *Landen van de Wereld, Beelden van de Wereld...* je kunt het zo gek niet bedenken, of de titel bestaat al. *Wereldatlas van de Geografie* heeft niemand aangedurfd, maar dat klinkt rampzalig.'

'Ja...' mompelde Marisa, terwijl ze haar lippen nadenkend tuitte, 'dat klinkt een beetje als een gra-ap.'

'Mooie toestand...' vatte ik samen, en de stilte nestelde zich weer tussen ons terwijl Rosa als een idioot bleef glimlachen, haar blik op het plafond gericht alsof ze van daaraf in haar binnenste kon kijken, of helemaal nergens naar kon kijken.

'We moeten een adjectief vinden' – Fran kwam weer terzake na een heel lange pauze – 'maar welk? Planetair is belachelijk, Aards doet aan zonden denken. *Atlas van de Planeet...*? Nee, dat lijkt niet serieus. Totale, Volledige, Complete... Allemaal niks. Ik zit er al twee uur m'n hoofd over te breken, en niks. Ik kan er geen vinden. We zouden hem gewoon *Universele Geografie* kunnen noemen, maar dan zouden ze hem verwarren met die van Planeta, en die van hen komt eerder uit. Al heb ik al besloten onze verschijning ruim een maand uit te stellen, dat risico kunnen we niet lopen.'

'En iets m-met ecologie?' Marisa keek ons verwachtingsvol aan, en het duurde een paar tellen voor Fran haar hoofd schudde, in haar richting. 'Ik dacht, omdat het zo in de mode is...'

'Ja, maar het komt niet overeen met de tekst. Ik was er nog niet opgekomen, en het is een goed idee eerlijk gezegd, maar het kan niet, want we hebben de nadruk juist gelegd op het tegenovergestelde, kunst, cultuur, gewoontes...'

'Nee!' gilde ik. 'Ik heb het al! Ik kom er nu net op, en volgens mij is het een hele goeie, echt een hele goeie, ik meen het... We noemen hem gewoon *Atlas van de Menselijke Geografie*, punt uit. Nou?'

'Ana, je bent geweldig.' En Fran waagde het zelfs te glimlachen. 'Het is gewoon... Nou ja, fenomenaal.'

Rosa's gezichtsuitdrukking was geen spat veranderd vanaf de probleemstelling tot aan de oplossing, en ik vroeg me af hoe het mogelijk was dat zo'n verstandige, slimme meid, die ogenschijnlijk zo ervaren was, zo verstrikt kon zijn geraakt in de netten van een type als Nacho Huertas. De boodschap op het antwoordapparaat bracht me echter aan het twijfelen, en toen ik het bandje eindelijk kon terugspoelen en rustig de lijst met binnengekomen telefoontjes kon bestuderen in een poging het terugbellen tot een absoluut minimum te beperken, zag ik dat ik, zonder het me te realiseren, zijn naam eerder al had omcirkeld, alsof hij een code was, een oplossing, het resultaat van een koele wiskundige bewerking. Ik besloot hem hoe dan ook voor het laatst te bewaren.

Amanda was in gesprek. Ik toetste de overmatige reeks cijfers een tweede keer in om er zeker van te zijn dat ik me niet vergist had, zoals altijd als ik naar Parijs bel, en wachtte een paar minuten voor ik het een derde keer probeerde, al was het maar uit loyaliteit aan de enorme één die ik naast de naam van mijn dochter had gezet – met drie ferme strepen eronder – toen ik de onvermijdelijke telefoontjes rangschikte.

De scheiding van Amanda was me veel zwaarder gevallen dan ik ooit had durven vermoeden, en zelfs in die tijd, bijna zes maanden na haar vertrek, werd ik als ik de hoorn van de haak nam om haar te bellen en het me niet lukte haar te spreken, overvallen door een onbegrijpelijke onrust, de absurde verleiding me mijn eigen leven van voor naar achteren te vertellen, als een tomeloze behoefte me onmiddellijk en onherroepelijk schuldig te voelen dat ik haar kwijt was geraakt. In werkelijkheid ben ik haar niet kwijtgeraakt, maar soms duurt het even voor dat weer tot me doordringt, zelfs voor ik dat geluksgevoel diep vanbinnen weer kan terughalen dat me overrompelde terwijl ik naar haar luisterde die zonovergoten ochtend van een prille zomer, toen we van de beste – de eerste – duik genoten in het zwembad van het appartementengebouw waar mijn vader nu woont. Op dat moment besefte ik dat ik alles al gedaan had, en dat ik het goed had gedaan. Mijn dochter, net vijftien, argumenteerde als een volwassene terwijl ze voor mij, met mij, zich niets aantrekkend van het demotiverende commentaar van haar opa, en hardop, de voor- en nadelen doornam van haar laatste project, haar eerste echte project, dat neerkwam op in Parijs gaan wonen, bij haar vader. Ik had nooit gedacht dat ze echt zou vertrekken.

Ik vond het nooit leuk dat Amanda haar balletlessen zo serieus nam. Het idee kwam natuurlijk van mijn man, en aanvankelijk had ik er niets op tegen, vooral omdat het om een gewone activiteit ging, doorsnee bijna, een gezonde fysieke discipline die beoefend wordt door vele duizenden jonge meisjes in de hele wereld. De alledaagsheid ervan betekende een – inmiddels hoogstnoodzakelijke – opluchting voor me in het waanzinnige traject dat Félix had uitgestippeld, zonder dat hij zich dat nou zo realiseerde, om van onze dochter een wonderkindje te maken, net zo geniaal, neem ik aan, als hij zichzelf altijd gevonden heeft. Toen hij me opgaf voor die buitenissige cursussen prenatale stimulatie, was ik nog zo ontzettend verliefd op hem dat ik mijn enthousiasme niet eens hoefde te veinzen. Ik was negentien en ik was niet per ongeluk zwanger geraakt, verre van dat. De beroemde schilder stond op het punt dertig te worden en had behoefte aan een kind voor hij de eerste kritieke grens zou slechten, die barrière die het soortelijk gewicht van de tijd wijzigt, de jaren die hol dreigen te worden, dagen die ijler worden en lichter tot ze hun consistentie dreigen te verliezen, weken die steeds schraler worden, niet in staat het grote verschil onder ogen te zien tussen vrijdagen en zaterdagen die steeds meer op maandagen en dinsdagen gaan lijken, dat zei hij, dat de prijs voor je leeftijd de lichtheid van de tijd is, alsof je het leven alleen maar kon verzilveren in zijn vroegere geconcentreerdheid, de munt van de jeugd, die net als zij aan waarde verliest, en hij had gelijk, maar dat weet ik nu pas, nu ook ik aan de andere kant van de dertig sta, en ik van een heleboel dingen geen spijt meer heb.

Amanda in de allereerste plaats. Ik heb zoveel van haar gehouden als ieder mens met geluk van zijn kinderen kan houden en nog veel meer, want sinds die dag dat mijn ogen zich verloren in de ogen van Félix om hem te vertellen, met evenveel bewondering als onwetendheid, dat ik de moeder zou zijn van het kind waar hij zo'n behoefte aan leek te hebben, is zij het geweest die mijn leven bepaalde, en toch, en omdat onvoorwaardelijke liefde nog geen andere gevoelens uitsluit, heb ik jarenlang gedacht dat Amanda mijn grootste vergissing was geweest. Ik had het voor minstens de helft bij het verkeerde eind.

Die ochtend in december, toen de wereld in mijn handen uiteenspatte, begreep ik het niet. Het was heel koud, maar de zon scheen uitbundig, dat gezegende licht dat de lucht bedwong en het midden van de kleine studio bereikte waar mijn broer Antonio destijds woonde, die iedere keer dat ik naar Madrid kwam bij zijn vriendin introk om mij zijn huis te lenen. Amanda was net vier geworden. Ze zat op de grond met de stukken van een houten bouwsel te spelen toen ik het balkon opliep om adem te krijgen, te rillen, me te laven aan dat wonder, een winterochtend in Madrid, de puurste kou, de maagdelijke zon en een lucht die zo blauw was alsof hij me wilde krenken, de spot met me wilde drijven, terwijl hij me tooide met zijn intense, glasheldere waterkleur, de vijand van de loodkleur, die andere, grijze hemel, vuil, troebel, die druppel voor druppel mijn oogleden binnendrong en droefenis en verdriet over mijn wimpers uitstrooide zoals onverschilligheid, nostalgie, wrok. Hongerend naar licht hoorde ik de deur niet, en al evenmin de voetstappen van Amanda, Antonio moest op het balkon komen om me te vinden, wat is er met je?, met mij?, ja, je doet heel vreemd, Ana, ach nee joh, er ik niks, echt niet, zullen we een pilsje gaan drinken?, toen glimlachte ik en zei ja, want er was niets ter wereld dat ik liever hoorde dan die woorden, een pilsje gaan drinken, gaan stappen, wat wilt u als *tapa*?, een ommetje maken, etalages kijken, op een terrasje neerstrijken, ik genoot overal van als toen ik nog klein was, meer dan toen ik klein was, voortschuifelen over overvolle trottoirs tussen mensen die voortschuifelen, om de haverklap stilhouden om een etalage van dichtbij te bestuderen, om een winkel binnen te gaan en naar een prijs te informeren, om andere voetgangers te begroeten, de bovenbuurman, een collega, de fruithandelaar, de schoenmaker, de zigeunerin die op de hoek bloemen verkoopt, en ze bij hun naam noemen, en je herinneren wie artrose heeft en wie een kind thuis met griep, en honderduit vragen, commentaar leveren, goede raad geven, roddelen, degene die het toelaat voor de gek houden, de film bespreken die gisterenavond op tv was, een eindje lopen, eventjes kletsen, een blokje om gaan, een spelletje kaarten, een kopje koffie drinken, of warme chocolademelk met knapperige churros nuttigen, in een stad waar zo veel kleine genietingen zijn die je met een verkleinwoord aanduidt, en zo veel mensen, zo veel cafés, zo veel straten, zo veel duizenden manieren om je tijd te verdoen, ik miste het allemaal, ik miste het zo verschrikkelijk dat de bakstenen gevels me iedere keer dat ik terugkeerde voorkwamen als personen, vriendelijke, vertrouwde gezichten, donkere ogen op de open plekken van de balkons, en mijn blik begroette ieder gebouw vanaf de stoep tot het dak, de groene vlekken van bloempotten op de dakterrassen en hoeken van rode dakpannen, helderrood tegen het blauw van een stralende hemel, want kleuren zijn niet langer eigenschappen maar veranderen in complete wezens als iemand ze verlaat om aan een gigantische, droefgeestig grijze, vuilzwarte binnenplaats te gaan wonen.

Toen we de glazen deuren binnengingen van mijn lievelingskroeg, een groot café in Eloy Gonzalo – bier van de tap, vermout van de tap, cider van de tap, flessen wijn uit alle Spaanse bodega's, en een enorme bar in U-vorm met overal glazen vitrines waarachter zich bladen en schalen verdrongen met misschien wel honderd verschillende tapas –, werden we verwelkomd door een monotone dreun van nummers, het voorgeschreven psalmgezang van de beginceremonie, de meest heidense, daarom zal ik de datum nooit vergeten, tweeëntwintig december, iedereen in de ban van de kerstloterij, ik speelde niet mee, Antonio wel, loten in alle prijscategorieën op tien of twaalf verschillende nummers, duizend peseta met mijn ouders en een hele tiende samen met zijn toenmalige vriendin, maar ik speelde niet mee, dat was het eerste wat door me heen schoot, en ik kreeg een brok in m'n keel, want ik speelde niet mee, en de loterij deed er nog niet eens zoveel toe, en dat flesje van doorzichtig glas, vol met een heldere vloeistof, tussen wit en geel in, met een kurk geperforeerd door een metalen schenktuitje, dat de ober bij onze twee pilsjes zette, samen met een schoteltje waarop zeven of acht kokkels lagen, was nog minder van belang, maar ik was verrukt het te zien, op te tillen, het voorzichtig schuin te houden boven het lichaam van de minuscule naakte schelpdieren, het was een dressing van water met zout, witte wijn en een paar druppels citroen, ik kende het al vanaf mijn jeugd maar ik kon me de smaak amper herinneren, ik was al zo veel smaken kwijtgeraakt, waar heb je zin in?, mijn broer had zich over de bar gebogen om het uitgestalde aanbod te bestuderen, verse ingelegde ansjovis?, ja, antwoordde ik, terwijl ik op een kokkel kauwde, ik ben dol op verse ansjovis, hij keek niet naar me terwijl hij met de ober praatte en daarna was het te laat, doet u maar wat chips voor de kleine meid, en olijven…, nee, geen gevulde, hij pauzeerde even voor hij mijn vonnis uitsprak, beter die van Camporreal, die vond jij toch altijd zo lekker, Ana?, en toen kon ik geen antwoord meer geven, ik knikte alleen maar, natuurlijk vond ik die lekker, wilde ik antwoorden, en ik ben er nog steeds dol op, olijven van Camporreal, mijn favoriete olijven, die niet zoals de Sevilliaanse groen zijn, en ook niet helemaal zwart zoals die dikke uit blik, maar die iets unieks hebben, een bittere noot te midden van de zoetheid van de ingelegde kruiden, opgeofferd ter wille van de glanzend donkere kleur van vruchten die in staat waren pijn te doen in je geheugen, olijven van Camporreal, de sleutel van het raadsel, olijven van Camporreal, de code van het verlies, olijven van Camporreal, een naam voor de afwezigheid, en die ik het lekkerst vind...

Wat is er met je, Ana?, Antonio kon amper mijn gezicht zien, zo snel dook ik weg tussen de revers van zijn leren jasje, wat is er?, hij kon me niet zien, maar hij hoorde me huilen, hij moest me wel horen huilen want ik had van mijn leven nog niet zo gehuild, het overstemde de klanken van de trekking op tv, het geritsel van de papieren servetjes, het getinkel van de glazen die op de bar tegen elkaar stootten, het geroezemoes van de gesprekken die het doffe rumoer gaande hielden van een café vol mensen, ik kon mijn eigen huilen maar net horen en een steeds terugkerende vraag, wat is er met je, Ana?, en ik kon geen antwoord geven, de huid van mijn gezicht brandde en mijn mondhoeken deden zeer aan de uitersten van een verwrongen, strakgespannen grimas, een groteske versie van een gulle glimlach, maar ik kon het niet helpen, ik kon mezelf niet helpen, alleen maar huilen, en ik huilde alsof je je leeg kon huilen. Vervolgens, na een eeuwigheid die op de klok nauwelijks meer dan vijf minuten in beslag nam, hervond ik een schijn van kalmte, en zelfs toen was ik niet in staat mijn broer uit te leggen wat er met me was, maar voor de ochtend helemaal voorbij was, voelde ik me niet langer alleen. Op een of andere onbegrijpelijke manier had ik het gevoel dat de stad, mijn stad, me gezelschap hield. Diezelfde avond deelde ik Félix door de telefoon mee dat ik had besloten na Driekoningen niet naar Parijs terug te keren.

Daarna verpestte ik gedurende heel wat jaren ongewild tientallen gesprekken door op een toon die even oprecht stellig als puur argeloos gedurfd was te bekennen dat ik Parijs een afschuwelijke stad vond. En het is waar dat ik hem afschuwelijk vind, maar bovendien ben ik er erg ongelukkig geweest.

Iedere stad heeft haar eigen gezicht, haar eigen smaak, haar eigen karakter, en de tijd verstrijkt niet in allemaal even snel. Tussen de zwarte balletjes van de gigantische trommel met loterijballetjes die begint te draaien bij iemands geboorte, zodat het toeval, zoals de kwade feeën die bij verrassing doopplechtigheden binnenvallen, de hendel kan hanteren met een volstrekt wispelturige, ongevoelige hand die geen mededogen kent, bevindt zich ook de onverenigbaarheid van sommige gezichten, sommige smaken, sommige karakters met de gezindheid van de stad waarnaar ze zijn overgeheveld. Precies in dat deel van de trekking kreeg ik een wit balletje, maar de zaken zouden niet beter zijn gegaan als Félix en ik in Madrid waren blijven wonen, en zijn zwarte balletje zou dan van heel weinig gewicht zijn geweest. Desondanks is het algemeen bekend dat zelfs moeders die zich het minst aantrekken van het lot van hun kinderen die in zichzelf lopen te praten op het binnenplaatsje, door het dolle heen kunnen raken van vreugde als ze het verloren kind weer in de armen kunnen sluiten. De liefhebbende moeders, die veel gevaarlijker zijn, scheiden bij dit soort gelegenheden een stroperige, heel zoete likeur af, doordrenkt van het aroma van de schuld, zwaar als spijt, een vloeibare kus die zich voor eeuwig kan hechten aan het verhemelte van degene die bereid is iedere andere liefde voorgoed op te geven. Daarom aarzelde ik niet voor ik opgewekt de hartverwarmende chantage aanvaardde van de stad die haar armen naar me uitstrekte, daarom wist ik niet hoe snel ik mijn toevlucht moest zoeken aan haar borst, en sloot ik zonder nadenken mijn ogen, en maakte in allerijl de cijfers van mijn leven sluitend om op nul uit te komen en opnieuw te beginnen, schommelend tussen de ovalen wanden van dat wijze cijfer dat het niets uitdrukt. Ik was vierentwintig, had een dochter van vier, een familie die mijn verlies niet langer betreurde, geen enkel diploma, geen enkele ervaring, en geen enkel idee, zelfs in de verste verte niet, hoe ik de kost zou moeten verdienen.

Na bijna tien minuten gedwongen wachten was Amanda nog steeds in gesprek, en ik besloot haar even over te slaan om het risico te vermijden onrechtvaardig te zijn. Ik durfde het niet hardop te bekennen, maar de waarheid is dat ik volkomen uit het lood geslagen was iedere keer dat ik eraan herinnerd werd dat ze niet meer bij mij, in Madrid, woonde, maar in Parijs, bij haar vader, en dat dat precies nu gebeurde, juist nu ik me zo langzamerhand begon los te maken van het onrustige gevoel als een eeuwige gijzelaar van mijn eigen dochter te leven.

Aanvankelijk, na haar vertrek, kon ik de verleiding niet weerstaan mezelf te troosten met de gedachte hoeveel beter het was geweest als haar vader haar elf jaar eerder had opgeëist, toen ik in het hectische gedoe verzeild raakte van oppassen, boodschappenlijstjes en kant-en-klaarmaaltijden, jaren en jaren zonder een bioscoop vanbinnen te zien, zonder kleren te kopen, zonder een rilling van angst te kunnen onderdrukken iedere keer dat ik een envelop van de bank aan de andere kant van het roostertje in de brievenbus herkende. Mijn dochter slokte meer dan de helft van mijn eerste loon op, receptioniste/boodschappenmeisje bij een fotoarchief waarvan de belangrijkste aandeelhouder tevens een meerderheidsbelang had in de galerie die de exclusieve vertegenwoordiger van Félix was, het beste contact dat ik kon vinden na mijn terugkeer naar de stad die ik had verlaten toen al mijn vriendinnen tevens schoolgenootjes waren.

Mijn man was niet bereid ook maar iets bij te dragen aan de prozaïsche, conventionele, kleinburgerlijke en potentieel iedere creativiteit de kop indrukkende opvoeding die ik, volgens hem, voor het meisje had uitgedacht, dus betaalde ik een gewone school, met een gewone overblijfruimte en een gewone busroute, en hij nam de kosten van het ballet voor zijn rekening, en van de Suzuki-viool en de workshop theatrale expressie op zaterdagochtend – wat mij overigens heel goed uitkwam in verband met de boodschappen – en hij weigerde ronduit te erkennen dat Amanda, naast de behoeften van de geest, ook een lichaam had dat voedsel nodig had, en kleren, warm water, elektriciteit, verwarming in de winter en een beetje frisse lucht in de zomer. Jullie huis is hier, zei hij tegen me, hier is licht, en water, en verwarming, en ruimte, en dingen die van jullie zijn. Kom terug... Dat zei hij tegen me, en de eerste keren liep ik rood aan van woede en verontwaardiging. Daarna bleef ik er onverschillig onder en ten slotte moest ik haastig ophangen om hem niet te laten merken dat ik het bestierf van het lachen. Op sommige avonden van de negenentwintigste van willekeurig welke maand daarentegen, terwijl ik solitair speelde met de facturen – deze betaal ik, deze niet, deze betaal ik, deze niet –, en alvorens me erbij neer te leggen voor de zoveelste keer, die nooit de laatste zou zijn, een beroep te doen op de uitermate gevaarlijke goedgeefsheid van mijn ouders, kwam mijn situatie me aanzienlijk minder grappig voor, maar zelfs dan legde ik mezelf een soort innerlijke staat van paraatheid op die me onontbeerlijk leek om alles scherp te blijven zien, want het was een feit dat ík weg was gegaan, ík had Amanda meegenomen, ík woonde met haar, en ík was niet bereid ook maar een millimeter toe te geven aan de gevolgen van die beslissingen. En erkende ik in die tijd geen andere beul dan mijn eigen, onverbiddelijke, successievelijke fouten, elf jaar later had ik er moeite mee iets zo verachtelijks te bevatten als de fouten van Félix toedekken met een troebele vernis van verlopen eisen. Als hij elf jaar geleden het meisje had opgeëist, zou ik eenvoudigweg geweigerd hebben het hem te geven, maar ik moest mezelf dwingen me dat te herinneren voor ik kon toegeven dat Amanda uit eigen vrije wil bij hem was gaan wonen, en basta.

Mijn arme vader, die zijn tweede plaats op de urgentielijst dik verdiende, was ook in gesprek. Forito, mijn beste vriend in die voorbije, slechtste periode van mijn terugkeer, nam de telefoon daarentegen bij de tweede keer overgaan op.

'Maak je maar niet druk, Foro,' probeerde ik hem gerust te stellen in de eerste, minimale stilte die viel, na het jachtige relaas van zijn zorgen. 'Ik weet niet goed wat er deze maand aan de hand is, maar alle freelancers zitten met hetzelfde probleem.'

'Logisch, als de facturen niet doorgegeven worden...'

'Nee, dat is niet waar, echt niet. Fran heeft je factuur ondertekend, dat weet ik zeker' – ik hoorde zijn nerveuze ademhaling aan de andere kant van de lijn, en ik forceerde mijn stem, om mijn eigen overtuiging erin door te laten klinken. 'Fran is absoluut te vertrouwen, geloof me. Ze zal niet makkelijk zijn met deadlines, veeleisend in het werk en wat je maar wilt, maar wat de centen betreft is ze superloyaal, ik zweer het, ze is heel anders dan de rest van haar familie... Trouwens, die nieuwe die ons op voorspraak van haar broer Miguel in de maag is gesplitst zit met hetzelfde probleem, die heeft me ook net gebeld. En je weet dat hij een centenpik is, maar hij neukt haar vast, dus hij staat bij haar in het krijt...'

'Ja, oké, maar... Wat moet ik nou doen?'

'Niks, voorlopig niks, even op mij wachten. Het eerste wat ik doe als ik morgen op kantoor ben is langs de Financiële Administratie gaan om te vragen wat er aan de hand is, maak jij je nou maar geen zorgen... En als het nodig is praat ik met Fran en dan moet die maar even flink van leer trekken. Dat zou ook de eerste keer niet zijn.'

'Nee, dat is waar.'

Dat ik nog een stapje verder durfde gaan, was omdat ik er evenzeer van overtuigd was dat hij mij vertrouwde als dat mijn betoog hem nog niet helemaal had kunnen kalmeren.

'En nog iets, Foro. Als je eerder geld nodig hebt voor de huur, of... voor wat dan ook, zeg het me dan. Ik leen het je graag.'

'Geen sprake van, geen sprake van, geen sprake van, geen sprake van.' Mijn aanbod verschafte voldoende garantie om het oude, natte vogeltje dat een paar seconden daarvoor nog in mijn oor zat te piepen te laten verdwijnen ten gunste van de onstuimige, hoffelijke en gealcoholiseerde heer zoals ik die kende. 'Laat het uit je hoofd dat nog eens tegen me te zeggen, want dan word ik boos.'

'Hoezo niet?' hield ik hoe dan ook vol, want ik vond het een onverdraaglijk idee dat hij in dit soort noodsituaties geen andere keus had dan het spaargeld aanspreken dat hij op wonderbaarlijke wijze bijeenbracht om de opleiding van zijn zoon te bekostigen, en omdat mijn woorden bovendien oprecht waren. 'Ik meen het, joh, wat maakt mij dat nou uit, het gaat maar om een paar dagen. Die klootzakken houden de betalingen vast in omdat ze het geld in deposito's van een week hebben gestort, of misschien zelfs van een dag, weet jij veel...'

'Nee!' Ook hij hield vol, een theatrale aanval van botheid veinzend, voor hij overging tot een plagerige wellust waardoor ik wist dat ik hem eindelijk had weten te overtuigen. 'Ik heb me nooit door vrouwen laten onderhouden in ruil voor wat dan ook. Maar als jij iets nodig zou hebben is het natuurlijk wat anders... Dat zouden we kunnen overwegen.'

'Ja, zeker!' lachte ik, en hij deed mee aan de andere kant van de lijn, 'dat ontbrak er nog maar aan, dat ik erken dat ik iets anders nodig heb! Je bent een vieze ouwe man...! Goed, kom morgen even bij me langs, om een uur of elf, oké? En nog iets anders. Gaat het goed met je?'

'Het gaat niet al te slecht. En met jou?'

'Met mij zou het ook slechter kunnen.'

En toch was ik toen ik had opgehangen inmiddels heilig verontwaardigd. Van alle onvermijdelijk leeftijdgebonden catastrofen die mijn moeder me met veel genoegen voorspelde toen ik nog maar amper een puber was, is dit de enige die niet binnen de voorziene termijn is uitgekomen. Ik heb overdreven veel stommiteiten uitgehaald in mijn leven, ik heb er spijt van dat ik geen universitaire studie heb gedaan, ik heb bittere tranen geweend omdat ik mijn jeugd verspild heb naast de verkeerde man, ik had andere jongens moeten leren kennen voor ik een vaste relatie begon met de eerste de beste die mijn pad kruiste, niets kan ooit goedmaken dat ik drie weken nadat ik de meerderjarige leeftijd veroverd had trouwde, de ergste fout van alle fouten die ik kon maken was als pasgetrouwde vrouw in het buitenland gaan wonen, ik had nooit zo jong een kind moeten krijgen, dat wel, dat allemaal wel, dat geef ik toe, erken ik, draag ik, maar ik kan daarentegen nog altijd met verbazingwekkend gemak verontwaardigd worden, ik ben de helft van de tijd verontwaardigd, en daar ben ik blij om, want ik beschik over geen enkele andere aanwijzing om te veronderstellen dat het wel los zal lopen met mijn leven, mijzelf, en misschien ook met andere dingen in deze wereld. De dag dat ik uiteindelijk niet meer verontwaardigd word, zal ik dood zijn of langzamerhand tevreden met wat ik ben, dat wil zeggen, gelukkig. Alleen het wondere vooruitzicht van de tweede hypothese compenseert het onmetelijk gruwelijke risico van de eerste.

Niemand die gewend is aan een leven waarin niet elk dubbeltje hoeft te worden omgedraaid, aan het aanbieden van rondjes pils zonder daar twee keer over na te hoeven denken, aan de dagen rustig laten verstrijken in afwachting van de laatste van iedere maand, in de rotsvaste zekerheid dat die datum zal samenvallen met de storting van een nieuw, fonkelend, rond bedrag op zijn bankrekening, kan zich ook maar een voorstelling maken van de heimelijke angst die freelancers vroeg oud doet worden. Niemand die niet het gevoel heeft gehad dat zijn knieën steeds slapper worden naarmate hij verder een altijd lange en plotseling heel korte gang inloopt, om vervolgens te merken dat zijn speeksel zijn mond onverwacht verlaten heeft, en zijn keel van woede te schrapen als hij een loket met een metalen kozijn ontwaart alvorens, met een geforceerde beleefdheid die eerder bij smeekbeden past, een employé te begroeten wiens gezicht op onweer staat – hun gezicht staat altijd op onweer, alsof ze de schijn willen wekken dat het geld dat ze uitbetalen uit hun eigen zak komt, onder-kruipsels in de meest pure, verachtelijke zin van het woord –, kan zelfs maar vermoeden hoe vernederend het is om, met één, of twee, of drie maanden vertraging, oud en bijna altijd al bij voorbaat uitgegeven geld op te moeten eisen, waarvan het niet eens meer leuk is het te innen. Ik heb die gang daarentegen zo vaak moeten maken voor ik op eigen kracht, zoals bijna iedereen in dit beroep, een arbeidsovereenkomst met accepta-bele voorwaarden voor elkaar kreeg, dat ik diegenen die in een dergelijke situatie niet van zins zijn een vinger uit te steken om ervoor te zorgen dat hun freelance medewerkers hun geld op tijd krijgen, hun genadeloze ver-geetachtigheid onmogelijk kan vergeven. Rosa, die ook weet wat het is om te leven op kosten van vertraagde facturen, toonde zich daarentegen vanaf het allereerste moment bereid haar medewerking te verlenen. Op mijn afdeling krijgen de zelfstandige fotografen eerder uitbetaald dan de onafhankelijke archieven, en die weer eerder dan degenen die bij concur-rerende uitgeverijen horen. Dat proberen we in ieder geval. En dat ik zo verontwaardigd werd nadat ik Foro gerust had gesteld, was omdat ik er zeker van was dat de ketting niet gebroken was bij Fran.

Doña Francisca Antúnez, een afschrikwekkende naam, onmiddellijk aan de top van het kolossale organogram dat de hal beheerst, is een tamelijk eigenaardige vrouw, zoals, neem ik aan, alle personen die zich ophouden op het exacte snijpunt van een half dozijn eeuwige tegenstrijdigheden. Ik ken haar al vele jaren en ik weet bijna niets van haar, maar ik heb altijd het vermoeden gehad dat ze veel gelukkiger zou zijn geweest als haar een ander leven ten deel was gevallen, ieder ander leven dat gemakkelijker zou zijn omdat het moeilijker was, geriefelijker omdat het harder was, fortuin-lijker terwijl het dat veel minder was dan het leven dat haar in werkelijk-heid ten deel is gevallen. En toch zou het me niet verbazen iemand tegen te komen die precies het tegenovergestelde beweert, want de uitkomst van iedere strijd met een eeuwig onzeker resultaat bestaat nu juist altijd exact uit die dosis ambiguïteit die Fran – zoals iedereen verplicht is haar te noemen, de loopjongen, de secretaresses en de conciërges incluis – innerlijk en uiterlijk volledig typeert, meer dan iedere andere eigenschap.

Eerder slungelig dan lang, eerder knokig dan slank, niemand die over zo veel mogelijkheden heeft beschikt om op een reiger te lijken slaagt erin zo trefzeker het silhouet van een stuntelige ooievaar op te roepen. Zich altijd verschuilend achter de prijs van voortreffelijke en voortreffelijk uitgezochte kleding – waarin ze desondanks eerder een goed heenkomen lijkt te zoeken dan de beminnelijke zelfverzekerdheid die van een vrouw een elegante verschijning maakt –, haar gezicht hoekig en met harde, bijna mannelijke lijnen, stort ze soms in zonder dat dat direct merkbaar is. Dan worden haar ogen, overigens heel mooie, vriendelijke ogen, even wat groter, en krijgen dezelfde vochtige besluiteloosheid als die de ogen van kinderen tooit die op het punt staan in huilen uit te barsten, maar Fran huilt nooit. Haar lippen daarentegen verstrakken terwijl ze haar bevelen vermenigvuldigen die uitdrukkelijker, onherroepelijker, lastiger zijn dan gebruikelijk. Er zijn mensen, niet veel maar ze zijn wel oprecht, die haar aantrekkelijk vinden. Er zijn er meer die zeggen dat ze lelijk is, al erkennen ze dat dat bijvoeglijk naamwoord niet precies op haar van toepassing is, maar ik weet zeker dat het merendeel van de mensen die haar kennen niet in staat zou zijn haar in een traditionele categorie onder te brengen, en niet alleen wat haar uiterlijk betreft. Ik heb nooit voor iemand gewerkt die zo vastbesloten de lakens uitdeelde en die zich daar tegelijkertijd zo ongemakkelijk bij leek te voelen. Geen enkele linkse ondernemer heeft zich ooit zo uitgesloofd om zowel ondernemer als links te blijven en heeft het daarbij zo zwaar gehad als zij in de netelige situatie trouw te zijn aan zo'n vreemdsoortig project en daarnaast aan haar familie en aan haar man, een advocaat gespecialiseerd in arbeidsrecht – oprichter en eigenaar van een kantoor waar minstens nog twintig advocaten gespecialiseerd in arbeidsrecht werken –, heel slim, heel rood en heel rijk, die al zijn conflicten jaren geleden al in één klap oploste door op de eerste plaats niet langer om te gaan met de familie van zijn vrouw, met als enige uitzondering zijn schoonvader, die ook niet meer *on speaking terms* is met zijn zoons. Als Fran de naam van haar man in de mond neemt, gaat ze zachter praten, alsof ze bang is dat hij slijt. Haar liefde voor hem lijkt me na al die jaren nog zo monsterlijk verbazingwekkend, zo verbazend benijdenswaardig, dat ik haar alleen al daarom bijna alles vergeef, zelfs op de ergste dagen. Haar broers zijn een heel ander verhaal.

Antonio Antúnez is een heel capabele, ambitieuze, elegante, discrete, ingetogen, onberispelijk opgevoede man en wat je noemt een hufter. Miguel, de eerstgeborene, is minder capabel, veel minder ambitieus, eleganter, niet erg discreet, absoluut niet ingetogen, en even onberispelijk opgevoed, dat wel. Hij is beter dan zijn broer als je de kwaliteit van een persoon afmeet aan zijn morele scrupules, maar oneindig veel brutaler, en bovendien de knapste man met wie ik ooit naar bed ben geweest.

Toen ik het met hem aanlegde, kende ik Fran amper van gezicht. Ik werkte nog geen twee maanden voor de uitgeverij, en voor een andere afdeling trouwens, die niets te maken had met zijn domein van leermethodes, maar de eerste keer dat we elkaar in een gang passeerden liet hij zijn oog al op mij vallen, en ik merkte het, en het leek me prima, mannen als hij liggen nou niet bepaald voor het oprapen. Hij was ruim een kop groter dan ik, dus hij moest meer dan één meter negentig meten, en hij bezat een bijpassend lichaam, een hele luxe voor het soort vrouwen als ik die nog altijd niet rechtop kunnen dansen omdat we het moesten leren met heel kleine jongetjes. Hij had zwart haar, zwarte ogen, stralend witte tanden, en een perfecte huid, glad en fluwelig, die glansde alsof hij voortdurend doordrenkt was met olie – niet te vergelijken met de mee-eters en vlekken en wratjes die Frans decolleté en schouders bevolken wanneer ze, in de zomer, jurken met schouderbandjes draagt –, en hij was heel knap, zo knap dat zijn lippen iedere keer dat hij glimlachte leken op te zwellen en te knerpen, en zijn ontzettend lange wimpers maakten bijna geluid als ze elkaar raakten vanaf de rand van zijn oogleden. De volmaakte man, dat leek hij me, en daarom liet ik me minimaal het hof maken in werkkamers en gangen – de oude truc van de rij bij het fotokopieerapparaat – om me alleen de eerste keer dat hij me voorstelde iets te gaan drinken te verzetten, nadat ik had vastgesteld, vanuit het daartoe geëigende raam, hoe hij een beetje doelloos rondhing in de hal van het gebouw, pratend met de receptionistes, met de conciërge, bladerend in de tijdschriften die bedoeld waren voor de bezoekers, terwijl hij wachtte tot ik wegging.

De tweede keer zei ik tegen hem dat ik niet direct vanaf de uitgeverij iets kon gaan drinken omdat ik de oppas van mijn dochter moest aflossen, maar voor de teleurstelling zijn mondhoeken het leven helemaal zuur maakte, legde ik hem uit dat we als hij het me van tevoren liet weten, een van de komende avonden konden afspreken. En hij liet het me lang van tevoren weten, namelijk ter plekke. Morgen, stelde hij voor, nee, antwoordde ik, morgen kan ik n…, overmorgen, verbeterde hij zichzelf, en vanbinnen moest ik glimlachen, gevleid door zijn vurige verlangen, ik was even stil voor ik toehapte, oké, en we spraken af, ik bracht Amanda bij mijn ouders voor als het erg laat zou worden, maar we kwamen helemaal niet aan stappen toe, één drankje maar, de situatie explodeerde voor we tijd hadden op het meervoud over te gaan, kom, zei hij alleen maar, kom, hij had erop aangedrongen vlak bij mijn huis af te spreken met als smoes dat hij vast en zeker te laat zou komen en dat hij me niet wilde laten wachten, dus we gingen weg, en waren meteen weer terug, en het was fantastisch, want naakt was de broer van Fran nog steeds de knapste man met wie ik ooit naar bed ben geweest, en bovendien wist hij van wanten, ik heb nooit een minnaar gehad die zich zo zelfverzekerd wist te redden op het moerassige terrein van de beginfase van een overspelige relatie, hij had veel ervaring, allicht, en hij nam geen enkel risico, maar ik vond het allemaal nog steeds prima, want het kwam niet, nooit, geen moment in me op dat er ook maar de geringste mogelijkheid zou bestaan dat ik ooit verliefd zou worden op een man als Miguel Antúnez, dus besloot ik hem toe te staan alles met me te doen wat hij wilde, en hij wist hoe hij dat moest doen, en ik genoot ontzaglijk van zijn ontzaglijke vermogen van mij te genieten, en toen we uitgeneukt waren, het beddengoed verspreid over de vloerbedekking en ik daar op raadselachtige wijze bovenop, zon-der een erg goede reconstructie te kunnen maken van de etappes van een proces dat een heel eind verderop begonnen was, pal voor de deur van mijn huis, waar hij me tegenaan had gedrukt toen ik de sleutels nog in mijn hand had – de volgende ochtend kwam ik te laat bij het archief om-dat ik meer dan een half uur kwijt was met zoeken en met onder andere ontdekken dat Miguel zonder sokken de deur uit was gegaan –, tilde ik moeizaam mijn hoofd op en keek hem aan, en ik geloof dat hij zelfs aan-gedaner was dan ik. Op dat moment dacht ik dat ik misschien een goede minnaar had gevonden, en dat stemde me uitermate tevreden, want in de drie lange jaren dat ik alleen in Madrid woonde, had mijn seksuele leven zich beperkt tot een tiental nostalgische nummertjes gedurende de be-zoekjes van Félix, waar ik achteraf altijd spijt van had.

Mijn blijdschap was echter van korte duur. Twee dagen later, pal na de lunch – ik had hem zelf heel omzichtig uitgelegd dat dat de beste tijd was om me thuis te treffen, want ik verdiende inmiddels meer geld aan freelance werk buiten het archief dan erbinnen en het was me gelukt mijn rooster te beperken, zodat ik om drie uur klaar was en twee uur eerder thuis dan Amanda, die pas om halfzes uit school kwam – werd me door een telefoontje de precieze omvang van die luchtspiegeling duide-lijk.

'Wijfie,' zei hij, op beide lettergrepen kauwend met de meest holle, meest kleffe, meest pedante intonatie die ik ooit gehoord heb, en voor ik de tijd had te gruwen, vervolgde hij, 'zet maar een fles champagne koud, want ik kom eraan.'

Soms kan één enkele zin degene die hem uitspreekt met verbazingwekkende precisie typeren.

Daarom herinnerde ik me, maar pas nadat ik me verbaasd had, het ware belang van geil zijn, de belangrijkste zwakte van alle zwaktes die hun krachten gebundeld hadden om mijn leven te gronde te richten. Want ik, een seconde geleden nog gebogen over een tafel vol foto's van boeddhistische tempels in Sri Lanka, was het niet, en daarom begon plotseling een lintzaag, zo'n machine die in alle slagerijen aanwezig is, het skelet van een hele koe in mijn oren in plakken te snijden, in het volle besef dat ik het minste van dat krijsende geluid niet kan verdragen omdat ik er koude rillingen van krijg. Desondanks herinnerde ik me vaag dat ik hem die nacht vergelijkbare dingen had horen zeggen en niet in staat was geweest die echt tot me door te laten dringen terwijl mijn lichaam een soort schuimtaart werd, mijn oren verstoppend ten gunste van andere vermogens.

'Nee, luister...' lukte het me na een poosje uit te brengen. 'Kom maar liever niet.'

'Wat?' Zijn, ogenblikkelijke, vraag klonk veeleer als een protest, maar ik gaf er hoe dan ook antwoord op.

'Nou, om te beginnen heb ik geen champagne in huis.'

'En verder?' Er klonk weer vertrouwen door in zijn stem, vrolijk nu, alsof hij me wilde laten merken dat hij bereid was mijn spelletje mee te spelen, hij glimlachte nu vast, en zijn lippen leken op te zwellen en te knerpen als hij glimlachte, en ik stond op het punt overstag te gaan, maar ik kende mezelf inmiddels goed genoeg om te voorspellen dat ik daar eeuwig spijt van zou hebben, en ik wist zeker dat het nooit ware liefde zou worden, en bovendien, en onherroepelijk, was ik die middag niet geil.

'Nou, verder... en dat is ook meteen alles, omdat ik er geen zin in heb.'

'En waarom niet?'

Omdat je gewoon een botte lul bent, dacht ik bij mezelf, maar ik antwoordde hem dat ik het niet wist.

Sinds die dag heeft Miguel Antúnez gezworen wraak op me te nemen. Hij heeft me niet nog diezelfde middag van de lijst van medewerkers van de uitgeverij geschrapt, omdat hij meer scrupules heeft dan zijn broer Antonio en omdat we bovendien allebei weten dat hij me te leuk vindt om me uit het oog te verliezen, maar in acht jaar heeft hij niet de minste kans voorbij laten gaan om me een hak te zetten. Marta Peregrin – 23 jaar, één meter zeventig, ontzettend lange benen, enorme tieten, smal middel, onvoorstelbaar beroerde foto's – is de laatste in het rijtje.

In de loop van mijn leven heb ik alle consequenties die kunnen voortkomen uit het bezit van het lichaam van een fotomodel leren kennen, ervan geprofiteerd en eronder geleden, vanaf de traditionele twijfels aan mijn verstandelijke vermogens waardoor iedereen die me voor het eerst ziet besprongen wordt, tot de meest overstelpende oogst aan te behalen voordelen zonder dat je ze ooit gezaaid hebt. Ik ben eraan gewend dat vrouwen in eerste instantie stelselmatig onaardig tegen me zijn, maar ik weet niet of ik dat vervelender vind dan de ogenblikkelijke, opdringerige sympathie die ik bij een goed deel van de mannen oproep. Ik had Marta Peregrin moeten opbellen en haar dat allemaal moeten vertellen, maar ik zag er bij voorbaat van af toen ik me die scène herinnerde, haar geschreeuw, de hysterie, de knallende deur waarmee ze het sollicitatiegesprek afsloot, hier zul je spijt van krijgen, zei ze tegen me, maar ik heb er nooit spijt van gekregen, ik heb haar gewoon geaccepteerd, twintig minuten nadat ik haar had afgewezen, omdat ik niet kon weigeren, omdat Miguel Antúnez de deur van mijn kamer opendeed – terwijl zij achter hem naar binnen glipte, als een ontdane, huilerige schaduw – en zei wat hij altijd zei, ik geloof echt dat je je vergist hebt, Anita, zij deed een poging haar neus op te halen zonder geluid te maken, Marta's werk is bijzonder waardevol, je zou je beslissing nog eens moeten heroverwegen… Ik keek hem aan en hij wist dat het genoeg was. Wil je dat ik haar contracteer, Miguel? vroeg ik, ja, dat acht ik absoluut noodzakelijk, antwoordde hij, prima, praat dan maar met je zus, die is de baas van het project… Fran zei uiteindelijk ja – ik heb een hoop problemen, Ana, echt, ik ben de hele tijd met hem aan het onderhandelen, en ach, een fotografe meer of minder, wat maakt het ons eigenlijk uit? – en ik contracteerde haar, en het enige wat ik betreur is dat ik onvermijdelijk, iedere keer dat ik haar zie, aan mezelf moet denken toen ik twintig jaar jonger was.

Toen Belén Rupérez, die geen beugel meer droeg maar nog wel een bril met jampotglazen, me uitlegde dat zij haar spiekbriefjes met een Bic-pen op haar bovenbenen schreef, had ik nog niet zo door wat het betekende om een stuk te zijn, maar het leek me een fantastische truc, en niet alleen omdat geen enkele docent, hoe getergd hij ook was, een leerlinge zou durven vragen haar rok voor zijn ogen op te tillen – en zelfs als het een docente was die je betrapte, zou iedereen kunnen begrijpen dat een meisje weigerde een dergelijk bevel te gehoorzamen –, maar ook omdat op een bovenbeen veel meer letters passen dan op die ellendige strookjes papier waar je zo priegelig op moest schrijven dat je het vervolgens midden onder een proefwerk onmogelijk kon lezen, en dat alleen nog als het je lukte het uit de manchet van je bloes te halen zonder achterdocht te wekken, wat al een hele toer was. Dus halverwege de vijfde veranderde ik radicaal van outfit, verwierp de broeken en bloesjes met lange mouwen en werd plotseling, ten prooi aan een voor mijn moeder onbegrijpelijke passie, een grote fan van nogal korte en heel wijde rokjes, met altijd een heel lichte, dunne panty eronder die ik bovendien zorgvuldig uitzocht op zijn slechte kwaliteit, zodat het verstevigde bovenstuk zo doorschijnend mogelijk was. Het nieuwe systeem bleek zo rendabel dat ik het ook in het laatste jaar, het voorbereidend universitair jaar, bleef gebruiken, ondanks de verslechterde omstandigheden – aan de ene kant was de groep waar ik in zat kleiner en had ik veel nieuwe klasgenootjes, bijna allemaal jongens, en aan de andere kant werden de proefwerken niet meer in de lokalen gemaakt maar in een veel grotere zaal, met blokken trapsgewijs oplopende zitplaatsen, van elkaar gescheiden door lange looppaden die een uitstekend zicht boden vanaf het podium –, en ik werd nooit betrapt, nooit, niemand verdacht me zelfs, tot die ochtend, toen hij me snapte.

Cánovas del Castillo en de Restauratie van de Bourbons, dat was het onderwerp, ik zal het nooit vergeten, en ik kende het, dat was het ergste, dat ik het kende, geschiedenis was altijd een van mijn lievelingsvakken geweest, maar op het laatste moment, die ochtend zelf, kreeg ik een acute paniekaanval, eigennamen, data, veldslagen, wetten, plotseling besloot ik dat ik nergens meer zeker van was, dus toog ik naar de wc, ging op de klep van de wc-pot zitten, stroopte mijn panty naar beneden, sloeg het boek open en begon aantekeningen te maken alsof mijn leven ervan afhing. En mijn leven hing ervan af, van dat gebaar, maar aanvankelijk ging het allemaal goed, ik vond een vrije plaats bijna in de linkerhoek van de zaal, de eerste stoel van de voorlaatste rij, sloot het pad dat me scheidde van de geruststellende bescherming van de muur af met een hele berg boeken en mappen, en begon te schrijven met mijn rok over mijn knieën; ik probeerde me helemaal op het proefwerk te concentreren, de eerste vragen gingen me heel goed af en ik merkte niet eens dat er langzaam een docent kwam aan gewandeld door het gangpad, tot hij naast me stond en zich boog om zwijgend mijn bezittingen te verwijderen, alsof hij me niet wilde storen, voor hij de laatste trede nam en daar rustig bleef staan, minstens vijf minuten.

Ik herkende hem onmiddellijk, Félix Larrea, Tekenen, mijn jongste docent, de platonische liefde van de hele klas en vertroeteld door de hele school, want toen hij de baan kreeg was hij niemand, maar nu was hij een grote belofte geworden, Tabacalera en Coca-Cola kochten schilderijen van hem en hij was zelfs een keer op het tv-journaal geweest, in gevecht met een paar emmers vol verf in allerlei kleuren. En verder de ideale docent, want in de klas was hij altijd afwezig, alsof het hem worst was of we iets leerden of niet, maar hij was erg aardig, liet nooit iemand zakken, en hij tekende zo goed dat als hij een werkstuk verbeterde het er praktisch als nieuw uitzag, terwijl de leerling, verrukt, zijn ene hand op zijn andere, toeluisterde hoe hij zei, dit moet zo, deze hoort hier, het oor heeft deze vorm… zie je? Als hij tekende, zag de hele wereld het.

Ik was niet bang voor Larrea, en bovendien ging hij gewoon weer weg, door het gangpad dat achter de laatste rij langs liep, en na een tijdje begon mijn linkerbeen te jeuken, en ik tilde mijn rok op terwijl ik me krabde, het tijdperk van Amadeo I, mooi!, het stond precies waar ik dacht, en ik schreef verder, en daarna jeukte mijn rechterbeen, en natuurlijk moest ik krabben, maar ik kon de tweede fase van de derde Carlistische oorlog nergens vinden, en dat terwijl ik het genoteerd had, dat wist ik zeker, want ik raakte altijd in de war met de eerste, en ik vervloekte uit de grond van mijn hart die reactionaire Carlist Carlos VII voor ik opnieuw mijn linkerbovenbeen bestudeerde, maar nee, ik werd behoorlijk zenuwachtig en kon hem maar niet vinden, en uiteindelijk, en al wist ik dat dat heel gevaarlijk was, tilde ik met twee handen mijn rok op en boog mijn hoofd voorover alsof ik moest nadenken, en toen zag ik alles, een heel kleine inscriptie – 2F 3CO 1873-75 – aan de binnenzijde van mijn rechterbovenbeen en, iets verder weg, twee kastanjebruine suède schoenen op de traptrede naast me. Ik durfde mijn hoofd niet op te tillen, maar ik liet mijn ogen omhooggaan en ontdekte een nogal sleetse spijkerbroek, totaal verwassen, geen twijfel mogelijk, geen enkele andere docent droeg spijkerbroeken. Het was Larrea, en hij had me gesnapt.

Gedurende een paar tellen was ik sprakeloos, bewoog niet, mijn handen op de lessenaar, mijn bovenbenen ontbloot, mijn hoofd naar beneden, tot ik me ervan wist te overtuigen dat ook hij sprakeloos was en niet bewoog, vlak bij me. Toen sloeg ik mijn ogen op en keek hem aan, en hij keek met vochtige en ook woedende ogen naar mijn beschreven bovenbenen, maar dat maakte niet zo veel indruk op me als de pirouette van zijn open mond, zijn tanden die op de onmogelijke mondvol van zijn naar binnen geklapte tong beten alsof mijn benen hem pijn deden, alsof mijn benen hem konden verwonden, of hem gek konden maken. Dat was ook wat er gebeurde, zou hij me later keer op keer vertellen, dat ik op dat moment gek werd, maar ik heb hem nooit verteld wat er met mij gebeurde, dat heb ik nooit iemand durven vertellen, en toch was het een zeldzaam scherpe gewaarwording, alsof er plotseling een enorme gloeilamp in mijn hoofd was aangesprongen en de koele duisternis van mijn zenuwcellen overstroomde met zeeën van licht, want precies op dat moment drong het tot me door dat ik een stuk was, dat ik zo was geboren, net als ik met rood haar geboren had kunnen worden, of als een opdondertje, of met muzikale aanleg. Vele jaren later leerde de ervaring me de taal die ik spreek dankbaar te zijn voor sommige subtiliteiten, want er is uiteraard een verschil tussen een lekker stuk zijn en er lekker uitzien, maar in die tijd had ik alle voordelen aan mijn zijde, want niemand is onder de indruk van meisjes van zestienenhalf, en het is normaal dat alle jonge meiden knap zijn, en ze zijn allemaal even beangstigend, en ik had niet veel tijd om na te denken want mijn geschiedenisproefwerk stond op het spel. Alsof hij het op hetzelfde moment had begrepen als ik, stak hij discreet zijn linkerhand uit tot die op mijn rechterknie lag en bewoog daarna heel langzaam, lichte druk uitoefenend met zijn vingertoppen, in de richting van de verkreukelde zoom van mijn rokje, waarboven hij even bleef hangen om die vervolgens, met eenzelfde liefkozing als daarvoor, en even traag, naar beneden te schuiven, tot hij uiteindelijk weer op zijn oorspronkelijke plek was. Ik volgde al zijn bewegingen met een afwezige blik, met kippenvel ondanks de kalmerende warmte van zijn aanraking, en pas toen ik merkte dat hij de trap begon af te lopen sloeg ik mijn ogen naar hem op, en hij, een paar treden lager, draaide zijn hoofd om om naar me te kijken, en glimlachte naar me.

Vervolgens gebeurde er niets. Hij ging niet praten met de geschiedenisdocente, hij wandelde niet meer door mijn gangpad, en hij keek zelfs niet meer naar me tot de bel ging, maar mijn hart bleef sneller kloppen tot ik van mijn stoel kwam, mijn spullen verzamelde, de trappen met een soort moeizaam automatisme afliep, mijn benen opeens slap, alsof ze vol gelatine zaten, en met zweterige vingers het corpus overhandigde van een delict dat voorgoed onbestraft zou blijven. En toen, op dat moment, voelde ik wel hoe mijn bloed roder en warmer was, mijn huid steviger, hoe mijn ogen gloeiden en de lucht schroeiden, en ik voelde een roes die anders was dan die ik kende. De triomf verspreidde zich door mijn lichaam, bedwelmde me tot op het bot, en toen ik bij de deur langs Larrea liep, bij het weggaan, kon ik een korte, diepe schaterlach niet onderdrukken, de schrille kreet van een tevreden dier, die uiteenspatte tegen de troebele, in zichzelf gekeerde, bijna duistere en onverklaarbaar angstige blik die een docent Tekenen in mijn ogen voor het eerst in een man veranderde.

Aanvankelijk was het me niet helemaal duidelijk hoe ik die fabuleuze macht waarvan ik me ineens bewust was geworden kon aanwenden, het was me zelfs niet helemaal duidelijk of het voordelig was die op een of andere manier uit te oefenen, misschien wel omdat ik het eigenlijk niet kon geloven, het was moeilijk te accepteren dat de wereld zo snel kon veranderen. Tot die dag had ik nooit geflirt op school, wellicht omdat alle mannelijke leerlingen van mijn jaar kleiner waren dan ik, fijngebouwder en breekbaarder, en het liever probeerden met een ander slag meisjes, klein, iel, gracieus, en uiteraard knap, maar met de ronde, weerloze schoonheid die het gezicht van de engeltjes op de in die tijd populairste kerstkaarten verlichtte, altijd gesigneerd door een zekere Ferrándiz, soepele lichamen, nog heel kinderlijk, met kaarsrechte schouders, en niet naar voren gebogen, zoals het mijne, de vrijwillige bochel waarmee ik tevergeefs probeerde mijn borsten te verhullen als ik ze niet plat kon drukken achter een map die ik stevig in mijn beide armen geklemd hield. Als we met z'n allen uitgingen, op zaterdagmiddag, kon ik zo hun moeder zijn, en ze kwamen alleen om me heen staan bij de ingang van discotheken, waar ik dikwijls als enige van de hele groep werd toegelaten om onmiddellijk weer naar buiten te gaan als ik merkte dat ik alleen in de garderobe stond. Ik geloof dat ik om al die redenen mijn hoofd verloor, en omdat eindelijk iemand mijn vader en moeder gelijk gaf, en alle familieleden die al jaren beweerden dat ik zelfs gevaarlijk knap was, terwijl ik nog niet eens aan het echte werk begonnen was, een detail dat een ontoelaatbaar krenkende noot toevoegde aan hun drammerige bezorgdheid over mijn kuisheid. En bovendien omdat Félix het heel goed aanpakte. Foutloos.

Toen ik hem de deur binnen zag komen, zoals iedere woensdag het derde uur, wist ik nog niets van het geschiedenisproefwerk, maar ik meende iets van hem te weten. Een uur later moest ik toegeven dat ik helemaal niets wist. Larrea, die ik plotseling veel knapper dan interessant vond, zoals ik hem vroeger pleegde te kwalificeren om de meisjes die verliefd op hem waren te stangen, was geen moment zenuwachtig geweest, zoals ik heel onnozel verondersteld had, en hij was niet rood geworden als hij in mijn buurt kwam, zijn handen hadden niet getrild, zijn stem haperde niet, zijn ogen ontweken me niet, er gebeurde eerder het tegenovergestelde. Hij keek de hele les naar me en raakte me zelfs een paar keer aan als hij langs me liep, hij leek zelfverzekerd en opgewekt, tevreden en heel rustig terwijl hij kon vaststellen hoe ik steeds zenuwachtiger werd en mijn wangen steeds roder werden, tot mijn handen begonnen te trillen en mijn stem stokte in mijn keel en mijn ogen zijn blik ontweken, en toen ging de bel. De volgende dag kreeg ik te horen dat ik mijn geschiedenis gehaald had met een dikke negen, en in één klap had ik elk vertrouwen in de macht van mijn benen weer terug. Toen kreeg ik een idee.

Ik dacht er het hele weekend over na, en ik kwam tot de conclusie dat het gekkenwerk was, maar ik vond het zo aanlokkelijk, hem opnieuw verslaan, hem van verbazing wegvagen, hem nogmaals bezitten, dat ik uiteindelijk besloot tot de aanval over te gaan, vanuit een goed afgeschermde positie die even veilig was als de beste loopgraaf. De woensdag daarop stond ik iets vroeger op dan normaal en koos een blauwe stift met een dikke punt die op de kartonnetjes waarop ik verschillende proeven had gedaan een even goed resultaat boekte als op mijn huid, waarop het me lukte op zijn kop te schrijven alsof ik dat al mijn hele leven deed. Daarna deed ik zo'n kort rokje aan dat er bij de deur van het lokaal een meisje naar me toe kwam rennen om heel ongerust te vragen of we die ochtend soms een proefwerk hadden, want daar wist zij niks van. Nadat ik haar gerust had gesteld ging ik op de eerste rij zitten, tegenover de verhoging, en ik zat er twee uren – Spaans en filosofie – volkomen onverschillig bij, mijn blik alleen maar op de klok gericht, de minuten die weigerden te verstrijken alsof ze zich met onzichtbare vingers konden vastklampen aan die stomme wijzers die ondraaglijk traag over de wijzerplaat ronddraaiden. Het derde uur maakte die marteling meer dan goed. Larrea reageerde geschrokken toen hij me zo dicht bij zijn bureau zag zitten, maar hij begroette de rest zonder blikken of blozen en binnen een paar minuten zette hij ons allemaal aan het tekenen, vandaag doen we geen theorie, zei hij alleen maar, en toen alle hoofden, inclusief het mijne, dat een glimlach te verbergen had, zich over het tafelblad hadden gebogen, stond hij rustig op, liep om het bureau heen en leunde tegen de rand, pal tegenover me. Ik wist dat hij naar me stond te kijken en ik keek naar hem, ik zag dat hij naar me glimlachte en ik glimlachte terug. Links van me zat Antón González bijna met zijn rug naar me toe om het licht van het raam te vangen. Rechts van me wierp Esther García Aranaz heimelijk een nieuwsgierige blik op ons, alsof ze iets rook. Ik veranderde de positie van mijn tekenblok en hield de kaft rechtop, want mijn schouwspel was verzekerd van één toeschouwer, en dat was voldoende. Toen liet ik me met een snelle beweging van mijn onderrug deels van mijn stoel glijden tot ik bijna in het luchtledige hing, terwijl ik mijn benen onder het bankje strekte. Larrea leek van zijn stuk gebracht, maar dat zou nog veel erger worden toen ik, een tel later, mijn rok optilde om hem de boodschap van mijn gedecoreerde bovenbenen over te brengen. HARTELIJK, vermeldde mijn linkerbeen, BEDANKT!, completeerde mijn rechterbeen, en de hele wereld trilde onder het bescheiden oppervlak van mijn handen.

'Ana...' zei hij toen de les was afgelopen, op de zachtst mogelijke luide toon die hij kon improviseren, met een ondertoon waarin heftige onrust doorklonk, met witte lippen, 'zou je even kunnen blijven? Ik wil het nog even met je hebben... over dat eh... van het eind van het jaar... je weet wel.'

Als de anderen niet zo'n haast hadden gehad om aan de pauze te beginnen zouden ze stomverbaasd zijn geweest bij het horen van zo'n idiote smoes, want niet alleen was ik niet de klassenvertegenwoordigster, of de vervangster daarvan, of wat ook, maar ook had niemand van de groep ooit iets horen zeggen over een of ander project in verband met het eind van het jaar. Toch was hij, toen hij de deur sloot en we alleen waren, weer de zelfverzekerde, opgewekte Larrea van de week daarvoor.

'Dat is niet zo fraai wat je allemaal met me uithaalt,' zei hij, met de deur in huis vallend, maar hij kwam veel dichter bij me staan dan strikt noodzakelijk.

'Dat zegt mijn moeder ook om de haverklap tegen me,' antwoordde ik, eveneens opgewekt, terwijl een onbekend gevoel als een golf uitzinnige, prikkelende warmte me ongebruikelijk bewust maakte van sommige delen van mijn huid. Hij was even stil.

'En moet je moeder ook weten wat voor spelletje je speelt?'

'Nee. Mijn moeder weet dat ik geen spelletje speel. Ik ben veel te groot om te spelen...'

Mijn tepels deden pijn, dat herinner ik me nog goed, en dat mijn hoofd steeds lichter werd, want mijn mond voerde in allerijl een invasie uit in de rest van mijn gezicht, annexeerde mijn kin, nam mijn neus in beslag, bedreigde mijn ogen, mijn hele gezicht was inmiddels een en al mond toen hij zijn linkerhand uitstak en die stilhield in de lucht, alsof hij niet goed wist waar hij hem zou neerleggen, alsof hij bang was verder te gaan.

'Je mag me wel aanraken,' zei ik toen. 'Ik bijt niet.'

Zijn wijsvinger legde zich op mijn voorhoofd en ging van boven naar beneden over mijn gezicht, die ene, enorme mond, om daarna nog iets verder te gaan, een denkbeeldige lijn trekkend langs mijn keel, heel even licht drukkend op mijn sleutelbeen.

GEMEENTELIJKE P.O.B.
ACHTERSTRAAT 2
9450 HAALTERT
TF. 053/834474

'Je bijt wel,' antwoordde hij, en de klank van zijn woorden verteerde me vanbinnen. 'Natuurlijk bijt je.'

Tussen ons bevond zich niet meer dan een dunne scheidingswand van benauwde, drukkende, nutteloze lucht, die geen enkele weerstand bood toen ik mijn hoofd boog om hem te kussen. Het duurde even voor hij reageerde op mijn kus, maar zijn hand, die gewiekster was, drukte zich tegen een van mijn borsten toen we vaag, nog heel in de verte, lichte voetstappen hoorden naderen aan de andere kant van de deur. Het geluid van de realiteit verbrak in een oogwenk een nog broze, moeizaam bewerkstelligde betovering.

'Wegwezen hier,' verzocht hij me, want hij kon me niets meer bevelen, en toen ik roerloos bleef staan, drong hij aan met passender woorden. 'Alsjeblieft…'

Ik was zo jong dat ik toen ik het lokaal verliet zeker wist dat ik de macht in handen had.

Toen ik Amanda uiteindelijk te pakken kreeg die avond was ik er al jaren van overtuigd dat ik nooit degene met de macht was geweest, maar ik was nog steeds in staat me te verbazen over de overweldigende dosis macht die Félix nog altijd over me dacht te hebben.

'Het gaat heel goed met me en je weet dat ik heel veel van je hou, mama, maar ik heb geen tijd voor kussen en liefs omdat ik een afspraak heb en ik ben al laat.' Dat was bijna alles wat ze zei nadat ze geprotesteerd had dat ik pas zo laat terugbelde. 'Je moet mijn balletgeld opsturen. Volgende week sluit de betalingstermijn.'

'Heb je mijn overschrijving niet ontvangen? Het geld moet er… al zeker drie dagen zijn.'

'Ja? Nou, dan zal ik tegen papa zeggen dat hij langs de bank moet gaan. Hij zegt dat hij het heel druk heeft, je weet wel, en omdat we geen ontvangstbewijs in de bus hebben gekregen…'

Félix had Amanda's balletlessen altijd betaald. Hij was het die een briljante, alom bewonderde, bijzondere dochter wilde. Maar sinds zij bij hem woonde nam ik de helft voor mijn rekening van alle kosten van de balletcarrière die mijn dochter tegen mijn zin in begonnen was. Nu ligt het allemaal anders, had hij me meegedeeld toen de opleiding begon, de lessen zijn veel duurder, en bovendien moet ik opdraaien voor alle dagelijkse kosten, eten, vervoer, afijn, het lijkt me het eerlijkst… Ik was zo verontwaardigd dat ik ophing en besloot zonder tegensputteren te betalen. Sinds die dag had ik geen woord meer aan het onderwerp vuilgemaakt.

'Goed, liefje…' begon ik weer na een toereikende pauze, om het afscheid te vergemakkelijken. 'Dan…'

'Hé, mam.' Haar stem klonk daarentegen zo kordaat dat ik vreesde allerbelabberdst nieuws uit haar mond te vernemen, maar mijn dochter, die knap was, intelligent, ijverig, en in staat op vele manieren gelukkig te zijn, was nog niet bereid toe te geven dat ze nooit een briljante ballerina zou worden. Ik had me erop voorbereid zo lang als nodig was te wachten alvorens haar om die reden te troosten, maar de ware motieven van haar bezorgdheid kwamen als een volslagen verrassing. 'Zeg eens eerlijk… Heb je een vriendje?'

'Ik…?' De vraag leek me zo bizar dat ik bijna in de lach schoot. 'Nee. Natuurlijk niet. Waarom vraag je dat?'

'Nee, ik zou het geweldig vinden, echt… Maar omdat je de laatste tijd nooit thuis bent.'

'Omdat ik het ontzettend druk heb op de uitgeverij.'

'Ja, dat zei papa al.' Ze leek het jammer te vinden. 'We hebben er ruzie over gemaakt, want… Hij zegt dat je nooit met een andere man zal kunnen leven.'

'Wat?' Als de kracht van mijn stem had afgehangen van mijn wilskracht, dan had op dat moment het hele universum op zijn grondvesten geschud onder de onwaarschijnlijke weergalm van één enkele lettergreep.

'Nou ja, je weet toch hoe hij is, ik hou veel van hem maar omdat hij zo blij is met zichzelf… Hoe dan ook, ik heb natuurlijk tegen 'm gezegd dat hij ongelijk heeft, echt hè…? Nou, mam, ik moet nu echt weg, ik kom veel te laat… Een hele dikke kus. Ik hou van je. Dag.'

Ik bleef als verlamd zitten, de hoorn in mijn hand, op het punt in huilen uit te barsten zonder dat ik zelfs maar begreep waarom. Die ellende heb ik allang gehad, moest ik mezelf helpen herinneren, daar ben ik al overheen. De plastic hoorn die ik een seconde daarvoor had willen verpulveren tussen mijn nagels, ging langzaam naar beneden, gehoorzamend aan het ritme dat mijn opeengeklemde lippen aangaven, ik heb een prima leven, dat zeiden ze tegen me, ik heb veel geluk, werk dat ik leuk vind, een gezonde dochter, ik heb nergens pijn… Het eerste gerinkel bracht me van m'n stuk, het tweede dreunde door in mijn oren, het derde dwong me tot een werktuiglijke reactie.

'Ja, hallo.'

'Ana Hernández Peña?' Het was een mannenstem, en ik herkende hem niet.

'Ja, daar spreekt u mee.' Tegen die tijd was ik ervan overtuigd dat ze belden voor de wasmachine.

'U spreekt met Javier Álvarez. Ik heb zojuist vernomen dat de titel van mijn werk gewijzigd is, en…'

'Welk werk?' Maar voor ik de vraag helemaal gesteld had, herinnerde ik me alles weer.

'Nou, het mijne. Nou ja, wat ik dacht dat het mijne was, want inmiddels ben ik er niet meer zo zeker van dat ik mijn naam eraan wil verbinden. Fran Antúnez heeft me verteld dat het uw idee was, en ik wilde u uiteraard persoonlijk feliciteren, want het is beslist iets om mee in het *Guinness* te komen, neemt u dat van mij aan, ik heb mijn hele leven nog nooit zoiets meegemaakt…'

Hij was razend, en ik begreep niet eens waarom, dus maakte ik me gereed hem beleefd te kalmeren, zij het zonder erg veel overtuiging.

'Ja, ik weet niet of Fran u heeft verteld dat Planeta een maand voor het onze met een vergelijkbaar werk op de markt komt, en daarom…'

'Dat kan me niet schelen, juffrouw!' Nu ging hij echt tekeer, en zijn geschreeuw bezorgde me een vaag gevoel van onrust, alsof het me op een vreemde manier speet, want ik had hem een paar weken daarvoor vluchtig leren kennen, op de uitgeverij, en ik had hem een interessante man gevonden, hij had me erg aardig geleken. 'Er bestaat een tak van geografie die in het Engels *human geography* heet, dat wat wij sociale geografie noemen, die titel lijkt dus wel een slechte vertaling. En bovendien heeft het geen van beide ook maar iets met de inhoud van dit boek te maken. Bergen zijn niet bepaald sociaal of menselijk, weet u, en rivieren ook niet, of continentale platten. Het spijt me voor u, maar met die titel slaan we alleen maar een ontzettend modderfiguur…'

'Luistert u eens!' Ik kon ook schreeuwen. 'U weet ongetwijfeld heel veel van geografie, dat zal ik niet betwisten, maar u heeft er geen idee van hoe je een boek maakt. Weet u hoeveel mensen er al aan dit project gewerkt hebben? Fotografen, cartografen, redacteuren… Kunt u zich er een voorstelling van maken hoeveel mensen de kost verdienen met dat wat u "uw-werk" noemt? En hoeveel uur we bezig zijn geweest met discussiëren, met plannen, met het verbeteren van het project dat we u opgedragen hebben? Het is niet onze schuld dat ze onze titel hebben ingepikt. Wat wilt u, dat we alles uit het raam gooien?'

'Ik wil een beetje accuratesse, juffrouw!' Hij ging zo heftig in de tegenaanval dat ik zijn strakgespannen aderen bijna kon horen knappen, gezwollen van kokend bloed. 'Een beetje accuratesse, in godsnaam! Dat is het enige.'

'Nou, zoekt u dan een titel die nog niet geregistreerd staat!'

Ik gaf hem de kans niet nog iets te zeggen, en nadat ik de verbinding had verbroken legde ik de hoorn ernaast, om geen telefoontje meer te hoeven ontvangen, van niemand. Als iemand me had aangeboden niet meer te hoeven telefoneren, nooit meer, had ik daar zonder aarzelen voor getekend.

Maar soms lopen de dingen anders.

Daarom was ik, toen het laatste deel van die *Atlas van de Menselijke Geografie* uitkwam, niet in staat thuis weg te gaan zonder eerst een nummer te draaien dat ik uit mijn hoofd kende en een boodschap achter te laten op een antwoordapparaat, waar je naar doorverbonden werd via een ander antwoordapparaat, dat op zijn beurt vooraf werd gegaan door een ingesproken boodschap op een eigenaardig euforische toon, goéeedenmiddag!, zoals die de laatste tijd in zwang zijn bij openbare instellingen. En dat terwijl ik amper iets insprak, ha, met mij, ik ga zo weg. Ik moet met mijn moeder mee een badpak kopen en daarna naar dat etentje met mijn team van de uitgeverij... Ik heb boodschappen gedaan, de koelkast staat vol lekkere dingen die je koud kunt eten, rechtstreeks uit de tupperware op het bord, al hoop ik dat je nog een andere reden kunt bedenken om me te missen. Geen dank. Ik denk niet dat het erg laat wordt. Ik hou van je. Een kus.

Want soms lopen de dingen anders.

Ik weet dat het onmogelijk lijkt, dat het ongelooflijk is, maar soms gebeurt het.

6

Ik stond op het punt te zeggen wat ik dacht, maar herinnerde me op tijd de kritiek die mijn eerlijkheid een paar maanden tevoren had opgeleverd, de laatste keer dat het onderwerp aan de orde was gekomen.

'Verdomme, Marisa!' had Ramón toen uitgeroepen, op een eigenaardige toon, alsof hij verontwaardigd was, maar niet erg. 'Is er volgens jou eigenlijk wel een vrouw op de wereld te vinden die mooi is?'

'Natuurlijk wel,' antwoordde ik, zo beledigd als een kind dat betrapt wordt op vals spelen.

'Wie dan?'

'Ava Gardner, bijvoorbeeld.'

Hij klakte met zijn tong, op een manier die het midden hield tussen spot en ongeduld, en in de richting ging van minachting.

'Nee...' voegde hij eraan toe. 'Ik bedoel eentje die nog leeft.'

Toen ik voor secretaresse leerde, en daarna, toen ik begon te werken, ging ik op zaterdagavond vaak uit met mijn vriendinnen, of aanvankelijk eigenlijk meer medestudentes van de opleiding, en daarna bekenden van de uitgeverij, bijna altijd meisjes alleen, want geen enkele vrouw met een beetje verstand haalt het in haar hoofd om haar vriend mee te nemen als ze met twee of drie seksegenoten heeft afgesproken om iets te gaan eten en daarna wat te gaan drinken en kijken wat zich aandient, in de hoop dat datgene wat zich aandient niet hun vriend was. Maar naarmate de jaren verstreken, veranderden de vrienden in echtgenoten, en volgden er lange weekeinden van afzondering, luie zaterdagen van vasthoudende lakens en veel siësta, en zondagen van half en half koken na terugkeer van de rommelmarkt met een paar gewone vurenhouten boekenrekken, van die goedkope, en een of andere oude prul, zonder enige waarde, die nooit ergens voor gebruikt kan worden. Later, toen alle boeken al geordend waren, en er geen hoekje meer te vinden was om nog een nieuw bijzettafeltje neer te zetten, moesten alle meubelen weer worden verplaatst om een kamer te ontruimen en blauw te schilderen, of roze, of om boven aan de muren een sierrand met gekleurde beertjes aan te brengen. Horizontale fase, inrichtingsfase, kinderfase, altijd hetzelfde, en intussen wende ik eraan om de zaterdagavonden thuis door te brengen, zonder ook maar te voelen aankomen dat, op de loer liggend in de geest van de tijd, een nieuwe fase, de sceptische fase, of de vermoeidheidsfase, mij later, een voor een, veel van mijn vriendinnen terug zou geven, die zich plotseling met het bereidwillige vertrouwen van de wanhopigen op het nachtelijk uitgaansleven stortten. Ik volgde hen zonder overtuiging, hoewel ik van elke minuut van hun gezelschap genoot omdat ik in elk geval ontsnapt was aan de bank waarop mijn grootmoeder, mijn tante en mijn moeder – later mijn tante en mijn moeder en ten slotte alleen mijn moeder – zich schrap zetten voor het amusementsprogramma op het eerste net met de blinde felheid die verwacht kan worden bij een krankzinnige soldaat die in zijn eentje het vijandelijke kamp oversteekt.

'Die lijkt geblondeerd, hè?'

'Dat is wel duidelijk. En die lippen zijn natuurlijk niet van haar...'

'Die borsten ook niet, dat zie je meteen.'

'Lieve god, wat zijn mannen toch domkoppen!'

'Wat je zegt... Maar die dan, aan de rechterkant, met dat korte bruine haar...'

'Wat is die dik! Met zulke dijen zou ik me niet in een maillot laten stoppen.'

'En ze heeft een hoge taille, niet?'

'Hoog? Die zit bij haar oksels...'

'Moet je nagaan, eerlijk, wat zijn mannen toch domkoppen!'

'Die achteraan... Die achteraan die is wel heel erg.'

'Welke? Ah, ja, die met die grote tieten!'

'Grote tieten...? Ze is helemaal misvormd, kijk, ze kan niet eens recht-op lopen.'

'En moet je die dunne benen zien... Dat staat toch niet. En ze heeft nog een lelijk gezicht ook.'

'Ja, wat het gezicht betreft is er niet een bij die een beetje knap is.'

'Ze zijn ook zo opgemaakt, allemaal hetzelfde, en met valse wimpers… Ze zien eruit als etalagepoppen.'

'En dat die mannen dat helemaal niet doorhebben! Dat geloof je toch niet.'

'Vreselijk! En die dan, die met dat rode haar. Moet je die hangkont zien, die kan ze maar beter wegstoppen.'

'Mens nog aan toe… En wat zou er dan te zien zijn?'

'Er zijn geen knappe vrouwen meer.'

'Zoals die uit onze tijd…? Niet één.'

'Natuurlijk niet. Grace Kelly, Ava Gardner, Rita Hayworth.'

'Moet je nagaan, niet te vergelijken…'

Ik luisterde zwijgend naar ze, bespaarde ze mijn mening, waar ze aan de andere kant ook niet om vroegen, maar ik had graag de moed gehad om ze eraan te herinneren dat mannen blijkbaar nog niet zo dom zijn, want mijn grootmoeder had haar halve leven novenen gebeden om te zorgen dat haar dochter een goede jongen zou ontmoeten, en geen enkele beschikbare sukkel had het ooit gewaagd om op minder dan een halve meter afstand van mijn tante Piluca te komen, die altijd zowel letterlijk als figuurlijk een kreng was geweest, en als mijn grootvader Anselmo op een goede dag de deur is uit gegaan en meer dan dertig jaar geen voet meer in huis heeft gezet – mijn grootmoeder vernam het bericht van zijn dood toen ik nog heel klein was, dankzij een overlijdensbericht in de *Faro de Vigo* dat anoniem vanuit Pontevedra was gezonden – moet dat geweest zijn omdat alle trucs, alle valsigheid, alle sluwheid en alle gemenigheid van die slet op wie hij als een idioot verliefd was geworden, hem van dichtbij gezien nog niet zo slecht moeten hebben geleken. De enige domme man die ik kende was mijn vader, die het zonder tegensputteren met hen uithield en het zo nu en dan zelfs waagde om het onmiskenbare te verdedigen, hoe kunnen jullie dat zeggen?, die blonde is een schoonheid, dat zie je toch meteen!, om in zijn eentje een schande op zich te nemen die hij tot op dat moment had gedeeld met alle andere mannen van de wereld, wat ben je ook dom, Anselmo, maar dan ook hopeloos dom, jongen, ik begrijp niet hoe je zo dom kunt zijn…

In die tijd, toen ik bijna twintig was en ook daarna nog, maar lang voor mijn dertigste, bekeek ik ze afstandelijk, zonder op ze neer te durven kijken, maar zonder ook maar iets van ze te begrijpen, waarbij ik me zelfs enig medelijden toestond dat gebaseerd was op de absolute zekerheid dat ik nooit zo zou worden als zij. En dat ben ik niet, daar ben ik zeker van, maar die ochtend, tijdens het ontbijt, begon ik te twijfelen, na zo veel jaar, want Ramón was de avond daarvoor naar de bioscoop geweest en was erop gebrand mij over de film te vertellen, een misdaadverhaal met veel seks van het soort dat een paar jaar geleden zo in is geraakt, hoewel het enige wat hem er echt aan was bevallen, blijkbaar, de hoofdrolspeelster was, wat een schoonheid, die is geweldig, echt geweldig, eerlijk, wat ze ook zeggen, zo besloot hij, en ik zei hem de waarheid, dat ze mij niet zo knap leek, een mooi gezicht, ja, maar niets bijzonders, en wat haar lichaam betreft hetzelfde, goed, maar niet om over naar huis te schrijven, een beetje te klein voor een sekssymbool, vind je niet...? Hij dacht een paar seconden na en gaf me toen een tikkeltje gelijk, maar alleen vanwege de kwetsende vergelijking die in mijn argumenten naar voren was gekomen, want, ja, natuurlijk, bevestigde hij met dat serieuze hoofd van hem van het beste jongetje van de klas, voor het sekssymbool van het einde van de eeuw zijn betere kandidates te vinden, en hij noemde vervolgens twee namen die ik onmiddellijk afwees, o, nee!, hoe kun je dat zeggen?, en mijn afschuw was oprecht, die lijkt op een vent, serieus, met van die brede schouders en supergespierde benen, die vind ik helemaal niks, zelfs haar gezicht is grof, en als je goed kijkt, lijkt ze altijd de pest in te hebben... En die andere, nou die andere, pfff... Ja, die is wel stevig maar ze heeft nog een min of meer goed figuur, het probleem is dat ze op een varken lijkt, haar gezicht vind ik helemaal niets, ik... Toen onderbrak Ramón me met dat, verdomme, Marisa!, is er volgens jou eigenlijk wel een vrouw op de wereld te vinden die mooi is?

Ik begreep niet helemaal wat er gebeurde tot ik mezelf de naam van Ava Gardner hoorde zeggen, een klassieker, met een vaste plaats op de lijst waar mijn tante Piluca vroeger of later mee schermde tegen elke schoonheid, niet noodzakelijkerwijs van de televisie, en toen stortte er in mijn binnenste iets in elkaar, alsof mijn waardigheid heimelijk verbonden was met een of ander kwetsbaar orgaan dat gehaast en onzorgvuldig aan de beweeglijke wanden van mijn lichaam was geplakt. En vanaf die dag heb ik nooit meer hardop ook maar één bezwarende opmerking gemaakt over de gevierde schoonheden, want ik weiger de nalatenschap te aanvaarden van die arme, door wrok verblinde matrones, maar hoewel mannen me nog steeds niet dom lijken, blijf ik mijn eigen mening houden en slaag ik er niet in om veel barmhartiger te zijn – veel realistischer, misschien – dan, in hun goede tijden, mijn moeder of mijn grootmoeder waren. Ik ben er zeker van dat ik nooit zal zijn zoals zij, maar ik heb de hoop opgegeven dat het toeval mij veel beter zal behandelen, en misschien komt het daarop neer, dat alle mensen zonder geluk uiteindelijk op elkaar gaan lijken. Van alle dingen die ik ooit hardop zal durven zeggen, is dit het belangrijkst.

Toen ik jong was, verzamelde ik postzegels. Ik begon met twee albums die heel oud waren, de omslagen gescheurd bij de rand van de rug, en ontdekte een waarheid over gewoon, goedkoop karton, van een zo onduidelijke kleur dat het de naam kleur nauwelijks verdiende, onder het gedistingeerde uiterlijk van het zachte, zwarte leer – kalfsleer, preciseerde mijn moeder toen ze ze mij gaf – die ze veranderde in mijn waardevolste bezit. Erin bevonden zich meer dan een honderdtal zeer oude zegels, waarvan de afstempeling leesbaar was en de kartelranden heel waren, twee absolute vereisten voor mijn overgrootvader Tirso, de grootvader van vaderskant van mijn moeder, die een rustig en gelukkig leven leidde met zijn vrouw en op dezelfde manier stierf, in zijn slaap. Ik nam zijn voorwaarden over om de verzameling voort te zetten, en gedurende enkele jaren struinde ik de zuilengangen van de Plaza Mayor af, van zondag op zondag, van zuil tot zuil, van stalletje tot stalletje, mijn handen vol catalogi waarvan ik de gegevens uit mijn hoofd had kunnen opnoemen, maar die me het winstgevende voorkomen gaven van een net gearriveerde sufferd, een naïeveling die in staat was een hoge prijs te betalen voor een zegel die, met wat geluk, wel twintig keer de waarde zou kunnen hebben van de door de verkoper voorgestelde prijs.

Ik leerde dat soort geluk kennen, niet vaak, maar steeds gedenkwaardig, waarbij mijn hart als een rubber bal tegen alle hoeken van mijn borst stuiterde, terwijl ik mezelf dwong mijn hoofd af te wenden alsof ik niets in de gaten had en ook nog een grimas van moedeloosheid te voorschijn toverde die bijna echt was doordat ik in het geheim twijfelde of ik precies dat stukje papier inderdaad had gezien, precies dat en geen ander, een tekening, een miniem opschrift, twee of drie cijfers waar ik weer op stuitte, inderdaad, wanneer ik het aandurfde om de confrontatie met dat stalletje opnieuw aan te gaan, en ik vroeg dan naar een of andere goedkope serie, zes of zeven exemplaren van groot formaat met opzichtige motieven die gewoonlijk afkomstig waren uit een of ander Arabisch emiraat of de Sovjet-Unie, een glanzend omhulsel van cellofaan waarin ik enkele seconden veinsde geïnteresseerd te zijn voordat ik mijn aandacht op andere, net zo opvallende en triviale aanbiedingen richtte, herdenkingszegels, onontcijferbare kalligrafieën, een kleine hoeveelheid dwaalsporen, en ten slotte, terwijl ik een ogenblik het gevoel had dat al mijn aders tegelijk droogvielen, nam ik het gewenste exemplaar tussen mijn vingers, stelde aan niemand in het bijzonder een toevallige en ongeïnteresseerde vraag en zegevierde. Ik leerde dat soort geluk kennen, maar daarna, wanneer ik thuiskwam en mijn allernieuwste aanwinst bekeek op de plaats die tevoren een zeer irritante leegte had getoond, voelde ik dat mijn passie snel uitgeput zou raken want die kleine triomfen wogen nooit op tegen de zekerheid van andere, ophanden zijnde nederlagen. Er zijn mensen die voor een postzegel kunnen moorden, maar zo veel geluk heb ik nooit gehad.

Op mijn vijfentwintigste, min of meer, en gestimuleerd door het voorbeeld van mijn moeder, begon ik mijn eigen kleren te maken. In het begin was het heel leuk: eerst de tijdschriften kopen en zorgvuldig bestuderen om de flatterendste modellen uit te zoeken, daarna de stof kiezen, vervolgens het patroon overtrekken, uitknippen, opspelden, en het ten slotte aandurven om de schaar te zetten in die vormloze massa waaruit na een paar uur een echte jurk te voorschijn zou komen. Ik ben nooit zo goed gekleed gegaan en heb nooit meer zo weinig geld aan mezelf uitgegeven, maar op een middag, toen ik halverwege een jasje was, bekeek ik het met bevreemding, alsof het in een soort bedreiging was veranderd, en besloot het niet af te maken. Op dat exacte moment kwam er een eind aan het kledingavontuur. De opvolger ervan, aerobics, liet vanaf het eerste moment één voordeel en veel nadelen zien. Het eerste beperkte zich tot mijn lichaamsvorm, die verbeterde op een manier die spectaculair genoemd mag worden, ware het niet dat, hoe je het ook bekeek, dit adjectief mij net zo weinig past als een paar laarzen van maat 56. Ik ben van nature blond, dat wel, en gelukkig echt blond, niet een van die donkerblonde dames met veel blonde plukken die hun haar van jongs af aan met kamillethee wassen, maar een geboren blondine, met haar dat vanaf de wortel tot de punt goudgeel is, hetzelfde als dat van de blonde van de twee dikke dames, en ik heb groene ogen, ook dat is zeker, groen als zure appels, als de bladeren van klimop, als munt, groen maar heel klein, en zo ver uit elkaar staand als die van een platvis. Soms zeg ik bij mezelf dat mijn gezicht een soort grap is, want ik word omringd door vrouwen die hun haar blonderen tot het op de grens van grijs komt, die hun oogleden overladen met verf om de onbetekenende groene nuance naar voren te halen die zelfs zij nauwelijks kunnen ontwaren in hun gewone bruine irissen, die lenzen in doen zonder dat het nodig is, alleen om een ander effect te krijgen, en ik, daarentegen, heb mijn hele leven een gezicht gewenst dat gewoon was, rond, en niet als het silhouet van een peer, glad, en niet bezaaid met maankraters, gelijkmatig, en niet als een monsterboek van gelaatstrekken van diverse afmetingen, grote mond, kleine neus, onwaarneembare ogen, brede kaak, het gezicht van een buitenaards wezen, het mijne. Voor mijn gezicht kon aerobics niets doen, maar het bracht wel enig evenwicht in de proporties van mijn lichaam, dat mij al in mijn puberteit duidelijk maakte dat het bij voorkeur van mijn middel omlaag wilde groeien en zich voor altijd losmaken van een blijvend kinderlijke romp. Toen ik echter begreep dat monitors noch apparaten er ooit in zouden slagen de helft van de massa van mijn kont in de vorm van twee duidelijke borsten – niet eens grote borsten, gewoon borsten – naar boven te verplaatsen, bezweek ik voor een onvoorwaardelijke overgave. De sportschool kwam me duur te staan, het enige rooster dat te combineren viel met mijn werkdagen was zo ongeveer een nachtrooster, en bovendien hielpen die uitputtende sessies mij niet de weekeinden door te komen, die periodieke veroordeling tot vrije tijd die steeds meer begon te lijken op een ware gevangenschap.

De zaterdagochtenden waren me nog gunstig gezind, hoewel de ziekte van mijn moeder me dwong om op dezelfde tijd als alle andere dagen uit bed te komen. Mama, die nooit een vriendelijk karakter had gehad, verloor op slag haar beperkte gevoel voor humor toen een ongecontroleerde stijging van haar bloedsuikergehalte een verlamming tot gevolg had van de linkerzijde van haar lichaam, het lichaam van een diabetica die niet wilde luisteren en te veel at. Vanaf dat moment was ze zo nutteloos voor zichzelf als een baby, en ik zo onmisbaar voor haar als een moeder, hoewel deze plotselinge omkering van rollen geen invloed had op de morele orde van ons leven, en het is me nooit gelukt om enig gezag te krijgen over die vrouw die vanuit haar rolstoel bevelen bleef geven zonder ooit te kunnen berusten in het feit dat de meest gewelddadige represaille die haar toestand haar toestond, bestond uit het uitspugen van de laatste lepel soep die ik in haar mond had weten te krijgen. Op zaterdagochtend had ik in elk geval tijd om de dingen goed te doen, rustig, en mijn geduld rekte zich op als een elastiekje terwijl ik haar in haar rolstoel zette, haar bed luchtte, haar naar de badkamer bracht, haar waste, haar haar kamde en haar aankleedde, om vervolgens te genieten van het eerste echte ontbijt van de week. Daarna ging ik de boodschappen doen, ruimde de voorraadkast in, kookte voor een paar dagen, en installeerde me ten slotte, na een sober dessert, op de bank in de zitkamer, met twee kussens en een plaid en gaf me, liggend in een s-vorm, zoals kinderen doen wanneer ze heel moe zijn, over aan het genoegen van een dutje, met één oog gesloten en het andere geopend, soms, om uit de verte te waken over het lot van de trouwe piraat die lang en blond was en vroeger of later een gevecht op leven en dood zou voeren met een andere zeerover, een vrijwel altijd donkere, eenogige verrader, in de oude films waar een of andere zender altijd wel op terugviel. Maar halverwege de middag veranderde de programmering en leverde de stilte me over aan de met tussenpozen klinkende stem van mijn moeder en aan één enkele vraag, Marisa, ben je daar?, de onveranderlijke formule van een bedrieglijke nieuwsgierigheid, de valstrik die ze elke tien minuten zette om vast te stellen dat ik haar niet had verlaten, alsof ze ooit een reden had gehad om te denken dat ik tot zoiets in staat zou zijn. Dan begon ik in te storten, en omdat ik mezelf kende, en de gevolgen kende van die stilte die zelfs in haar ritmische onderbrekingen immens was, verschanste ik me achter een boek om te ontsnappen aan een troosteloosheid die me op zondagmiddag, wanneer me niets anders overbleef dan stoppen met lezen om op te staan van de bank en het eten klaar te maken, nog steeds opwachtte op de tegels van de keuken, dodelijk gewond, maar nog in leven.

Wanneer ze niet weten hoe ze moeten antwoorden op een of andere lastige vraag, zeggen romanschrijvers meestal dat het leven de enige echte roman is. Als ze gelijk zouden hebben, wat ze volgens mij niet hebben, had ik in aanmerking moeten komen om in een van die slaapverwekkende experimenten te leven die een poging doen om te demonstreren dat het mogelijk is een boek te schrijven waarin niets gebeurt, rondom een hoofdpersoon die niets meemaakt, in een huis waar nooit iets plaatsvindt. Zelfs de meest rigoureuze schrijver, die zich het heftigst toelegt op dit belachelijke voornemen, zou gek worden van verveling als iemand hem zou verplichten mijn leven te lezen. Daarom, omdat het niets weg heeft van een roman, heb ik boeken nodig. Omdat ze me nu juist verankeren in het leven.

Ze zijn er altijd geweest, binnen bereik van de hoopvolle puber, van de ongelovige postzegelverzamelaarster, van de onstandvastige naaister, van de avondlijke sportbeoefenaarster, onwaarschijnlijke, realistische, fantastische, gruwelijke boeken, kronieken van een leven dat ik niet zal kennen, het echte leven dat ik slechts heb kunnen benaderen via hun pagina's, een roes die de rekening presenteert op de zondagavonden, wanneer ik besef dat ik weer een weekend, het zoveelste weekend, met al zijn uren, in een roman heb geleefd, de zoveelste roman, die niet het leven is, niet mijn leven is. Ik heb geen geluk. Zoals mijn grootmoeder dat niet had, zoals mijn tante Piluca dat niet had, en zoals mijn moeder dat niet had, die echter veel meer dingen bezat dan ik. Maar ik zal dat nooit hardop erkennen, en nu al helemaal niet, nu ik een leeftijd heb bereikt waarop mijn klachten door hun eigen gewicht al snel de grens van het belachelijke overschrijden. Ik leef nu eenmaal in de gelukkige wereld die een einde heeft gemaakt aan het verval, de gebreken en de eenzaamheid, en daardoor ben ik geen oude vrijster, maar een eenpersoonshuishouding. Oude vrijsters bestaan niet meer, alleen nog alleenstaande vrouwen. Ik ben veel meer dan alleen, maar ik voel me evenmin gekwetst door de vooruitgang want de informatica is me in elk geval te hulp gesneld, net zo laat als doeltreffend. Als ik schrik van de tijd die ik met lezen heb doorgebracht, kan ik opstaan en de computer aanzetten, en andersom. Ik ben serieus gaan nadenken over virtuele seks zonder me vanbinnen vies of gek te voelen.

Toen ik vijfendertig was geworden, kort na de dood van mijn moeder, begon het proces zich te herhalen dat me op mijn twintigste alleen had achtergelaten. Ik denk er liever niet te veel aan, maar zeker is dat al mijn vriendinnen die er genoeg van hadden om getrouwd te zijn, al die vrouwen die hongerden naar alleen zijn, die overal en nergens zwoeren, dat nooit meer, niemand meer, tot geen enkele prijs, zo veel onvoorziene bewonderaarsters van mijn manier van leven en voorstandsters van een gemakkelijk bestaan van minnaars voor een nacht, zich gingen binden, net zo langzaam en zeker als de eerste keer, als ze zichzelf er al niet van overtuigden dat ze, in feite, zeer gelukkig waren met hun echtgenoten, om daarna degenen die het geduld hadden opgebracht om hun eerdere hartverscheurende klaagzangen aan te horen ervan te overtuigen dat hun huwelijk nooit, maar dan ook nooit, in een crisis was geraakt.

'Meid,' zo begonnen ze gewoonlijk, alsof ze me iets te verwijten hadden, 'het is één ding dat het lichaam weleens wat anders wil, maar het is heel wat anders om daarvoor bij je man weg te gaan, nietwaar?'

Ik had nooit een man gehad en ik antwoordde dat dat waar was, dat ze gelijk hadden, dat het niet hetzelfde was, maar ik had mijn herinnering, en ik rook in hun geïmproviseerde euforie eerder de geur van vochtig dan van verbrand hout, die afgegeven werd door de overblijfselen van een oud oorlogsgaljoen dat spontaan voor de kust verging voordat het de open zee van het gevecht had kunnen bereiken. Niettemin kon ik hen veel beter verdragen dan de anderen, degenen die de moed hadden gehad, en de gelegenheid, om hun verleden met de grond gelijk te maken en opnieuw te beginnen vanaf een plek die iets minder dicht bij nul lag, het scenario van een horizontale fase die zo gespannen en wild was als een enorme kabel, in staat deze planeet zonder steun in de lucht te houden. Ze geloofden niet meer dat ze nog alle tijd van de wereld hadden, zodat ze niet het risico konden lopen zich te vergissen. En ze vergisten zich niet. Ik zag ze in de uitgeverij, lopend door de gangen, en soms ook daarbuiten, een kop koffie drinkend, haastig etend, een uitdrukking van vervoering op hun gezicht, hun huid glanzend en hun mond altijd half geopend in een opeenvolging van korte, plotselinge schaterlachen als reactie op bepaalde geheimzinnige bijzonderheden die ze nooit op luide toon lieten horen. Wat ze echter niet nalieten te herhalen, zelfs niet in hun uiterste staat van geëxalteerdheid, alsof ze me definitief van mijn laatste restje verstand probeerden te beroven, was het oude liedje, maar jij hebt een goed leven, Marisa, en hun stem bereikte me van heel hoog, ze liepen anderhalve voet boven de grond, maar zelfs zo zwegen ze niet, zonder het met iemand te hoeven uithouden, je eigen huis, je eigen sfeer, je eigen dingen, om jaloers op te worden, meid…! Merkwaardige hartstocht, jaloezie. Groen en stinkend, en onvermijdelijk, maar meer nog, onontbeerlijk. Soms betekent niet toegeven aan jaloezie een ontzielde staat, een bestaan zonder hoop.

Ik was jaloers op ze omdat er niets anders op zat dan jaloers op ze zijn, omdat een goede liefde, en zelfs een slechte, verjongend werkt, en zij begonnen weer te praten over zwangerschappen, en kinderartsen, en hypotheken, en hun ogen vulden zich met tranen terwijl hun lippen omlaag krulden in een vuurwerk van dwaasheden, en ik zweer je dat zoiets me nog nooit was overkomen, en ik verzeker je dat dit de beste jaren van mijn leven zijn, maar ze logen niet, hun gezichten lieten zelfs geen ruimte voor de troostende gedachte dat ze zouden liegen, en het waren er nooit meer dan twee tegelijk, vijf of zes in totaal in de laatste jaren, en soms kende ik ze beter, en andere keren slechter, en sommigen mocht ik zelfs echt graag, Rosa mocht ik graag toen ze terugkeerde uit Zürich, maar diezelfde dag al kon ik haar niet meer verdragen, want Ignacio was een goede echtgenoot, knap, rustig, grappig soms, en de kinderen waren onschuldig, en heel aardig, en deden het zelfs goed op school, en ze had een veel te fantastisch leven om de hele dag te lopen zuchten en zeggen dat ze wilde zweven en bovendien had ze gezweefd, en daarom had ik besloten dat ik haar niet meer kon verdragen, maar ik kon Ramón nog geen kwart van dit alles vertellen, want zijn vriendschap was de enige die belangrijk voor me was, de enige die ik tot elke prijs wilde behouden.

'Hé…' hij keek op van het scherm om mij aan te kijken, terwijl zijn computer de diskettes van een redacteur omzette die om een of andere onverklaarbare reden behalve om te pesten zijn teksten weigerde in te leveren in een van de achttien programma's die mijn eigen systeem beheerste, 'wat is er met Rosa gebeurd? Ze doet zo vreemd. Ik kwam haar vanmorgen bij de koffiemachine tegen en ze leek wel een zombie. Ze was wel een half uur bezig met het bestuderen van de toetsen en wist daarna nog niet wat ze wilde. Uiteindelijk heeft ze maar chocolademelk genomen. Ik heb haar gevraagd of ze slecht geslapen had en ze zei, wat heet, je moest eens weten…'

'Nou, dat moet ze je zelf maar vertellen.' Ik deed alsof het me niet interesseerde, maar mijn antwoord klonk als een uitdaging, misschien doordat mijn tong bij geen enkele lettergreep over mijn tanden struikelde.

'Is er iets gebeurd? Zeg het me, Marisa, serieus…' Ramón, die altijd wel van een roddeltje had gehouden, bestudeerde me nu met echte belangstelling.

'Niet op het werk. Maar ze heeft het met een of andere vent aangelegd en ze is erg gespannen.'

'Echt waar?' Hij glimlachte alsof geen enkel ander bericht hem zo veel plezier had kunnen doen. 'Maar ze is behoorlijk getrouwd, niet?'

'Ze is het eerder behoorlijk zat,' nuanceerde ik.

'Juist ja… Nou, dat verbaast me niet echt, want ze is zo mooi dat de mannen wel voor haar in de rij moeten staan…'

Dat was het moment waarop ik ervan afzag om te zeggen wat ik dacht, want Ramón zou het nooit met me eens zijn dat Rosa, hoe aantrekkelijk ze ook mocht zijn, er eerder aardig uitzag dan iets anders, en ik wilde liever niet meer aan tante Piluca denken. En hoewel ik me even een lafaard voelde, had ik geen spijt van mijn valse voorzichtigheid, want als we terecht waren gekomen in zo'n discussie als we een paar maanden daarvoor hadden gehad, had hij me het volgende misschien nooit verteld.

'Ik moet eerlijk zeggen dat ik haar heel goed begrijp, weet je. Een paar dagen geleden, ik weet niet, eergisteren geloof ik, sprong Flora toen de wekker ging haastig het bed uit omdat ze een afspraak had om met haar moeder naar de dokter te gaan. Normaal gesproken sta ik als eerste op, maar die dag bleef ik in bed liggen terwijl ik haar door de kamer zag bewegen, de jaloezie optrekken, de kast opendoen, haar kleren pakken… Ze had geslapen in zo'n heel groot t-shirt, zo een die naar het strand wordt gedragen, en ze droeg een enorm, roodachtig verschoten Mickey Mouse-gezicht net boven haar buik. Ik weet niet waarom, maar ik realiseerde me dat ik haar bekeek alsof ze de vrouw van een ander was, een dier in de dierentuin, een voorwerp dat me nooit had toebehoord omdat ik het ook nooit had willen hebben, en ik zei bij mezelf, zal de rest van mijn leven er verdomme zo uitzien? Zij steeds dikker, en ik hier, naar haar kijkend…'

Het gaat niet om gelukkig zijn, denk ik, dat is het niet precies…

Ramón begon te praten op het moment waarop we door het hek liepen dat de uitgeverij van de rest van de wereld scheidde, en hij bleef onophoudelijk praten terwijl we in geen enkele richting in het bijzonder liepen, laten we iets gaan drinken, had hij tegen me gezegd toen ik hem in de hal tegenkwam, goed, accepteerde ik, en we staken Arturo Soria over om de Calle Alcalá in te lopen, en we begonnen door die straat te lopen tot voorbij nummer vijfhonderd, waarbij we heel langzaam opschoten.

'Niemand is ooit zomaar, helemaal gelukkig, denk je niet, want je hebt altijd wel een probleem, vrijwel elke dag is er wel een of ander probleem om op te lossen, of een ingewikkelde beslissing die genomen moet worden, of je breekt iets in de keuken, of ze laten een kind niet overgaan, ik weet niet, maar bij mij gaat het in elk geval zo, en ik beklaag me dus niet omdat ik niet gelukkig ben, ik streef er niet eens naar, maar ik zou wel graag willen dat ik zin heb om 's middags naar huis te gaan, zoveel is dat toch niet, maar hoewel ik doodmoe ben wanneer ik klaar ben met mijn werk, heb ik geen zin om naar huis te gaan, en daar heb ik schoon genoeg van... En ik kan ook niet alle schuld op Flora schuiven, hoewel ze er wel schuld aan heeft, want ze is altijd dezelfde gebleven, heeft altijd dezelfde dingen gedaan, maar het punt is dat ik vroeger geduld had en nu niet meer, vroeger kon ik haar verdragen en nu niet meer, vroeger kon ik haar rechtvaardigen en nu heb ik daar verdomme geen zin meer in, dat is alles, en dat ik haar beter ken, of slechter, weet ik veel... Weet je waarom ik met Flora ben getrouwd?'

'Omdat ze in verwachting w-was,' antwoordde ik zonder er echt bij na te denken; hij had het me zelf verteld, kort nadat we elkaar hadden leren kennen.

'Nee, ja... Ik bedoelde iets anders. Weet je waarom ik iets met haar gekregen heb?' Ik schudde mijn hoofd. 'Omdat zij wilde, zo simpel is het! Zielig, niet? Maar tot zij me wilde, had nooit iemand me gewild. Ik ben altijd een lelijkerd geweest, dat weet je, dik, een bril, hard werken maar een geweldige innemer van bier, dus... Ik had tig vriendinnen, meisjes vertelden aan mij wat ze aan niemand anders vertelden, ik was het beste maatje van de hele faculteit, ik was er trots op dat ik allerlei opdrachten deed voor alle mooie meiden die ik kende, en niets, maar dan ook niets, nooit eens het echte werk, verdomme. En toen leerde ik Flora kennen, ze was een vriendin van een vriendin van een studiegenote van de specialisatie, die ik zo leuk vond, echt zo leuk, dat ik bijna aanbood om naar de apotheek te gaan om de pil voor haar te kopen want ze schaamde zich om ernaar te vragen, moet je nagaan wat een sukkel ik was, wat een idioot, maar zo was ik, en toen verscheen Flora en zorgde meteen dat ik begreep dat ze een oogje op me had, en ik was geiler dan een aap, ik zweer het je, en ik dacht er geen twee keer over na, dat is de waarheid... Ze was tweeëntwintig, een jaar ouder dan ik, en ze zag er niet slecht uit, echt waar, een aardig gezicht en een beetje mollig, maar leuk. Ik begon haar eerlijk gezegd juist grappig te vinden omdat ze zo naïef was, omdat alles haar verbaasde, alles haar boven de pet ging, omdat alles haar aan het lachen maakte, of bang maakte, ze gilde zelfs in de bioscoop en dat soort dingen. Ik had het leuk met haar, want alles was nieuw voor me, haar midden op straat kussen, met de armen om elkaar lopen, samen popcorn eten... Bovendien kon ik me de luxe niet veroorloven om te erkennen dat de enige meid ter wereld die met me naar bed wilde niet fantastisch was, dus stortte ik me er helemaal in, zoals je je wel kunt voorstellen... Zij was geen maagd, maar ik wel. De eerste paar keer dat we het deden was ik er zo op gericht dat ze dat niet zou merken, dat het niet in mijn hoofd opkwam om te vragen of ze wel iets gebruikte. Je mocht ervan uitgaan dat zij de expert was, en omdat ze niets zei, nou... ze raakte in verwachting. En je zult het niet kunnen geloven, maar ik vond het niet eens erg toen ik het hoorde. Trouwen leek me ineens fantastisch, godverdomme wat zijn mensen toch rare wezens. Ik moest haar beschermen, begrijp je, ik voelde me een echte man, met verantwoordelijksgevoel en plichtsbesef... verdomme! Dus toen ik zeven maanden was uitgegaan met de eerste vrouw die ik in mijn leven had gehad, baf!, tot de dood ons scheidt... Eigen schuld dikke bult.'

Hij zweeg even om naar me te kijken en na te gaan wat het effect was van zijn laatste grap, en ik stelde hem niet teleur.

'Lach niet, want het is niet leuk... Serieus. Zo is het allemaal begonnen. Ik wilde een eigen huis hebben, maar vanaf de allereerste dag word ik er elke ochtend aan herinnerd dat het appartement waarin ik woon en waarvoor ik aan het eind van elke maand keurig de hypotheek betaal, jazeker, in werkelijkheid van mijn schoonouders is, want ze hebben ons de aanbetaling gegeven, en mijn ouders doen zoiets niet, want die geven alleen cadeautjes aan de kinderen. En dat bij het ontbijt, elke dag, zelfs de zaterdagen en zondagen. Mijn schoonmoeder vult zo nu en dan onze voorraadkast aan, geeft ons lampen, asbakken en dat soort dingen, betaalt de lessen Engels voor haar kleinkinderen, en koopt elke keer dat we naar een bruiloft moeten een jurk voor haar dochter. En we hebben het niet nodig, weet je, dat wil zeggen, ik heb het niet nodig, onze bankrekening heeft het niet nodig, mijn loonstrookje heeft het niet nodig, maar Flora wel. Voor Flora is dat geld van levensbelang om de enige twee doelen te bereiken die haar leven zin geven, ten eerste, mij vernederen, ten tweede, en afgeleid van het eerste, een leventje leiden als een prinses, wat ze al doet vanaf haar geboorte. In het begin zei ze altijd dat ze, zodra Ramón, de oudste, naar school zou gaan, bij haar ouders zou gaan werken, die een meubelfabriek hebben, maar voor het zover was, raakte ze weer in verwachting en kregen we Isabel, en, nou, dat was prima, dat was goed. Maar toen het kind twee was en naar de peuterspeelzaal ging, en zij dus geen excuus meer had, besloot ze mij aan te vallen omdat ze zich diep vanbinnen schuldig voelt, snap je? En mij kan het niet schelen dat ze niet werkt. Ik zweer je dat het me niets kan schelen. Maar ze moet mijn leven niet verzieken. Een dezer dagen gaan ze mijn kinderen op school vragen wie hun vader is en ze zullen antwoorden, dat is een sukkel, want dat is het enige wat ik thuis ben, een sukkel, en dat komt allemaal doordat mijn vrouw maar geen beslissing neemt… Als ze huisvrouw wil zijn, laat ze dan huisvrouw zijn, maar dan wel een goeie, een echte, en ik zal het prima vinden. En zo niet, laat ze haar leven dan inrichten zoals ze wil, dat is nog beter, want dan zal ze tevredener zijn, en mij maakt het niet uit, echt niet, ik hou van mijn werk, jij weet dat, en ik verdien nu veel geld, ik zou voor geen goud iets anders gaan doen, en ik wil haar niet helemaal zwart maken, dat wil ik echt niet, maar dat eindeloze gevit kan ik niet meer verdragen, hou je mond, want als ik er niet geweest was hadden we dit huis niet, hou je mond, want als je meer zou verdienen konden we de hulp elke dag laten komen om je overhemden te strijken, hou je mond, want mijn ouders geven ons veel meer dan ik met welk baantje dan ook zou verdienen, hou je mond, als je denkt dat ik je slaaf ben zit je er goed naast, hou je mond, want het lukt je toch niet om mij te vernederen, hou je mond, want ik heb al genoeg aan mijn hoofd met het huishouden en met de kinderen… Jezus! Laat haar dan het huis uit gaan! Ze is de enige vrouw in dit land die verzekerd is van een baan! Het zal me een rotzorg zijn. Als ze de sloof wil spelen, dan speelt ze de sloof maar, en als ze dat niet wil, dan moet ze iets anders gaan doen, maar alles tegelijk kan niet, nietwaar? Hoewel, eigenlijk wel, en weet je hoe dat komt? Dat komt doordat ik een sukkel ben, niet meer en niet minder. En dat is natuurlijk nog niet het ergste…'

Ik had hem nog nooit zo gezien, zelfs niet toen alle computers van de afdeling tegen ons samenzweerden en het allemaal tegelijk begaven, nooit, en ik wist al hoe hartstochtelijk hij kon zijn, ik kende die heftige gebaren die elk woord onderstreepten, de heftigheid waarmee zijn oprechtheid als een speer het luchtruim doorkliefde, een kwestie van karakter, hij had maar een duizendste van een seconde nodig om zich ergens ten diepste over op te winden, net als Ana, en ik kende hem al, maar wat me verraste was zijn kleur, die zo'n verschil vormde met het vurige rood van de overtuigingen die zijn gezicht op andere momenten deden oplichten. Zijn huid leek nu vuil, een grauwe en slecht gevouwen vaatdoek, bruin waar anders een blos verscheen, ingevallen, paarse wangen, vertwijfeling, niet groot maar daardoor nog niet minder, tussen zijn tanden opdoemend om het ene woord aan het andere te rijgen, een ongelovige toon, wreed, van iemand die zichzelf verboden heeft om nog in oplossingen te geloven. Ik kende die stem, kende de weerklank ervan, maar nooit had ik aan Ramón ook maar de meest triviale van zijn resonanties durven toeschrijven, en daarom luisterde ik naar hem in absoluut zwijgen, een zwijgen van de stem en van de ideeën, een zwijgen van de herinnering en van het hart. Nooit was ik zo dicht bij hem geweest. Maar ook nooit, tot op dat moment, had zijn nabijheid mij verontrust.

'Het ergste is dat ik een hekel aan haar heb gekregen, zo simpel is het. Ik kan haar eerlijk gezegd niet meer uitstaan. Kun je dat geloven? Kun je je voorstellen hoe het is om in bed te kruipen met een vrouw die je niet alleen niet leuk vindt, maar die je niet eens meer mag? Nou, dat is wat ik gisteren heb gedaan en wat ik vanavond ga doen. Ik weet natuurlijk al dat het me vanavond, als het tijd wordt om naar bed te gaan, al spijt dat ik je dit allemaal heb verteld, en ik zal me herinnerd hebben dat ik gek ben op mijn kinderen en dat ze het in Biafra veel slechter hebben, weet ik veel, je weet niet wat voor gekkigheid ik me in mijn hoofd haal als ik me slecht voel, en vandaag voel ik me heel slecht, misschien doordat ik heel goed weet dat ik nooit de problemen van Rosa zal hebben… Er is niets aan te doen, snap je, er is geen oplossing. Ik weet zeker dat er geen oplossing is. Flora zal niet meer veranderen, en ik ook niet, en ik zal dus nooit het lef hebben om zelf het huis uit te gaan, en daarbuiten zal ook niemand zijn die aan me trekt, want, laten we wel zijn… welke vrouw zal nu iets met mij willen, dik, een bril, en die godverdommese misser op mijn nek…? Niet één, natuurlijk. Zo staat het er dus voor. Dat kan ik wel vergeten…!'

Zijn bekentenis ging nu over in een pauze die langer duurde dan de vorige. Later begreep ik dat hij de tijd had genomen om de effecten in te schatten van het vervolg van zijn verhaal. En nooit had ik de ware aard van mijn antwoord kunnen vermoeden, want zijn optreden leek me niet naïef, noch belachelijk, noch meelijwekkend. Ik kende het teken van die infectie heel goed, een ziekte die geneest, de onevenwichtigheid die het slappe koord verstevigt zodat de koorddanser beter, en langer, kan voortgaan. Ik was nauwelijks verbaasd te ontdekken dat het armzalige hulpmiddel dat mij zo nu en dan in staat stelde te ontsnappen aan de eenzaamheid ook diende om eenzaamheid te creëren wanneer deze onontbeerlijk was.

'Je zult dit niet geloven, dat weet ik wel zeker, maar een paar weken geleden, op een vrijdag, geloof ik, kwam ik vroeg thuis, halfzeven ongeveer, en ik had de deur nog niet opengedaan of ik merkte dat er iets vreemds aan de hand was. Voordat ik de deur dicht had, realiseerde ik me al wat het was, stilte, vrede, absolute rust, geen televisie die aanstond, geen schreeuwende kinderen, je hoorde geen geren in de gang, geen Flora die aan de telefoon zat te praten, niets. Omdat ik het niet begreep, bleef ik een paar minuten in de hal staan, met mijn aktetas in mijn hand, wachtend op het geringste teken van leven, maar omdat ik niemand zag, riep ik hallo. Niets. Ik riep luidkeels al hun namen, en ze antwoordden niet. Het was uiterst vreemd, want mijn vrouw gaat liever niet meer de deur uit nadat de kinderen uit school zijn gekomen, en als ze weg moet, zegt ze dat tegen mij zodat ik op ze kan passen, en die dag had ze me niet gewaarschuwd en was het eerder omgekeerd. Ik was degene die gedacht had laat thuis te komen omdat ik een vergadering had met de mensen van de Grote Werken, die op het laatste moment werd afgezegd, en ze verwachtten me dus niet. Dat was wat me irriteerde, dat ze me niet verwachtten, en toen, plotseling, raakte ik mijn hoofd kwijt. Ik liep heel langzaam naar de keuken en hield mezelf onophoudelijk voor dat het niet kon, dat ik dat wel kon vergeten, dat het onmogelijk was, en daar zag ik, op de koelkast geplakt met een magneet van Danone, een bericht dat zo lang was dat het een brief leek, met de handtekening van Flora eronder en alles… Ik had hem onmiddellijk moeten lezen, maar ik was mijn hoofd kwijt en ik kon het nog niet terugvinden, en het was te mooi om er weerstand aan te bieden, Lieve Ramón, las ik in mijn fantasie, vergeef me, maar ik kan geen dag langer bij je blijven want ik ben verliefd geworden op een andere man… En ik durfde de brief op de koelkast niet te lezen, dat geloof je toch niet, ik heb hem niet gelezen. Ik ging regelrecht naar de zitkamer, schonk mezelf een borrel in, trok mijn schoenen uit, en terwijl ik languit op de bank lag en van mijn drankje nipte, stelde ik me voor wie hij zou zijn, deze weldoener van de mensheid die Flora in het vervolg op zijn nek zou nemen… Daarna begon ik heel methodisch de boekenkasten te ordenen. Ik verwijderde alle voorwerpen, kannetjes, dienblaadjes, poppen waarvan Flora er honderden bezit en ontdeed alle tafels van die gehaakte kleedjes die me altijd op mijn zenuwen hebben gewerkt. Ze zal ze mee willen nemen, bleef ik maar tegen mezelf zeggen terwijl ik ze, vol begrip, bij elkaar raapte, en we moeten iets regelen voor de kinderen, want ik ben niet van plan om afstand te doen van mijn kinderen, geen sprake van, maar daar is nog genoeg tijd voor... Vervolgens heb ik muziek opgezet en zelfs in mijn eentje gedanst terwijl ik de meubelen op andere plaatsen zette, het is ongelooflijk... Ik had me in tijden niet zo goed gevoeld, en dit is nog niets vergeleken met wat er komt, beloofde ik mezelf, en ik zag een geweldig leven voor me, ik alleen, in dat huis, mijn machines, mijn boeken, mijn telepizza... wauw.'

'En toen kwam Flora thuis,' waagde ik zijn verhaal glimlachend voor hem af te maken.

'Nee! Welnee... Dat was het ergste, dat het nog bijna twee uur duurde voordat ze kwam opdagen. Toen ik de sleutel in het slot hoorde, zat ik al aan mijn vierde whisky en was zo dronken als wat. En ze kwam niet rustig binnen, vergeet het maar, niks daarvan. Isabel was in haar armen in slaap gevallen en ze schreeuwde als een mager speenvarken tot ik opstond en naar haar toe ging... Ze kwamen uit de bioscoop, moet je nagaan, krankzinnig. Op het papiertje stond dat mijn schoonvader en mijn schoonmoeder knallende ruzie hadden gekregen omdat hij de avond daarvoor, toen hij een briefje las dat de bank had gestuurd, een cheque tegenkwam die hij niet had uitgeschreven... ik weet niet, minder dan vijfduizend peseta, geloof ik, het stelde niets voor... Hij had zijn vrouw ervan beschuldigd dat ze geld voor zichzelf uitgaf, en zij was er helemaal kapot van en had de krant gepakt en gezien dat ze haar lievelingsfilm weer draaiden in een van die megabioscopen waarmee het helemaal niet goed gaat, in Aluche of daar in de buurt, en vervolgens ons gebeld om ons allemaal uit te nodigen voor *Lady en de Vagebond*, kun je nagaan, wat een wraakactie. Blijkbaar had Flora de uitgeverij gebeld om me te waarschuwen, maar mijn secretaresse was vergeten me dat te vertellen. Van de film was ik dus verlost, maar er is niemand die me van de rest verlost... Ik zit nog wel een tijdje aan die vrouw vast.'

We hadden de arena achter ons gelaten en waren net met afgemeten, bijna vermoeide passen Manuel Becerra overgestoken, toen Ramón plotseling stilstond.

'Zullen we hier naar binnen gaan?' vroeg hij, en ik was vergeten dat onze wandeling in theorie ten doel had gehad ergens iets te drinken, en ik zei ja, want ik was aan de ene kant moe van het lopen en had aan de andere kant het idee dat een paar rum-cola's er uitstekend in zouden gaan.

We gingen een tent binnen die nogal donker was en van een twijfelachtig karakter, een typisch voorbeeld van wat er te vinden is in de minder welvarende delen – zoals dit – van de rijkere wijken – zoals deze – en het midden hield tussen een klassieke tapasbar, de bar die we dicht bij de deur aantroffen, en een armzalige poging tot een soort Engelse pub, die zich concentreerde in de tafeltjes achterin, waar we gingen zitten. Toen ik een stuk of zes zoute pinda's naar binnen had gewerkt, nam ik aan dat het, ten slotte, mijn beurt was om iets te zeggen.

'Weet je, Ramón, het is vreemd, w-want ik woon alleen en mijn problemen zijn bijna tegenovergesteld aan die van jou, maar toch begrijp ik je heel goed, echt waar…'

'Natuurlijk,' hij keek me niet aan, maar knikte instemmend, 'doordat we dezelfde soort mensen zijn… Voel je niet beledigd, want ik heb het in de eerste plaats over mezelf, maar ik heb dat al vaker gedacht. We kunnen het zo goed met elkaar vinden doordat we klein zijn, onbetekenend, het soort mensen dat nooit de loterij wint, geen enkele loterij. Ik wil niet fatalistisch doen, maar er zijn dagen waarop ik het idee niet van me af kan zetten dat er een lotsbestemming bestaat, en dat deze ons onderwerpt. Of misschien missen we een speciale gave, de gave die ons in staat stelt gelukkig te zijn… Heb je je weleens gerealiseerd hoe weinig sommige mensen nodig hebben om gelukkig te zijn? Dingen die wij hebben, werk, een salaris, een huis…'

'Je wilt altijd hebben wat je niet hebt.'

'Ja, dat is waar. Maar het is ook waar dat er mensen zijn die uitgerust zijn om gelukkiger te zijn dan anderen, mensen die streven naar kleine dingen, en als ze die bereiken, want ze zijn gemakkelijk te bereiken, zijn ze in de zevende hemel…'

'Rosa zegt dat a-altijd. Dat sommige vrouwen van inbouwkasten dromen, of van een nieuwe keuken, of van een succesvolle zoon, en dat ze graag zou zijn als die vrouwen…'

'En ze heeft gelijk. Dat zou ik ook wel willen… Weet je wat ik het angstigste idee vind in dit alles?' Hij schudde zijn hoofd. 'Soms… Ik weet niet… maar soms zie ik mezelf over een paar jaar, als ik in de veertig ben, een man die elke vrijdag routinematig naar de hoeren gaat, of een secretaresse neukt die niet eens mooi is, in een appartement dat achter Flora's rug om is gehuurd, tussen elke wip in zwerend dat ik bij mijn vrouw wegga, meteen, onmiddellijk, de volgende maand, en ik meen er niets van natuurlijk… En ik vraag me af wat er met me is gebeurd, met de jonge revolutionair die ik was, met het eerlijke leven waar ik naar streefde, met de diepe wens dat ik verliefd zou worden op een bewonderenswaardige vrouw, een wens die me gebracht heeft waar ik ben, dat vraag ik me af, en ik antwoord mezelf dat er eigenlijk niets is gebeurd, alleen het leven, en dan heb ik medelijden met mezelf, maar dat is wat me wacht.'

'N-nee,' onderbrak ik hem; ik was zo verontwaardigd over zijn plotselinge berusting dat ik de mijne bijna vergat. 'Waarom?'

'Omdat ik een onbetekenende man ben, Marisa,' – hij hief zijn hoofd op om me aan te kijken en ik meende een vochtige glans in zijn ogen te zien – 'een sukkel, en ik heb geen geluk, mannen als ik hebben geen geluk en moeten uiteindelijk betalen om te neuken, punt uit.'

'Dat is n-niet waar. Je bent heel intelligent, briljant in je werk, je bent charmant, grappig, trouw... Er zijn veel mensen die om je geven.'

'Ja,' zei hij glimlachend. 'Dat ontken ik niet. Maar dat is hetzelfde als tijdens mijn studie, weet je nog? Een lelijkerd, nogal dik, een bril, heel slim... En dan?' Ik wist niet wat ik hem moest antwoorden, hij kende zichzelf beter dan ik. 'Maar op één punt heb je gelijk... Kom op, neem nog een drankje en ik onthul je mijn smerigste zielenroerselen.'

Ik hoefde mijn nieuwsgierigheid, die al besmet was met zeer uiteenlopende gevoelens, niet langer te bedwingen dan tot na het korte bezoek van de ober.

'De echte rotstreek is, heb ik eerlijk gezegd weleens gedacht, deze leeftijd te hebben bereikt onder deze omstandigheden. Ik weet dat het heel gemeen is om dit te zeggen, heel schofterig, dat weet ik, maar als ik het, laten we zeggen, tien jaar langer alleen had volgehouden, of minder zelfs, tot mijn dertigste bijvoorbeeld... Nou, dan zou ik nu een behoorlijke partij zijn, dat is echt waar, want vrouwen, serieus, Marisa, jullie zijn het toppunt... Ik bedoel dat ik altijd ben omgegaan met vrouwen die in dezelfde omstandigheden verkeerden als ik, van dezelfde leeftijd, met dezelfde ontwikkeling, dat soort dingen. En ik kon geen kant op, want ik kon nooit tippen aan de mannen om me heen, maar als ik nu alleen was... Er zijn een heleboel meiden van twintig die bereid zijn elk postuur door de vingers te zien, elke buikomvang, elke lenssterkte voor een salaris als dat van mij, dat is echt waar, het spijt me zeer. En ze zullen verachtelijk zijn, dat ontken ik niet, maar ze zijn ook handelbaar. En gemakkelijk. En ze doen wat je zegt. En ze zijn bloedmooi.'

'Dat is w-walgelijk...' protesteerde ik, zonder al te veel overtuiging, misschien gewoon omdat ik aannam dat ik hoorde te protesteren, hoewel ik heel goed wist, en al lang voor die middag, dat Flora een vreselijke heks was, een feeks die in staat was haar man de grond in te boren tot er geen greintje van zijn persoonlijkheid meer over was.

'En wat dan nog?' Hij leek daarentegen klaar om te knokken. 'Is mijn leven dan niet walgelijk? Ik ben het zo zat dat ik in staat ben om me voor elke oorlog te laten werven, Marisa… Dat een meid van twintig me alleen maar zou willen om mijn geld? Nou, dan heb ik al iets gewonnen, want Flora wil me niet eens meer daarom. Dat ik mezelf zou verkopen en mijn zelfrespect zou verliezen? Goed, maar ik zou er op zijn minst iets voor terugkrijgen, want zoals het nu gaat, heb ik er geen enkele lol meer in, weet je. Ik heb het allemaal verkeerd aangepakt, maar dan ook alles, helemaal verkeerd, hopeloos. En ik zal er tot op de dag waarop ik doodga voor moeten boeten, zo staat het ervoor, en dat mijn dochter zich op een dag Maribel gaat noemen, dat zul je zien…'

Ik reageerde met een schaterlach op de zoveelste versie van die voorspelling die Ramón altijd gebruikte als samenvatting van zijn ellendige gemoedstoestand, misschien omdat het compromis om nooit de mooie naam van zijn dochter Isabel af te korten de eerste belofte was geweest die Flora had verbroken, net zo voortijdig als ongevoelig. Daarna vroeg ik me af wat er vervolgens zou gebeuren. Ik had al bijna een half uur minder dan de helft van mijn aandacht aan die monoloog besteed, doordat ik me in stilte, en met veel meer interesse, wijdde aan het ontcijferen van de echte betekenis van die boodschap, het ware doel van een ongehoorde uitbarsting van openhartigheid die op zichzelf niet te verdedigen leek te zijn. Ik had nog geen enkele conclusie durven trekken toen Ramón zijn arm omhoogstak om de rekening te vragen, en hoewel ik me haastte om aan de reglementaire formaliteit van protest te beginnen, liet hij me niet uitspreken.

'Geen sprake van,' zei hij terwijl hij de ober een bankbiljet in zijn hand drukte, 'ik betaal. Dat moest er nog bij komen, terwijl je het de hele middag al met me hebt uitgehouden…'

Op dat moment voorzag ik heel precies hoe dit verhaal zou aflopen, en voordat Ramón opstond, wist ik al dat ik het zou doen, en dat ik hem naar de deur zou volgen, en dat we daar uit elkaar zouden gaan met twee kussen en nog een of ander gebaar van genegenheid dat hem zou verzekeren van mijn loyaliteit, de loyaliteit van hen die ondanks alles bereid zijn partij te kiezen. Ik zag hem vertrekken in een taxi, en hoewel ik nog ver van huis was – Santísima Trinidad, tussen Viriato en García de Paredes – besloot ik te gaan lopen. Ruim een uur later, toen ik eindelijk mijn schoenen kon uittrekken en me op de bank kon laten vallen, wist ik nog steeds niet precies hoe ik me voelde, hoewel ik vanbinnen koud was. Als gevoelens konden worden uitgedrukt in thermische graden, was het klimaat van mijn lichaam ten prooi gevallen aan een onverhoedse afkoeling, een plotselinge ijstijd zonder een specifieke naam, die niet kon worden samengevat in verbittering, noch in teleurstelling, noch in verrassing, noch in belachelijkheid. Tijdens het betoog van Ramón hadden bepaalde fragmenten mij de indruk gegeven dat hij misschien, uiteindelijk, alleen maar een geschikte situatie aan het creëren was om in mijn bed terecht te kunnen komen, en aanvankelijk kon ik dat zelf niet geloven. Daarna, toen ik mezelf dwong om over dit verbazingwekkende feit na te denken, had ik geen keuze kunnen maken tussen de overtuiging dat alles op een ramp zou uitlopen en de pure en simpele verleiding van een vrijpartijtje, die met de minuut groter werd. Ten slotte, toen ik begreep dat ik me al deze overwegingen had kunnen besparen, voelde ik opluchting noch teleurstelling, alleen koude, het afschuwelijke gevoel van een ijzige aanslag die me volledig bedekte. Ik had aan Ramón een van de belangrijkste ontwikkelingen van mijn leven te danken, en hij had aan mij vele uren van vertwijfeld werk te danken, een heleboel bemoedigende kreten en zelfs een paar geniale invallen. We hadden elkaar wederzijds gekozen, en we begrepen elkaar zo goed dat de machines wel moesten denken dat we een en dezelfde persoon met twee lichamen waren. En we hielden veel van elkaar. Hij was op dat moment misschien wel degene die het meest van me hield, en ik hield ook van hem, maar ik had nooit aan Ramón als mogelijke minnaar gedacht. Ik viel niet op hem, en het zou me niet bevallen zijn om met hem naar bed te gaan, en daarom zou ik nooit zijn ingegaan op een aanbod van hem, maar hij had een taxi genomen en was weggegaan zonder dat te weten. Hij had me niet de kans gegeven om hem, met de medeplichtige glimlach van een vertrouwelijke zuster, af te wijzen, en op dat kritieke moment was mijn bloed ijskoud geworden.

De jurk was rood, en ik vond hem, bijna toevallig, diezelfde middag. Ik had geen zin om etalages te kijken, maar deze bevond zich op een hoek en overviel me zonder toestemming te vragen. Toen, terwijl ik stilstond op het trottoir van de Calle Goya, begon ik erover na te denken. Ik had mezelf al vele keren beloofd niet in mijn oude gewoonten te vervallen, maar het beeld van Ramón, in zijn eentje ronddansend om te vieren dat ze hem voor altijd hadden verlaten, weigerde uit mijn geheugen te verdwijnen, en de dagen gingen voorbij, en de weken, maar mijn lichaam wist zijn warmte maar niet te herwinnen. Bijna twee maanden later durfde ik het eindelijk aan om die winkel binnen te stappen en ik vond hem op dezelfde plaats, alsof hij zijn hele leven op mij had gewacht. Toen ik het ten slotte aandurfde om in die jurk de straat op te gaan, had ik alle benodigde accessoires al bijeengebracht om er alles uit te halen wat erin zat, zwarte schoenen met hoge hakken, bijpassende handtas, een sierspeld van rood satijn voor mijn haar, een nieuwe naam, een verzonnen echtgenoot, een paar geweldige kinderen, en zelfs een inwonend dienstmeisje, al met al een fantastische persoonlijke geschiedenis om te vertellen aan de allereerste persoon die de bar zou naderen van de bar waar ik mijn eerste whisky van de avond bestelde.

7

Ik vergat alleen de spierpijn. Een week eerder, toen ik met veel tamtam aankondigde dat ik me weer had ingeschreven voor fitness, vertrok ik van huis met een volledige uitrusting, maillot, sweater, beenwarmers, witte gympen met een elastiek op de wreef en zelfs twee paar schone sokken, alles in een canvas tas die ik de volgende ochtend zorgvuldig leegde in de wasmand, nadat ik Martín verslag had uitgebracht over het etentje. Maar de spierpijn vergat ik. Ik dacht er domweg de hele week niet één keer aan te klagen over spierpijn, en hij merkte het, en de volgende donderdag feliciteerde hij me toen ik waarschuwde dat ik laat zou zijn, dat gaat goed, hè?, het lijkt erop of je in vorm bent... Ik vond het zo erg dat ik vanaf het begin tegen hem had gelogen, ik voelde me zo stom dat ik niet wist wat ik moest zeggen, dat het op dat moment niet eens in me opkwam dat er iets achter zijn opmerking zou kunnen zitten. Dat vermoeden kwam pas later, op mijn werk, en hoewel ik in theorie, die mysterieuze theorie die ik nooit echt goed begrepen heb, de hypothese had moeten toejuichen dat Martín iets troebels vermoedde aan mijn donderdagavonden, was ik er in praktijk volledig door uit mijn doen. Ik geloof dat zij het onmiddellijk doorhad, maar ze zei er niets over. Ik redde me eruit door het geraffineerdste, dreigendste betoog tegen haar af te steken dat ik kon verzinnen, een afleidingsmanoeuvre die ik, week na week, tot uitputtens toe uitbaatte, al realiseerde ik me dat me daar iedere donderdag heen slepen om een tiental dooddoeners te berde te brengen tegenover een onbekende die in wezen niet geïnteresseerd was in mijn leven, een uitgelezen methode was om ervoor te zorgen dat ik me nog stommer voelde. Ik vermeed iedere gedachte aan de sessies vanaf het moment dat ik daar de deur uit stapte tot het moment dat ik er weer door naar binnen ging, maar hoe dan ook kwam er een dag dat ik dacht dat ik de eerste grens van de stupiditeit gepasseerd was, en mezelf dwong een nuchtere berekening te maken alvorens voor een definitieve oplossing te kiezen. De analyse in dit stadium afbreken zal me zeker geen goed doen, zei ik bij mezelf, dus het verstandigst zal zijn het serieus te nemen. En desondanks was ik, nadat ik dat had toegegeven, niet in staat de juiste formule te vinden om te beginnen. Misschien had ze het ook deze keer door, of misschien was het gewoon zo dat mijn stilte de atmosfeer uiteindelijk drukkend maakte.

'Goed,' zei ze, toen ik de tweede achtereenvolgende sigaret opstak na een eindeloze vijf minuten stilte, mijn ogen neergeslagen, strak op het tapijt gericht, 'heeft u geen zin om te praten?'

'Nee,' antwoordde ik. 'Niet zo erg, eerlijk gezegd...'

Ze liet een paar seconden voorbijgaan voor ze het nog eens probeerde, op een tweeslachtige toon, welwillend maar beslist, of wellicht andersom, eerder geruststellend dan aanmoedigend in ieder geval.

'Ik weet wel dat u liever niet heeft dat ik heel concrete vragen stel, maar ik zou u kunnen suggereren waar te beginnen.'

Ik overwoog haar aanbod snel. Ik had geen zin om te praten, maar ik was wel enigszins benieuwd naar haar keuze, welk lijntje ze zou uitgooien om me uit mijn tent te lokken.

'Oké,' stemde ik uiteindelijk in. 'Deel de kaarten maar.'

'Vertelt u me eens over uw studententijd.'

'Waarom?' Ze was erin geslaagd me daadwerkelijk te verrassen.

'De dag dat we kennismaakten, zei u tegen me dat die jaren u ontglipten.'

Hij verscheen die ochtend in een rood overhemd en met de indrukwekkendste rebelse uitstraling die ik ooit gezien heb... In mijn hoofd kwam ik tot het formuleren van deze zin, maar mijn lippen konden maar niet besluiten hem uit te spreken. Ik was er niet zeker van of ik over die periode wilde praten, al lag daar ook de oorsprong van een aantal van de beste dingen die me in het leven overkomen zijn. Daarom nam ik de grootst mogelijke omweg om terug te keren naar dat deel van het verleden.

'Uiteraard studeerde ik letteren, filosofie om precies te zijn. Ik nam aan dat iedereen verwachtte dat ik zoiets zou kiezen, en dat deed ik dus, min of meer... Ik weet wel dat het geen al te intelligente verklaring lijkt, maar het is de waarheid. Toen ik naar de bovenbouw van de middelbare school ging, was het voor thuis een uitgemaakte zaak dat ik de alfa-richting op zou gaan. De bèta-kant vond ik ook leuk, vooral natuurwetenschappen, hoewel ik met wiskunde het spoor altijd een beetje bijster raakte. Ik herinner me die periode als ontzettend verwarrend. Ik was een gemiddelde leerling, weet u, of misschien zou het eerlijker zijn te zeggen dat ik goed was, maar nooit briljant, ik weet niet of u me begrijpt... Ik haalde voldoendes, maar vaak snapte ik niet waarom, ik was me er niet van bewust dat ik die kennis echt bezat... de deskundigheid waar die cijfers garant voor stonden. En als ik een onvoldoende haalde, begreep ik ook niet goed wat er gebeurd was. Technisch tekenen was een kwelling voor me. Ik geloof dat ik me alleen maar om daar vanaf te zijn aansloot bij het standpunt van mijn moeder, die voortdurend liep te roepen dat filosofie en letteren een uitgelezen studie was voor een meisje. Toen ik jong was, was ik erg gehoorzaam, ik ben bang dat gehoorzaamheid een aangeboren karaktertrekje van me is. Ik heb moeten leren daar meedogenloos tegen op te treden, want ik weet dat weinig genen gevaarlijker zijn...'

Ik pauzeerde even om haar aan te kijken, maar haar gezicht was zo uitdrukkingsloos dat er dit keer niets uit af te leiden viel, alsof ze besloten had het aan mijn blik te onttrekken, en ik riskeerde het welbewust eerlijk te zijn, voor het eerst.

'Mijn moeder veranderde van religie, veranderde van ideologie, en zelfs van huid om de vrouw van mijn vader te worden en alleen hem te aanbidden. Voor zover ik me herinner, balanceerde haar gehoorzaamheid op het randje van onnozelheid, maar als ik het ooit had gewaagd dat hardop te zeggen, was niemand het met me eens geweest. Voor de anderen, mijn vader voorop, is mijn moeder altijd een godin geweest. Mooi, perfect, mysterieus... Bewonderenswaardig als een standbeeld. En stil ook als marmer, want ze sprak zich gewoonlijk niet uit in het openbaar. Ik neem aan dat ze niet veel bijzonders te melden had, maar, waarom weet ik niet, de mensen interpreteerden haar eeuwige afzijdigheid als het zoveelste teken van haar onbegrensde verleidingstalent, nog een handelsmerk van haar fascinerende karakter. Ze vergiste zich nooit, natuurlijk niet, ze faalde nooit, want ze bemoeide zich alleen met dat deel van de gesprekken waarin haar scherpzinnigheid zonder enig risico kon schitteren. Ze was er vooral heel goed in ironische opmerkingen te maken over anderen, ieder willekeurig commentaar vals te interpreteren, de beste bijnaam te opperen, woordspelingen te verzinnen... Dat is nog steeds haar grote specialiteit. Goden, dat is algemeen bekend, zijn wreed, niemand moet ze hun aard verwijten. En uiteindelijk stond dit uitmuntende karaktertrekje minstens evenzeer ten dienste van mijn vader als het raffinement van haar kleding of de onberispelijke organisatie van de openluchtfeesten die ze in de zomer gaven, bij hun huis aan het strand. Zij was zijn product, en ze leek gelukkig in die jurk die haar nooit helemaal als gegoten zat, of dat dacht ik tenminste, want ik kende ook een andere vrouw in haar van wie geen van haar aanbidders ongetwijfeld het bestaan had durven vermoeden. Tot ik haar teleurstelde, en ze op een bepaald gebied haar interesse in mij verloor om daarvoor in de plaats een zeker vertrouwen te krijgen, hamerde mijn moeder er bij mij een opvoeding in die erg veel leek op die zij van haar eigen moeder ontvangen had, een starheid die ze in de verste verte niet bij mijn broers aan den dag legde, al hadden ook die voldoende gelegenheid om de contouren van het bedrog te herkennen dat onze levens regeerde…'

Ik stopte even, alsof ik me moest inspannen om dat betoog weer terug te halen, zoiets als de geluidsband van mijn jeugd, uiteindelijk word je net als ik, je zult het zien, maak je maar geen zorgen over je neus, wat zeg je nou weer?, nee, je benen blijven echt niet altijd zo stakerig, op een goeie dag zul je gaan veranderen en binnen een halfjaar herken je jezelf niet meer, echt, je zult het zien… Dat zei ze, maar ik zag helemaal niets, en op mijn twaalfde leek ik een steltloper, en op mijn dertiende idem dito, en op mijn veertiende werd ik eindelijk een beetje dikker, maar het silhouet van mijn benen werd er niet beter op, en ik keek naar haar, bewonderde haar, zoals iedereen, zo harmonieus, zo mooi, zo rond waar ze rond moest zijn, zo smal waar ze smal moest zijn, haar botten en vlees wisselden elkaar in een ideale verhouding af op haar lichaam, maten van een bijna muzikale harmonie, op melodieuze wijze onbarmhartig. Ik wilde net zo worden als zij, ik moest zo worden als zij om in haar plannen te passen, om het doel te bereiken dat zij voor mij gesteld had, om haar te behagen, ik had vaak naar haar geluisterd en ik kende haar plannen, het mislukte project van mijn ophanden zijnde vergoddelijking. Ik was geboren om haar nagedachtenis veilig te stellen, om haar troon te bestijgen, om haar schouders langzaamaan te ontlasten van het zware gewicht van zo veel schoonheid, maar de Natuur liet het afweten, en al haar voorspellingen leden schipbreuk. Toen begreep ze dat ik nooit een concurrent voor haar zou zijn, en die zekerheid moet de bittere pil van de nederlaag verguld hebben. Sindsdien besteedde ze nooit meer zo veel aandacht aan me.

'Mijn moeder vond het heel vervelend dat haar enige dochter lelijk was, vooral omdat de mannelijke nakomelingen allemaal erg knap waren. Zij had eerder op het omgekeerde gerekend, en ze heeft nooit goed tegen haar verlies gekund, en dus liet ze me, nadat ze zich erbij had neergelegd in haar eentje te schitteren, redelijk met rust, eerlijk is eerlijk. Ik was haar daar heel dankbaar voor, heus, maar mijn dankbaarheid zou nog veel groter zijn geweest als ik niet de indruk had gekregen dat mijn aanwezigheid haar bij sommige gelegenheden zelfs tegenstond...' Ik hield mezelf voor dat het gezicht – een grimas waarvan ik vermoedde dat die eerder achterdochtig dan sceptisch zou zijn – waarmee een zo discrete gesprekspartner deze laatste opmerking stellig zou begroeten, me ongetwijfeld niet zou aanstaan, en ik zorgde dat ik iedere reactie voor was zonder de tijd te nemen de juistheid van mijn vermoedens te verifiëren. 'Nee, kijkt u me alstublieft niet zo aan, ik ben niet plotseling nog gekker geworden, ik meen het serieus. Ik bedoel alleen maar te zeggen dat...' Ik laste een pauze in die bedoeld was om een afdoend argument te vinden, terwijl ik vaststelde dat haar gezicht nog altijd even eentonig was als de meest Aziatische woestijn. 'Mijn moeder vond het bijvoorbeeld niet prettig als ik me in haar sociale leven mengde. Feesten, cocktailparty's, begrijpt u? Ze beschouwde mijn fysiek als een defect van zichzelf, en ze was er niet aan gewend dat iemand haar op een defect wees. Naar bruiloften moest ze me wel meenemen, maar in het algemeen vermeed ze het mij ergens mee naar toe te nemen, ik geloof dat ze zelfs liever had dat we niet samen werden gezien... Ik praat in de tegenwoordige tijd omdat ik al die dingen pas jaren nadien begrepen heb, toen ik al een volwassen vrouw was. Toentertijd drongen alleen een aantal losse details tot me door, zoals dat ze veel minder tijd kwijt was dan vroeger om kleren voor me te kopen, of dat ik ineens heel gemakkelijk toestemming van haar kreeg om bij een vriendinnetje te gaan slapen als er mensen kwamen eten, en ik dacht dat dat gewoon de voordelen waren die bij mijn leeftijd hoorden, dat ik volwassen werd en dat mijn familie dat gewoon erkende, ik weet het niet, in die tijd begreep ik niets, ik begreep nooit iets, nergens van, verbijstering was mijn natuurlijke staat, ik voelde me alsof het toeval heer en meester was over mijn leven, alsof iedere loftuiting en iedere straf de uitkomst waren van een loterij waarvoor iedereen loten had, iedereen behalve ik, dus als er iets goeds voorbijkwam, dan pakte ik het en stelde mezelf geen vragen. Ik was tenslotte toch nooit in staat die te beantwoorden...'

Ik waagde het haar uiteindelijk recht aan te kijken, en ze leek me niet meer of minder ontspannen dan daarvoor. Zij aanbidt haar moeder vast, zei ik bij mezelf, en daarom doet ze net alsof... Ik zag mezelf al zo veel jaar als een klein, gevoelloos, ondankbaar monster, dat ik me bijna beledigd voelde dat ze mijn verachtelijke ontboezeming met de gebruikelijke onverschilligheid verwerkte. Ik had nooit iemand, behalve Martín, durven vertellen dat mijn moeder niet langer van me gehouden had omdat ik lelijk was, wat een afgang. Ik ging ervan uit dat niemand het zou geloven, dat ieder normaal mens zonder nadenken de kant van mijn moeder zou kiezen, en tegen mij. De psychoanalytica daarentegen had strikt neutraal gereageerd, en gezien de algemeen heersende opvatting over de heilige onfeilbaarheid van moeders, maakte dat dat ze bijna aan mijn kant stond. Het grappigste is dat nou juist dat detail me stoorde, net alsof ze me bij het vertrek een certificaat zouden overhandigen omdat ik me ruim twintig jaar onnodig schuldig had gevoeld.

'Het maakt niet uit,' vervolgde ik, alsof dat simpele zinnetje in staat was iedere verwarring ongedaan te maken. 'Al was ik er geschikt voor geweest, dan nog zou ik niet eens de tweede uitgave van mijn moeder hebben willen zijn. Feit is dat zij haar interesse verloor en dat bracht ons eerder dichter bij elkaar dan dat het ons uiteendreef, want het verkleinde het verschil tussen het leven dat me in theorie toekwam en de opvoeding die ik in praktijk genoot. Ik neem aan dat ik niet erg duidelijk ben, maar het is moeilijk uit te leggen… Ziet u, het beeld dat ik als meisje van de wereld had, is min of meer te vergelijken met een set *baboesjka's*. De grootste stelde de buitenwereld voor, Spanje, Madrid, de dictatuur, een grijs, hard, onrechtvaardig land dat onze mensen had laten lijden en dat onze toekomst dreigde te verstikken. Vervolgens bestond er meer naar binnen toe een andere buitenwereld, die veel beperkter en heel anders was, een ander Spanje, een ander Madrid, de Partij, school, de vrienden van mijn ouders, gelach, tranen, wanhoop, vermaak en woordspelingen, gesprekken die waren opgebouwd uit termen als verzet, oppositie, illegaliteit, en, uiteraard, vooruitgang, rechtvaardigheid, toekomst, altijd toekomst. In die pop paste er nog eentje die er erg op leek, maar dat was een persoonlijk, innerlijk niveau, mijn eigen huis, een gekleurde stad waarin iedereen kon zeggen wat hij wilde, en lezen wat hij wilde, en geloven in wat hij wilde, als gelukkige, goed gevoede schipbreukelingen op een eiland dat in de goede richting wordt gedreven door een onzichtbare motor. En tot hier gaat het goed, is het allemaal logisch, redelijk, benijdenswaardig zelfs als je het vergelijkt met wat bij anderen thuis gebruikelijk was, in de levens van andere meisjes van mijn leeftijd, dat geef ik onmiddellijk toe, maar het probleem is dat er een vierde pop bestond, weet u, een privé-pop, klein en geheim, de mascotte van een vrouw die maar niet kon geloven in het leven dat ze leidde, de dingen die ze zei, de ideeën die ze verdedigde. Mijn moeder leerde me niet om te bidden 's avonds, maar ze dwong me wel met een pyjama aan naar bed te gaan midden in augustus, en 's middags te slapen ook al had ik geen slaap, en kool te eten en mijn braakneigingen te bedwingen, en haar jurisdictie overschreed de codes van een gezonde discipline en betrad drabbiger terrein, voorgoed donkere moerassen zelfs... Het is alleen maar uit nieuwsgierigheid, placht ze zich te verontschuldigen voor ze tot de aanval overging, en op die manier controleerde ze uiteindelijk de families van onze schoolvrienden, ze wist wat hun ouders deden, hoeveel huizen ze hadden en al dat soort dingen... Ze overhandigde me nooit een brief zonder eerst de afzender te bekijken, en ik mocht absoluut niet de knip op de deur doen als ik alleen op mijn kamer was, u weet wel... Thuis vierden we de eerste mei, al was het geen feest, met een speciale maaltijd en een toost bij de toetjes, maar de dienstmeisjes, en we hadden er twee, keken met nederige blik naar mijn moeder, hun ogen vertroebeld door een paar druppels eerbiedige paniek die me nu niets verbazen, eerlijk gezegd, want ze bleven geen van allen lang... Ze was het type vrouw dat de fauteuils verzet om te kijken of er stof onder ligt, ze maakte zich gehaat omdat ze zo veeleisend was, afijn... En mijn vader was nog erger. Hij had zijn vrouw naar eigen terrein meegesleurd, hij had haar gedoopt in een geloof dat hij met hart en ziel beleed, hij had in haar kinderen verwekt voor een nieuw bestaan, vrije, sterke, rechtvaardige mannen en vrouwen... Ik verzin niets, echt niet, zodra hij een paar glazen op had improviseerde hij een dergelijk betoog midden in de woonkamer, en ik keek in vervoering naar hem op, als verdoofd eigenlijk, want ik hield ontzettend veel van hem en ik bewonderde hem nog veel meer, en toch weet ik nu dat hij erger was, want hij kende alle foefjes van mijn moeder, hij was aanwezig bij alle scènes, hij zag haar willekeur, haar aanstellerij, haar vooroordelen en de gevolgen daarvan, en het enige wat er in hem opkwam was haar midden in zo'n uitbarsting van achteren te omhelzen of haar een tik op haar billen te geven om haar eerder te laten ophouden, antwoordend dat hij het absoluut met haar eens was wat absoluut alle aspecten van de kwestie betrof als iemand zijn tijd verdeed en hem daarnaar vroeg. Mijn vader was slechts in twee dingen geïnteresseerd, de Partij en aan mijn moeders kont zitten, zodat wij kinderen, de uitverkorenen van de toekomst, in een pure contradictie leefden, goed gemaskeerd, dat wel, met de kleuren van de waarheid, de rechtvaardigheid en de vooruitgang...'

'U bent wreed...'

Dat commentaar had ik niet verwacht en ik richtte al mijn aandacht op haar gezicht. Zij keek rustig terug, een blik die ik desalniettemin eerder als ironisch inschatte dan als iets wat in de buurt van censuur kwam, maar die ik desondanks zo snel mogelijk teniet wilde doen.

'Nee, echt, die indruk heb ik niet willen wekken. Ik geloof in de Waarheid, met een hoofdletter, en ik geloof in de Rechtvaardigheid en de Vooruitgang, met net zulke grote beginkapitalen. Ik geloof in de Republiek, die mijn grootouders het leven heeft gekost, en ik geloof in de Toekomst, waarvoor de rest van mijn familie zijn leven heeft gewaagd, daarom is het heel belangrijk voor me dat u mijn woorden niet verkeerd uitlegt... Ik weet wel dat mijn geval in het andere Spanje veel regelmatiger voorkwam, ik ken veel mensen voor wie precies de andere helft van de wereld instortte, van verbazing verlamde adolescenten die plotseling ontdekten dat hun vader naar de hoeren ging bijvoorbeeld, of dat hun moeder 's ochtends dronk, en die het niet meer voor elkaar kregen nog maar een greintje van hun vroegere bezieling van hedendaagse kruisvaarders te heroveren. Maar mij is zoiets nooit overkomen, want het geloof van mijn voorouders kan zo'n schok wel hebben, daar hoeft u niet aan te twijfelen. De wereld geeft me iedere dag gelijk, hoewel mijn ogen haar niet meer argeloos kunnen aanschouwen.'

Hij verscheen die ochtend in een rood overhemd en met de indrukwekkendste rebelse uitstraling die ik ooit gezien heb, herinnerde ik me... Hij overtuigde me. Hij, vijfde zoon van een luchtmachtgeneraal en van de koningin van de Feesten van Navacerrada 1945, briljante oud-leerling van de Piaristen, 'zoon van Maria' tot zijn dertiende of veertiende, volgeling en metgezel van een priesterarbeider die zijn apostolaat uitoefende in de arme wijken, later militant communist, studentenleider bij rechten en, bijna vanaf dat moment, liefde van mijn leven.

Ik had nog nooit iemand zo horen praten, en dat terwijl ik nooit een meeting oversloeg. Dat was ook precies het voornaamste consigne van de organisatie waarbij ik me kort nadat ik op de universiteit was beland, nog in het eerste jaar, had aangesloten – een onbeduidende, extreem linkse splintergroepering die zich onlangs had afgescheiden van een slechts iets consistentere groepering, op haar beurt weer lid van een federatie van marxistisch-leninistisch-revolutionaire partijen wier voornaamste ideologische strekking in het kort neerkwam op het zich verzetten tegen de Communistische Partij, zowel haar duistere contacten met de liberale bourgeoisie in ballingschap aan de kaak stellend als de weerzinwekkende revisionistische besmetting waarvoor haar doctrine bij tijd en wijle zwichtte: het massaal bijwonen van alle zittingen, meetings, vergaderingen, concerten of debatten die waar dan ook, met welke reden ook, op welk tijdstip en welke manier ook georganiseerd werden. We waren met zo'n klein aantal, bij filosofie maar negentien, dat we hoe dan ook gezien moesten worden. Ook werden we gehoord, maar die ochtend, in de aula van mijn eigen faculteit, voor hetzelfde podium waarop ik het meer dan zat was naar een hele generatie schreeuwlelijken in corduroy, met baard en hoornen bril te luisteren, hun priesterlijke, onmelodieuze, oersaaie stemmen allemaal hetzelfde, en exacte kopieën van elkaar, als stompzinnige, eindeloze reeksen van een gruwelijke kloon waar ook ik van afstamde, verstomde ik toen ik naar hem luisterde, ondanks het feit dat ik al tweedejaars was, met enige ervaring en een dusdanig gevestigde reputatie als rebel dat mijn ex-vriendje en hiërarchische superieur, Teófilo Parera, alias dikke Teo, van plan was geweest de bijeenkomst te verstieren volgens een methode die uit mijn eigen koker kwam. Wanneer de inleider voor de zesde maal refereerde aan 'de arbeidersklasse', zou ik overeind schieten en hem met luide, heldere stem terechtwijzen. 'Hé! Jij daar… Wedden dat je niet weet hoeveel een brood kost?' Ze wisten het nooit, en dat had uiteraard een angstwekkend resultaat, want mijn achttien metgezellen begonnen te schreeuwen, allemaal tegelijk, hoe durven die lui uit naam van het Volk te spreken?, wat een schandaal!, hoe lang zullen we al die huichelaars nog tolereren?, en dan kwam het met geen mogelijkheid meer goed. We hadden het al eerder beproefd, altijd buiten de universiteit, op één keer na, tijdens een meeting bij Natuurkunde, en het had prima gewerkt. Ik hield zorgvuldig de prijs van het brood in de gaten, van de aardappelen, en zelfs van de eieren, voor het geval de vijand in de tegenaanval ging, al waren ze tot nu toe allemaal zo van hun stuk gebracht dat geen van allen in staat was te reageren. Hij had ongetwijfeld de vloer met me aangeveegd, maar zijn verschijning veroorzaakte zo'n schok bij me dat ik nog liever dood was gegaan dan dat ik hem had aangevallen.

Hij droeg een rood overhemd met lange mouwen, een spijkerbroek, en een paar enorme schoenen, van kastanjebruin leer, met heel dikke veters, zoals de laarzen die kleine kinderen meestal aanhebben op ochtenden dat het regent. Hij voerde staand het woord, midden op het podium, afziend van de lessenaar aan de zijkant waarachter de anderen zich gewoonlijk verscholen, en hij had geen papieren bij zich, hij hield geen microfoon vast, niets in zijn handen, geen bedrog, geen trucs, alleen een magnetische, vaste, zware stem, en de altijd terugkerende woorden, Rechtvaardigheid, Vooruitgang, Toekomst, die klonken als de waarheid, als de onbezoedelde, pure Waarheid die kastelen ineen doet storten en de verworpenen der Aarde verheft, zijn handen balden zich tot vuisten in de lucht aan het uiteinde van twee gespannen, machtige, eerlijke armen, en zijn donkere, sluike haar viel in slierten over zijn voorhoofd, alsof het iedere lettergreep, iedere klemtoon, iedere zin wilde onderstrepen, en ik trilde vanbinnen terwijl ik naar hem luisterde en dacht nergens aan, ik lette op de schaduw van zijn adamsappel, de lijn van de aderen in zijn hals, en het enige wat ik wenste was dat hij verder zou praten, dat hij nooit zou zwijgen, want ik had kunnen leven van die woorden, me met hem kunnen voeden, met zijn stem, zijn woede, zijn gebaren, tot aan de dag van mijn dood. Dat was de eerste, de enige religieuze ervaring in mijn leven. Het teruggetrokken, stille, deemoedige meisje dat aan alles twijfelde toen ze die ochtend de aula verliet, leek in weinig op de leerling-cynica, een luidruchtige, grenzeloos arrogante jongedame, die een paar uur eerder door diezelfde deur binnen was gekomen. De sporen zijn nooit uitgewist.

'In wezen,' ging ik verder, met de onnozele, onbedwingbare glimlach die altijd op mijn gezicht verschijnt als het me lukt die ochtend van grootse openbaringen terug te halen, 'is het zo dat als ik op het punt stond mezelf buiten de gelederen te plaatsen, dat precies via de andere kant gebeurde. Op de universiteit sloot ik me aan bij een extreem linkse groepering, een organisatie die eerlijk gezegd zo onbetekenend was dat we haar nauwelijks een partij durfden te noemen. Maar voor mij was het voldoende. Ik wilde alleen maar mijn gehoorzaamheid de genadestoot geven, bewijzen dat ik afstand nam van het ouderlijk voorbeeld, me vestigen op schoner, coherenter, zuiverder terrein. Nou, u kunt zich voorstellen, we waren ontzettend gevaarlijk…' Ik glimlachte en zij deed mee, en ik nam me voor nog wat dieper in die vergulde en zoete, knisperende en stralende geschiedenis te duiken, dagen die zich ophouden in het gelukkigste deel van mijn geheugen. 'Toen leerde ik Martín kennen, mijn man. We stonden lijnrecht tegenover elkaar want hij was namelijk een overtuigde communist, niet een van die idioten die zich blind, met handen en voeten gebonden, wijdden aan de eeuwige adoratie van de secretaris-generaal, maar wel een onverzettelijke man, zelfs heel kritisch af en toe, maar loyaal. Afijn, nu klinkt het allemaal een beetje kinderachtig, maar in die tijd, 1973, waren de nuances belangrijk, echt…'

'En u?' Ik was helemaal van de wereld en schrok van het geluid van haar stem. Ik moest haar vraag even tot me door laten dringen voor ik hem precies begreep.

'Ik? Tja… Ik was een loeder.' Ze schoot in de lach alsof ze niet voor me onder wilde doen, gelijke tred wilde houden met de opgewekte, uitgelaten toon die voor het eerst sinds ik haar mijn verhaal deed in mijn stem doorklonk. 'Nee, niet lachen alstublieft, ik meen het serieus… Eerlijk gezegd kon ik geen andere manier vinden om op te vallen. In het begin voelde ik me namelijk behoorlijk verloren, en nou was dat niets bijzonders voor me, maar toch… Geen van mijn vroegere klasgenoten deed filosofie. Ik kende niemand, en puur intuïtief zocht ik toenadering tot de Jonge Communisten. En toen, bijna onmiddellijk, ontdekte ik een onbeperkte natuurlijke hulpbron in mezelf die ik dadelijk begon te exploiteren. Mijn achternaam van vaderskant en, meer nog dan dat, de naam van de uitgeverij, de familieoverlevering, maakten me bijzonder populair. Ze heeft een tekening met opdracht van Picasso thuis in de woonkamer!, fluisterden ze achter mijn rug. Ik hoorde ze en kon het nauwelijks geloven, het leek me allemaal te onbenullig voor woorden, maar voor één keer keken de mensen naar me, ze luisterden naar me, ze gedroegen zich alsof ze op mijn mening zaten te wachten. Ik was verrukt dat iemand eindelijk eens een keer notie van me nam, al was ik absoluut niet bereid de spreekbuis van de gezinsorthodoxie te worden die me, logischerwijs, aftands en roestig leek, onbruikbaar. In die tijd verordonneerde de Geschiedenis, met een hoofdletter, u weet wel, dat alle kinderen links van hun ouders moesten staan, en mijn marge was nogal krap, dus ik deed er nog geen trimester over om me te ontpoppen als de onbuigzaamste, radicaalste, meest strikte activiste van de hele faculteit, en ook de onuitstaanbaarste, neem ik aan. Tot ik op een ochtend, tijdens een meeting, plotseling hopeloos verliefd werd op een van de sprekers, een afgevaardigde van Rechten die er onmiskenbaar uitzag als zoon van een gegoede, regeringsgezinde familie, een geboren leider, snapt u, geen bedrieger, zoals ik, maar een echte gigant. Of in ieder geval kwam hij zo op me over. En ik was volkomen uit het lood geslagen, echt, daar kunt u zich geen voorstelling van maken…'

Ik vertelde niet alles, het laatste detail weigerde ik te onthullen, het enige stellig onvoorstelbare feit, het duisterste geheim. Dat heb ik alleen Martín verteld, en zijn reactie zette me aanvankelijk op het verkeerde been. Hoe bestaat het!, dat zei hij tegen me, niet te geloven, hè? En in wezen even… abnormaal, even pervers als de gevolgen van de meest reactionaire katholieke opvoeding, ik weet niet… We lagen opgerold in een hoekje van een enorm hotelbed, in Bologna, hoofdstad van Emilia-Romagna en van de Italiaanse communistische macht, vijf jaar na dat eerste betoog. Het werd licht en hij was als eerste wakker geworden. Een tactiek toepassend die een gewoonte zou worden, praatte hij in mijn oor, kuste me, streelde me en wiegde me zachtjes heen en weer tot ik wakker werd zonder ook maar het geringste vermoeden dat hij iets te maken had gehad met dat voortijdige begin van de dag. Ik deed mijn ogen open en het eerste wat ik zag waren de zijne, wijdopen, heel dichtbij. Het licht dat door de openingen van een slecht sluitend rolluik drong was wit, koel, zoals het licht waarop in sommige dromen de wankele hemel rust, en misschien had ik die scherpe schittering juist wel nodig, het onwerkelijke dat in de lucht hing op dat onbestemde uur, een grijs dat in een mum van tijd openbrak in helder licht, om tot me door te durven laten dringen wat er gebeurd was, welke windstoot van welke grillige wind de jonk van het toeval ten gunste van mij had doen keren, welke duistere, grootmoedige geest toch nog medelijden met mij had gekregen. Toch nog.

Na die ochtend en gedurende anderhalf jaar, de tijd die het duurde voor hij afstudeerde, volgde ik zijn spoor als een onhandige speurder, nog erger onthand, nog langzamer en ouder na het slechtst denkbare begin. Ik wist niet zeker of ik hem aan die tafel zou treffen, maar natuurlijk wist ik dat de mogelijkheid groot was dat hij op de vergadering zou komen, vooral omdat zij haar bijeen hadden geroepen, en als ik er tot hees wordens toe op aandrong deel uit te maken van de delegatie die zou discussiëren over een mogelijk 'te ondernemen gezamenlijke actie met alle linkse krachten op de universiteit', als ik, ondanks mijn diepst gewortelde morele overtuigingen, mijn ex-vriendje benaderde en hem me ook nog een beetje liet aflebberen om de suggestie te wekken dat ik misschien dacht dat ik me vergist had toen ik het uitmaakte, als ik daar zelfs toespelingen op maakte tot hij me uiteindelijk uitkoos als een van zijn begeleiders, was dat alleen maar daarom, omdat ik er hevig naar verlangde hem terug te zien. En toch, toen hij tegenover me zat, zonk de moed me in de schoenen, en vervolgens deed ik alles, maar echt alles verkeerd, helemaal verkeerd, het kon niet erger. Ik wilde alleen maar indruk op hem maken, zijn aandacht trekken, bewondering afdwingen, en bij de eerste de beste gelegenheid, de eerste keer dat ik het woord kreeg, spreidde ik voor zijn ogen al mijn zware artillerie tentoon, beweringen die even verpletterend waren als de rupsbanden van een colonne tanks, even irritant als een regenbui van zenuwgassen, even oogverblindend als een vuurwerk van luchtafweergeschut. Ik was ruim twintig minuten aan het woord, en pas toen ik weer ging zitten las ik in de schaduwen die over de gezichten van zijn kameraden lagen dat, ondanks de oprechtheid, de kracht, de strikt marxistische orthodoxie die, als een bittere maar ontwijfelbare droesem, ten grondslag lag aan mijn argumenten, het enige wat zij bereid waren tot zich door te laten dringen was dat ik ze ruim twintig minuten lang beledigd had. Nooit meer, mijn hele leven niet, heb ik me zo stom gevoeld als die keer, terwijl die dikke me met kussen overlaadde, dansend van enthousiasme over een precaire overwinning op punten. Maar dat was niet het ergste. Verheven boven de euforie van mijn makkers, ver verwijderd van de ontgoocheling en verontwaardiging van die van hem, los van de diepe verbijstering van de neutralen, wierp hij me iets van een ondefinieerbare glimlach toe terwijl hij zijn hand opstak om het woord te vragen, en toen hij zijn mond opendeed meende ik een perverse fonkeling te zien boven het glazuur van zijn hoektanden. Hij laat geen spaan van me heel, waarschuwde ik mezelf, en ik had gelijk, want met een paar woorden liet hij geen spaan van me heel. Dilettant, noemde hij me, jonge, onbevredigde erfgename – een bulderend gelach van de mannelijke sector van alle richtingen, de mijne incluis –, spreekbuis van het onverantwoordelijke radicalisme dat heeft geleid tot de verbluffendste samenzweringen met het fascisme, en politieke toerist. Daar eindigde hij mee, en dat kon ik nog het slechtst verkroppen. Toen ik begon te krijsen dat we al wel genoeg hadden gehad van het meest ranzige betoog van het meest ranzige machisme, raadde iemand, ik ben er nooit achter gekomen wie, me luid schreeuwend aan naar de uitverkoop in de Calle Serrano te gaan en hen rustig te laten werken, en toen keek ik hem voor het eerst recht aan en zag hoe hij bulderend lachte, en ik had zo'n vreselijke zin om te huilen dat ik haastig moest opstaan en er als een speer vandoor gaan, en ik hield niet stil voor ik mijn huis bereikt had, mezelf had opgesloten in mijn kamer, op mijn buik op bed was gaan liggen, en verzadigd was van mijn eigen tranen.

Vanaf die dag durfde ik hem alleen nog op afstand te volgen. Ik zocht uit waar hij woonde, achterhaalde zijn nummer via de telefoongids, kwam te weten dat hij vier broers had, wat zijn vader deed, hoe zijn moeder heette, wie zijn beste vrienden waren... Ik begon rond te hangen in de buurt van zijn faculteit, ik werd een liefhebber van het ontbijt daar in plaats van op de mijne, en sommige dagen ging ik daarna niet eens meer terug naar college. Ik verdeed uren in de hal, rondjes lopend, met een scherp oor voor iedere zoemer, ieder signaal, de tijd dodend of rekkend, alleen maar om hem te zien, en ondertussen smeekte ik de hemel onophoudelijk – die kleurloze, onbestemde, wat schrale hemel van hen die als kind nooit geleerd hebben te bidden – dat hij niet zou toestaan dat mijn ogen die van hem zouden ontmoeten. Slechts één keer verloor, of won ik die weddenschap. Hij zag me, en glimlachte naar me, toen de lawine van twee uur precies hem door de uitgang naar buiten perste, en als ik gerend had, had ik hem misschien buiten nog getroffen, maar ik bleef binnen, ik stond doodstil, mijn voeten als met honderd trefzekere, dunne spijkers aan de vloer genageld.

Alles deed me zeer, alles bleef me zeer doen tot ik hem uit het oog verloor. In de lente van 1975, toen de dood al iedere nacht waakte bij het bed van Francisco Franco, studeerde Martín Gutiérrez Treviso af in rechten en dreigde voor eeuwig te sterven in mijn leven. Twee jaar later studeerde ik zelf af, ging werken in de uitgeverij van mijn familie, liet de universiteit zonder spijt achter me en ik neem aan dat ik hem vergat, als vergetelheid eruit bestaat niet meer ieder uur van de dag aan iets te denken, maar de herinnering aan hem deed nog altijd pijn, en al was het waar dat ik hem eigenlijk niet kende, dat ik hem in werkelijkheid nooit had leren kennen, het was evenzeer waar dat ik niet kon voorkomen dat het beeld van zijn gezicht, van zijn lichaam, dat rode overhemd, die kastanjebruine schoenen met heel dikke veters, als vanzelf, buiten mijn wil, voor de overhemden en schoenen, het gezicht en het lichaam schoof van alle mannen die ik leerde kennen, die ik op straat zag lopen, die met me werkten, die domweg bestonden, waar ter wereld ook. Ik verwachtte niet hem ooit nog te zien, maar, hoe ik me dat ook voornam, het lukte me al evenmin de fantasie over een toevallige ontmoeting, een uitzonderlijke toevalstreffer, ooit uit mijn hoofd te zetten, een onvervalste gril van het lot, en soms ging ik 's avonds in bed liggen voor ik slaap had om voor mezelf het verhaal van die onwaarschijnlijke liefde te fantaseren, en dan viel ik in slaap terwijl ik zorgvuldig de kleinste details vastlegde, de aanraking van zijn handen, de woorden die hij zou kiezen voor een bedconversatie, de vredige indolentie die zijn schouders zou ontspannen een tel nadat hij zich had losgemaakt van de vrouw die hij op dat moment beminde, hulpmiddelen waartoe mijn koppige verbeelding haar toevlucht nam om onophoudelijk een verraderlijk, laks, onnozel geheugen te belagen, het mijne, dat al niet meer in staat was zijn ware gezichtstrekken scherp op te roepen. En toch, toen alle sterren van het universum zich in één rechte lijn opstelden om eindelijk te laten gebeuren wat absoluut niet kon gebeuren, herkende ik zijn stem niet, een fluisteren dat agressief klonk omdat het zo dichtbij was, zijn lippen vlak bij mijn oorlel om me in mijn eigen taal op te schrikken bij de receptie van dat Italiaanse hotel waar ik gezworen zou hebben dat ik er niets of niemand kende.

'Het is een troost om vast te stellen dat zelfs de fanatiekste strijders in de loop der tijd verburgerlijken...'

Ik draaide me haastig om, abrupt, alsof die woorden een vreselijk soort bedreiging inhielden, en zag hem voor me staan, ontspannen en glimlachend, onnoemelijk tevreden over zichzelf, terwijl mijn benen begonnen te trillen, en mijn handen trilden, en mijn slapen, en als het gelukzaligheid was wat ik voelde, dan leek het sterk op hevige schrik, en als het angst was, dan is die nooit meer zo gelukzalig geweest. Niet in staat mijn lichaam de baas te blijven, leunde ik tegen de receptie om het te dwingen zich stil te houden, en nog duurde het een paar tellen voor ik de meest onbenullige begroeting uit kon brengen. Toen boog hij zich naar me toe, pakte mijn rechterhand, en kuste die heel plechtig, en ik wilde ter plekke sterven, de film van mijn leven met één houw afbreken, dat moment voor eeuwig vasthouden, zijn lippen voor altijd gevangen op mijn hand.

'En?' vroeg hij vervolgens, onwetend van zelfs de minste beroering in me, 'zijn we terug in de schaapskooi…?'

Ik fronste mijn wenkbrauwen om te laten merken dat ik zijn vraag niet begreep, en hij reageerde op mijn gebaar door de wijsvinger van zijn rechterhand naar de linkerrevers van zijn colbertje te brengen, waar een geplastificeerd kaartje, met onmiskenbare kleuren en symbolen, hem identificeerde als genodigde op het jaarfeest van de PCI.

'Nee…!' Ik glimlachte. 'Mijn reis is veel saaier. Ik ben hier voor de Kinderboekenbeurs. Als spion, snap je. Op de uitgeverij hebben ze plannen om een reeks voor kinderen te beginnen, en ze hebben mij opdracht gegeven uit te zoeken hoe het met de rechten zit, wat er aan nieuws is, afijn…'

'Het past heel goed bij je,' onderbrak hij me.

'Wat?' vroeg ik opnieuw, voor de tweede keer binnen een paar minuten in verwarring. 'Mijn werk?'

'Ja… Alles.' Hij gebaarde vaag, met zijn hand een cirkelende beweging makend die mij in mijn geheel moest omvatten. 'Dat korte haar, de kleren die je aanhebt, dat zwart barnstenen halssnoer, die zwarte kousen, dat stralende imago van alleen reizende kosmopolitische vrouw… Je ziet er heel knap uit.'

'Dankjewel.' En eindelijk stond ik mezelf toe rood te worden, tot mijn wangen dezelfde kleur hadden als mijn roodwollen mantelpakje, als zijn overhemd die lang vergleden dag.

Vervolgens vroeg hij me wat mijn plannen waren voor die avond, en ik antwoordde dat ik er geen had, al had ik afgesproken met een Nederlandse agente die ieder moment de bar van het hotel kon binnenkomen. Ik schreef in allerijl een briefje met excuses voor haar terwijl hij even naar zijn kamer ging, en vijf minuten later, even snel, even gemakkelijk als met je vingers knippen, liepen we naast elkaar op straat in de richting van het licht, de muziek en het rumoer van de enorme witte tenten.

'Wat is er gebeurd destijds?' vroeg hij terwijl hij achter me langs draaide om aan de andere kant te gaan lopen. 'Dat is beter,' en hij nam me bij de arm. 'Je weet dat je aan mijn linkerkant niet bepaald goed uit de verf komt.'

Hij liet me voldoende tijd om om zijn grapje te lachen voor hij aandrong.

'Nee, ik meen het... Waarom verdween je? Ik heb je namelijk gemist. Ik vond het erg leuk me met je te meten, je was heel snel en scherpzinnig die keer. Bijna te, als je bedenkt met wie je was, al die uilskuikens die nog altijd geloven dat een gesprek voeren bestaat uit grommen op de maat van vuistslagen, alsof de tafel een slaginstrument is... Ik informeerde weleens naar je, maar niemand wist iets van je.'

'De lust om welke gezamenlijke actie dan ook te ondersteunen verging me, weet je? En als je verder met me had willen discussiëren, dan had je me niet zo moeten vermorzelen...' Ik keek naar hem en constateerde dat hij nog steeds in een goed humeur was. 'Dat van jonge, onbevredigde erfgename was echt walgelijk, trouwens.'

'Ja, daar heb je gelijk in, maar jij maakte het ook wel erg bont, dame...'

Op dat moment was ik niet in staat toe te geven dat mijn oude plan resultaat had afgeworpen, maar dat detail was al spoedig van geen enkel belang meer, want voor de nacht ten einde liep waren mijn reflexen reeds verwaterd tot het gestuntel van de grootst mogelijke inertie, al mijn zenuwen gevoelloos door de verbijstering, mijn begripsvermogen verstrikt in de code van een mysterie dat iedere minuut groter werd, met de taaie breekbaarheid van een draad toffee die weet hoe hij steeds verder moet lengen om de wereld te omgorden, en die haar uiteindelijk helemaal omringt, zo onschadelijk en fragiel als hij is, alvorens voorgoed hard te worden zonder ooit geknapt te zijn. Als de aard van geluk ook vereist dat je beleeft waarvan je vroeger gedroomd hebt, dan was ik pas die nacht voor het eerst gelukkig, en toch, vastgeketend aan de duizelingwekkende maalstroom van wonderen die niet in staat waren hun eigen snelheid te meten, realiseerde ik het me toen niet, en ook de volgende dag dacht ik er niet rustig over na, en nadat ik staand met Martín ontbeten had, in een kleine, tamelijk morsige bar waar we onderweg toevallig op stuitten, ging ik met een licht gevoel naar de beurs, met de neiging overal om te lachen, als een gekkin gezegend met de beste, of de slechtste van de gektes, en ik liep kilometers gangpaden door, ik bezocht tientallen stands, ik verzamelde een volledige collectie visitekaartjes met het werktuiglijke, stoïcijns aangeleerde gebaar van de doodgraver die onaangedaan weer een onbekende weduwe condoleert, de zoveelste, terwijl hij in stilte inschat wat zijn vrouw vanmiddag op tafel zal zetten... Zo voelde ik me, als een toevallige passant in de wereld, een onverwachte figurant in een toneelvoorstelling in een dode taal, een instrument dat twee tonen hoger is gestemd dan de rest van het orkest, en zo, omhuld door de dampen van een drug die het onmiskenbaarste twijfelachtig kon maken, voelde ik deze planeet en het geheel van de dingen die ze herbergt. Tot de werkelijkheid langzaam door de kieren van een slecht sluitend rolluik drong, en ik in het spookachtige licht van de ochtend van de derde dag – voor mij zal er nooit meer een andere derde dag zijn – in de ogen van Martín keek en het beeld van die ene ochtend weer voor me zag, de aula van de faculteit, het rode overhemd en die vreemde schoenen, en mijn plotseling oppermachtige, uitgekookte geheugen balde zijn vuist en trof me midden op mijn voorhoofd, en alleen met steun van die klap durfde ik eindelijk, voor het eerst, te vermoeden dat dit alles echt gebeurde, dat het mij gebeurde, en dat het echt was. Toen het laatste sprankje verstand dat nog in me was me voorhield dat het niet raadzaam zou zijn mezelf zover bloot te geven, was ik al aan het praten, en zelfs nu zou ik niet kunnen uitleggen waarom het plotseling zo essentieel voor me was alles te vertellen.

'Weet je?' In de beschutting van de schemering en van de schaduw van zijn lichaam, dat zijn armen tegen het mijne gedrukt hield, ging ik van start op die onschuldige, glimlachende toon van de plotselinge invallen. 'Je zult het wel niet geloven, maar je was me al heel lang voor die vergadering voor het eerst opgevallen. Misschien herinner je je het niet meer, maar datzelfde jaar, ik weet niet... pal na de paasvakantie moet het geweest zijn, kwam je op een ochtend naar mijn faculteit, filosofie A, om een meeting af te sluiten...' Ik laste een onnodige pauze in, hij knikte alsof hij zich alle details herinnerde. 'Nou, je maakte ontzettend veel indruk op me, echt. Ik geloof dat je op ons allemaal indruk maakte. Je praatte vanaf het midden van het podium, niet afgeschermd door wat dan ook, zonder voor te lezen, zonder een papiertje te raadplegen... Je leek een geboren leider, echt waar.'

'Dat ben ik ook,' antwoordde hij lachend.

'Nee, sufferd, ik meen het serieus... En je deed me denken aan... Nu ga je me echt uitlachen, je zult je kapot lachen maar... Afijn, ik denk dat een mens het niet voor het kiezen heeft, dat je over sommige dingen geen controle hebt...'

Als het ochtendlicht die morgen maar iets sneller had gegloord, had hij misschien uit mijn kleur – mijn wangen roder dan zijn kleding destijds – de betekenis van mijn gehakkel kunnen afleiden, het onsamenhangende verloop van een biecht waarin mijn keel vastliep als in een bergpas vol scherp uitstekende kammen, een onneembare doorgang, een dodelijke valstrik, maar de zon zou nog lang niet opkomen en hij, zijn ogen kalm en met een vredige glimlach die zijn contouren nog aan de slaap te danken had, verwachtte geen schokkend nieuws van mijn trillende lippen, die het onnozel genoeg speet dat ze in beweging waren gekomen op het moment dat ze al niet meer wisten hoe te stoppen.

'Wat ik bedoel is dat… Homoseksuelen die bij de paters op school hebben gezeten worden bijvoorbeeld opgewonden van beelden van de heilige Sebastiaan, hè?, met die pijlen, en het bloed en zo… En, nou ja, net zoiets… Ik weet niet, ik neem aan dat dit vergelijkbaar is…'

'Ik ben ook bereid dat aan te nemen,' zei hij lachend tegen me, 'als je me eindelijk eens vertelt waar je het over hebt.'

'Nou, weet je' – ik haalde diep adem met het gevoel dat ik de grens overschreed waarop er nog een weg terug was – 'het is een schilderij waar ik mijn hele leven tegenaan heb gekeken. Nou ja, eigenlijk is het niet echt een schilderij, maar de poster van een tentoonstelling van revolutionaire kunst uit de Sovjet-Unie die georganiseerd werd in Parijs, in het Petit Palais, in een novembermaand, maar ik heb nooit geweten van welk jaar want dat staat niet op de poster, het zal wel in de jaren zestig geweest zijn stel ik me zo voor, of omstreeks die tijd… In ieder geval hangt dat ding in mijn ouderlijk huis sinds ik de leeftijd des onderscheids heb bereikt, en iedere dag als ik door de gang loop om vanuit de woonkamer naar mijn kamer te gaan, of vanuit de keuken, of gewoon vanaf de voordeur, zie ik hem altijd op diezelfde plaats hangen, helemaal niets veranderd, alleen de witte strook rechts telkens ietsje geler. De kleuren van de voorstelling hebben daarentegen nooit iets van hun glans verloren. Het is een hele bekende, ontzettend beroemde afbeelding, wat heet, je moet haar duizenden keren gezien hebben, hoewel ik je de precieze titel niet kan geven, wij noemden haar "Lenin die de menigte toespreekt vanaf een vrachtwagen", de echte titel lijkt daarop, maar er is ook een datum en die heb ik nooit geweten…' Ik keek hem aan en stelde vast dat hij knikte, waarbij hij zijn hoofd zo energiek bewoog alsof hij me van iedere twijfel wilde bevrijden. 'Nou, voor mij heeft dat portret van Lenin altijd, ik weet niet… dezelfde betekenis gehad als een foto van een heel verre maar heel beroemde voorouder, zoals mijn overgrootmoeder Francisca bijvoorbeeld, die een van de belangrijkste pedagogen van het fin de siècle was, en dat terwijl geen enkele vrouw in die tijd werkte, begrijp je? Al toen ik nog een kind was spraken ze met eerbied tegen me over haar, vooral mijn vader, die stelde haar voortdurend als voorbeeld, een briljante, intelligente, zelfverzekerde dame, volledig onafhankelijk, sterk en zacht tegelijk, een goede moeder maar daarnaast een verantwoordelijke, plichtsgetrouwe werkneemster, en nou ja, voor de rest ook nog alles wat je je maar kunt voorstellen... En met Lenin was er iets vergelijkbaars aan de hand, want bij mij thuis waren er geen heiligen, weet je? Geen Laatste Avondmaal in de eetkamer, geen Madonna's van Rafael op de slaapkamers, en geen "Moge God ieder hoekje van dit huis zegenen", helemaal niets. Met Kerstmis zetten we geen kerststalletje, de Driekoningen kwamen niet in januari, kortom, voor mij was die sterke meneer, gekleed in het zwart te midden van al die rode vlaggen, kaal en toch jong, die veel schreeuwde maar voor wie ik helemaal niet bang was, integendeel, want ik had ook iemand nodig die me tegen het kwaad beschermde, afijn, dus op de leeftijd dat andere meisjes hun eerste communie deden, was hij, de Lenin van dat schilderij, die Lenin, mijn held, snap je dat?, mijn beschermengel, mijn hoogstpersoonlijke Superman, een soort wonderbaarlijke heilige, een privé-god, voor mij alleen... Als ik ergens bang voor was, dan dacht ik aan hem, en als ik lag te woelen in bed omdat ik niet kon slapen, ook. Telkens als ik onterecht straf kreeg, thuis of op school, riep ik hem aan, en ik wist dat hij niet zou verschijnen, natuurlijk wist ik dat, maar het uitspreken van zijn naam, al was het maar voor mezelf, met mijn lippen op elkaar, verschafte me enorm veel troost, en ik kan me heel goed voorstellen dat het je ongelooflijk lijkt, maar... ik weet niet, zo was het precies. Als ik thuis ruzie kreeg met mijn oudste broers, of eentje pakte er iets van me af, of ze maakten mijn spaarpot kapot, je weet wel, dat soort typische dingen, ik ben de jongste, daar heb ik m'n leven lang voor moeten boeten, nou goed, dan dreigde ik ze wél hardop, als Lenin komt zullen jullie het wel merken, schreeuwde ik tegen ze, en zij lachten me uit, ze vertelden het zelfs aan mijn ouders, kun je het je voorstellen?, het vriendinnetje van Lenín, noemde iedereen me, met de klemtoon op de "i", net zoals het in de jaren dertig werd gezegd, en ze vonden het erg grappig, maar dat kon me niet schelen... Ik wist dat Lenin me ooit zou komen halen...'

Mijn pupillen maakten zich los van het plafond, dat ze onafgebroken hadden afgezocht gedurende een paar minuten die een eeuwigheid hadden geleken, en hielden stil bij zijn ogen, die me aankeken met een intensiteit die wellicht een nieuwe siddering voorspelde, en ik voelde dat hij geen woord zou spreken, geen vraag zou uitspreken die niet al rondzweefde in een ernstige en tegelijkertijd koortsige schittering, die blik die dronken was van zichzelf en me, in een oogwenk, de steek van pure blijdschap teruggaf – een levend, warm en zoet gevaar, als het meest exquise gif dat heel traag over je tong uitvloeit – die door me heen trok toen ik begreep dat hij me ging kussen, twee nachten geleden, voor een ballengooitent. Ik had hem toen we op het feest kwamen terloops toevertrouwd dat ik nog nooit een pluchen beest had gewonnen op geen enkele kermis, dat nog nooit iemand die voor mij gewonnen had, en op dat moment zei hij niets, maar later, toen we al halfdronken waren, kocht hij drie ballen bij een kraampje en met een wonderbaarlijk vaste hand, niet te rijmen met de hoeveelheid alcohol die door zijn aderen moest stromen, gooide hij bij iedere worp een poppetje om. Het waren leiders van de Christen-Democraten en we moesten erg om ze lachen, maar uiteindelijk kregen we geen pluchen beest, want die hadden ze niet, maar een elpee van Quilapayún. Spanjaarden, hè? zei de baas van het kraampje met een glimlach toen hij hem ons aanbood, en Martín glimlachte ook toen hij naar me toe kwam met de plaat en een komisch droevige grijns, maar de uitdrukking op zijn gezicht veranderde nog geen seconde voor zijn lippen de mijne bereikten, en het was maar een seconde, maar ik realiseerde me dat hij me ging kussen, en één seconde voelde ik me razend, beestachtig, bovenmenselijk gelukkig. Ik bevond me op de drempel van het wonder, en aan de andere kant van de deur keerden de meest wonderbaarlijke wapenfeiten hun jas binnenstebuiten om zich te vermommen in een voering van alledaagsheid, maar nu gaf het nietsontziende licht van die ochtend de voorwerpen hun precieze contouren terug en onthulde mij dat het wonder, verre van te vervagen, aan kracht won pal aan een grens die zo gewenst en zo doornig was, zo edelmoedig en wreed tegelijk, zoals alle definitieve grenzen, en toen ik de stilte opnieuw verbrak, wist ik inmiddels dat Martín me het leven kon geven, maar ook kende ik zijn prijs al, de onzichtbare, eeuwige, onbreekbare kettingen waaraan mijn eigen liefde me zou vastketenen.

'En die ochtend, in de aula van de faculteit… Nou ja, aanvankelijk zag ik je niet, ik moet afgeleid zijn geweest, we wilden namelijk een fraai nummertje ten beste geven, om jullie optreden te verstoren. Op het hoogtepunt had ik moeten opstaan om jou met luide stem te vragen of je de prijs van een brood wel wist.'

'Aha,' glimlachte hij, terwijl hij even in mijn kont kneep, 'mooi is dat…'

'Ja, hè?' Ik accepteerde de straf met opnieuw een glimlach. 'Het was mijn idee.'

'Maar je deed het niet.'

'Nee…' Hij kuste mijn lippen, een warm, vluchtig gebaar dat me niet eens onderbrak. 'Ik kon het niet. Ik kon het niet omdat…' Ik drukte mijn gezicht tegen de zijkant van zijn borst en sloot mijn ogen, alsof ik zijn lichaam wilde doorboren om me voor hem te verbergen, en vanuit die schuilplaats ging ik verder. 'Toen je begon te praten zag ik je niet, ik weet niet wat ik aan het doen was, maar plotseling verhief je je stem zodanig dat me niets anders overbleef dan mijn hoofd optillen om je aan te kijken, en daar stond je, zo jong en toch zo sterk, lang, en streng, en heel boos, al was ik niet bang voor je. Je had lang haar en een gladgeschoren gezicht, maar je rechterarm bewoog zich als een hamer door de lucht, en aan het uiteinde was je vuist geen symbool, maar een wapen, een ontzaglijke bedreiging voor de vijand, en ik dacht er niet eens over na, weet je, ik hoefde er helemaal niet over na te denken, want ik kende je al, ik had je mijn leven lang iedere ochtend in dezelfde hoek van de gang bij mij thuis gezien, ik had iedere avond voor het slapengaan tot je gebeden, al sinds ik een klein meisje was, en nu bestond je, je had vlees, inhoud, en je kon lachen, en tegen me praten, en je kon lopen… Je belichaamde een droom voor mij alleen, dat voelde ik, en zelfs zonder erbij na te denken, want ik hoefde er niet over na te denken, kreeg ik kippenvel alleen maar door naar je te kijken, en de tranen sprongen in mijn ogen terwijl ik naar je luisterde, en er bleef niet veel van me over, ik trilde van m'n kruin tot m'n tenen, had m'n verstand verloren, als gedrogeerd, en opgewonden, je weet wel… Ik kon nergens anders meer aan denken.'

Aanvankelijk zei hij niets. Hij streelde mijn gezicht met zijn vingers en bleef nog een tijdje zwijgen. Daarna rekte hij zich plotseling uit en probeerde luchtig te klinken, met een nonchalant ironische ondertoon, waar hij niet echt in slaagde.

'Nou snap ik waarom je dat over de heilige Sebastiaan vertelde daarstraks…' Ik weigerde iets te zeggen, en hij gniffelde even. 'Hoe bestaat het! Niet te geloven, hè? En in wezen net zo… abnormaal, net zo pervers als de gevolgen van de meest reactionaire katholieke opvoeding, ik weet niet… Lenin verworden tot een sekssymbool! Zoiets heb ik nog nooit gehoord…'

'Ja,' beaamde ik ten slotte, deels teleurgesteld door zijn reactie, deels gesteund door het vermoeden dat hij niet oprecht was. 'Het is moeilijk uit te leggen, maar in wezen geloof ik dat het de enige religieuze ervaring in mijn leven is geweest. Als je een priester was geweest had ik me laten bekeren tot jouw geloof, als je een guerrillastrijder was geweest had ik een geweer opgenomen, als je een vrouw was geweest had ik aanvaard dat ik homoseksueel ben, als je een buitenaards wezen was geweest, was ik met je meegegaan naar je planeet… Omdat jij het was' – eindelijk deed ik mijn ogen open en keek hem aan – 'werd ik verliefd op je.'

Hij weerstond mijn blik vastberaden en met half geopende mond, en alle twee zwegen we terwijl een vreemde begeerte zijn linkerhand over mijn lichaam leidde, zijn vingers oefenden een druk uit die evenzeer verschilde van de lichtheid van zijn liefkozingen als van de bruuskheid die ze aanvankelijk leken te beloven. Ik was direct een en al emotie, ik kon niets anders voelen, behalve dat mijn vlees verdampte bij de aanraking met zijn huid, en zijn warmte langzaam mijn botten deed smelten, mijn hersenen verteerd in een vuur zonder vlammen, een hardnekkige brand, gedoofd in de as van mijn eigen herinnering. Verder wist ik bijna niets, alleen dat ik ik niet meer was, en dat ik nooit meer iets anders zou voelen omdat ik die dood zojuist gekozen had, voorgoed in hem opgaan, geleidelijk oplossen tot ik helemaal verteerd zou zijn ten gunste van zijn lichaam, maar toen was het Martín die een schuilplaats vond in de ronding van mijn hals, en vanaf die plek stootte hij één enkele lettergreep uit, niet eens een woord, een amper gearticuleerde klank die desondanks oneindig krachtig was, ah!, veel meer was het niet, alleen maar ah!, en zijn stem weergalmde in een hoekje van mijn bewustzijn dat ik nog nooit bezocht had, en vanaf daar dwong hij me verder te leven. Op dat moment begon zijn geslacht te groeien tegen mijn buik, en de tranen welden op in mijn ogen, al glimlachten mijn lippen uit zichzelf, van puur genot, want ik besefte dat ik nog veel meer kon voelen, en veel intenser, en ik trotseerde een ijzige rilling, het angstaanjagende risico dat die ontdekking inhield, terwijl zijn lippen in mijn oor dat mysterieuze wachtwoord herhaalden dat plotsklaps mijn hele bestaan rechtvaardigde, ah!, zeiden ze opnieuw, alleen maar ah!, maar dat was voldoende, want zijn adem brandde, en zijn lichaam brandde toen hij het mijne helemaal bedekte, en ten slotte, ook ik ten prooi aan zijn haast, aan zijn begeerte, zocht ik hem met mijn heupen en klampte me wanhopig aan zijn middel vast, mijn benen sterk en roofzuchtig als klauwen, om met hem te branden, en met ongekende energie gaf ik me over aan het lot dat me vanbinnen verteerde.

Ik hield mijn ogen open om in de zijne te kijken, onbeweeglijk en vertroebeld door een vochtig waas, en ik genoot, van al zijn gebaren, stuk voor stuk, maar terwijl ik nog bij bewustzijn was, in die gevarenzone waarin je helderheid van geest, net als zieltogende peertjes, intenser oplicht dan ooit wanneer hij op het punt staat te doven, doorzag ik wat ik op het spel zette in dat Italiaanse avontuurtje en werd bang, en daarom, al zou Martín het nooit te weten komen, wilde ik hem voorgoed aan mijn leven binden, in stilte, een kinderlijke formule waaraan de zekerheid kleefde dat niets meer zou worden als vroeger, omdat jij me hebt uitgekozen, beloofde ik met verzegelde lippen, zul je voortaan mijn enige vader zijn, en omdat jij naar me verlangd hebt, zul je mijn enige moeder zijn… Mijn oogleden konden de tranen niet langer tegenhouden, al bleven de woorden zich via hun eigen mysterieuze wilskracht aan mijn zwijgende tong opdringen, en jij zult mijn broers zijn, mijn zusters, voegde ik eraan toe terwijl zijn stoten heftiger werden, openhartiger, woester, en je zult mijn familie zijn, en je zult mijn huis zijn, en je zult mijn vaderland zijn, en je zult mijn god zijn… Toen pas sloot ik mijn ogen.

Later, toen mijn middel erin slaagde zich te herinneren waar het thuishoorde en mijn benen weer tot de ontdekking kwamen dat ze bij machte waren uit zichzelf te bewegen, verbruikte ik mijn laatste restje gewichtloosheid, die onzichtbare dosis onthechting, opgelost in het genot dat het centrum van mijn lichaam, amper meer dan een groot gat vanaf de bovenkant van mijn maag tot waar mijn knieën begonnen, verbande naar een tijdelijke zone van het niet-zijn, alsof de volkomenheid die ik net had leren kennen onvermijdelijk haar respectievelijke vernietiging in zich droeg, of alsof de dierlijke natuur van mijn huid, kort tevoren nog aanweziger dan ooit, nu tot en met de diepste wortel moest verdwijnen opdat ik haar later weer zou kunnen herwinnen. Martín versnelde bruusk het einde van het proces. Zijn stem klonk ijl, maar die zin had alleen betekenis in het domein van de werkelijkheid, waar de tijd altijd één is, en exact.

'Ik heb nooit eerder een vrouw aan het huilen gekregen in bed.'

Ik deed mijn ogen weer open in de veronderstelling een stralende glimlach te zien, een misplaatst triomfantelijke uitdrukking, een bijna puberale aanval van zelfvoldaanheid dansend rond de mondhoeken van zijn half geopende lippen, maar ik keek in een ernstig, geschrokken gezicht, uitgeput bijna, de mond dichtgeknepen en de ogen heel diep liggend. Ik omhelsde hem zo stevig als ik kon. Het was inmiddels helemaal licht, en ik had het idee dat ik vanbinnen zou knappen.

'Uiteindelijk bent u met hem getrouwd, neem ik aan…'

De interrupties van mijn psychoanalytica brachten me al niet meer zo van mijn stuk als in het begin. Ik knikte werktuiglijk terwijl ik op mijn horloge keek om mijn laatste afwezigheid te meten. Te lang, zei ik bij mezelf, al vond ik het plotseling geen bezwaar meer mijn tijd te verliezen in die kamer.

'Ja, of hij is met mij getrouwd, wat u wilt...' Al had ik niet eens zin om te roken, zo veel tabak verstookte ik tijdens elk van mijn bezoekjes, toch stak ik nog een sigaret op voor ik aan de laatste monoloog van die middag begon. 'En er zijn vijftien jaar verstreken, weet u, maar pas sinds kort begint het echt tot me door te dringen... Ik bedoel dat ik in het begin mijn eigen geluk wantrouwde. Ik ging iedere avond met Martín naar bed en iedere ochtend trof ik hem in bed aan, logisch, hij was mijn man, we woonden samen, en toch, ik weet niet, misschien begrijpt u me wel niet, maar ik weet niet hoe ik het anders moet uitleggen, de waarheid is dat ik het gewoon niet kon geloven. Ik voelde me alsof ik in plaats van vlak boven de grond te bestaan, in een immense luchtbel zweefde die van het ene op het andere moment uit elkaar kon spatten, simpelweg door iets scherps te raken, een hek, de spits van een klokkentoren, of gewoon een speld in de hand van een kind. Misschien is dat de prijs die je moet betalen als je verliefd wordt op een god en uiteindelijk met hem trouwt, of misschien...' Ik stopte even om zorgvuldig mijn woorden te kiezen. 'Mijn man voelt zich erg tot me aangetrokken, weet u... Op seksueel gebied bedoel ik. Ook dat begrijp ik niet zo goed maar het is zo, en dat weet ik vanaf het allereerste begin, vanaf de eerste nacht dat we samen sliepen. Zelfs nog voor ik hem vertelde dat ik al jaren verliefd op hem was, merkte ik het. Het zal geen kwestie van esthetiek zijn, dat hij me mooier of lelijker vindt, u weet wel, maar iets ongrijpbaarders, iets... diepers, al klinkt het nogal overdreven zo. Wellicht is het mijn geur, zijn het mijn hormonen, die de zijne aantrekken, of een soortgelijk fenomeen. Dat neem ik maar aan, want uiteraard geloof ik niet dat ik een technisch perfecte minnares ben. Eerder het tegenovergestelde, in ieder geval aan de buitenkant, want ik heb zo weinig van een femme fatale als maar kan, dat kunt u zelf vaststellen, al zegt Martín altijd dat universeel onweerstaanbare minnaars niet bestaan en nooit hebben bestaan, en ik denk dat hij gelijk heeft. Op een avond dat we allebei dronken waren, heel erg in het begin, vertrouwde hij me toe dat ik iets heel bijzonders had, een soort teken dat hij nooit eerder had waargenomen, bij geen enkele andere vrouw... Hij heeft me altijd voor heel intelligent gehouden en, nou ja... zo begon hij. Het is alsof je meerdere huiden hebt, zei hij tegen me, niveaus die bij de meeste mensen ontbreken. Aanvankelijk begreep ik hem niet, en hij beschreef me mijn eigen beeld, het idee dat hij van me had sinds de eerste keren dat

we elkaar gezien hadden, een heel slim meisje, erg zelfverzekerd en zelfs
een beetje hooghartig, overduidelijk het oogappeltje van haar vader, eraan
gewend het voor het zeggen te hebben en door Europa te reizen, een
exemplarisch geval... En toch voorvoelde hij iets anders, daarom was hij
zo blij me in Italië tegen te komen. Nu weet ik wat het is, kondigde hij
die nacht aan, een paar maanden nadat we samen waren teruggekeerd naar
Madrid. Je bent bang, Fran, dat zei hij tegen me, je bent altijd bang, voor
mensen, voor dingen, en, voor mij... Dat zei hij, en hij had gelijk. Hij had
zojuist mijn zwakke punt ontdekt, die gehate aangeboren gehoorzaamheid
in mijn karakter, die ingebakken neiging om de haverklap te struikelen die
me dwingt onder het lopen naar de grond te kijken, de gevolgen van de
geringste druk van mijn voeten af te wegen. Dat is allemaal waar, en dat
ik me verschans achter een ogenschijnlijk en volledig gefingeerd fort. Ik
heb nooit geweten hoe ik munt kon slaan uit mijn zwakte, dat soort
voordeel leek me altijd onwaardig, dus probeer ik erboven te staan, maar
Martín had haar meteen in de gaten en in zekere zin is hij degene geweest
die het gelukt is haar aan te wenden tot zijn eigen nut. Misschien begrijp
je het niet, zei hij in het begin tegen me, alsof hij zich bij voorbaat verontschuldigde voor wat nog komen zou, maar dat schokkende contrast
tussen je voorkomen en je ware aard is wat me het meest in je aantrekt.
Iedere keer dat ik je op een tegenstrijdigheid betrap, prikkel je een gevoe-
lige vezel in het meest verborgen gebied van mijn hersenen, en dat is niet
goed, en ik wil het niet, maar ik kan het niet helpen. Het is alsof je zonder
opzet een slapend wild beest wakker maakt en hem een flink stuk vlees
voor z'n neus houdt, weet je, of nog erger... Hij keek me op een vreemde manier aan, lacherig en grimmig tegelijk, en ik vroeg hem of hij iets
explicieter kon zijn. Hij dacht een paar minuten na voor hij me een nieuwe kans gaf. Bijvoorbeeld, vervolgde hij ten slotte, denk eens aan zo'n
weerzinwekkende, fascistische, goedkope, seksistische, snobistische en
imperialistische Amerikaanse tv-serie die op een rechtbank of politiebureau speelt. Als daarin een zelfstandige, economisch onafhankelijke self-
made blonde vrouw verschijnt, die er niet van afziet aantrekkelijk te zijn
al leeft ze alleen voor haar werk, en die daardoor, en omdat ze niet zo
sterk is als ze eruitziet, risico's neemt die niet bij een meisje passen... wat
gebeurt er dan uiteindelijk met haar? Ze wordt verkracht, antwoordde ik.
Geslaagd, zei hij goedkeurend, en hij verzekerde me dat de verkrachters
hem ware monsters leken als hij er nuchter over na kon denken. Maar
soms kan ik dat niet, zei hij, en hij verzocht me een poging te doen me in
zijn plaats voor te stellen voor hij verdervroeg, en als ik op een slechte dag

voor de tv zou zitten... wat zou er dan met me gebeuren? Ik zei hem dat ik me er geen voorstelling van durfde te maken, en hij stelde voor een test te doen. A, ik zet de televisie uit, B, in overeenstemming met mijn ideologie, met mijn echte gevoelens en mijn ware normen, krimp ik walgend ineen in mijn stoel, C, ik krijg onherroepelijk een stijve. Krijg je echt een stijve? vroeg ik hem, slap van het lachen, want het maakte me absoluut niet bang wat hij zei, en hij glimlachte naar me terwijl hij toegaf dat dat inderdaad het geval was, en dat als die blonde dame een lekker stuk was, hij zich soms aftrok voor het journaal begon. Ik heb ook een paar huiden extra, Fran, te veel niveaus... Dat vertelde hij me, en ik voelde me veel dichter bij hem staan toen ik hem zo hoorde praten. Nou, nou, zei ik vervolgens, dat is niet slecht, het is zelfs erger dan dat van Lenin...'

'Wat is dat van Lenin?'

'Oh...! Ik dacht dat ik u dat verteld had.' Ik dacht een paar tellen na. Ik had te veel zin om naar huis te gaan om aan zo'n lang verhaal te beginnen. 'Een kinderfantasie. Als kind was ik verliefd op Lenin, het is niet belangrijk, echt niet...'

Ze trok haar wenkbrauwen zo hoog op als ze kon, maar ze wilde niet aandringen, en ik was haar er dankbaar voor.

'Goed,' gaf ze toe, alvorens ze wat ik gezegd had voor me samenvatte, 'toch zou ik graag willen weten wat u voor verband ziet tussen de scepsis waar u in het begin naar verwees en uw... kunt u zich erin vinden als we het seksueel succes noemen?'

'Tja, als u wilt... Al heb ik het nooit beleefd als een eigen succes, maar eerder als een bron van geluk die in wezen niet zoveel met mij te maken heeft, net zoiets als mijn immuunsysteem bijvoorbeeld, dat in me zit maar waar ik niets over te zeggen heb. Daarom is het vast zo vreselijk zo'n lot te accepteren. U weet, je kunt alleen verliezen wat je eerst bezeten hebt, en zoiets was niet voor mij weggelegd. Als ik me ergens mee verzoend had wat mijn toekomstverwachtingen betreft, was het nou juist dát niet te krijgen, weet u. Ik ben niet zoals mijn moeder, en toch heb ik me vaak aanbeden gevoeld, vele nachten... Maar wat me nog het meest verbijsterde van alles was Martín zelf, die een geperfectioneerde kopie van mijn vader leek, die in heel veel dingen zo op hem leek, maar die wat het wezenlijke betreft zo van hem verschilde. Een linkse man, intelligent, beschaafd, ironisch en bekwaam, die desondanks nooit zo tot over zijn oren verliefd had kunnen worden op een aanstellerig verwend kreng, wat voor stuk het ook was. Een briljante man die desondanks mij uitkoos, de lelijke dochter van mijn moeder... Wie zou een dergelijk verhaal geslikt hebben...?'

'Veel mensen,' zei ze. 'Veel mensen die veel lelijker zijn dan u, en veel dommer dan u, en oneindig veel minder gevoelig dan u, zouden in uw plaats denken dat het lot hen nog niet voldoende gecompenseerd heeft voor het verdienstelijke feit dat ze geboren zijn, neemt u dat maar van me aan…' Ze pauzeerde even en sloeg haar blik neer, alsof ze het moe was me recht aan te kijken. 'Al zou ik misschien de werkwoorden moeten corrigeren. U spreekt altijd in de verleden tijd.'

'Echt waar…?' Mijn verbazing was oprecht. 'Nou ja, u weet, dingen veranderen.'

'Ten slechte?'

Ik vervloekte mezelf even omdat ik juist dat gesprek was aangegaan, en ik keerde mijn hersenen een paar keer binnenstebuiten op zoek naar een luchtig antwoord, dat er niet was.

'Dat hangt ervan af hoe je het bekijkt…' Ik was bereid me tot het eind toe te verzetten. 'Misschien zijn ze ten goede veranderd, want nu geloof ik rotsvast in mijn eigen verleden. Plotseling begrijp ik alles. Het is het heden dat weerbarstig is. Maar het is al laat, en ik heb geen zin erover te praten… Het is hoe dan ook grappig, vindt u niet? Ik ben er nooit zeker van geweest dat Martín echt van me hield, en toch twijfelde ik niet aan hem. Nu twijfel ik, maar daarentegen weet ik ook hoeveel hij van me gehouden heeft al die jaren…'

Zij zei niets, en ik stond in stilte op, mezelf dwingend een kalmte te tonen die werd weersproken door mijn onbesuisde gestuntel. Toen ik naar voren boog om de hand te schudden die ze me vanaf de andere kant van de tafel toestak, gooide ik met mijn tasje een glas vol pennen om die zich over het hele tafelblad verspreidden en ik voelde me ellendiger dan ooit, alsof mijn leven daadwerkelijk gevaar liep in die smalle, kille, zo schokkend onpersoonlijke kamer. De overgang van de vreemde lucht die ik de afgelopen twee uur had ingeademd naar de atmosfeer in de taxi die me naar huis bracht was bijna te groot, maar ik was dankbaar voor de wolk van warmte die de ramen deed beslaan, zoals je dankbaar bent voor het zachte kneepje van een oma, en ik waardeerde de viezige aanraking van de plastic bekleding die op meerdere plaatsen gescheurd was, en zelfs het gezelschap van de franje die een soort kleine baldakijn van roodachtig fluweel omzoomde die de bovenkant van de voorruit bedekte, en die onophoudelijk bewoog, zodat de kleine belletjes een gekmakend lied ten gehore brachten zonder enig ritme, pure herrie zonder begin en zonder eind.

De taxi hield stil voor het portiek van mijn huis en, voor ik betaalde, keek ik omhoog. Ik zag geen licht branden in de woonkamer. Jaren geleden zou ik precies geweten hebben waar Martín op dit moment was, maar hij vertelde me zijn plannen niet meer bij het ontbijt, en hoewel ik op de vervelendste momenten, vooral wanneer hij me liet schrikken omdat hij zo laat thuiskwam, of wanneer hij helemaal niet thuiskwam, geprobeerd had mezelf te rechtvaardigen door me voor te houden dat ik bang was om het te weten, is de waarheid dat ik bijna altijd vergat hem te vragen wat zijn plannen waren voor die dag. Het ergste van alles was dat ik hem vaak, in een gemoedstoestand die leek op hoe ik me voelde toen ik uit die taxi stapte, liever niet tegenkwam boven, omdat ik zo wanhopig naar hem verlangde en daarom mijn eigen stilte niet kon verdragen, de vormelijk beleefde begroeting die van mijn lippen zou opwellen als reactie op zijn kortaffe, formele welkom. Ik wist niet meer hoe ik hem moest kussen, ik wist niet hoe ik hem klem moest zetten in een hoek van de gang, ik wist niet hoe ik aan hem moest gaan hangen, zoals ik vroeger altijd deed. En toch hield ik van hem, verlangde ik wanhopig naar hem, en ik voelde me alsof ik vanbinnen dood was, verrot.

Ik hoorde Sjostakovitsj al vanaf de andere kant van de geblindeerde deur, maar in het huis waar ik binnenging was het donker. Ik liep op de tast tussen de meubels door, als iemand die nog maar net blind is, in de richting van het metaalschijnsel dat aan het einde van de woonkamer schemerde, terwijl ik mezelf eraan herinnerde dat de muziekinstallatie het niet uit zichzelf deed. Midden in de kamer, tegenover het grote raam dat voldoende was geweest om ons ervan te overtuigen dat als we dit appartement niet onmiddellijk kochten we het onszelf nooit zouden kunnen vergeven – Las Vistillas, vreselijk, zo lawaaierig… en waar gaan jullie parkeren? zeiden onze beide vaders, onze beide moeders in koor – keek Martín vanuit zijn favoriete leunstoel naar de nachtelijke stad, met de hooghartige gezichtsuitdrukking van een verzamelaar die helemaal opgaat in zijn fraaiste miniatuur. Madrid ontstak zijn lichten alleen voor hem, ramen, neonlampen, lantaarns als lichtkomma's die de horizon beter deden uitkomen, bescheiden en toch gewaagde nuances in de grandioze rode schittering van de avondschemering, een schouwspel dat we geen van beiden ooit hebben kunnen weerstaan.

'Ha,' groette hij me zonder achterom te kijken. Hij heeft het geluid van mijn voetstappen altijd herkend, hij onderscheidt ze van het geluid van alle andere.

Ik zei niets, maar ik reageerde door het allerkleinste lichtje te ontsteken, een knijplampje dat op een plank van de boekenkast zat. Daarna, zonder precies te weten wat ik vervolgens zou doen, liep ik in de richting van het terras, de stoel ontwijkend voor ik me een seconde later omdraaide en pal voor hem bleef staan. Toen, alsof ik ook niet meer wist hoe ik hem aan moest kijken, deed ik mijn ogen dicht.

Hij kon mijn ogen lezen, dat had hij altijd gekund, en toch, toen ik de hand pakte die hij naar me uitstrekte, durfde ik me zijn bedoelingen niet voor te stellen.

'Ha...' zei ik alleen maar, en er gingen een paar seconden voorbij voor ik mijn ogen weer open durfde te doen. Even later, al op zijn knieën gezeten, mijn dubbelgevouwen benen als een lijst om zijn bovenbenen, mijn hoofd op een paar millimeter van het zijne, probeerde ik me te herinneren hoe lang het geleden was dat we voor het laatst in die houding verstrengeld hadden gezeten die aanvankelijk zo gewoon was, en ik wist het niet eens bij benadering. Maar hij las nog steeds in mijn ogen, hij kon me nog altijd ontcijferen zonder vragen te hoeven stellen. Zijn handen verdwenen onder mijn rok en ik kuste hem, en hij kuste me woest terug, het scherpe randje van zijn tanden de voorbode van een ouderwets en gedenkwaardig intens ceremonieel. Zijn vingers deden razendsnel hun werk. Mijn kleding deed geen poging weerstand te bieden en ik al evenmin, mijn armen lieten zich sterven met de bewonderenswaardige discipline van de beste soldaten en hingen, levenloos, aan weerszijden van mijn heupen. Zo moest het zijn. Ik wist heel goed wat hij lekker vond, en hij wist wat ik lekker vond, ik was me er altijd over blijven verbazen hoe twee zulke grillige stukken zo naadloos in elkaar konden passen. Toen hij bij me binnendrong, in één keer, brulde ik van genot, maar het lukte me niet hem te zeggen dat ik van hem hield, en ik deed mijn ogen dicht om me te concentreren op de instructies die mijn middel kreeg. Zijn handen regeerden mijn lichaam vanuit het middelpunt, zijn vingers verzonken een klein stukje in mijn vlees alsof ze een rij geheime toetsen beroerden, de cijfers van een code die ik heel goed kende, en moeiteloos speelde ik de partituur van zijn wil terwijl de gedweeë maar hoge golven van het verrukkelijke en gruwelijke niets uit betere tijden me geleidelijk overstroomden tot ze me volledig hadden weggevaagd, me het besef dat ik ik was hadden ontnomen, en toch, en ondanks het feit dat ik nog steeds kon versmelten tot zuivere emotie, kwamen er geen tranen in mijn ogen terwijl de woorden bleven steken op de grens van mijn geopende lippen, ik ben niets zonder jou, en zonder jou heb ik geen vader, en heb ik geen moeder, en heb ik geen god...

Na afloop lukte het me ook niet te zeggen dat ik van hem hield. Ik nestelde me opgerold tegen hem aan als een moe, voldaan meisje, en ik streelde zijn hoofd terwijl hij het in mijn hals verborg, met zijn neus de contouren van mijn sleutelbeen volgend, daarna de lijn van mijn schouder, uiteindelijk verzinkend in mijn oksel. Op dat moment doorstroomde me een vreemd vredig gevoel, bijna een symptoom van geluk, want ook dat was een heel oud, intens ritueel, ook een detail dat getuigde van slechte smaak, ook al een schandelijk geheim dat we deelden. Toen we nog niet in staat waren ons als vanzelf naar elkaar te voegen om in hetzelfde bed te slapen, smeekte Martín me geen geurtjes meer te gebruiken omdat hij mijn lichaamsgeur verre prefereerde, en ik deed wat hij vroeg. Vanochtend heb ik om halfacht gedoucht, bedacht ik, en ik moest lachen. Ik stond op het punt het hardop te zeggen toen hij me voor was.

'Je ruikt heerlijk,' zei hij tegen me, 'maar je komt niet van de sportschool.'

8

'Verrassing!'

Mijn moeder, want die fenomenale Chanel-imitatie – grof wollen weefsel met ruiten in dakpantinten, een hele verzameling strikt overbodige zakken en vergulde knopen, en drie metalen kettingen die aan de uiteinden samenkwamen en bij wijze van ceintuur over haar buik hingen – kon alleen maar mijn moeder toebehoren, stond voor de deur, verscholen achter een enorme gekookte spinkrab die ze met beide handen ter hoogte van haar gezicht hield.

'Mama?' vroeg ik alleen maar om een goede indruk te maken, want ik kende verder ook niemand die het in zijn hoofd zou halen ergens onverwacht te komen aanzetten met een spinkrab in zijn armen.

'Natuurlijk ben ik mama!' Ze overhandigde me abrupt het schaaldier, dat al een paar druppels op haar schoenen had laten vallen, alvorens zich op me te storten om een reeks van zes of zeven achtereenvolgende kussen op iedere wang te drukken. 'Ana Luisa, kindje, wat zie je er slecht uit! Je werkt te hard, hoor. Kom, laten we naar binnen gaan, want dat beest maakt je ontoonbaar… Weet je, gisteravond belde tante Merche en die zei tegen me, moet je horen María Luisa, ik heb Miguel zover gekregen dat hij me morgen naar Alcampo brengt… heb je zin om mee te gaan? En eerst zei ik natuurlijk, nou ik weet het niet, Merche, wat zal ik zeggen, want om nou zomaar naar Alcampo te gaan om de tijd te verdrijven, zonder iets nodig te hebben… Even wachten, Ana, je gaat die spinkrab toch niet in de vriezer leggen, hè?'

Ze was me naar de keuken gevolgd terwijl ze als een kip zonder kop doorratelde, en nam zelfs niet even de tijd haar jas uit te trekken of haar tasje in de woonkamer te zetten. Zoals in haar beste tijden, schoot het door me heen toen ik haar wat rustiger kon bekijken, de spinkrab uiteindelijk onder in de koelkast en zij staand naast de deur terwijl ze met de gehandschoende vingers van haar rechterhand aan de zwartleren handschoen aan haar linkerhand plukte, die eeuwige gebaren à la Audrey Hepburn die zich altijd zo slecht lieten combineren met de ruim tachtig kilo die haar honderdzeventig centimeter lichaamslengte bedekken. Massief als een kariatide, mijn moeder, en heel mooi, zoals alle grote zoogdieren mooi zijn, maar nog niet in staat haar jeugdige repertoire op te geven, de aanstellerige verzameling poses die ze avond aan avond voor de spiegel had geoefend en die uiteindelijk een van de sterren van de Calle Cardenal Cisneros van haar zouden maken. 'Sabrina' noemde iedereen haar, en niet altijd met evenveel vertedering als spot, toen mijn vader haar leerde kennen.

'Ik weet niet zo goed wat ik ermee moet, mama...' We hadden het nog steeds over de spinkrab. 'Neem je hem straks weer mee?'

'Nee! Ik heb hem meegebracht om samen met jou op te eten... Als je dat goed vindt, natuurlijk.'

'Wat leuk' – ik liep naar haar toe om haar een kus te geven, en zij sloeg haar armen om me heen en zo bleven we een paar minuten staan, een beetje heen en weer wiegend, als toen ik klein was – 'wat een goed idee. Ik maak een salade, we trekken een fles wijn open, en klaar is Kees...'

'Mooi zo' – ze knikte instemmend – 'ik zal je helpen.'

Terwijl ze eindelijk besloot zich te ontdoen van haar handschoenen, haar tasje, haar kettingen en andere obstakels, ging ze verder met het verhaal over die middag op het punt waar ze het eerder onderbroken had, zonder ook maar over één lettergreep te struikelen en bij voorbaat afziend van een formule die haar zou kunnen helpen de draad als vanzelfsprekend weer op te pakken. In werkelijkheid had ze die namelijk stevig vastgehouden, een grillige conversatie voeren is namelijk een van haar grote specialiteiten.

'Want je weet hoe mijn zus Merche is, lastiger dan drie zieke kinderen, en het mooiste is nog dat zij ook niets speciaals hoefde te kopen, hoor, maar het was hetzelfde liedje als altijd, of ik dan soms iets beters te doen had, dat het toch altijd reuzegezellig was geweest als we samen gingen winkelen, dat ik toch weet dat ze zich in haar eentje ontzettend verveelt, dat als ik niet zou gaan, zij uiteindelijk ook thuis zou blijven... Afijn, tegen ouwere zussen is geen kruid gewassen, dus uiteindelijk ben ik met haar meegegaan naar Alcampo en eerlijk is eerlijk, het was gezellig, waarom zou ik daarover liegen. Ik heb wel m'n creditcard thuisgelaten, want op dat soort plekken heb je voor je het weet je bankrekening leeggeplunderd, maar het geld dat ik bij me had is er allemaal doorheen gegaan, dat geef ik eerlijk toe, en aan een paar onbenulligheden, echt, een plastic kan waar je kartonnen drinkpakken in kan zetten, dat lijkt onzin maar het is een erg goed idee, ik snap niet waarom ze dat niet eerder hebben uitgevonden, een slacentrifuge, want de mijne was een beetje schimmelig en begon zelfs vies te ruiken, een potje om knoflook in te pletten, waarvan ik niet weet of ik het eigenlijk wel zal gebruiken maar het was zo schattig, een bijna bruine lippenstift die prachtig staat bij wat ik nu aanheb, en afijn, nog iets, maar dat ben ik even vergeten... Voor de kleinkinderen heb ik niets gekocht, aangezien ik altijd op m'n kop krijg van jullie... Zo. Zal ik dit schort nemen?' Ik knikte. 'Geef mij die wortel maar, die rasp ik wel... En je weet hoe lastig je neef Miguel is, eerlijk gezegd is het een schatje hoor, kindje, erg aardig, heel behulpzaam en zo, en hij rijdt zijn moeder de hele dag van hot naar her, maar hij levert haar altijd overal te laat af, want ik kan me niet heugen dat hij ooit op tijd is gekomen, verre van zelfs, echt... Nou, dus toen we al een kwartier stonden te wachten zei ik tegen m'n zus, weet je wat, Merche? Ik ga naar de viswinkel om een van die lekkere spinkrabben te kopen die we daarstraks hebben gezien, en daar ga ik mee naar mijn dochter Ana, want die is er gek op, en dan nemen we het er samen eens goed van, dat doe ik. Ik had er niet eerder langs durven gaan omdat zij niet anders deed dan me opjagen, kun je het je voorstellen? dat we moesten opschieten, dat ze met Miguel bij de ingang had afgesproken zodat hij de auto niet in de parkeergarage hoefde te zetten, dat ze dit en dat ze dat, er kwam geen eind aan, en uiteindelijk kon ik nog tien minuten wachten met mijn tasjes in de hand, nou jij weer...'

Het overhaaste, maar springlevende geluid van de woorden die gejaagd ontsnapten aan mijn moeders lippen om elkaar in de lucht in allerijl achterna te zitten, drong in mijn oren door als de zoete herinnering aan een wiegeliedje, een Sesam-open-u waar ik stom genoeg niet op bedacht was, de meest doorzichtige code van mijn geheugen, en terwijl ik me liet wiegen op het onstuimige ritme van die stem, was ik uit de grond van mijn hart blij dat ze bij me was, in de keuken. Dat enigszins op hol geslagen betoog, al die bijna pesterige suggesties, aan elkaar geregen op een unieke, authentieke toon, even zuiver en achteloos egocentrisch als, uiteindelijk, onschuldig, amuseerde me oprecht, en daarom, en om de lichte ontgoocheling te verhullen die mogelijk om mijn lippen had gespeeld toen ik haar voor de deur had zien staan precies op het moment dat ik mezelf eens een ongezond avondje zappen cadeau wilde doen, met chocoladekoekjes en verse, in de magnetron gemaakte popcorn, legde ik een schoon, linnen kleed op de keukentafel en deed een beroep op de verzamelingen in het buffet in de woonkamer, het servies van La Cartuja en de geslepen glazen die ze me zelf cadeau had gedaan. Ik weet heel goed hoezeer ze dat soort details waardeert en, inderdaad, ik ben gek op spinkrabben, dus we hadden een heleboel te vieren.

'Santjes.' Mijn moeder hief haar glas, nog voor ze een hap genomen had. Ze is altijd verzot geweest op proosten, maar haar genoegen gaat niet verder dan het omhoogbrengen van haar arm en het geluid van het glas als het tegen een ander glas tikt.

'Laten we proosten op Amanda,' stelde ik daarentegen voor.

'Nee.' Ze corrigeerde me onmiddellijk. 'Beter op Amanda en jou.'

'Oké... Op ons drieën dan, goed?' Ze knikte en ik zei wat ze het liefst wilde horen. 'Santjes.'

'Santjes,' antwoordde ze glimlachend, terwijl haar glas in mijn richting kwam, en eindelijk, alsof de wijn haar kracht gaf, vroeg ze me wat ze me altijd wil vragen. 'Ana Luisa, liefje, gaat het wel goed met je?'

'Ja, mama.'

'Echt waar, kindje?'

'Echt waar, mama...'

Oom Arsenio stierf 's morgens heel vroeg, in tweeërlei opzicht op het verkeerde moment, want de buurvrouw die zijn huis schoonhield ontdekte hem pas drie of vier uur na het ultieme verraad van zijn longen, en omdat je halverwege april niet bedacht bent op de rijp die zijn laatste adem tot zich nam terwijl hij de velden besuikerde alsof het versgebakken koekjes waren. Ik heb hem nooit gekend, en ik heb zelden een foto van hem gezien – een vierkante man, klein, breed en met een alpino op, de perfecte boerenpummel gekleed in donker ribfluweel – maar ik gedenk hem met een zekere macabere tederheid, juist omdat hij zo trefzeker op het verkeerde moment stierf, om precies te zijn op een donderdag. Op donderdag hoefde Félix pas om vier uur les te geven, en mijn jongste zusje, Paula, de enige die bij mij op school zat, begon een uur eerder dan ik, dus niemand miste me die bedrieglijke lenteochtend, de zon helder en hoog aan de hemel maar niet in staat iets te beginnen tegen de snijdende kou waarmee de wind je vanachter iedere hoek verraderlijk bestookte, als een voorbode van de onmiddellijk daaropvolgende, beslissende paradox, de verwondering die me even deed verstijven aan de rand van het lot dat ik mezelf had toebedeeld, de verbazing die mijn ogen deed bevriezen bij de aanblik van de ware gevolgen. Félix, die me om die tijd niet kon verwachten, had alleen zijn pyjamabroek aan en gedroeg zich opnieuw alsof hij bang voor me was, maar zijn huid wasemde iets ondefinieerbaars uit, het onzichtbare stempel van de recente slaap ontspande zijn schouders, zijn armen, de spanning van zijn geopende oogleden, een verschrikkelijke indolentie, even onontwarbaar als dat grote bed, de lakens omgewoeld en nog warm, waar hij me bijna als terloops naar toe leidde, gewoon door voor me uit te lopen. Het was niet de eerste keer, maar de eerste keer was alles veel gemakkelijker geweest.

De laatste vrijdag van maart, na afloop van de laatste les. Het was het begin van de paasvakantie en toen ik buiten kwam stond hij al met mijn vrienden te discussiëren over naar welk café we eerst zouden gaan om het te vieren. Hij was niet eens de enige docent van het groepje, die van gymnastiek was er ook bij, een jonge lesbienne die er helemaal bij hoorde, en die van filosofie, een vrijgezel van rond de vijftig die naar mijn smaak de lolbroek uit wilde hangen, hoewel de anderen hem onweerstaanbaar aardig vonden. Het leek allemaal zo gewoon dat ik me aanvankelijk zelfs een beetje ergerde, want Larrea, ingesloten door een onverbiddelijk koor van bewonderaarsters dat hij niet van plan leek te verdrijven, negeerde me volkomen. Terwijl we de Plaza Mayor overliepen, waar het wemelde van losgeslagen groepjes als het onze, kreeg ik verschrikkelijk veel zin om naar huis te gaan, maar uiteindelijk besloot ik met mijn hand over mijn hart te strijken en mijn vermeende, nog altijd uitzonderlijk onwillige bewonderaar het uitstel van het laatste typische kroegje te gunnen. In ernstige mate ten prooi aan een hartstocht die de slachtoffers nooit onder woorden kunnen brengen, had ik er wanhopig behoefte aan dat mijn tekendocent zou toegeven aan het verlangen dat mijns ondanks was ontstaan en dat vervolgens was toegenomen in de schommelbewegingen van een spel dat minder onschuldig was dan ik nog bereid was te erkennen. Maar het vermoeden dat dat gevoel, hoe complex het ook leek, een simpele uiting van mijn eigen ijdelheid was, deed het speeksel niet terugkeren naar mijn mond en de kalmte niet naar mijn geest. De vingers van Larrea, die onder mijn rokje omhoogkropen om me te laten merken dat hij niet toevallig naast me was komen zitten, deden echter in een oogwenk ieder spoor van eerdere helderheid als sneeuw voor de zon verdwijnen.

We bestelden gebakken bloedworstjes, tortilla, gegrilde chorizo en zelfs een groene salade – typisch aanstellerij van Sonia Cuesta, de oudste, jongste en kwijnendste van de aanbidsters van mijn toekomstige echtgenoot, een zielig meisje dat vasten hardnekkig met spiritualiteit verwarde en zich nooit een kans liet ontnemen dat te bewijzen – maar zelfs al was ik in een van de naar ik mij herinner minst spirituele fases van mijn leven, ik at bijna niks. Ik dronk daarentegen ontzettend veel, van het bier op de wijn overspringend om na de koffie uiteindelijk te eindigen met een pacharán, en als mijn voeten zich al niet, zonder me te waarschuwen, hadden begeven op de moeilijk begaanbare wegen van een veel en veel mysterieuzer labyrint, zou ik niet in staat zijn geweest precies te bepalen in welke effectieve, onbekende en onuitputtelijke holte van mijn lichaam zich al die drank ophoopte die mijn spijsverteringsorganen tevergeefs doorliep, even passief, even neutraal alsof het water was. Félix dronk evenveel als ik, maar niemand zou dat hebben durven concluderen uit de toon waarop hij al doende een heel geïmproviseerd betoog aan elkaar reeg, dat niet zozeer bedoeld was om indruk te maken op de tafelgenote rechts van hem, wie anders dan de eeuwig spirituele Sonia Cuesta in hoogsteigen persoon, als wel om de aandacht van alle anderen nou juist op haar gericht te zien. Ondertussen boekte zijn linkerhand, vrij van mandekking, ongewone voortgang onder de tafel.

'Sonia nam de achternaam Delaunay aan toen ze met Robert trouwde, en niet lang daarna kwamen ze naar Spanje…' Verdiept in de opgave zijn ondergrondse betoog te ontcijferen, luisterde ik naar hem met dezelfde, minimale dosis interesse als het tikken van de regen achter de ramen waard is. 'Allicht hadden ze hier behoorlijk wat invloed, want ze zochten onmiddellijk contact met een aantal tijdschriften van de avant-garde…' – zijn vingers, die zich tot dan toe beperkt hadden tot het beschrijven van heel lichte, bijna oppervlakkig liefkozende cirkels, bijna op goed geluk ronddwalend rond mijn knie, nauwelijks hoger, overbrugden eensklaps een beslissende afstand en installeerden zich op het befaamde podium dat een paar weken daarvoor onderdak had geboden aan de tweede fase van de derde Carlistische oorlog – 'en ze werkten vooral samen met het tijdschrift *Ultra*, de spreekbuis van de *ultraïstische* dichters. Ramón Gómez de la Serna, die hen heel goed kende, noemt hen…' – zijn hele hand, met gespreide vingers, beschreef nu de ene na de andere cirkel op de binnenkant van mijn rechterbovenbeen en bracht onmiddellijke beroering teweeg, een vloedgolf koortsachtig bloed, een vorm van warmte die ik niet kende en die desondanks voldoende was om me een heftig, acuut schuldgevoel te bezorgen – 'hij wijdt zelfs een hoofdstuk aan ze in *Ismes*…'

'Wat…?'

Ik was zelf nog het meest verrast door die onwillekeurige vraag die zonder toestemming uit mijn mond was opgeweld, alsof mijn lichaam, dat zijn maximumverzadiging bijna bereikt meende te hebben, geen andere uitlaatklep had gevonden om de druk te verminderen. Als dat zo was, vergisten mijn lichaam en ik ons schromelijk, want, hoewel Félix me eindelijk aankeek, glimlachend met zijn lippen, zijn ogen, zijn wenkbrauwen, zijn hele gelaat verlicht door een eruptie van gelukzaligheid die hem een eigenaardige gezichtsuitdrukking gaf, iets tussen gezonde en bijzonder ongezonde opgetogenheid in, veranderde zijn hand abrupt haar bedoelingen en sloot zich om mijn bovenbeen om met de onverbiddelijke precisie van de schalen van een schelpdier een portie vlees in te sluiten.

'We hadden het over de Delaunays,' verwaardigde Sonia zich ondertussen mij uit te leggen, een verbitterd trekje rond haar mondhoeken dat uiting gaf aan haar mateloze ergernis, 'dat schildersechtpaar uit de jaren dertig, ik weet niet of je weleens van ze gehoord hebt…'

'Ahhh…' was het maximale dat ik kon uitbrengen zonder de belangen van die hand te verraden die de toegebrachte schade al herstelde en nu voorzichtig en met haar vingertoppen dezelfde huid streelde waar ze zich nog geen minuut eerder in vast had geklauwd.

'Waar was je gebleven, Félix?' drong Sonia aan, met dat stemmetje van een lammetje dat dolgraag naar de slachtbank geleid wil worden dat ze bewaarde voor speciale gelegenheden. 'Het leek me erg interessant…'

'Ja, dat Gómez de la Serna een van de hoofdstukken in zijn boek over ismes aan hen wijdt…' – het onvoorziene trio, veroorzaakt door mijn interruptie, viel met het grootste gemak weer uiteen in de twee semiduo's die zich vanaf het begin gevormd hadden, één publiekelijke, die bestond uit Sonia in haar geheel en een goed deel van de spreker… – 'waarin hij hun stijl, meer in concreto, als ik me goed herinner, omschrijft als simultaneïsme, vanwege de gretigheid een moment vast te leggen, de dingen te schilderen op het moment dat ze gebeuren, handelingen weer te geven die ogenschijnlijk geen onderling verband hebben maar die in werkelijkheid tegelijkertijd plaatsvinden… Dat is een mooie benaming, hè?' – en daarnaast een privé-duo, dat de linkerhand van een man van wie de woorden die gedisciplineerd uit zijn mond rolden hem een zorg zouden wezen, verbond met de onderste helft van mijn lichaam. 'Ik hou daar ook erg van, al die verbeeldingen van snelheid, de Eiffeltoren die op het punt staat in te storten…'

Zijn conversatie verloor geleidelijk de intensiteit die zich als een lekkende wolk zwaar gas concentreerde in de smalle ruimte tussen onze hoofden, onze bijna verenigde rompen, een paar schamele centimeters geëlektriseerde lucht die zich bij de eerste de beste gelegenheid zou ontladen in één grote vonk, een gevaar dat nooit werkelijkheid werd want mijn verbeelding had even nodig om de gebeurtenissen tot zich door te laten dringen, en ik zat alleen maar heel rustig, heel rechtop, heel stil, terwijl Larrea nu definitief niet meer te houden was, het zijaanzicht van zijn kaak vertrokken van de spanning en zijn vingers onbeheerst, door het dolle heen, als vertegenwoordigers van een grenzeloze moed, een aanstekelijke hartstocht, want toen ik uiteindelijk zijn hand, die op het punt had gestaan een half dozijn keer zijn vingers te verrekken voor ze uiteindelijk de koppige weerstand van de tailleband van mijn panty brak, tegen mijn vlees voelde, zijn middelvinger die even in mijn navel verdween voor hij zijn weg vervolgde, slaagde ik er niet in enige weerstand te bieden. Ik had hem ter herinnering kunnen influisteren dat er een soort stilzwijgend pact tussen ons bestond dat zijn exhibitionistische drift op het punt stond te schenden, ik had hem kunnen waarschuwen dat als zijn aanval zich nog maar een millimeter zou uitbreiden, ik abrupt zou opstaan en zonder uitleg te geven zou vertrekken, en uiteraard had ik het uitstapje van zijn hand kunnen onderbreken met mijn eigen handen door het meest directe, snelste en efficiëntste van de middelen die me ter beschikking stonden toe te passen, dat simpelweg bestond uit het grijpen van zijn arm en die omhoogtrekken, dat had ik allemaal kunnen doen, maar ik was niet eens in staat niets te doen, want toen alle alarmbellen begonnen te rinkelen, werd de leegte die het product was van de angst, een diepe, smalle put die de onrust midden in mijn lijf had geslagen, in één klap gevuld door een behaaglijk gevoel, en de warmte keerde terug, weldadiger dan daarvoor, ontwapend inmiddels, als een ongevaarlijk geheim, en ik voelde me lekker, ik was niet dronken, ik was niet gek geworden, ik leed niet aan hallucinaties, en toch, als exclusief, favoriet slachtoffer van mezelf, verborg ik mijn rechterarm onder de tafel, verkende met mijn vingers de exacte positie van Larrea's spijkerbroek, en in het niets starend, terwijl mijn lippen als vanzelf glimlachten, uit pure zwakte, legde ik mijn hand op zijn geslacht en omvatte met mijn vingers een wortel die onmiskenbaar strakgespannen stond, een mysterie dat zichzelf tot in het oneindige kon voeden, of een forse jongen, dat zei ik toen bij mezelf, met de grootspraak van hen die nog maar nauwelijks geleerd hebben hoe je de dingen leert. Misschien was het om die reden allemaal zo makkelijk, die keer.

Larrea's hand trok zich abrupt terug toen haar eigenaar hardop aankondigde dat het al erg laat was en dat we maar eens naar huis moesten, en terwijl de besten van de klas de rekening uit hun hoofd omsloegen, plantte ik ook allebei mijn ellebogen op tafel en rommelde een tijdje in mijn tas op zoek naar mijn portemonnee. Op dat moment had ik er geen idee van wat er verder zou gaan gebeuren, maar het kon me ook niet schelen, en ik had nog niet eens tijd gehad stil te staan bij de meest directe mogelijkheden, of liever gezegd, bij de meest directe consequenties van elk daarvan, toen er een lege taxi naast ons stopte en mijn docent tekenen, die opgewekt afscheid nam van een groepje leerlingen, me terloops een lift aanbood, op bijna onverschillige toon, bijna verdacht beleefd.

'Als je wilt zet ik je thuis af, Ana, dat ligt voor mij toch op de route…'

Ik neem aan dat we langs mijn straat zijn gereden, misschien zijn we er zelfs deels doorheen gereden, maar dat drong niet tot me door, want zodra de taxi een paar meter op weg was, draaide Félix zich als een gekooid wild beest op de bank om, stortte zich boven op me, en ten prooi aan een soort grenzeloze lust, leek hij van plan met één enkele mond en twee gewone handen het grootst mogelijke aantal hulpbronnen van mijn lichaam tegelijkertijd te verkennen. Toen we bij zijn huis kwamen, was ik zo opgewonden dat ik nauwelijks nog via mijn neus kon ademhalen. De rest ging voornamelijk makkelijk, en bovendien abrupt, soepel en tamelijk snel, maar mijn enige eerdere ervaring had bestaan uit een op het allerlaatste moment geïmproviseerde vrijpartij met een vriend van het vriendje van mijn vriendin Mercedes, een behoorlijk knappe en erg grappige jongen die bij verrassing om twee uur 's nachts verscheen op een oudjaarsfeestje waarop ik me tot dat moment eerlijk gezegd behoorlijk verveelde. Het was een betreurenswaardige, onbegrijpelijke en verpletterende vergissing, maar hoewel het als rechtvaardiging niet veel intelligenter is, de waarheid is dat ik het meer dan zat was de enige maagd uit mijn vriendenclub te zijn, en op dat moment had ik er niet eens spijt van. Drie maanden daarna had mijn docent tekenen onschatbaar profijt van niet alleen de onhandigheid van mijn eerste minnaar, maar ook, en vooral, van de banaliteit van de begeerte die me in zijn armen dreef, want ik was het jaar begonnen als een voldaan mens, tevreden in het algemeen en verlangend het aan mijn vriendinnen te vertellen, maar het speeksel ontvluchtte mijn mond toen ik uit het bed sprong dat Larrea, lui, weigerde te verlaten terwijl ik me aankleedde, en het heroverde mijn verhemelte niet eens na de laatste afscheidskus. De paasvakantie was een hel.

Inmiddels denk ik dat het niet echt liefde was, ik neem aan dat het geen liefde was, al laveerde het nog zo onverschrokken langs de rand ervan, maar ik kende geen ander woord om het te benoemen, om die eeuwige dorst mee aan te duiden, de slagen van de grillige knoop die mijn longen plotseling van de buitenlucht afsloot, de onverklaarbare gewaarwording van mijn huid als een vreemde huls of het tegenovergestelde, een plotselinge overgevoeligheid die zonder waarschuwing vooraf geactiveerd werd zodat de lichtste aanraking me ineen deed krimpen van pijn, tekenen van heel intense en tegelijkertijd heel steriele dagen, nachten die bevolkt werden door ongrijpbare, vrijpostige spoken, beklemmend slapeloze, waakzame nachten… Misschien was het niet echt liefde, maar het was veel meer dan een bevlieging, meer dan een verblindend nieuwtje, al heeft iets nieuws me sindsdien nooit meer zo verblind, en eindeloos veel meer dan een aanval van ongedurigheid. De begeerte had volledig bezit van me genomen, ze maakte zich meester van mijn fundamenten, van mijn plannen, van mijn ambitie, ze groeide tussen mijn wanden als een vraatzuchtige parasiet, een gigantische rups die in staat was alles kaal te vreten, alles te verslinden, alles te bezetten en nog meer te eisen, al had ik niets meer om hem mee te voeden. De eerste dag na de vakantie, toen ik uit school kwam, voelde ik me lichamelijk ziek, ik was een beetje misselijk en heel bleek, uitgeput zonder enige reden, in de war. Mijn moeder, die de thermometer ging halen zodra ze m'n gezicht zag, stuurde me naar bed zonder zelfs maar een plak ham te suggereren om te eten, en daar, in de povere intimiteit van de slaapkamer die ik met mijn twee zussen deelde, barstte ik, terwijl ik mijn hoofd onder het laken stopte in een vergeefse poging mijn oren af te sluiten voor de verre herkenningstune van het tv-journaal, in huilen uit, en ik huilde tot ik overmand werd door een slaap die puur het gevolg was van uitputting. Een paar uur later werd ik wakker met nieuwe hoop en een verbazingwekkende eetlust, want al met al beperkte mijn leed zich tot het feit dat ik Larrea niet gezien had die ochtend, en plotseling leek dat detail me minder ernstig dan de mogelijkheid dat hij me zou zien en niet wilde herkennen, een hypothese die ik nog niet eerder overwogen had en die me in het ongewisse liet tot dinsdagmiddag, toen de ondubbelzinnige, samenzweerderige glimlach die hij me vanaf de overloop van de eerste verdieping schonk terwijl ik door de hal liep, de bloedkristallen die zich aaneen hadden geregen in mijn aderen deed ontdooien en mijn gepijnigde lichaam weer enigszins op temperatuur bracht. Op woensdag, tijdens de tekenles, keek hij naar me met de hechte en wat nostalgische genegenheid van een minnaar die met genoegen de deugdelijkheid van zijn herinnering bevestigd ziet, maar de bel ging tien minuten voor tijd en hij moest wegrennen omdat er een docentenvergadering was. Op donderdag daarentegen, 's morgens heel vroeg, stierf oom Arsenio precies op tijd om mij een paar uur van het ware leven te schenken.

Zeggen dat mijn ouders hem gingen begraven zou wat veel gezegd zijn. Eigenlijk gingen ze kijken wat er aan de hand was, en niet zozeer uit nieuwsgierigheid als wel vanwege dat plots opwellende verantwoordelijkheidsgevoel dat gedurende een paar dagen het geweten teistert van mensen die onderweg een familielid verloren zijn zonder dat ze echt begrijpen waarom. Mijn vader, die geen spier vertrok toen hij naar de spaarzame informatie luisterde – 'ach, je weet hè jongen, die late vorst, dat is funest…' – die de buurvrouw van de enige nog levende broer van zijn eigen vader hem wilde verstrekken, reageerde met een verbazende mengeling van traagheid en verwondering, en beperkte zich tot het stuiten van de stortvloed vragen van mijn moeder met eenlettergrepige woorden en af en toe wat gegrom, terwijl hij nog kalmer dan gebruikelijk ontbeet. Ondanks zijn afwezige gedrag veranderde de keukentafel van het ene op het andere ogenblik in het centrum van een voorspelbare wanorde, mijn broer en zussen wilden allemaal tegelijk alles weten over het werkelijke fortuin van die oudoom die zo veel land had gekocht, ze speculeerden over wat er in het testament zou staan en boden mijn ouders aan met hen mee te gaan, waar ze ook naar toe moesten. Te midden van die chaos viel mijn vaders oog op mij terwijl ik volkomen in beslag werd genomen door mijn gedachten, als een gevangene die de mogelijkheid voorvoelt om te ontsnappen, en ik weet niet of hij mijn zwijgen als een teken van eerbied opvatte, maar hij zei niets. Uiteindelijk besloten ze de oudsten mee te nemen, die lessen mochten missen want daarvoor zaten ze al op de universiteit, en Paula – die woest en verontwaardigd was en zich bitter beklaagde over zulke overduidelijke discriminatie – bij school af te zetten, want dat lag bijna op de route. Toen ik alleen thuis achterbleef, om halfnegen 's ochtends, gunde ik mezelf niet eens een moment van verbijstering. Terwijl ik douchte, mijn gezicht waste, in allerijl m'n haar deed en me op z'n zondags kleedde, met hakken, ondanks het vroege uur, drong het nauwelijks tot me door dat Félix mijn verstand tot en met het laatste gaatje in beslag had genomen, evenals alle energie van mijn wil. En ik aarzelde niet toen ik het portiek uitliep in de tegenovergestelde richting als die ik iedere dag nam, en ook niet toen ik de zijstraat insloeg waar zijn studio aan lag, mijn hand trilde niet toen ik op de bel drukte, en mijn stem al evenmin toen ik het verhaal afstak dat ik onderweg had voorbereid – een bloemrijke uiteenzetting die hij staand incasseerde, leunend tegen de deur, half slapend en bijna naakt, nadat hij mij naar binnen had getrokken alsof hij de kou te slim af wilde zijn – ik dacht er niet eens over na of wat ik op het punt stond te doen goed of slecht was, verstandig of stom, lonend of een fout die ik de rest van mijn leven zou betreuren, en dat deed ik niet omdat ik niet kon denken over wat ik op dat moment deed en niets anders kon doen dan precies dat, naar hem toe gaan. En toch, toen er geen weg meer terug was, ontdeed een eigenaardig soort verwondering me van mijn aplomb als van een jurk die me altijd te groot was geweest, en pal voor dat enorme bed met omgewoelde, nog warme lakens, presenteerde de vervreemding zijn rekening. Bij het nietsontziende licht van een plotseling helder bewustzijn vroeg ik me af hoe, via welke weg ik hier gekomen was, en ik wist niet goed wat ik mezelf moest antwoorden. Toen, alsof hij de richting van mijn gedachten had kunnen aanvoelen, kwam Félix achter me staan, sloeg zijn armen om me heen en deed verder niets, hij omhelsde me alleen, haalde adem vlak naast mijn linkeroor, voegde de vorm van zijn lichaam naar het mijne, en wachtte.

In dat gebaar lag mijn levenslot besloten en hij wist het. Hij had het altijd geweten, vanaf het begin, dat was zijn belangrijkste voordeel ten opzichte van mij, misschien wel het enige, maar hoe dan ook zo ontzagwekkend groot dat ik vermoed dat hij andere nooit gemist heeft, hij kon omgaan met de slang die zich rond mijn ingewanden had gekronkeld, hij had snel door hoe hij die moest temmen, toen ik me nog nergens van bewust was, is er iets, Ana? vroeg hij aan me terwijl hij nog steeds wachtte, toen er nog helemaal niets gebeurd was, behalve dat zijn harde geslacht diagonaal op mijn linkerbil brandde, en ik schudde van nee, daarna klommen zijn handen een paar centimeter omhoog, ze sloten zich rond mijn borsten precies op het moment dat zijn tanden uitkozen om mijn nek van opzij aan te vallen, ik merkte dat mijn tepels hard waren omdat ze onder zijn duimen uit glipten en ik dacht dat alles heel snel zou gaan, maar zijn lippen beroerden mijn oor opnieuw, ik weet het niet, zei hij, het lijkt wel of je stikt… en opnieuw hield hij zich stil, hij verplichtte me tot een onbeweeglijkheid die ik niet langer kon verdragen, en uiteindelijk bekende ik wat hij wilde horen, ja, mompelde ik, ik stik… Ik zal nooit weten waar, in welke onbestaanbare plooi van mijn lichaam, in welk verborgen hoekje van mijn ogen, in welke precieze vezel van mijn mond hij zoveel over mij geleerd had, ik zal nooit weten hoe hij erin slaagde zo sterk, zo precies de kracht te voorvoelen van de slang die, als een doezelend wild dier, ademhaalde achter de onbeholpen onverschilligheid die mijn zintuigen die eerste keer van aftasten en dronkenschap had afgestompt, ik zal nooit weten hoe hij het heeft gedaan, maar hij schoot feilloos midden in de roos van wat ik was, en op die manier bezat hij me volledig nog voor hij me, met die wanhopig makende kalmte, mijn kleren had uitgetrokken, tjee, jij bent gulzig! deed hij verbaasd, lang voor hij met me over een bed rolde dat plotseling verzengend heet was, hé, niet zo gulzig, ik meen het... lachte hij, straks krijg je nog spijt, eindeloos lang voor hij me ten slotte de gunst verleende die ik hem niet had kunnen weigeren, wil je dat ik je neuk? ja, nou, vraag het me dan, neuk me, nee, niet zo... netjes, zoals het hoort, alsjeblieft, Félix, neuk me, toen ik inmiddels op het punt stond van spanning te knappen. Na afloop kuste ik heel lang zijn gezicht, zijn schouders, zijn handen, terwijl het genot, die verrader, me langzaam verliet, alsof het hem verdriet deed me terug te geven aan de wereld.

'Wat zijn we nu?' vroeg ik hem uiteindelijk, toen ik me al aan had moeten kleden om niet te laat thuis te komen voor de lunch. 'Ik kan je niet meer zien zoals ik de andere docenten zie. Ik weet niet of ik kan doen of er niets aan de hand is...'

'Natuurlijk kun je dat' – hij draaide zich naar me toe en drukte een vluchtige kus op mijn lippen – 'want denk maar niet dat ik me ook maar een verrekt klein beetje van je aan zal trekken...'

Ik schoot in de lach en hij lachte met me mee, maar dat was niet voldoende.

'Wat zijn we nu?' vroeg ik nog eens.

Hij glimlachte, en keek me op een speciale manier aan, teder, maar ook met een soort verholen sluwheid.

'We zijn minnaars,' antwoordde hij ten slotte. En zonder enig voorbehoud – daar was ik ook niet naar op zoek – bezweek ik voor het duistere prestige van die drie woorden die voldoende leken om een belangrijk persoon van me te maken. Daarom draaide ik, vlak voor ik wegging, mijn hoofd nog één keer naar hem toe om hem onverwacht aan te kijken, en daarom, zonder me er ook maar enigszins van bewust te zijn dat ik zojuist de laatste rem ontgrendeld had, zei ik bij mezelf dat ik nooit en te nimmer de welwillendheid waard zou zijn van een lot dat zo edelmoedig was als het lot dat me zojuist had omgetoverd tot de minnares – min-na-res! – van een onvervalst genie.

'Verpest m'n spinkrab nou niet, mama, alsjeblieft...!'

Helderziendheid heeft nooit behoord tot het beperkte arsenaal van mijn vaardigheden, maar die avond zag ik het aankomen, en ik zag het al van heel ver aankomen.

'Natuurlijk niet!' protesteerde ze, gemaakt beledigd. 'Het enige wat ik je zeggen wil... Ik weet niet. Ik maak me echt zorgen om je, lieverd...'

Toen ik besloot de van kracht wording van de wet die mij tot een meerderjarig persoon maakte een paar maanden nadat ik achttien was geworden te vieren door thuis te vertellen dat Félix en ik ruim anderhalf jaar in het geheim een verhouding hadden en dat we van plan waren een eind aan die situatie te maken zodra we tijd hadden om de papieren te regelen voor de bruiloft, was degene die het ergst schreeuwde – het hoogst, het luidst, het verstdragend – uiteraard mijn moeder. Zes jaar later, toen ik besloot mijn man te verlaten voor een handvol olijven van Camporreal, was degene die de minste moeite deed de redenen van mijn terugkeer naar Madrid te begrijpen eveneens, inderdaad, mijn moeder. Natuurlijk was ik niet het enige familielid wier leven in de tussentijd volkomen op zijn kop was gezet. Had de opportune dood van oom Arsenio mij in de armen van Félix Larrea gedreven, het executeren van zijn testament verhief mijn ouders tot een niveau van luxe en rijkdom dat ze zich zelfs in hun stoutste dromen niet hadden kunnen voorstellen, een succes waarvan ze zich op geheel eigen wijze herstelden.

Ze waren er zo aan gewend elkaar vruchteloos te dreigen, zich tegen elkaar te verdedigen als een wrede grap van het lot, hard te lachen om al die geintjes die altijd gemaakt worden over wat er gebeurt als een man, of een vrouw, de hoofdprijs in de loterij wint, dat ze er uiteindelijk, nauw met elkaar verbonden in hun respectievelijke tegenspoed, in geslaagd waren elkaar over te halen tot het eerbiedigen van een zekere vorm van harmonie, het onmiskenbare, zo precair onwankelbare evenwicht dat voortspruit uit de routineuze omgang met ongeluk. En ze waren bijna gelukkig als ze hun bezoekingen publiekelijk herkauwden, waarbij zij hardop de naam, de verdiensten en het inkomen van alle aanbidders opsomde die ze had afgewezen om in het huwelijk te treden met 'die taxichauffeur', en hij zich afvroeg van wat voor ontzettend hoogstaande familie die dikkerd in godsnaam dacht dat ze afstamde terwijl haar vader, toen hij haar leerde kennen, langs de deur ging met kaas en honing uit Alcarria, en beiden zwoeren in koor dat als ze de wijk konden nemen, ze dat zeker niet zouden laten, en ze hebben ons nooit duidelijk kunnen maken waarom ze niet verderkwamen dan de hal, maar hun vrienden, hun buren, wij kinderen begrepen maar al te goed dat die geheimzinnige verlammingsverschijnselen die hun bewegingen halverwege de gang begonnen te belemmeren, niets anders waren dan een zoveelste uiting van de eeuwige tegenspoed waarop ieder van hen zich even gretig en willekeurig beriep, maar altijd strikt exclusief. Tot op een goede dag de erfenis van oom Arsenio loskwam, en op het moment dat de fiscus haar niet langer blokkeerde, verdampte ook het ongeluk van mijn ouders.

Meer dan op een geschenk van Fortuna leek die plotselinge rijkdom aanvankelijk een ironische speling die het lot had uitgedacht met als enige doel smakelijk de spot te drijven met mijn overrompelde moeder, die altijd had beweerd dat de oorsprong van alle schande heel duidelijk en zwart op wit bleek uit de geboorteakte van haar man, waarin iemand, naast de formule *geboren in* met bedroevende kalligrafie de woorden 'Villanueva del Pardillo, provincie Madrid' had vastgelegd. Zij was daarentegen een zuiver exemplaar van de soort *geboren in* 'Madrid, provincie Madrid', en ze had zelfs niet minder lopen opscheppen als het dorp waar mijn vader vandaan kwam de belediging – pardillo – niet in zich had gedragen, in de naam zelf, al kon ze de verleiding niet weerstaan om iedere opmerking van zichzelf of van iemand anders van die bewuste, lompe kanttekening te voorzien, ja, niet om het een of ander, maar de naam van zijn dorp zegt het al, pardillo, pummel, ja toch? pummel, dat verzin ik toch niet zelf... Maar afgezien van de huiselijke ruzies, die ongetwijfeld andere royale wegen zouden hebben gevonden in het geval mijn oma Experta in de hoofdstad was bevallen, waren de wortels van mijn vaders familie uiteindelijk van geen enkel belang, tot een compact legertje zwaar materieel er grote hoeveelheden beton en gewapend beton tussen begon te storten, en er op het vroegere grasland in een vloek en een zucht een spookstad van vrijstaande luxe bungalows verrees, waarvan de toekomstige eigenaars, hoe rijk ze ook waren, zelfs nooit zouden kunnen dromen van een rendement vergelijkbaar met het rendement dat de welbekende pummel verkreeg van zijn zo rustieke bezit, de drie of vier weilanden die nauwelijks genoeg opbrachten om een armetierige kudde schapen mee te voederen.

Oom Arsenio, die op voorbeeldige wijze alle stappen had gezet die nodig waren om van een kleine veehouder een voorname speculant in onroerende goederen te maken, bezat in het uur van zijn dood veertien of vijftien riante landgoederen, niet alleen vanuit het oogpunt van hun geografische locatie, maar ook wat betreft hun wettelijke bestemming, waardoor ze op het punt stonden, echt wat je noemt op het punt, te veranderen in evenzovele grote bouwkavels. Een tipje van de sluier werd voor mijn vader opgelicht door een schilderachtig type dat hem zodra hij een voet in het dorp zette – het lichaam van de dode nog warm – op een afstandje bleef volgen en die zich uiteindelijk bekendmaakte als Miguel Ángel Romero, advocaat, econoom en, bovenal, een enorme proleet. Ik leerde hem kennen op de begrafenis, een jochie dat strak in het pak zat en zich met een verbluffende vanzelfsprekendheid aansloot bij de stoet, hoewel hij me aanvankelijk alleen maar opviel vanwege de onwaarschijnlijke lus die gevormd werd door zijn bedrukte stropdas, Engelse ruiters op vossenjacht die op het punt stonden zich in het niets te storten door toedoen van een enorme vergulde dasspeld, die ter hoogte zat van het derde knoopje van een glimmend overhemd, als van vitragestof, hoogst bizar. Nog boerser dan thee drinken van een schoteltje, oordeelde ik in mezelf, en als iemand me gedwongen had in te schatten wat voor plaats binnen mijn familie het lot voor hem in petto had, zou ik eerst alle speculatieve registers uitgeput hebben voor ik zelfs maar had durven bevroeden dat hij was voorbestemd om op een dag de man van mijn oudste zus te worden, Mariola, de neurotische erfgename van de grootheidswaanzin die mijn moeder tot een niveau van pure pathetiek verhief toen ze voor haar eerstgeborene een naam koos die letterlijk absurd was – María de la O – alleen maar om hem te kunnen afkorten tot het koosnaampje waaronder de tweede kleindochter van Franco bekend stond.

Als Romero niet zo zeker was geweest van zijn mogelijkheden om een miljonair van mijn vader te maken en van zichzelf, eerder dan schoonzoon, zijn onmisbare slippendrager – de flexibele, sluwe en besliste rechterhand waar geen enkele zichzelf respecterende miljonair zonder kan – had de erfenis van oom Arsenio misschien niet zoveel opgebracht, maar de 'juridisch adviseur van de overledene', zoals hij zichzelf aanvankelijk betitelde, sloeg het beleg voor het ouderlijk huis en stelde zich onverbiddelijk op, zo zelfs dat hij jarenlang de enige echte erfgenaam in deze hele zaak was, erfgenaam van een klant door eigen inspanningen. En hoewel hij hem niet kon overtuigen van de voordelen die de onmiddellijke liquidatie van de zakelijke rechten die hem in staat zouden stellen eigenaar van de grond te worden, hem op lange termijn zouden opleveren, lukte het hem wel hem, en daarmee mijn moeder en mijn zussen en broer, ervan te overtuigen dat ze de enige ziener hadden gevonden die in staat was hun de richting te wijzen waar het over niet al te veel jaren meer geld zou regenen dan in het zwembad van oom Gilito past. En ze raakten allemaal min of meer door het dolle heen.

Ik volgde het hele proces vanuit Parijs, veel gedetailleerder dan voor de hand zou liggen gezien de afstand, die mijn familie met ongehoorde behendigheid overbrugd had gedurende ongeveer vijf jaar, want in de goede jaren die volgden op mijn stralende debuut als volwassen vrouw, terwijl om mijn man een oogverblindend aureool straalde dat me tegelijkertijd beschermde en leidde, als het toverstokje van een goede fee, had ik niet de manier gevonden me van ze te ontdoen. In de wittebroodsweken, toen alles nieuw was, belde mijn moeder om de haverklap op en, tussen het ene en het andere telefoontje, schreef ze me ellenlange brieven die moesten aantonen hoe diepbezorgd ze was over mijn situatie, maar die me in de praktijk veeleer duidelijk maakten hoezeer ze zich 's middags zat te vervelen. Veel van die brieven vond ik niet in de brievenbus, maar in de koffer van mijn zussen of broer, die geen lang weekeinde voorbij lieten gaan zonder de mogelijkheid te benutten de logeerkamer in mijn huis in beslag te nemen, een redmiddel dat zelfs mijn vader aangreep om bij te komen van de bloedigste confrontaties van zijn eeuwige echtelijke oorlog, als zijn vrouw althans niet als eerste had gebeld. Amanda – eerste dochter, eerste kleindochter, eerste nichtje – was voldoende om die periodieke invasie formeel te rechtvaardigen, die desondanks van de ene op de andere dag stopte, deels vanwege de vermoeidheid van de bezoekers, neem ik aan, maar ook omdat de taak om behoedzaam hun zoals ze zichzelf voorhielden weelderige toekomst uit te stippelen hen volledig in beslag nam, en vanaf dat moment hielden ze zich voornamelijk bezig met het bezichtigen van te koop staande appartementen. Ondertussen bood ik in mijn eentje het hoofd aan een tragere maar niet subtielere metamorfose, de verhullende campagne die Félix als belangrijkste en armzalige tactiek in stelling bracht tegenover het geleidelijke verval van zijn toekomst als schilder. In die tijd, toen zijn leeftijd hem vanzelf uit de ranglijst van grote beloften stootte zonder dat zijn werk hem volledig van een onmiskenbare plek op de lijst van gevestigde meesters kon verzekeren, probeerde hij – die nooit eerder zijn toevlucht had gezocht in een bestaan zoals je veronderstelt dat mensen denken dat een schilder dat leidt – het lot zijn wil op te leggen door het typische leven van een genie te gaan leiden, een stompzinnige combinatie van een ongeregeld bestaan – overdag slapen, 's nachts werken, ontbijten rond theetijd, 's avonds tortilla eten met daaroverheen goedkope kaviaar – seksuele promiscuïteit – hij had uiteindelijk een vaste minnares vermomd als leerling aan huis die praktisch bij ons inwoonde, een jonge studente van de kunstacademie, van Vietnamese afkomst, die hij Minnie noemde, naar het vriendinnetje van Mickey Mouse, en één keer stelde hij zelfs voor met z'n drieën naar bed te gaan, een project waar hij onmiddellijk weer van af moest zien, omdat ik hem ten antwoord een mep gaf die hem zo verbaasd moet hebben dat hij niet in staat was iets terug te doen, zelfs niet verbaal – en stelselmatig heterodoxe verhandelingen – het is altijd het beste iets origineels te zeggen, al is het flauwekul – die hem bepaald geen goed deed, althans in mijn ogen, die in korte tijd heel snel volwassen werden bij het dagelijks schouwspel van dat onbehouwen bedrog.

De massale desertie van mijn ouders en broer en zussen stortte me in een zeer persoonlijke versie van een eenzaamheid waar ik tot dan toe niet echt last van had gehad, zolang ik nog met Madrid verbonden was via een soort onzichtbare, onoverwinnelijke navelstreng die me niet eens de kans had gegeven voor zoiets simpels als de hele situatie eens goed in ogenschouw nemen om te zien wat er om me heen gebeurde. Toen ik het uiteindelijk aandurfde een poging te wagen, moest ik, met minder verbijstering dan te verwachten viel, constateren dat ik, al liet ik de richting bepalen door het toeval, slechts details kon zien van een gebouw dat in brokken uiteen aan het vallen was en dat ik mijn eigen verval desondanks, en dat was erger en veel verbazingwekkender, niet eens zo'n onaangenaam schouwspel vond. In het begin was ik van plan ernstig met Félix te praten, maar uiteindelijk drong het tot me door dat geen enkele vlucht zo dwaas zou zijn als opnieuw beginnen met een man die al nauwelijks meer schitterde in het geheugen van een meisje dat onherkenbaar was in de contouren van een te jonge huisvrouw, met een te klein kind, een te egocentrische echtgenoot, en een toekomst die te lang was voor doelmatige oplossingen. Dat wist ik allemaal heel goed, en toch bleek het allemaal niet gemakkelijk.

Nadat ik me opnieuw in Madrid gevestigd had, had ik gedurende een paar jaar het gevoel dat ik onwillekeurig vanuit mijn vroegere bestaan de eigenaardige gave had meegenomen alles wat ik aanraakte uiteen te laten vallen, want de realiteit bleef onophoudelijk in beweging, en alles om me heen veranderde in een te hoog tempo. Het tijdsverloop nam het op zich mij te laten zien dat die ogenschijnlijke maalstroom niet meer was dan een optisch effect ontstaan door mijn eigen onbeweeglijkheid, want alles veranderde en bewoog alleen maar om een vaste plek te vinden, en vroeger of later slaagde ieder ding erin zich in een hoekje te nestelen dat min of meer op maat was, alles viel uiteindelijk op zijn plaats, alles, behalve mijn leven.

Dat was het favoriete gespreksonderwerp van mijn moeder, en de grote dreiging die boven het beste deel van mijn maaltijd hing, de wanstaltige roodachtige schaal vol met een ondefinieerbare substantie die eruitzag als modder en waarin kleine stukjes van de rimpelige materie dreven die bijna de structuur van hersenen heeft en een felle kleur en die meestal *corail* wordt genoemd, en die zich naar mijn mening boven alle andere eetbare waar in deze wereld verheft tot de rijen van het wezenlijk verrukkelijke.

Dat stond er op het spel terwijl mijn moeder, iedere neiging tot mededogen negerend, haar stokpaardje weer eens van stal haalde.

'Het is jullie schuld uiteraard...' liet ze zich ontvallen terwijl ze een poot van de spinkrab van zijn pantser ontdeed, met een bevalligheid die, al was hij nog zo bestudeerd, daarom niet minder bewonderenswaardig was. 'Ik snap niet wat jullie eraan hebben om zo slim te zijn, als jullie vervolgens niet in staat blijken te begrijpen dat jullie de mannen bederven...'

'Hou toch op met die onzin, mama,' bracht ik ertegen in, zonder al te veel fut.

'Het is geen onzin, het is de pure waarheid die ik spreek... En in jouw geval is het echt zonde, kindje, want... Jij hebt nog een kans, dat weet ik zeker.'

'Een kans op wat?' Helderziendheid heeft nooit behoord tot het beperkte arsenaal van mijn vaardigheden, maar tegen die tijd, terwijl ik definitief afscheid nam van mijn eetlust, had het niet eens zin meer er een beroep op te doen. 'Hoezo, mama?'

De klank van mijn stem, uitgeblust en mat, liet maar een fractie doorschemeren van de vermoeidheid die me in één klap overmand had. Zij wist het, want ze begreep er niets van, maar door pure gewenning was ze in staat mijn reacties te voorspellen, zo vaak waren we al in dezelfde stiltes gestrand.

'Ik ga niet terug naar Félix, mama.' Ik laste een kleine pauze in en glimlachte, als een garantie dat mijn houding niets met haar te maken had. 'Zet het maar uit je hoofd. Ik ga nooit van m'n leven naar hem terug.'

Zij drong aan met een troebele blik.

'Waarom niet?'

'Daarom niet. Ik heb er geen trek in, geen belang bij, geen zin in om met Félix te leven. Ik hou niet van hem, ik vind hem niet leuk, hij is mijn type niet. Het is voorbij.'

'Nou, in het begin gilde je anders...' Ik onderbrak haar ruw om me de precieze beschrijving van dat gegil te besparen. Ik herinnerde me zelf maar al te goed wat ik toen gilde.

'Het begin was het begin. Nu is nu. En daartussen zit ongeveer twintig jaar.'

'Maar hij heeft altijd van je gehouden, Ana Luisa...'

'Altijd? Wanneer?' gilde ik, voor de zoveelste keer de geniale intuïtie betreurend die Félix, die haar altijd gehaat had, ertoe gebracht had de steun van mijn moeder te zoeken, die vroeger precies hetzelfde over hem dacht, toen hij besloot dat hij niet alleen oud wilde worden en dat het daarom tijd werd dat iemand me bij de hand nam om me terug te leiden naar mijn enige echte thuis. 'Als hij in mijn eigen huis met bewonderaarsters het bed indook, hield hij dan van me? Als hij op feestjes tegen me zei dat ik m'n mond moest houden en zich verontschuldigde omdat zijn vrouw een arm onwetend Spaans vrouwtje was, hield hij dan van me? Als hij handenvol geld uitgaf om van alles naar binnen te slaan en vervolgens de hele dag z'n roes uitsliep terwijl ik het huis deed, en de studio, en het meisje, omdat hij niet van plan was met zijn geld een bijdrage te leveren aan de uitbuiting die huishoudelijke hulp is, hield hij dan van me? Als hij me vroeg een speciaal dineetje te koken omdat er belangrijke mensen zouden komen en vervolgens zei dat het hem beter leek dat ik niet meeat omdat Amanda ons aan één stuk door zou onderbreken en alles zou bederven, hield hij dan van me? Nou, uitstekend, als dat is wat hij onder liefde verstaat, dan mag hij het, beetje bij beetje, in z'n reet steken.'

'Ana!' Mijn moeder stond op het punt te gaan huilen.

'Wat?' Ik daarentegen was even woedend als altijd wanneer ze me dwong over dit onderwerp te praten.

'Sla niet van die taal uit.'

Ik haalde een paar keer diep adem om mezelf te dwingen in ieder geval uiterlijk te kalmeren.

'Sorry, mama.'

'Ik begrijp je niet, kindje, al die wrok…' En eindelijk barstte ze uit in een huilbui die ik net zo slecht begreep als zij zei mijn leven te begrijpen, of nog slechter. 'Wat bereik je nou met wrok? Wat bereik je met dat zelfrespect waar je altijd zo je mond vol van hebt? We maken allemaal fouten, en Félix heeft zich vaak vergist, heel vaak, ontzettend vaak, dat is waar en hij is de eerste om dat toe te geven, maar hij heeft er spijt van, en volgens mij meent hij het, en hij houdt van je, echt… Over zoiets zou ik toch niet tegen je liegen? Ik wil alleen maar het beste voor je, kindje, en eerlijk gezegd… Kijk nou eens naar jezelf, Ana Luisa, kijk eens om je heen… Je bent zo knap, en zo jong nog… En wat doe je ermee? Niets. Niets… Hoe lang leef je nou al op deze manier? Tien jaar, elf…? Je hebt het zwaar zonder dat dat nodig is, zonder iemands hulp te accepteren…'

'Nou moet je niet valsspelen, mama.' Ze zou me nooit vergeven dat ik na mijn terugkeer in Madrid geweigerd had op haar kosten te gaan leven, en zelfs nadat ik het servies van La Cartuja had geaccepteerd, en de geslepen glazen, en de leren jas waarmee ze zich tevreden moest stellen nadat ik haar ervan overtuigd had dat ik er nooit mee in zou stemmen dat ze me er een van nerts cadeau deed, weet ik dat ik in haar ogen altijd een ondankbaar schepsel zal zijn. 'Je weet heel goed dat ik al heel lang niemands hulp nodig heb.'

'Financieel misschien niet, maar… Ana Luisa, kindje, besef je wel wat voor leven je leidt, hoeveel jaar je al alleen bent? Alleen maar omdat je zo koppig bent, zo trots, en… hoogmoedig zelfs, lieverdje, het spijt me dat ik het moet zeggen, maar zo kun je niet door het leven gaan, als Scarlet O'Hara…' Ik had absoluut geen zin om te lachen, maar ik was niet in staat een gniffel te onderdrukken als reactie op die ironie, het verwijt dat de enige onvervalste Scarlet die ik in mijn leven gekend heb me maakte. 'Ja, lach jij maar! Lach maar, toe maar… Jouw toekomstperspectief is echt om je dood te lachen…'

'Ik lach niet, mama, maar…' Toen begonnen mijn lippen te trillen zonder zo attent te zijn geweest me eerst even te waarschuwen, en alsof ze mijn laatste bewering wilden staven, zonken mijn ogen ineens weg in een moeras van tranen en was het eind van het liedje hetzelfde als altijd, de spinkrab verpest en wij alle twee op de bank in de woonkamer, zij in tranen om mij, en ik ook, zij met haar onvoorwaardelijke liefde voor me, al begreep ze helemaal niks van me, en ik met de vraag hoe zo'n fenomeen nou toch mogelijk was, zo veel liefde zonder één grammetje begrip.

Hoewel mijn moeder formeel ook gescheiden was, hadden we nauwelijks gemeenschappelijke ervaringen. Toen de gecompliceerde berekeningen van wie toentertijd al mijn schoonbroer Miguel Ángel was uiteindelijk werkelijkheid werden in een reeks spectaculaire transacties van onroerend goed en mijn vader, voorgoed gezegend door het lot, uiteindelijk de stap zette waarmee zij hem al zo lang ik me kan heugen dreigde, verwijderde haar nieuwe positie haar juist nog meer van me in plaats van haar dichterbij te brengen. Zij beschouwde haar scheiding als een soort lange, welverdiende vakantie, en al deed ze vanaf dat moment hartstochtelijk haar best alles te doen – meer dan ze altijd verlangd had – waar mijn vader zich altijd aan geërgerd had, ze ging er nooit van uit dat het om een blijvende situatie ging, laat staan een onomkeerbare. Hij spande zich meer in de schijn op te houden en ging af en toe eens uit met een veel jongere vrouw, maar hij bleef zijn ex-vrouw om de haverklap bellen om haar raad te vragen over van alles en nog wat, en hij nodigde haar met de meest onbenullige excuses uit voor het eten, en ik weet zeker dat ze met elkaar naar bed gingen, dus hoe dan ook leefden ze nog steeds voor elkaar, en ik, zonder precies te weten hoe, bevond me nog steeds precies in het midden, zoals het losse stukje dat niet in een puzzel past waar geen andere leemtes meer te zien zijn.

Wat er in werkelijkheid gebeurde is in een paar woorden samen te vatten: ik probeerde het, maar het lukte niet. Sommigen waren te dom, anderen te slim, een paar waren oké, twee of drie zelfs heel oké, maar die liepen niet warm voor het idee met het dochtertje van een ander op vakantie te gaan, of ze hadden zich een eenvoudiger voorstelling gemaakt van hoe hun leven eruit zou zien, of ze kenden iemand die ze leuker vonden, of god mag weten wat er verdomme aan de hand was, maar de vierde of vijfde keer dat ze het beloofd hadden belden ze niet. Van de overigen ontdeed ik me zelf precies op het moment dat ik voelde dat zelfs de geringste illusies me verlieten met de onverbiddelijke, strikte discipline die de belletjes organiseert om hen te helpen in allerijl te ontsnappen via de hals van een fles champagne, na de onherroepelijke knal van een kurk. Kurken waren er vele, van verschillende vormen en kleuren, de ene keer een zin, en andere keren een bepaald soort zwijgen, meningen waar ik van walgde, meningen die ik beangstigend vond, meningen die me volledig koud lieten, onbelangrijke details of, sommige, juist heel belangrijk, een huid die me tegenstond, saaie, eigengereide of stompzinnige vrijpartijen, minnaars die zulke windbuilen waren, die zo tevreden met zichzelf en met hun geraffineerde en geweldige technieken waren dat je er eerst om moest lachen en vervolgens bekropen werd door een soort universele droefenis, medelijden met het armzalige lot van deze mensheid waartoe we tenslotte allemaal behoren, en dan hoorde ik de knal, pang! dikwijls zelfs al tijdens de eerste afspraak, als zijn noch mijn bedoelingen al helemaal duidelijk waren, pang! maar kurken zijn onverbiddelijk, en die van de hoop schoot zonder waarschuwing vooraf omhoog in mijn binnenste en bevrijdde duizenden scherpe, luchtige, uitzinnige belletjes, deeltjes van een plotseling gasvormig bewustzijn dat mijn blik scherper maakte en mijn pas versnelde en een waarheid in mijn oor fluisterde die uiteindelijk hoogst onaangenaam zou worden, deze ook niet, niets aan te doen... Terwijl ik hun steeds mistiger namen, gezichten, lichamen, die ten slotte niet meer van elkaar te onderscheiden waren, in een zijbeuk van mijn geheugen opsloeg, registreerde ik ook de aard van mijn eigen verwachtingen, een complex scala aan luchtspiegelingen waarin van alles viel aan te treffen, van het meest weloverwogen plan tot het meest onzinnige gevolg van een eigenaardige tijdelijke vorm van dementie. Maar zelfs dat niet meer, zei ik bij mezelf toen het me die avond eindelijk gelukt was m'n moeder de deur uit te zetten, tegenwoordig ben ik zelfs niet meer in staat me dingen in m'n hoofd te halen...

'Heb je plannen voor de lunch?' Een paar maanden geleden was Rosa halverwege de ochtend mijn kamer binnen komen lopen, zo geheimzinnig alsof ze me kwam voorstellen mee te doen aan een aanval met explosieven.

'Het bedrijfsrestaurant,' antwoordde ik zuchtend, terwijl ik haar mijn boekje met gele bonnen liet zien. 'Achthonderd peseta, drie gangen, mediterraanse keuken...'

'Nee, ik meen het...' protesteerde ze, terwijl ze haar stem weer zijn normale klank gaf. 'Ga met mij eten bij Mesón de Antoñita. Ik wil je iets vragen, ik...' Ze boog haar hoofd en richtte haar blik strak op de vloer. 'Ik moet met iemand praten.'

'Is het belangrijk?'

'Ja...' antwoordde ze, en ze keek me aan om dat nog eens te bevestigen. 'Ik geloof het wel, heel belangrijk.'

Twee uur lang bereidde ik me voor op verschillende versies van het ergste en het beste, van dat Nacho Huertas zich eindelijk had uitgesproken en haar expliciet had verzocht hem niet meer te achtervolgen, totdat er precies het tegenovergestelde gebeurd was en ze me raad wilde vragen over het briefje dat ze van plan was op de spiegel in de badkamer achter te laten voor haar man, maar ik had er honderd jaar over kunnen piekeren en dan nog zou ik de ongebruikelijke aard van haar bekentenis nooit hebben kunnen raden.

'Weet je...' stak ze eindelijk van wal, terwijl we ons aan een rustig tafeltje installeerden, met zo op het oog geen geïnteresseerd stel oren in de buurt. 'Het is iets wat de laatste keer gebeurde toen ik met Nacho was, ongeveer zes maanden geleden...'

'Toen jullie hadden afgesproken in dat café en hij je meenam naar zijn studio?' vroeg ik, al iets veel rampzaligers vrezend dan het ergste, en zij knikte. 'Dan is het minstens een jaar geleden, Rosa.'

'Nou ja, dat doet er toch niet toe?' En ze keek me zo strak aan dat me niets anders overbleef dan te knikken. 'Het geval is dat het me op dat moment niet zo opviel maar nu lijkt het me daarentegen heel erg belangrijk, ik weet niet... Zeg jij vaak liefste?'

'Wat?'

'De uitdrukking liefste, zo,' – en ze bewoog haar wijs- en middelvingers in de lucht, een gebaar dat ze vast van Fran had overgenomen – 'tussen aanhalingstekens... Heb jij dat vaak tegen iemand gezegd?'

'Nee.'

'Zie je wel!' Ze keek me met vlammende ogen aan, die niet zouden misstaan bij een herderinnetje dat zojuist de Maagd heeft ontdekt boven op een rots, en haar lippen krulden zich in zo'n brede, triomfantelijke glimlach dat het was of ze met haar mond vol snoepjes probeerde te praten, een gezicht dat angst aanjoeg. 'Ik ook niet! Maar hij zei het wel, en hij zei het tegen mij. Nou?'

'Eh, ja, ik weet het niet…' En inderdaad wist ik niet wat ik moest zeggen. Ik was perplex.

'Kijk, ik zal het je uitleggen… We waren aan het neuken, hè, in het donker, hij had me op m'n rug gelegd en was boven op me gaan liggen, zo beginnen we namelijk altijd, en plotseling trok hij zonder waarschuwen terug en draaide me op m'n buik om hem er van achteren in te steken, snap je…?' Ze was even stil en ik wist niet goed hoe ik dat moest interpreteren, maar ik knikte om haar te laten weten dat ik het uiteraard begreep. 'Nou, toen perste hij zich met al zijn kracht tegen me aan, maar omdat we al zo dicht tegen elkaar aan lagen en hij veel groter is dan ik, nou ja, uit pure begeerte lukte het hem de eerste keer niet, en de tweede ook niet trouwens, en ik had het idee dat hij zenuwachtig werd, en om hem gerust te stellen, en omdat we ook geen haast hadden, zei ik tegen hem, niet zo ongeduldig, en precies op dat moment antwoordde hij, ik ben niet ongeduldig, liefste…' Ze zweeg precies lang genoeg om een sigaret op te steken, en ik maakte van die minimale adempauze gebruik om mezelf af te vragen of ze echt alles gezegd zou hebben wat ik tot op dat moment gehoord meende te hebben, en in dat, meer dan waarschijnlijke geval, wat voor verhaal ik op zou hangen als ze haar verhaal onvermijdelijk zou afsluiten met de vraag aan mij om een interpretatie te geven van dat ene woord. 'Hij zei liefste tegen me, snap je? en op dat moment drong het stom genoeg niet eens tot me door, maar nu loop ik er al een hele tijd over na te denken, want…' – en ze kon niet vermijden dat ze bloosde voor ze zonder parachute de sprong in het diepe waagde. 'Geloof jij dat je zoiets kunt zeggen zonder het te voelen?'

Wat ik geloof is dat je er helemaal aan bent, Rosa, zei ik bij mezelf, maar dan ook echt helemaal, meid, en dat is ook wat ik tegen haar had moeten zeggen, dat het niet eerlijk was dat ze al zo'n tijd zo rondliep, meegesleurd door haar eigen behoefte in iets te geloven wat nooit en te nimmer iets zou worden, verstrikt in een paar woorden, of in een gebaar, of gewoon in een luchtig detail van een toevallige minnaar die al meer dan een jaar geen tekenen van leven gaf, verdwaald in een labyrint van zinloze herinneringen die gebrekkig vermomd waren als kostbare aanwijzingen, dat had ik haar moeten zeggen, dat hij haar liefste genoemd had zoals hij haar ook moppie had kunnen noemen, of poesje, of stuk, wat dan ook, wat ze echt nodig had was dat iemand haar eindelijk eens de ogen opende en ik zou nooit een betere gelegenheid vinden, en toch was ik niet in staat haar een volgende leugen te besparen omdat ik haar te goed begreep, omdat ze me te zeer herinnerde aan de dwaas die ik zelf ooit geweest was, en omdat ik er in wezen niet zeker van was dat de waarheid haar meer goed zou doen dan die zoete zinsbegoocheling waarin ze zich iedere avond bij het naar bed gaan wiegde, en waarop ze iedere morgen bij het opstaan leunde.

'Nee, ik denk het niet,' antwoordde ik uiteindelijk, terwijl ik me deels medeplichtig voelde en deels ellendig. 'Ik denk dat hij op dat moment wel geloofde in wat hij tegen je zei…'

Een paar maanden later, terwijl ik de resten van die verstoorde spinkrab in de vuilnisbak gooide en inschatte hoe lang mijn moeder zou wachten voor ze naar Parijs belde om Félix op de hoogte te stellen van de details van haar laatste mislukte missie, was ik ineens jaloers op Rosa en op haar roes, die fabuleuze liefde die nooit uitgeput raakte, de absurde hartstocht die zo veel medelijden bij me opriep in tijden dat ik minder helder en nuchterder was dan toen. Want er waren al vele jaren verstreken sinds ik het ware belang ontdekte van geil zijn, want ik was al bijna vergeten dat geilheid de belangrijkste oorzaak was gebleken van alle oorzaken die hun krachten gebundeld hadden om mijn leven te gronde te richten, want ik was niet eens meer in staat me dingen in m'n hoofd te halen, en in wezen was dat verontrustender dan de schrikbarendste waanzin. Later, toen ik op de bank lag en het ene glas na het andere dronk, probeerde ik mijn eigen krachten te meten, in te schatten hoe lang ik nog – jaren, maanden, weken – bestand zou zijn tegen die aanval van dat bondgenootschap, mijn moeder die de belangen bepleitte van de schoonzoon die ze het slechtst kende, mijn ex-man, die bijna vijftig werd en die haar 'mama' noemde ter rechtvaardige compensatie. De balans bleek niet erg gunstig uit te vallen. Die avond ging ik naar bed in de zekerheid dat Félix de enige man van mijn leven zou zijn, en dat eenvoudigweg omdat er geen ander meer zou zijn.

Maar soms lopen de dingen anders.

Ik weet dat het onmogelijk lijkt, dat het ongelooflijk is, maar soms gebeurt het.

Toen de wekker afliep had ik nog geen vijf uur geslapen, en hoewel ik me haastte het alarm met één klap af te zetten, zoemde de echo ervan na in mijn hoofd terwijl ik me naar de badkamer sleepte en de opkomende misselijkheid onderdrukte die mijn onhebbelijke organisme inbracht tegen mijn vastberaden plan mijn tanden te poetsen. Daarna, met een schone mond, ging het iets beter, maar mijn energievoorraad raakte uitgeput van de heldendaad mijn gezicht met gesloten ogen in te smeren met crème, en als ik bij het openen van de kast niet op de zwarte legging gestuit was die ik altijd aandoe als ik niet weet wat ik aan moet trekken, was ik misschien gewoon weer terug in bed gedoken. Maar daar lag hij, vers gewassen en gestreken, bewijs genoeg dat de goden voorzien hadden dat ik me zou aankleden en naar mijn werk zou gaan. Ik koos een in stralende kleuren bedrukt overhemd om de bleekheid van mijn gezicht te compenseren, stond mezelf de gunst toe buiten de deur te ontbijten en verliet het huis met het vage vermoeden iets heel belangrijks te vergeten, maar er volledig in berustend dat mijn hoofd die ochtend niet tot meer in staat was.

Ik liep de trappen af zonder het licht aan te doen en, nog in het portaal, verschool ik me achter mijn zonnebril met het ongeduldige gebaar van een diva die naar intimiteit hunkert, maar toen ik de deur opendeed drong het stralende licht van een strakblauwe hemel, die de zon al aankondigde, niet eens tot me door. Het geschreeuw en gelach van een nietsontziende horde adolescenten die het stukje stoep pal voor mijn huis hadden uitgekozen om op een onmogelijk uur af te spreken – tien over acht – verdoofde me lang voor mijn gepijnigde reflexen konden vaststellen of ik er goed of niet goed aan had gedaan mijn kater mee uit wandelen te nemen. Na een moment van aarzeling, dat ik staand in de deuropening liet passeren, terwijl ik een poging deed het hermetische betoog dat al die mensen bij elkaar leek te houden op een of andere manier te doorgronden, besloot ik me een weg te banen als in de uitverkoop.

'… lantaarns, bijvoorbeeld,' zei een geheimzinnige goeroe toen ik mijn elleboog de eerste keer gebruikte, 'van verschillende soorten, de hoogste bestemd om de weg te verlichten, en degene die daadwerkelijk deel uitmaken van het stadsmeubilair, zowel de vrijstaande als die aan het onroerend goed vastzitten. Eens kijken… wie wil zich bezighouden met de verlichting?'

'Wij!' Iemand schreeuwde met een enorm enthousiasme vlak naast mijn oor.

'Sorry…' – ik fluisterde daarentegen, je zou bijna beter kunnen spreken van smeken, op de beleefdste toon die ik ken – 'sorry… Mag ik er alsjeblieft even langs?'

'Dus kort samengevat…' Naarmate ik vorderde op de stoep vol mensen, kwam ik steeds dichter bij die eigenaardig zangerige stem, die met een voor mijn omstandigheden ondraaglijke kracht kwinkeleerde. 'Lantaarns, prullenbakken, banken en andere openbare of gemeentelijke voorzieningen, en daarna, de tertiaire sector... Hé, sorry... Hallo...' Het kwam niet in me op dat die groet iets met mij te maken zou hebben, maar iemand hield me tegen door me bij mijn linkerarm te pakken op het moment dat ik dacht de omsingeling definitief doorbroken te hebben. 'Ik ken jou... toch?'

Ik zette met m'n vrije hand mijn zonnebril af, keek voor me, en aan een klein beetje interesse had ik voldoende om de helft van het raadsel met een vluchtige blik te ontcijferen. De kleine troep jongeren gewapend met pennen en schrijfmappen waren uiteraard studenten, ongetwijfeld van de universiteit, al kon ik niet zo goed bedenken met welk vak banken en lantaarns te maken konden hebben, vooral niet nadat ik de docent herkend had, Javier Álvarez, de razende Roeland die me minstens anderhalf jaar eerder door de telefoon de mantel had uitgeveegd en met wie ik geen woord meer gewisseld had, ondanks zijn nederige poging het goed te maken die ik had bespeurd in de glimlachjes die hij me toewierp als we elkaar, hoogst zelden, in de gangen van de uitgeverij tegenkwamen. Dat ontbrak er nog maar aan, zei ik bij mezelf, aarzelend of ik antwoord zou geven of ervandoor zou gaan, juist die vent tegenkomen op m'n nuchtere maag.

'Jij bent Ana Hernández...' Hij bleef steken bij mijn tweede achternaam, maar compenseerde zijn verstrooidheid met een glimlach die me al zijn tanden toonde, en ik begreep dat ik geen keuze had.

'Peña,' vulde ik aan, terwijl ik de hand schudde die hij me toestak. 'Ja, dat ben ik. Hoe is het ermee?'

'Goed...'

Op de uitgeverij noemden we hem *de accurate auteur*, al was hij na zijn explosieve presentatie niet veel lastiger geweest dan gebruikelijk bij universitaire docenten, altijd de auteurs die het minst meewerken en het meest klagen. Hoe het ook zij, we hadden ontzettend de schurft aan hem omdat Fran systematisch in ieder conflict zijn kant koos, en omdat hij te jong leek om hoogleraar te zijn en zelfs te slim in het algemeen, een beetje afstotend, vooral naar mijn mening, want ik had hem de eerste keer dat ik hem zag meteen al leuk gevonden, en ik kon hem niet vergeven dat hij dat zo overhaast had gelogenstraft. Die ochtend gedroeg hij zich echter alsof hij veeleer van plan was me voor mezelf belachelijk te maken.

'Wat doe jij hier om deze tijd?' vroeg hij zonder dat de glimlach van zijn gezicht verdween, terwijl de studenten zich begonnen te roeren.

'Dat zou jij mij moeten vertellen… Ik woon hier.'

'Oh ja?' Hij leek stomverbaasd. 'Wat een toeval, hè?'

'Nou… dat zal wel.' Ik deed twee of drie stappen naar achteren als eerste terugtrekkende beweging, en aanvaardde de aftocht met druk gebarende handen. 'Afijn, ik ga ervandoor, ik heb namelijk nog niet ontbeten, weet je, en zonder koffie…'

'Ik ga met je mee,' verkondigde hij, zo stellig dat het hem zelf wat ongepast moest lijken. 'Als je het goed vindt, natuurlijk.'

'Ja, ja…' verkondigde ik op mijn beurt, terwijl een ongewenste blos over mijn wangen kroop, en daarna loog ik in grootse stijl. 'Natuurlijk vind ik het goed, maar… en je leerlingen dan?'

'Oh, die hebben een hoop werk te doen.' En hij glimlachte opnieuw. 'Wacht hier eventjes, ik ga ze aan het tellen van lantaarns zetten…'

Hij verwijderde zich een paar meter om de studenten in groepjes in te delen en ik hoorde hem een bizarre lijst voorwerpen herhalen – lantaarns, prullenbakken, banken, bomen, schommels, glascontainers, inzamelpunten voor batterijen, digitale klokken, gemeentelijke-informatieborden, garages, voetgangersgebieden, borden met UITRIT VRIJHOUDEN, ingangen voorzien van hellingen voor rolstoelen, voor lichamelijk gehandicapten ontoegankelijke ingangen en nog een hele hoop van dat soort dingen – die hij afsloot met twee keer in zijn handen klappen en een paar bemoedigende woorden, alsof hij een korfbaltrainer was.

'Zo,' zei hij eenvoudigweg toen hij weer naast me stond, en ik kon mijn nieuwsgierigheid geen minuut langer bedwingen.

'Wat doen ze precies?' vroeg ik, terwijl ik begon te lopen.

'Praktijkoefeningen van Stedelijke Geografie,' antwoordde hij. 'Ze moeten alle karakteristieken noteren van een bepaald stuk van een bepaalde straat, die beschrijven, de voorzieningen opsommen, de frequentie nagaan waarmee ze voorkomen, ieder eigenaardig verschijnsel beschrijven… en vervolgens de daaruit voortvloeiende resultaten interpreteren, dat wil zeggen, de stad als een landschap behandelen. Dit plein is fantastisch voor ze, want er is van alles, een metro-ingang, een markt, een school, een met bomen beplant stuk waar kinderen kunnen spelen, een fontein, een ondergrondse parkeergarage, een historisch-artistiek monument en verscheidene beschermde gebouwen.'

'De Barceló-bioscoop,' suggeerde ik, maar hij keek me aan en fronste zijn wenkbrauwen, als uiting van verbazing. 'Pachá was vroeger de Barceló-bioscoop. Dat weet ik omdat ik daar weleens kwam toen ik klein was, om *Sissi, keizerin van Oostenrijk* te zien bijvoorbeeld. Ik neem aan dat je die bedoelt.'

'Ja. En jouw huis bijvoorbeeld.'

'Ja… Ik dacht dat jij je met continentale platten bezighield.'

'Eigenlijk de karstverschijnselen, maar ja, je hebt gelijk, ik houd me vooral bezig met fysische geografie. Feitelijk is dit niet mijn groep, maar die van een vriend die zoiets als een *sabbatical year* op eigen kosten heeft opgenomen. Ik geef zijn eerstejaarscolleges, Algemene Geografie, ofwel van alles een beetje.'

'En je eigen vak?'

'Dat geef ik ook.'

'Maar kan dat wel?'

'Nou, in theorie… nee, maar als de vakgroep wat begrip toont en de studenten niet protesteren…'

'Nou, die vriend van jou heeft wel lef, hè?' concludeerde ik terwijl ik de deur van een tamelijk elegant café openduwde waar ik nooit in mijn eentje was gaan ontbijten, maar dat veel gezelliger en rustiger was dan de toog van de bar op de markt, waar ik nog nooit meer dan drie minuten over een ontbijt heb gedaan.

'Dat denk je maar,' zei hij, en liet zijn tas vallen op een klein tafeltje, naast een raam. Daarna ging hij heel bedaard op een stoel zitten en wachtte tot ik tegenover hem had plaatsgenomen. 'Hij kon niet anders.'

'Heeft hij iemand van kant gemaakt?'

'Nee. Veel erger.' En toch begon hij weer te glimlachen. 'Hij is verliefd geworden op een meisje dat in Valencia woont… En vooralsnog is hij daar gaan wonen, logisch. Zij kon niet hierheen komen, ze heeft twee kinderen en werkt op het gemeentehuis geloof ik… Afijn, ze zijn heel gelukkig, daarom heeft de vakgroep zo veel begrip getoond, omdat overplaatsingen tegenwoordig zo moeilijk liggen… Een koffie alstublieft' – ik zat zo aandachtig naar hem te luisteren dat ik de ober niet eens had opgemerkt – 'en churros.'

Het ontbijt waarvoor ik tien minuten geleden nog een moord zou hebben gedaan interesseerde me niet meer, dus besloot ik voor de makkelijkste weg te kiezen – voor mij hetzelfde, graag – terwijl ik van mijn verbazing probeerde te bekomen, want ik had nooit verwacht dat de hautaine, voorlijke hoogleraar die zich nooit verwaardigde het initiatief van een ander op prijs te stellen, ooit iemand zo'n gunst zou kunnen bewijzen.

Drie kwartier later, toen ik een taxi nam om nog op een enigszins acceptabel tijdstip op mijn werk te komen, was ik al in staat alles te geloven, en wist ik dat zijn vriend, die uit Valencia, twee jaar geleden in de steek was gelaten door een vrouw die nu in alle staten was, dat Javier haar altijd een heks had gevonden, dat hij – hoe kon het anders – getrouwd was en twee kinderen had, dat zijn vrouw – die van Javier – per se een hond had willen kopen ook al hield hij niet van dieren, dat zij toen ze elkaar leerden kennen – ze waren studiegenoten – nooit had verteld dat ze van honden hield, en dat het, voor een kater, maar het beste was dat ik de reputatie van Alka-Seltzer wantrouwde en een Frenadol nam zoals hij die altijd bij zich had voor noodgevallen. Bovendien vroeg hij me op tien of twaalf verschillende manieren excuses voor de scène die hij getrapt had vanwege de titel van de *Atlas*, en hij bezwoer me dat hij zich normaliter nooit zo gedroeg, dat hij die avond ziedend was.

'Ik kan het me niet meer zo goed herinneren, maar het zal wel de schuld van die hond zijn geweest...' concludeerde hij, en ik lachte met hem mee.

Ik had al tien of twaalf verschillende manieren gevonden om hem te vergeven, en ik had hem verteld dat ik gescheiden was – dat was niet helemaal waar, maar wat maakte hem dat uit – dat ik een dochter van vijftien had – zo groot al? antwoordde hij, met de voorgeschreven dosis verbazing, ongelooflijk... – dat Amanda nu bij haar vader woonde, in Parijs, dat ik Parijs een afschuwelijke stad vond – hij hield ook niet van Parijs, ik was opgetogen dat te horen – dat ik ook niet van dieren hield – hij was al even opgetogen als ik vlak daarvoor – dat ik een ontzettende kater had, en nee, ik was niet wezen stappen, verre van dat zelfs, dat zou een stuk leuker zijn geweest, mijn moeder had gewoon op de stoep gestaan rond etenstijd – ik begrijp het al – en we hadden ruzie gehad. Daarna, en dat moet de enige geniale inval zijn geweest die ik in mijn leven heb gehad, want ik begrijp nog steeds niet hoe ik erop kwam, schoot het me te binnen hem eraan te herinneren dat we nog een keer bij elkaar moesten komen om het over de stijl van de cartografie van het laatste deel te hebben, dat exclusief gewijd zou zijn aan zeeën en oceanen.

'Ik heb thuis een heleboel voorbeelden...' zei ik, en dat was zo, al had ik nog maar een paar dagen geleden tegen Fran gezegd dat zij maar met Álvarez moest vergaderen, want dat ik ervoor paste... 'Maar misschien stuur je me liever een fax met de gebruikelijke symbolen, het kleurengam...'

'Nee, nee, nee, nee,' haastte hij zich te verklaren. 'Laten we liever een afspraak maken. Alleen, laat me even denken...' En hij overlegde een paar tellen met de plavuizenvloer, alsof de tegels konden praten. 'Door de week zit ik namelijk erg moeilijk, want met die twee vakken zit ik de hele dag vast op de universiteit. Ik zou woensdag tegen lunchtijd op de uitgeverij kunnen langskomen, of anders… blijf je komend weekeinde in Madrid?'

Ik keek naar het plafond alsof ik een denkbeeldige agenda aan mijn geestesoog voorbij liet trekken, alleen maar om een goed figuur te slaan. Natuurlijk bleef ik in Madrid, al ging het om het superlange weekeinde van mei, één, twee, drie, vier en vijf, van woensdag tot zondag, mij maakte het niet uit, ik zou niet weten waar ik naar toe moest.

'Nou… Ik weet het nog niet helemaal zeker, maar ik denk het eigenlijk wel, want ik ben ontzettend moe en ik heb nog het meeste zin om op de bank te liggen en niets te doen.'

'En zou je erg moe worden van een stuk of tien kaarten bekijken met mij?'

'Dat lijkt me niet,' glimlachte ik.

'Dan bel ik je dinsdag. We kunnen woensdag vroeg in de avond afspreken.'

Zo namen we afscheid, hij wandelde weg om zijn studenten te verzamelen, en ik nam een taxi om iets eerder op de uitgeverij te zijn. De achteruitkijkspiegel weerkaatste het beeld van mijn gezicht terwijl ik het adres opgaf, en wat ik zag beviel me zo, dat ik, toen ik was uitgesproken, in mijn eentje glimlachte, en die glimlach was zo fascinerend, zo breed, zo onafhankelijk, dat ik mijn ogen niet van mijn lippen af kon houden, die de lippen van iemand anders leken, van een vrouw met meer geluk. Mijn kater had langzaam een ander karakter gekregen, de misselijkheid raakte op de achtergrond en ik werd gewiegd in een soort bijzonder aangename genezing, en de zon werd al warm achter de raampjes, ik moest vanbinnen lachen terwijl ik mezelf aan de buitenkant bekeek, tot de taxichauffeur, bijna een goedgehumeurde, energieke bejaarde, me een standje gaf op dezelfde welwillende toon die hij zou hebben aangeslagen om een klein kind de les te lezen.

'U moet niet zo naar uzelf kijken, juffrouw,' zei hij letterlijk, 'dat is nergens voor nodig. U bent heel knap, dat kunt u gerust van me aannemen…'

9

Hij noemde me liefste.

Hij had me liefste genoemd en dat was het enige wat ik wilde weten, dat en dat zijn dijen op een avond tegen mijn handpalmen trilden en daarna keek hij me strak aan, zonder iets te zeggen, alsof hij me wilde vernietigen, kapotmaken, voor altijd uit zijn geheugen wissen of elk detail van mijn gezicht in het reliëf van zijn eigen ogen graveren, ik wist dat en dat was het enige wat belangrijk voor me was, want ik leefde slechts om die trilling te herwinnen, om keer op keer terug te keren naar die kleine hotelkamer, een groot bed, een inbouwkast, twee fauteuils bekleed met het gebruikelijke bedrukte cretonne, een soort commode met laden en, in het midden, de verre en toch zo vertrouwde figuur van een reizigster wier gebaren identiek zijn aan de gebaren die ik elke dag maak, een vrouw die de deur opent, en die haar schoenen uittrekt, en die een sigaret opsteekt, en op de sprei gaat liggen om een telefoonnummer te draaien of om een ogenblik uit te rusten, haar ogen gesloten, zonder te vermoeden hoe waardevol de tijd zal worden die ze nu leeft, zonder in haar binnenste ook maar een spoor van iets nieuws te ontdekken, zonder zelfs maar op te merken dat ze gelukkig is, dat ze na zo lange tijd weer gelukkig is, en dat was de val, een spiraal zonder einde en zonder begin, het labyrint, onoplosbaar als de wetten van de tijd waarin mijn dagen ten onder gingen aan een zoete pijn zonder antwoorden, dat was de waarheid, hoewel ik het nooit heb aangedurfd haar in het oor te fluisteren van een vertrouwde persoon, hoewel ik haar zelfs voor mezelf ternauwernood kan erkennen, hoewel ik haar destijds luidkeels zou hebben ontkend tot mijn tong voor

altijd was opgedroogd in mijn mond, de waarheid is dat ik niet aan die
man dacht maar aan de zorgeloze reizigster die hem in Luzern begeleidde,
en ik droomde niet van hem maar van mijn eigen kortstondige, verspilde
volheid, en ik zocht wanhopig naar niets anders dan een methode, een
systeem, een formule die me zou helpen om binnen te glippen in de kleding van die vrouw die ik was en die anders was, die gelukkig was en het
niet besefte, die speelde met de teugels van het lot zonder ze te herkennen
en zonder ze zelfs maar in handen te willen nemen, dat geloofde ik, en dat
wilde ik, de film van mijn leven terugdraaien, opnieuw over mijn oude
fouten struikelen, één enkele spleet vinden in de huid van de onbewuste
uren om naar binnen te sluipen en hun geheugen tot leven te wekken,
daarvan droomde ik, daaraan dacht ik, wat zou er gebeurd zijn als ik dit
had gedaan, en dat had gezegd, en verder was gegaan, en daarna voelde ik
me zo waardeloos, zo overbodig, zo onbetekenend dat ik het hele register
van bekende beledigingen uitputte om dat kleine beetje van mezelf dat
nog op de been was onderuit te halen, stomme trut, zei ik tegen mezelf,
ongelooflijke idioot, en zo nu en dan vroeg ik me af of ik niet gek werd,
of die koortsachtige toestand van innerlijke ontbinding, als een traag en
nauwgezet rottingsproces, niet zou eindigen in een zo eenvoudige diagnose, pure terreur, want mijn obsessie tooide zich zelfs met de kleinste nuances die kenmerkend zijn voor bepaalde duistere psychopaten uit die
Noord-Amerikaanse televisiefilms die, voor ze beginnen, de kijker waarschuwen dat hij een verhaal gaat zien dat gebaseerd is op waargebeurde
feiten, al die eenzame mensen, door zichzelf verlaten, niet in staat tot
mededogen, die uiteindelijk de meest stompzinnige moorden begaan,
slachtoffers of beulen op gelijke wijze gevangen in een oude, alle gezond
verstand verslindende hoop, bedrogen echtgenoten die binnensmonds
zweren dat ze van hen of van niemand zal zijn, schuwe oude vrijsters die
nog steeds niet hebben afgezien van het dragen van de mottige bruidsjurk
die al dertig jaar aan een knaapje hangt, liefdevolle moeders van een ondankbare zoon, of een ontaarde dochter, die niet werkeloos kunnen blijven toekijken hoe hun jongen, hun kleine meisje, de beste jaren van zijn
of haar leven vergooit, integere militairen gedegradeerd door een betreu-
renswaardig misverstand van de kant van degenen die de ultieme consequenties van vaderlandsliefde niet begrijpen, stuk voor stuk hebben ze een
jachtgeweer verstopt in hun kast en stuk voor stuk eindigen ze dodend of
stervend met dat geweer in hun hand, stuk voor stuk verkondigen ze luidkeels hun gelijk en hun wijsheid, en niemand is helemaal schuldig, maar
ook niemand eindigt goed, en op televisie is heel eenvoudig te zien hoe

dat komt, ze zijn gek, dat is zo duidelijk als wat, gek, en ik had dezelfde symptomen, hetzelfde talent om ogen en oren te sluiten voor de bewijzen die me niet van pas kwamen, dezelfde haast om ze te interpreteren in een zin precies tegenovergesteld aan wat zo overduidelijk was, een plotseling onbeperkt vermogen om mezelf te overtuigen van het onvoorstelbare, en een koppig vertrouwen in een toekomst door mijzelf geconstrueerd zonder ander gereedschap dan mijn eigen verlangens, en niets anders, want buiten mijn hoofd bestond niets, niets had zin buiten de grenzen van mijn verbeelding, die bezet, overmand, aangevallen werd door het spook van mijn begeerte, dat zo moorddadig was dat het onmiddellijk alle andere gebeurtenissen verslond, en alles wat me overkwam leidde me uiteindelijk naar hem, elk verhaal dat ik hoorde, elk boek dat ik las, elke film die ik zag, en de namen van de straten die ik overstak, en de etalages van de winkels die ik binnenging, en zelfs de merken van de producten die ik in de supermarkt koos, de hele wereld was veranderd in een gigantisch boek in code, en alle tekens waren er uiteindelijk slechts één, alle pijlen wezen in dezelfde richting, en toen vroeg ik me af of ik soms gek werd, want de gekken lijden net zoveel als de normalen, maar meteen daarna ontzegde ik mezelf zelfs die giftige en minimale troost, want de normalen lijden net zoveel als de gekken en toch slagen ze er nooit in, zelfs niet op het ergste moment van totale vervreemding, bij zichzelf de kennis van de hardste waarheden te verwijderen, en ik kende het vreedzame en statische karakter van de werkelijkheid, de teleurstellende oplossing die zich verschuilt achter het doek van zo veel onoplosbare mysteries, de onverdraaglijke dubbelheid van de menselijke gevoelens, ik was niet gek maar ik leed, ik werd gekweld door een onuitroeibare angst, ik stierf van pijn bij mijn volle verstand, en toch was ik soms, bij momenten, precies die momenten waarop mijn ongeduld op het punt scheen af te dalen in de afgrond van de wanhoop, in staat mezelf een heel eenvoudig, heel geloofwaardig, heel helder verhaal te vertellen, en begreep ik de situatie van een fotograaf die Nacho Huertas heette, die redelijk gelukkig was toen hij in een kleine Zwitserse stad een redactrice ontmoette die Rosalía Lara Gómez heette, en hij vond haar leuk, en zij vond hem leuk, en ze gingen met elkaar naar bed, en het was zo fantastisch dat ze een paar dagen met elkaar optrokken, en daarna ging ieder op eigen gelegenheid terug naar Madrid, en hij volstond er misschien mee haar te rangschikken onder andere gelukkige toevalligheden uit zijn leven, of beschouwde haar wellicht zelfs, gedurende enige tijd, als een meer serieuze bron van complicaties, en het is mogelijk dat hij haar leuker vond dan hij bereid was toe te geven, en zelfs dat hij aanvankelijk niet helemaal loskwam van de herinnering aan die verrassende vrouw, misschien daardoor, en haar, in tegenstelling tot wat hij al had besloten, een paar foto's stuurde, en haar telefoontje beantwoordde, en een afspraak met haar maakte in zijn studio, dat alles begreep ik, het leek me logisch, vanzelfsprekend bijna, en ik kon ook begrijpen dat hij vervolgens geschrokken was, dat hij niet kon omgaan met de gretigheid van iemand die zijn hulp wilde om bergen te verzetten, dat hij tot de conclusie kwam dat zij, hoe goed ze elkaar in bed ook begrepen, voor hem niet voldoende reden was om zijn leven te veranderen, tot hier ging alles goed, en hier zou alles geëindigd zijn als ik werkelijk aan hem had gedacht, als ik echt van hem had gedroomd, want teleurgestelde liefdes gaan tenslotte onder in een meer van zoete tranen, in een lauwe roes van melancholie die zich uitput in een reeks van opeenvolgende katers, als het effect van een ontwenningsserum dat de pijn beetje bij beetje in ironie verandert om ten slotte een stof te produceren die schoon is, harmonieus, zowel vrij van wrok als van schaamte, de ware liefde verlost haar kinderen altijd, maar mijn inschattingen waren heel anders en mijn angst veel duisterder, want ik bleef maar aan mezelf denken, bleef maar van mezelf dromen, ik wilde opnieuw beginnen om definitief de rekening te vereffenen met de tijd, om de dagen vast te houden die als druppels water tussen mijn nagels door gleden, om voor eens en altijd de opstand neer te slaan van de rebellerende jaren die massaal en tot verraad van mijn herinnering deserteerden, en in het verleden was ik op zoek geweest naar een liefde die machtiger was dan de dood, maar nu was ik niet genegen af te zien van oneindig veel minder, want ik had met mijn vingertoppen een nieuw begin beroerd en toch bleven mijn handen leeg, en me daarmee tevreden stellen was bijna erger dan de dood want de dood zet in elk geval een streep aan het eind van het leven, maar mij wachtte een egaal leven, zonder andere strepen dan die van een dood aan het eind van vele passieve, vluchtige, steriele jaren, hele jaren van honderden vreugdeloos geleefde dagen, en dat kon ik niet aanvaarden, nog niet, als ik nooit aan die reis was begonnen had ik verder kunnen leven als tevoren, in het algemeen berustend en zo nu en dan zelfs tevreden, ik had mijn kinderen zien opgroeien, mijn carrière met alle mogelijke middelen verder opgebouwd, zo nu en dan de inrichting van het huis veranderd, me opgegeven voor een cursus stijldansen, hier en daar een potje geneukt of een commode met afbijtmiddel behandeld, maar nu kon ik dat niet meer, ik wilde zelfs niet denken aan de mogelijkheid om op een dag over te gaan op die armzalige rituelen van zelfmedelijden, ik pretendeerde niet meer dat ik mijn leven op orde bracht, want wat ik nu nodig had was het kapotmaken, verpulveren, vernietigen voor altijd, het tot zulke kleine stukjes afbreken dat ze zich nooit meer zouden kunnen verenigen en samenzweren ten gunste van de nostalgie van de verloren tijd, en alleen zou ik dat niet doen, alleen kon ik het niet, telkens wanneer ik eraan dacht beefden mijn benen van angst, ik zou nooit zeker zijn, ik zou nooit de moed hebben, maar als hij op me zou wachten, zou alles gemakkelijker zijn, misschien zelfs heel gemakkelijk, zo gemakkelijk dat ik niets had aan een heimelijk, veilig, stiekem verhaal, een comfortabel, conservatief overspel van de klassieke soort, van het type dat de van elkaar vervreemde echtgenoten uiteindelijk weer bij elkaar brengt, want ik wilde mijn huwelijk niet herstellen, ik wilde het opblazen, de lucht in laten vliegen, en ik had kruit, munitie en een goede lont nodig, en ik had dat snel nodig, want vroeger of later zou ik van deze koorts genezen, dat wist ik, en dat de wateren dan weer hun oude, stagnerende en rechte loop zouden nemen, langzaam een bijna vergeten gekte met zich meevoerend naar de oever, een zeer schadelijk en vernietigend gif, en op een ochtend zou ik opstaan en me goed voelen, met veel eetlust, en de herinnering aan dat broodkastje van bewerkt hout, dat zo mooi was en van mijn grootmoeder was en altijd in het huis in de bergen had gestaan, en met de biscuitjes van het ontbijt zou ik op het idee kauwen om het in een speciale kleur blauw te verven, misschien gesponst indigo met synthetische witte lak, dat fantastisch zou staan in Clara's kamer, zou ik bij mezelf zeggen, en als ik het haar vraag, zal mama me dat geven, dat weet ik zeker, punt uit, en een nieuw begin dus, zo vergeeld en uit de mode als mijn bruidsjurk, een soort hemdachtig gewaad van een hippieprinses met opvulling onder de borsten en overal stiksels en kant, die mijn zusje Natalia tijdens het carnaval van me had geleend om zich te vermommen als Yoko Ono, en zo'n einde verdiende ik niet, en daarom perste ik mijn lippen op elkaar, en sloot mijn ogen, en stopte ik watjes in mijn oren om elke waarheid uit de weg te gaan die de zoete staat van sentimentele onwetendheid zou verstoren waarin ik ronddreef als in een warm meer van kleurloze gelatine, het wonder van die nietige speld bevestigd aan het hemelgewelf waaraan we hingen, ik, met mijn hele gewicht, en welke mogelijke toekomst dan ook, en ik stelde me gerust door te zeggen dat het moment van de belangrijke beslissingen nog niet was gekomen terwijl ik de bedwelmende lotus van de obsessie at, die perverse bloem die je alles doet vergeten, en zo vergat ik alles, alles behalve dat hij me liefste noemde en dat zijn dijen op een avond tegen mijn handpalmen trilden en daarna keek hij me strak aan, zonder iets te zeggen, alsof hij me wilde vernietigen, kapotmaken, voor altijd uit zijn geheugen wissen of elk detail van mijn gezicht in het reliëf van zijn eigen ogen graveren, want hij had me liefste genoemd, en dat wist ik.

Dat was het enige wat ik wilde weten.

Hij, daarentegen, wist niet dat hij me met dit woord de definitieve duw gaf die me tollend van de hoogste top van een kloof naar de bodem van een afgrond bracht die ik in die tijd niet eens kon ontwaren.

'Tegen jou zeg ik niets, schoonheid, want ik weet wel dat jij, dit soort dingen...'

Hij heette Bartolomé, maar de intimi noemden hem Bambi omdat zijn eerste vriend een keer tegen hem had gezegd, toen hij zich nog niet had ontdaan van de dubbelzinnige huid van de adolescentie, dat hij verliefd was op die ogen van hem van een verschrikte gazelle.

'Hij was bij de *guardia civil*' – hij was tegen de vijftig en krulde nog steeds zijn wimpers, en herinnerde zich hem met nostalgie – 'getrouwd en alles, maar zeer creatief, dat spreekt vanzelf...'

Bambi, want ik kon de verleiding nooit weerstaan hem zo te noemen, hoewel ik niet tot de intimi behoorde, was hoofd van de postkamer van de groep, een klein magazijn dat zich in de kelder bevond en functioneerde als een echt miniatuurpostkantoor. Alle correspondentie van alle afdelingen van alle uitgeverijen die hun hoofdkantoor in het gebouw hadden, ging onvermijdelijk door zijn handen, maar dat was niet veel, zelfs niet met de eigen koeriersdienst erbij die – vernieuwen of verzuipen, zei hij met hoogdravende overtuiging – net was gaan functioneren, en vooral omdat de postdienst de enige afdeling was met meer dan voldoende personeel. Twee leerlingen – niemand wist ooit goed waarin – stonden achter een balie, zonder het ook maar te wagen, behalve in uitzonderlijke gevallen, de deur door te lopen van het kantoortje achterin, waar Bambi zich was gaan vervelen, van pure ledigheid, als hij niet helemaal geleefd had voor het beheer van veel duisterder gebieden dan dat van de zegelloodjes en de frankeermachines, want deze en andere werktuigen van zijn beroep – doosjes met paperclips en vlakgommetjes, overzichtsstaten en vellen met zelfklevende etiketten, gewone en andere, vreemdsoortiger potloden, met aan de ene kant een rode en aan de andere kant een blauwe punt, beide met zorg geslepen – deelden de laden van zijn bureau met drie of vier tarotspellen van verschillende familie en ontwerp, een inklapbaar kaartta-feltje, een complete collectie van de heiligen van alle hemelen – van een prentje van de heilige Theresa van het Kind Jezus tot een wassen beeldje van de heilige Simon van Guatemala, een grote ster van de Midden-Amerikaanse gemeenschap van heiligen – kaarsen in allerlei kleuren en afmetingen, en zelfs een glazen bol op een zwart geschilderde houten voet.

'Ik ben nou eenmaal gek op alles wat met het paranormale te maken heeft…' biechtte hij me een keer op toen hij me zijn vertrouwen waard achtte, alsof hij echt geloofde dat ik niet al voor hij het me liet zien op de hoogte was van zijn exotische gedoe.

Toen al leek zijn terughoudendheid me absurd, want iedereen refereerde aan het adviesbureau in de postkamer met de vanzelfsprekendheid waarmee gepraat werd over de boekhoudafdeling of de betegeling van de toiletten, en van alle mysteries rond zijn persoon was dit het enige wat me echt interesseerde, de verbluffende straffeloosheid waarmee hij zich aan het hiernamaals wijdde terwijl hij, aan het eind van elke maand, een strikt aards salaris voor heel ander werk bleef opstrijken. Mettertijd kwam ik erachter dat hij tot zijn trouwste bezoekers niet alleen de directeur van de groep mocht rekenen – een lange, vrij gezette en vrijwel volledig kale heer, die door de gangen draafde terwijl hij met een witte zakdoek het zweet van zijn voorhoofd veegde, voorwerp van een bepaald niet spiritueel voorkomen – maar ook María Pilar, de vrouw van Miguel Antúnez, een huisvrouw met onrustgevoelens die zo nu en dan alleen naar de uitgeverij kwam om zich aan de handen van Bambi toe te vertrouwen. De bescherming van deze twee bewonderaars was vooralsnog voldoende geweest om de radicale tegenstand te neutraliseren van Fran, die bijna net zo'n hekel aan hem had als aan haar schoonzuster, want ons privé-orakel had ook belangstelling voor de wereld en had, om precies te zijn, een bijna ziekelijke verering voor alle koningshuizen van Europa en, als extraatje, dat van Japan, en begon, wanneer hij klaar was met de stand van de sterren en de litanieën om verliefd te worden, over de morganatische huwelijken en de zuiverheid van het bloed.

'Allemachtig, alsof we nog niet genoeg hebben van het hiernamaals…' was Fran hem, de enige keer dat hij haar probeerde uit te leggen waarom de prins van Asturias niet met een volksmeisje kon trouwen, bruusk in de rede gevallen, en Ana had niets gezegd, maar was er achter haar aan vandoor gegaan.

Hoewel ik niet monarchistischer ben, besloot ik echter wat toleranter te zijn en verdroeg zijn praatje staande, naast het fotokopieerapparaat, een houding die ongetwijfeld niet bevorderlijk was voor de mening die hij over mij had sinds hij me gevraagd had naar het sterrenbeeld van mijn kinderen en ik me niet kon herinneren of Ignacio Boogschutter of Steenbok was, omdat ik met die twee tekens altijd in de problemen kom. Juist, nog een ongelovige… zei hij alleen, maar door deze vier woorden wist ik dat ik het definitief had verbruid. Toch leek hij me heel vermakelijk, maar toen het in me opkwam om, na het eten, met Marisa mee naar de postkamer te gaan, was dat omdat ik me ellendig voelde, niet uit sympathie,

Mijn dagen volgden elkaar in die tijd op met het grillige, onberekenbare ritme dat het leven van een ter dood veroordeelde verandert in een motor met twee snelheden, een hoge snelheid, die de uren vooruit kan duwen, achter de spottende haas van de gratie aan, en een lage snelheid, zwaar als een loodgrijze lucht en zeer bitter, die zich meester maakt van elke seconde om deze aan de enige muur van de cel te nagelen vanwaar de binnenplaats van de gevangenis zichtbaar is, het toneel van een op handen zijnde executie. Zo, heen en weer geslingerd tussen een gelukkig en een erger dan treurig einde – want bij de mislukking van een denkbeeldige liefdesgeschiedenis zou de schaamte moeten worden opgeteld, de voorbije en toekomstige schaamte, en wanneer ik alleen achter zou blijven, met mezelf, met mijn man, met mijn huis, met mijn kinderen, zou de herinnering aan de gekmakende vervolging door een man die er vermomd in de transparante huid van een spook vandoor gaat, veel moeilijker te verdragen zijn, oneindig veel belachelijker zijn, dan de vlammen die op elk concreet moment van dit beleg bezit hadden kunnen nemen van mijn wangen – ging mijn leven voorbij, en terwijl ik deed of ik werkte of echt werkte, bij het klaarmaken van het eten of het zien van een film op de televisie, wanneer ik met de kinderen speelde of de boodschappen deed, maakte ik handig gebruik van de oude routine van een personage dat niet meer precies ik was, want in het diepste gebied van mijn hersenen gehoorzaamde de tijd aan een onbewogen regel, en werd alleen snel, en draaglijk, als elke seconde niet eeuwig was en er niet meer verleden, niet meer heden, niet meer toekomst was dan een labyrint met twee uitgangen, de schat of de dood, als in de oudste en gemeenste raadsels.

Die dag lag, vanaf het moment dat ik opstond, en op dat tijdstip was het nog nacht, de ramp in alle richtingen op de loer. Het was 3 december, precies een jaar nadat ik aan mijn reis naar Zwitserland was begonnen, maar ik maakte me niet ongerust, het feit dat het dezelfde datum was kon niet verslechteren wat al slecht was, en ik was gewend aan dit soort dagen, ik wist ze onder controle te houden, hoewel ik er nooit in slaagde het mechanisme te ontmantelen van een verschijnsel dat verbonden was met de ergste uitwassen ervan, de mysterieuze dubbelhartigheid die ik, precies toen, in mezelf onderkende met veel meer scherpte dan op de goede momenten, wanneer de onbetekenendste aanwijzing mijn hoop voorzag van vleugels die zo krachtig waren dat ze me moeiteloos verhieven boven het uitgestrekte en solide universum van het verstand. De Mannen x, vliegende, amfibische, amorfe, ongewapende of onoverwinnelijke mutanten, met laserstralen in hun ogen, stalen klauwen aan hun vingers, springveren onder hun voeten of een gezichtsvermogen voor lange afstand, vertelden me elke middag de geschiedenis van mijn leven terwijl ze tevergeefs probeerden het mens-zijn te herwinnen dat ze tegen hun wil hadden verloren. Omdat het in mijn geval, net als in het hunne, niet ging om het leven van twee verschillende levens, want dat is per slot van rekening niet zo moeilijk, maar om het leven van één enkel leven vanuit twee verschillende geaardheden, het vastleggen van elke gebeurtenis in twee afzonderlijke, naast elkaar bestaande geheugens, het dupliceren van één blik die één enkele wereld waarneemt om vervolgens twee parallelle series gegevens te interpreteren, onderling geïsoleerd, met elkaar in tegenspraak misschien, die van de mensen die waren, die van de mutanten die zijn. Zo nu en dan voelde ik me alsof een of andere parasitaire geest, sluw gehuisvest in mijn binnenste, besloten had aan de oppervlakte te verschijnen om zich te vermaken, af en toe bezit van me te nemen, of, wellicht omdat geen enkel stukje van die puzzel betekenis had buiten mijzelf, alsof een duister en vroeger gebied van mijn bewustzijn naar hartenlust en verraderlijk kon groeien tot het veranderde in een volledig wezen dat degene kon verdringen die ik tot op dat moment had gemeend te belichamen. Ik vind geen andere manier om uit te leggen wat er met me gebeurde, het tumultueuze naast elkaar bestaan van een vrouw die was en een andere vrouw die ijlde, binnen de grenzen van mijn eigen wezen, en de angst die ons beiden in gelijke mate kwelde op dagen als die, wanneer de vrouw die bestond de kracht niet had om te ijlen en de andere elke hoop ooit werkelijk te bestaan reeds had verloren. Daarom, omdat ik tot alles in staat was om niet alleen te hoeven terugkeren naar mijn bureau en door te gaan met dat inwendige verstikkingsproces, volgde ik Marisa naar de postkamer, maar ik dacht er geen moment aan helemaal tot het eind te gaan, en ik had het niet gedaan als zij niet langs het kantoor van Ramón had gemoeten om een volledige lijst op te halen van de bestelling die uit Californië was gekomen, die plaats waar ze hun leven doorbrengen met het opvragen van programma's.

'Hoe is het, Rosa?' De slimste jongen van de uitgeverij, die discreet mijn gemoedstoestanden volgde sinds hij getuige was geweest van de euforie die ik uit Luzern had meegebracht, groette me met een glimlach, terwijl Marisa, naast mij, onbegrijpelijke woorden onderstreepte op een vel papier.

'Zijn gangetje,' antwoordde ik, en ik dwong mezelf op mijn beurt te glimlachen.

'Juist,' zei hij, en hij hield zijn hoofd schuin om me met halfgesloten ogen een blik toe te werpen die me bang maakte. 'Het is in je gezicht te zien, weet je, want je bent heel knap, maar van een soort… tragische schoonheid.'

'Ik wed om de twee borsten die ik niet heb dat de extra-fijne Bodoni niet is gekomen.' Marisa, tot op dat moment totaal afwezig, bevrijdde me van de verplichting iets terug te zeggen. 'En de complete *Times*… we moeten afwachten, maar die komt vast zonder *eñe*, die brontalen zijn een ramp. Goed, ik kom je straks vertellen hoe het ervoor staat, laten we gaan, Rosa…'

Ze bleef maar doorpraten en ik volgde haar zwijgend, terwijl ik met moeite de verleiding weerstond om mijn gezicht, die schone tragedie, met mijn handen te bedekken, en toen Bambi, die genoeg had van nietsdoen, zoals bijna altijd, haar uitnodigde naar zijn kantoor te komen nadat hij haar een pakket had overhandigd, liep ik erachter aan, en terwijl zijn vingers, met gebaren die welbewust traag waren, de kaarten op de tafel rangschikte, dacht ik voor het eerst van mijn leven, want ik moest iets denken, dat er misschien toch iets van waarheid in dat alles zat.

'Dit is de Hoorn des Overvloeds' – zijn stem forcerend tot hij een verrassend hees gefluister bereikte, alsof de woorden opwelden uit een of ander diepverborgen bolwerk in zijn lichaam dat anderen niet bezaten, was de postkamerbaas en aanhanger van de Bourbons die ik kende zonder enige inspanning veranderd in een expert op het gebied van het lot, als degenen die om drie uur 's nachts reclame maken op de commerciële zenders – 'die op positieve veranderingen in de economie wijst…'

'En een vriend?' Marisa, die ons honderden keren had gezworen dat Bambi het met een heleboel dingen bij het goede eind had, was zo ontspannen alsof ze haar nagels aan het lakken waren. 'Komt er geen vriend voor me te voorschijn?'

'Hé, luister, meisje, of we nemen het serieus of ik…'

'Neem me niet kwalijk.'

'Laten we eens kijken…' Op dat moment volgde ik de ontwikkeling van de kaarten al met veel meer geestdrift dan de belanghebbende. 'De Zwarte Heer. Kan zijn… Mmm… Eens kijken… Nee, schat, dat van die vriend is helemaal niet duidelijk, want het Rad van de Tijd ligt omgekeerd, zie je, maar dat kan aan de andere kant betekenen dat je binnen een paar maanden…'

'Je vertelt me altijd hetzelfde!' De lach die deze klacht begeleidde, deed me vermoeden dat Marisa de tarot feitelijk als een onschuldig tijdverdrijf beschouwde. 'Goed, kijk maar naar mijn gezondheid, want ik weet zeker dat het wat dat betreft fantastisch met me gaat.'

'Ja zeker…' Bambi ging verder en liet de spot van zijn cliënt deze keer aan zich voorbijgaan. 'Kijk eens aan, de Maan, de Steeneik… Je zult een lang leven hebben, en er is nog iets. Hier…' Hij wees op een kaart waarop een schip stond dat vaag deed denken aan dat van de vikingen. 'Het Schip. Dit voorspelt een reis, een avontuur waarvan je iets kunt verwachten…'

Op dat moment veranderde het gezicht van Marisa, alsof de laatste opmerking van Bambi een verborgen en zeer geheime knop had omgedraaid, een hendel had overgehaald die een automatisch verstijvingsmechanisme in werking had gezet, want alle spieren van haar gezicht spanden zich op slag, en terwijl haar ogen zich verwijdden en haar oogleden verstrakten, werden haar wangen hol, alsof haar hele hoofd uitdroogde van verbazing. Dit verschijnsel duurde niet langer dan een paar seconden, maar de waarzegger begroette de intensiteit ervan met een juichende schaterlach.

'Ik zit goed, hè?' vroeg hij, genietend van zijn eigen triomf.

'Nou,' om de een of andere reden die ik niet begreep, wilde Marisa hem deze voldoening echter niet gunnen, 'nou… dat zullen we nog wel zien.'

In de ongemakkelijke stilte die hierop volgde, wendde Bambi zich tot mij, waarbij hij voetstoots aannam dat ik zijn diensten vinnig zou afwijzen, maar hij kon niet weten dat ik een slechte dag had, dat ik op het punt stond op mezelf stuk te lopen, dat ik hoe dan ook, tot welke prijs dan ook, een nieuwe dosis gif nodig had om me los te maken van de werkelijkheid, een stel nieuwe vleugels om te kunnen blijven zweven, een krachtige make-up om mijn getekende gezicht te bedekken, en daarom aarzelde ik niet om iemand tegen te spreken die geloofde alles te weten.

'Nee,' zei ik vastbesloten. 'Ik ga het proberen. Laten we eens kijken, leg me de kaart maar…'

Mijn beslissing wekte Marisa bruusk uit haar verdoofde toestand, en was niet minder verbazingwekkend voor de rechter die op het punt stond over mijn lot te beslissen, maar beiden zwegen en de ceremonie begon opnieuw. Bambi schudde, liet me couperen, en pakte de eerste kaart met alle

197

geheimzinnigheid van de wereld tussen zijn vingers, terwijl hij net zo naar me keek als Doctor x vanuit zijn rolstoel, zo intens alsof hij me wilde hypnotiseren, terwijl hij om de spanning op te voeren doodstil was tot de tafel bedekt was met kaarten.

'Dit is de Dame van het Meer,' zei hij toen, terwijl hij de top van zijn wijsvinger op een in witte sluiers gehulde vrouwenfiguur legde die in het midden van een rij lag, 'die in dit geval jou voorstelt... Hier verschijnt de Koning, een heel stabiele, heel belangrijke mannelijke figuur. Hij kan verwijzen naar je man.'

'Nee.' Ik wilde niets meer zeggen, terwijl mijn hart op schrikwekkende wijze de frequentie van zijn slagen opvoerde. Hij keek me een ogenblik aan, waarbij hij liet doorschemeren dat hij doodnieuwsgierig was, maar nam vervolgens een zeer professionele, afstandelijke houding aan.

'Goed, het gaat in elk geval om iets wat heel belangrijk voor je is, en het is misschien geen persoon, maar een doel, een voornemen, een zeer sterk verlangen... Als het om een menselijk wezen gaat, is dat, uiteraard, mannelijk...' Hij zweeg even, voor het geval ik iets zou willen verduidelijken, maar dat had geen succes, en hij vervolgde op een toon die steeds vertrouwelijker werd. 'Hij is heel dichtbij, begrijp je, in een goede positie. Jij zult weten wat dit betekent, ik kan je alleen zeggen dat deze man, of dit doel, jouw lot kruist, op de een of andere manier een rol gaat spelen in je leven en je, uiteraard, gunstig gezind is, hoewel zich, om het verhaal af te maken, hier... kijk,' en hij wees naar een andere vrouwenfiguur die zich precies naast de Koning bevond en gekleed was in vlammend rood, 'het Meisje van het Vuur bevindt. Deze kaart wijst op een obstakel, en een ernstig obstakel, voor jou, in verband met wat ik je eerder zei, over die man of dat doel waar je naar streeft. En voor haar geldt hetzelfde als voor de andere kaart. Als het om een menselijk wezen gaat, is dit een vrouw. Zo niet, dan kan het op een ander soort moeilijkheid wijzen, ik weet niet...'

Op dat moment onderbrak ik zijn betoog met een heftigheid die ik niet had willen tonen, maar mijn maag draaide zich al om, ten prooi aan een ondraaglijke spanning, en dreigde naar mijn keel te klimmen, terwijl elke vezel van elk van mijn zenuwen zich gelijktijdig en op pijnlijke wijze liet voelen en mijn hersenen geblokkeerd waren, mijn verstand opgehouden had te bestaan, noodgedwongen verdwenen was zonder zelfs maar afscheid te nemen, want het kwam niet in mijn hoofd op dat het één en hetzelfde was, alles wat hij me had verteld en niets, dat in ieders leven wel een belangrijke man aanwezig is en een vijandige vrouw, dat we allemaal wel van een of ander onbereikbaar doel dromen, waar we obstakels min-achten die bij het waken opdoemen als bergen omkranst door wolken voor de ogen van een ongeschoeid kind, niets van dit alles bedacht ik, ik had me zo weerloos opgesteld ten opzichte van mijn eigen verlangen dat ik al geloofde in de macht van een stuk of zes bizar bedrukte kaarten en zelfs geen medelijden met mezelf voelde.

'Kan ik haar verslaan?' was letterlijk wat ik vroeg.

'Wat?' Bambi stoof geschrokken op, maar zijn verbazing had meer te maken met de nieuwigheid van het feit dat ik besloten had hem te consul-teren, dan met de concrete inhoud van mijn vraag.

'Of ik die vijand kan vernietigen, of de kaarten zeggen wie uiteindelijk zal winnen.'

'Om je te antwoorden, moet ik de kaarten opnieuw raadplegen…' Hij pakte alle kaarten van de tafel en schudde opnieuw, waarbij hij de cadans van zijn bewegingen nog meer overdreef, alsof het een optreden was voor zijn vurigste aanhangster, dacht ik bij mezelf, zonder in de gaten te hebben dat dat precies was wat er gebeurde. 'Laten we eens kijken op welke wa-pens we kunnen rekenen… Mmm… Bravo! Het Zwaard verschijnt rechts van je, zie je, en dat is een groot voordeel. Maar je hebt het Kasteel tegen-over je, dat is slecht… Fortuin staat echter aan jouw kant, kijk maar. Ik zou daarom zeggen dat je een grotere kans hebt om te winnen dan om verslagen te worden…'

Vervolgens stond ik op het punt hem te vragen of hij zeker was van zijn diagnose, maar een seconde voordat mijn tong vrijwel alles had verra-den wat ik tot op dat moment was geweest, wist ik hem in bedwang te houden. Waar ik echter niet in slaagde, was een glimlach onderdrukken die zo breed was dat Marisa, op de drempel van haar vissenkom, zich ver-plicht voelde mij te verdedigen tegen mijn eigen illusies.

'Rosa,' riep ze, toen ik haar de rug al had toegekeerd om naar mijn werkkamer te lopen, en pas toen ik me op mijn hielen had omgedraaid, wilde ze verdergaan. Ze keek me aan en zei: 'Doe me een plezier, a-alsje-blieft, n-neem dit niet al te serieus…'

Ana had me een overeenkomstige waarschuwing gegeven, maar dat was heel in het begin geweest, toen de geur van Nacho nog vers in mijn her-innering lag en de toekomst nog toekomst was, nog een onbekende om op te lossen, een leeg toneel waar geen enkel vast personage een aangewe-zen plaats had.

'Ach!' Ik was het kantoor van Fran nog niet helemaal binnengekomen toen ze, het moment waarop ze mij daar ontdekte, haar handen naar haar hoofd bracht en, mij aankijkend, deze uitroep liet horen.

'Is er iets, Ana?' Fran, die geschrokken was van deze invasie, was waarschijnlijk al aan het bedenken van welk ander land van de wereld we nu zonder foto's zaten.

'Ja, eh, nee… Goed…' en mij aankijkend, 'ik bedoel dat er niets aan de hand is met de serie. Ik bedacht alleen dat ik een boodschap heb voor Rosa.'

Op dat moment kon ik nog niet voorzien dat er een dag zou komen waarop ik bij elk minimaal teken van nieuws zou stikken van ongeduld, en ik moet zeggen dat ik kalm wist te blijven, zelfs toen Ana mij, bij het verlaten van dat kantoor, bij de arm greep om een nog alarmerender voorspelling te doen.

'Je gaat me vermoorden…'

'Wat is er dan?' vroeg ik, met een nieuwsgierigheid die nog puur was, nog niet besmet met een of andere begeerte.

'Toen ik gisteravond thuiskwam, vond ik een boodschap van Nacho Huertas op het antwoordapparaat. Hij wilde dat ik hem jouw telefoonnummer…' Mijn ijdelheid bracht een heftige steek van verrukking voort, die zich vanuit het midden verspreidde naar het laatste hoekje van mijn lichaam, 'en uiteindelijk ben ik vergeten hem terug te bellen, meid, kun je dat geloven? Je hebt natuurlijk ook geen idee wat voor avond ze me met zijn allen hebben bezorgd. Mijn moeder had ruzie gehad met mijn vader, mijn vader wilde me zijn versie laten horen, mijn broer en mijn zussen hadden al partij gekozen, en alsof dat nog niet genoeg was, belde mijn dochter vervolgens om me geld te vragen, mijn ex-man om me aan te kondigen dat er een of andere ramp was met de fiscus, en de mensen van de wasmachine om me te vertellen dat ze hem niet hadden kunnen repareren doordat mijn werkster zonder te waarschuwen een paar uur te vroeg was weggegaan… Kortom, mijn zin om ook nog maar met iemand te praten was op slag verdwenen. En dan nog die stommeling van een auteur, over wie Fran je wel verteld zal hebben…?'

'Wat?' vroeg ik uit pure beleefdheid, terwijl de spanning zich begon te laten voelen.

'Over de titel van de *Atlas*, dat hij het er helemaal niet mee eens is dat we die zouden veranderen, en dat hij nog niet weet of hij zijn naam aan het werk wil verbinden, want continentale platten zijn nou niet bepaald menselijk en het enige wat hij vraagt is een beetje accuratesse…'

'Heeft hij dat tegen je gezegd?'

'Geschreeuwd.'

'Wat een zak…'

'Hopeloos, meid, maar zo staat het ervoor. Ik zweer je, als ik hem voor me had gehad, had ik een paar stevige klappen uitgedeeld,' en ze stompte in de lucht met de beledigde waardigheid van een vechtjas uit een oude film, 'zodat hij voor eens en altijd begrepen had wat accuratesse is… Het punt is dat ik uiteindelijk niet met Nacho heb gesproken. Wil je dat we hem nu bellen?'

'Nu?' Op een bepaald moment moest ik nerveus worden, en dat moment was nu gekomen. 'Ik weet niet… Maar… Hoe?'

'Nou, hoe doe je dat? Kom mee…'

Een ogenblik later, gezeten tegenover Ana, begon ik me te verwonderen over de vanzelfsprekendheid waarmee ze de telefoon oppakte, een nummer draaide dat ze van tevoren in haar agenda had opgezocht, en begon te praten met een man die ik vaker naakt dan gekleed had gezien, niet alleen alsof ze hem al heel lang kende – wat, al met al, vrijwel zeker was – maar ook alsof ik er niet bij aanwezig was.

'Nacho? Hallo, met Ana Hernández Peña, hoe gaat het?' Ze maakte gebruik van de pauze om te glimlachen en me een knipoog te geven. 'Ja, precies, daarom bel ik je. Ik kwam gisteravond erg laat thuis en het was geen tijd meer om… Ja, de foto's zijn prachtig, zoals vrijwel altijd, dat is echt waar, het is een plezier om met je te werken… Wat?' Haar glimlach werd zo breed dat hij over haar mondhoeken heen leek te stromen, en terwijl ze haar ogen liet rollen, bewoog ze haar vrije hand met gespeelde heftigheid door de lucht om me duidelijk te maken dat datgene wat ze hoorde nogal heftig was. 'Ja, nou ze heeft me verteld dat jullie elkaar in Luzern, geloof ik, hebben getroffen en dat jullie je uitstekend hebben vermaakt. Ze vindt je heel leuk, zo te zien… Nee, ik zweer je dat het niet zo is. Wat bedoel je?' Ze dekte de telefoonhoorn met haar ene hand af om nog iets toe te voegen aan wat inmiddels al een complete verzameling van grimassen was geworden. 'Natuurlijk zijn we vriendinnen, maar vrouwen zijn anders dan mannen, wat dacht je eigenlijk… Nou niets, ze heeft me alleen verteld wat ik tegen je heb gezegd, dat je heel leuk bent, dat ze veel met je gelachen heeft… Was er nog meer?' En op dat moment bracht ik mijn handen in een bezwerend gebaar omhoog om haar te smeken op te houden, want ondanks de hele vertoning had ik niet echt vertrouwen in haar talenten als actrice, maar ze scheen zich zo te vermaken dat ze zich, zonder op mijn smeekbeden te letten en onberispelijk liegend, uit vrije wil op terreinen begon te begeven die steeds moerassiger werden. 'Nee, echt niet, serieus, vertel me nou… Wie begon er? Nee, luister, echt niet, dat maakt me echt niet uit… Ik ga echt niet stiekem over haar kletsen tegenover mijn vriendinnen, wat denk je wel van me…? Heel goed, ze heeft een geweldig lichaam, en wat nog meer…? Ze is veel verleidelijker dan op het eerste gezicht lijkt… Serieus? Wie had dat gedacht…! Doe niet zo raar, Nacho. Hoezo ga ik het aan haar vertellen. Snap je niet dat ik gewoon neutraal wil blijven om van alles op de hoogte te raken? Natuurlijk ben ik een roddelaarster, dat wist je wel, dat is niets nieuws…!' Toen dekte ze de hoorn weer af en sprak fluisterend tegen mij, hij lijkt helemaal ingepakt, zei ze, ik weet niet hoe je het hebt klaargespeeld, en eindelijk liet ik het ventiel open dat alle lucht uit mijn binnenste had gezogen, waardoor mijn ingewanden tegen elkaar waren geplakt, onder druk samengeperst tot de grootte van een vuist, en ik voelde met opluchting hoe ze plotseling losraakten en onmiddellijk hun vochtigheid en hun oude plaats terugkregen. 'Nee, ik zweer je dat ze me nog niet de helft heeft verteld van wat jij denkt, ze was er nog niet eens zeker van dat jullie iets met elkaar hadden, dus… Ja ik denk dat ze je leuk vindt, of, beter gezegd, ik denk dat ze je heel leuk vindt… Dat weet ik niet precies, maar ik heb die indruk ook. Een momentje, ik krijg iets binnen op de andere lijn, even kijken…' Je hebt hem toch verteld dat je getrouwd bent, zei ze, met een vinger op de knop die het gesprek tijdelijk onderbrak, maar desondanks knikte ik alleen met mijn hoofd om geen enkel risico te nemen, en Ana ging op luide toon door met het maken van de juiste veronderstellingen, en je hebt gezegd dat het niet zo goed ging, dat je er een beetje genoeg van hebt, dat je niet meer verliefd bent op Ignacio en dat soort dingen? Ik knikte weer instemmend en zij tilde haar vinger op. 'Nacho? Neem me niet kwalijk, maar ik heb toch een hoop gezanik… Ja, nou, ze is al jaren getrouwd, en dit soort onderwerpen, dat weet je wel… Welnee, ik denk dat je haar rustig thuis kunt bellen, haar man is een geweldige vent, echt waar, hij zal je niet opvreten, maar, hoe dan ook, Rosa is op dit moment op kantoor, als je wilt verbind ik je door en dan kun je haar zelf om haar nummer vragen… Nee? Goed, dan geef ik het je, schrijf op… Vijf, vier, drie, vijf, drie, twee, vier… Ja, natuurlijk kan ik je met haar doorverbinden, of, liever gezegd, ik kan proberen of ik de juiste knop vind, want ik zweer je, ik word helemaal gek van die moderne apparaten…'

Toen Ana het in haar hoofd haalde om te zeggen dat ze hem met mij kon doorverbinden, zodat hij me rechtstreeks om mijn telefoonnummer zou kunnen vragen, sprong ik overeind alsof ik me zojuist had gerealiseerd dat ik al enige tijd op roodgloeiende kolen zat, maar deze plotselinge lenigheid maakte net zo snel plaats voor een niet minder ogenblikkelijke verstarring, die mijn voeten aan de grond genageld hield en mijn geest gekluisterd in de herhaling van één enkele vraag zonder antwoord, wat moet ik nu doen, wat moet ik nu doen, wat moet ik nu doen…

'Wat is er? Waarom wil je niet met hem praten?' De stem van Ana verbrak de betovering.

'Natuurlijk wil ik dat wel,' antwoordde ik, maar zelfs toen bewoog ik me niet.

'Nou, ga dan naar je kamer, verdomme, want hij moet inmiddels wel denken dat ik ze niet meer op een rijtje heb!'

Ik kan niet rennen, besloot ik, dus zal ik lopen, zo snel als ik kan, maar lopen, dat zal ik doen, zei ik bij mezelf om me moed in te spreken, terwijl ik er eindelijk in slaagde om in beweging te komen, en terwijl ik door de gang liep, kon ik het laatste excuus nog horen.

'Nacho? Ik ben het weer, Ana. Een momentje nog, ik heb er een rotzooitje van gemaakt, maar ik geloof dat ik nu weet hoe het moet…'

Aan de andere kant van de deur maakte de telefoon een oorverdovend lawaai, maar ik liet hem nog drie keer overgaan. Toen ik hem opnam, zat ik op mijn stoel en aanschouwde een vertrouwd landschap van facturen, bakjes met dia's, gecorrigeerde en nog te corrigeren drukproeven, stapels fotolitho's en andere rustgevende ingrediënten van mijn dagelijks leven, een soort redactioneel stilleven dat kalmerend genoeg was om mijn stem een koele, zakelijke toon te geven.

'Ja?'

'Rosa,' zei hij bevestigend en zonder enige twijfel.

'Ja…' bevestigde ik op mijn beurt, en ik besloot niet met hem mee te spelen. 'Met wie spreek ik?'

'Met Nacho Huertas…' zei hij licht spottend, 'weet je nog wie ik ben, we waren samen in Zwitserland, vijftien… nee, zo'n twintig dagen geleden.'

'Natuurlijk weet ik dat nog,' gaf ik toe, en ik was eerlijk. 'Ik denk er zelfs nog vaak aan…'

'Gelukkig maar, want ik heb hier op tafel een stapel foto's van je liggen, en ik vind niets zo erg als voor niets zitten werken.'

'Mooi zo!' zei ik om tijd te winnen, maar ik wist plotseling hoe ik verder moest gaan. 'En zijn het foto's van mij omdat ik erop sta of zijn ze van mij omdat je ze voor mij hebt gemaakt?'

'Ze zijn in beide opzichten van jou, hoewel ik je in alle bescheidenheid moet waarschuwen dat er een paar bij zijn waar ik ook op sta.'

'Des te beter…' Het voldane lachje waarmee hij mijn opmerking in ontvangst nam gaf me de moed nog iets verder te gaan. 'Zo zal ik me meer aspecten van de reis kunnen herinneren.'

'Goed, als dat je interesseert, zijn de foto's nog het minst belangrijk…'

'Ik weet niet of ik goed begrijp wat je bedoelt.'

'Ik weet zeker van wel.'

'Kun je me niet iets meer vertellen?'

'Alles.' Hij zei het met zo veel stelligheid dat ik moest lachen, en mijn lach scheen hem te bevallen. 'Ik ben bereid je alles te vertellen wat je maar wilt, maar je zult eerst de foto's moeten ophalen, hoe dan ook.'

'Hoewel ze het minst belangrijk zijn?'

'Juist omdat ze het minst belangrijk zijn…' Hij zweeg even en gaf zijn stem een meer conventioneel verleidelijke toon. 'Ik heb de zaken graag op orde. Ik ben een zeer methodisch man, dat weet je…'

'Goed, goed.' Ik moest weer lachen. 'Zeg het maar…'

'Bel me donderdagochtend.' Het was dinsdag, ik zal het nooit vergeten, 'En ik nodig je formeel uit om iets te gaan drinken. Je hebt het telefoonnummer van mijn studio, niet?'

'Je weet heel goed dat ik dat niet heb.'

'Oei, bezwijk niet voor de verleiding om mij te overschatten!' protesteerde hij. 'Ik weet bijna nooit ergens iets van.'

Toen gaf hij me het nummer, en we namen afscheid op de manier van twee oude geliefden, zonder te veel, maar ook niet te weinig woorden, op een warme, vrolijke toon, niets ernstigs, alsof we een eventuele teleurstelling al voor wilden zijn, maar ik kon al deze nuances op dat moment niet op waarde schatten want voordat ik tijd had om op te hangen, stond Ana al in de deur om het laatste nieuws te horen.

'Zo,' vatte ik samen, met een glimlach die te groot was voor mijn mond. 'We hebben een afspraak voor overmorgen.'

'Ja? Ik ben jaloers, meid.'

'Kom nou!'

'Ja, echt waar…' zei ze zuchtend. 'Een voorjaarsverliefdheid midden in de winter is toch fantastisch.' Toen bleef ze even staan en keek me van opzij aan. 'Als je het aankunt, uiteraard.'

'Wat bedoel je met aankunnen?'

'Ik weet het niet, Rosa, maar daarstraks, toen je weg was, heb ik wat nagedacht en eerlijk gezegd…' Ze leek zich plotseling ergens zorgen om te maken, maar ik kon niet bedenken waarom. 'Misschien ben ik te ver gegaan. Je bent tenslotte getrouwd, je hebt kinderen, ik weet niet… Misschien ben ik al zo lang alleen dat het me moeite kost om de dingen op een andere manier te zien, maar ik zou niet willen dat je denkt dat ik er plezier in heb om anderen in de problemen te brengen, want dat is het niet, ik wilde alleen...'

'Ana, alsjeblieft!' Ik keek haar in haar ogen om de heftige verbazing waaruit mijn protest voortkwam te benadrukken. 'Hoe kun je zo over me denken? Je hoeft me geen enkele verklaring te geven. Ik ben volwassen, weet je? Als ik Nacho niet meer had willen zien, had ik je hem niet laten bellen, en de rest is mijn zaak. Hij leeft gescheiden, dus...'

'Gescheiden?' Nu was zij degene die verbaasd was. 'Serieus? Dat wist ik niet.'

Tot dat moment had ik het nog niet nodig gevonden om serieus na te denken over de rol die Nacho Huertas het best zou passen op het toneel van mijn leven, maar toch werkten de woorden van Ana als een oplos-middel dat in staat was om, precies onder mijn voeten, een gat in de vloer te maken.

'Goed,' vervolgde ik, en ik drukte mijn hakken stevig op de vaste vloerbedekking, 'dat heeft hij me in elk geval verteld.'

'Juist,' zei ze alleen, 'het is mogelijk...'

Ze wilde er niets aan toevoegen, en ik waagde het om de zin voor haar af te maken.

'Maar jij gelooft het niet, klopt dat?'

'Nou... Eerlijk, Rosa...' Ze keek me op zo'n manier aan dat ze zich vanaf dat moment de zorg had kunnen besparen waarmee ze elk woord koos. 'Ik denk dat je wel zult beseffen wat voor type man Nacho is. Heel slim, heel knap, heel leuk en heel erg gek op vrouwen... Om gewoon een avontuurtje te hebben, zomaar, zonder consequenties, nou... kun je geen betere vent hebben, dat is duidelijk. En op een bepaald moment zou hij in staat zijn om je van alles te vertellen, neem ik aan, maar ik geloof niet dat het verstandig is om het heel serieus te nemen...'

Hoewel ik het in theorie volledig eens was met deze constatering, moet ik toegeven dat de laatste opmerking van Ana me niet al te lekker zat, maar noch haar voorspelbare reactie, noch mijn verrassende reactie wist me langer dan een paar minuten bezig te houden, want 48 uur is heel wei-nig tijd als je naar perfectie streeft, en nadat ik al zo lang gefantaseerd had over het ideale profiel van een denkbeeldige minnaar was ik nu niet bereid met minder genoegen te nemen. Maar het leven, of het toeval, of het lot, eeuwige instrumenten tegen de willekeur en onzekerheid van elke dag, waaraan sommigen met alle geweld nog God willen toevoegen, weigeren om een eerlijk spel te spelen en zetten soms de ingewikkeldste valkuilen op, kleverig kantwerk van onzichtbare draden, gecamoufleerde diepten in liftkokers, verwachtingen die verdwijnen in het simpele contact met de vervuilde lucht van de moderne steden, en zo kwam het dat ik noch op dinsdag, toen ik me in mijn slaapkamer opsloot om de kleding te kiezen die me het beste stond, noch op woensdag, toen ik naar de kapper ging en mijn nagels op zijn Frans lakte, noch op donderdag, toen ik een halfuur vroeger uit bed sprong om me klaar te maken, voor het geval ik geen tijd zou hebben om na het werk nog naar huis te gaan, ook maar één minuut de tijd wilde nemen om na te denken over de consequenties van datgene wat op het punt stond te gebeuren, en toen was het de stem van Nacho Huertas op het antwoordapparaat, om elf uur op de ochtend van de afgesproken dag, die de tijd van nadenken inluidde.

Toen ik de telefoon neerlegde, nadat ik een boodschap had achtergelaten die zo lang was, zo stuntelig en onsamenhangend als het apparaat me maar toestond voordat het begon te piepen, hield ik mezelf voor dat er geen enkele reden was voor ongerustheid. Hij zal even naar buiten zijn, verklaarde ik voor mezelf, alle overtuigingskracht aangrijpend die ik kon verzamelen, om de krant te kopen, of misschien is hij er nog niet eens omdat hij eerst ergens anders heen moest, of... Vol vertrouwen accepteerde ik mijn eigen verklaringen en nam me voor een heel uur te wachten voordat ik het opnieuw zou proberen, het was zoiets als een kaart in je mouw stoppen terwijl je aan het patiencen bent, want in werkelijkheid wilde ik mezelf niet geruststellen, maar hem meer dan voldoende tijd geven om mijn telefoontje te kunnen beantwoorden. Om twaalf uur had echter niet alleen hij me niet gebeld, maar had niemand me gebeld, een zo ongebruikelijk verschijnsel dat het mij ertoe bracht te vermoeden dat onze geavanceerde telefooncentrale het had begeven of dat de lijnen overbelast waren, maar ik had geen geluk, want ik kreeg bij de eerste poging verbinding met de receptie, waar me onverbiddelijk werd meegedeeld dat de telefoons net zo goed functioneerden als anders. Vijf minuten, besloot ik vervolgens, nog vijf minuten, dan bel ik weer. De derde was nog niet voorbij toen de echo van het eerste belletje plotseling door alle holten van mijn hart galmde, dat serieus dreigde open te barsten terwijl ik de telefoon uit puur bijgeloof nog twee keer liet overgaan. Het fenomeen hield net zo plotseling op als het begonnen was, want aan de andere kant trof ik Néstor Paniagua aan, een vreselijk aardige man, maar een vreselijk lastige corrector van drukproeven die geen beter moment had gevonden om mij een lijst voor te leggen van, op zijn minst, vijfendertig twijfelgevallen. Ik probeerde me zo goed mogelijk van hem te ontdoen, en zonder de hoorn helemaal neer te leggen draaide ik opnieuw een nummer dat ik al uit mijn hoofd kende, terwijl ik mezelf voorhield dat een heleboel mensen tenslotte niet onmiddellijk naar de berichten op het antwoordapparaat luisteren en dat ik er zelf, bijvoorbeeld, vaak geen zin in heb. Het tweede bericht was korter dan het eerste, hoewel ik opnieuw het hele stuk van het bandje gebruikte dat mij was toegewezen doordat ik zwijgend ik weet niet waarop wachtte. Het was vijfentwintig minuten over twaalf en ik gaf het nog niet op, hoewel de eigenzinnige argumenten die ik tegenover de werkelijkheid stelde om Nacho voor mezelf te verdedigen al gevaarlijk werden afgewisseld door bepaalde tekenen van iets wat kon uitmonden in een totale ineenstorting. Toen kwam de telefoon plotseling weer tot leven, en ik handelde drie telefoontjes achter elkaar af, het eerste van een technicus van een fotolaboratorium waar de koerier die ik er om negen uur 's morgens heen had gestuurd nog niet was gearriveerd, het tweede van een redacteur die wilde weten welk criterium we gebruikten voor het vertalen van aardrijkskundige namen – vallei van Roncal, bijvoorbeeld, zei hij, hoe schrijven jullie dan het woord 'vallei' met hoofdletter of kleine letter? – en het derde van Fran, die me naar haar kantoor riep voor een bespreking van de prognose voor het vierde deel, dat een enigszins zorgwekkende vertraging begon op te lopen. Ik bleef een paar minuten op mijn stoel zitten, zonder een spier te bewegen, om die gekmakende stilte te bezweren, en hoewel ik mezelf overwon door op te staan zonder de hoorn ook maar aan te raken, lukte het me niet om langs Adela te lopen – de secretaresse die ik deel met Ana – zonder haar te vragen mijn telefoon te beantwoorden, en haar vervolgens uit te leggen, met veel meer details dan nodig was, dat ik op een heel belangrijk telefoontje wachtte van een fotograaf die Nacho Huertas heette en dat ze dat telefoontje, maar alleen dat, onmiddellijk moest doorverbinden naar het kantoor van Fran. Daar werden we echter door geen enkel geluid gestoord. Mijn bazin vroeg me een paar keer of er iets met me aan de hand was, en toen ik me, nadat ik dit voor de tweede keer had ontkend, gedwongen zag naar de reden van haar nieuwsgierigheid te vragen, zei ze dat ze al een tijdje het gevoel had tegen een muur te zitten praten. Ik redde me uit die lastige situatie door haar te vertellen dat ik die nacht niet goed had geslapen, wat de absolute waarheid was, en daarna keek ze op haar horloge, deelde me mee dat het al halftwee was en kwam tot de conclusie dat we beter konden gaan lunchen en 's middags verdergaan. Ik was dankbaar voor de onderbreking, want mijn hoofd leek inmiddels op een snelkookpan die op het punt staat uit elkaar te ploffen, en ik rende naar mijn kamer met het excuus een etensbon te halen, hoewel zij me een van de hare had aangeboden. Adela vertelde me niet meer dan wat ik al wist, dat niemand me had gebeld, maar zonder er deze keer ook maar over na te denken, belde ik de studio van Nacho voor de derde keer, en voor de derde keer stuitte ik op de mechanische stilte van zijn antwoordapparaat, waar ik deze keer een onbezorgde en vriendelijke toon tegenoverstelde, alsof ik dat nummer daarvoor nog nooit had gebeld. Deze vorm van een geïmproviseerd, vrolijk vertrouwen hield net zo lang stand als de lunchtijd, die ik doorbracht met druk praten en van elke grap een paar seconden langer genieten dan de kwaliteit ervan verdiende, terwijl ik me inwendig mijn belachelijke ongeduld verweet en mezelf voorhield dat ik 's middags een afspraak met Nacho had, niet 's morgens, en dat er daarom nog niets aan de hand was. Toen ik terugging naar mijn kamer, na de vergadering met Fran, kwam Adela naar me toe om me te laten weten dat er geen enkele fotograaf had gebeld. Om half-vijf liet ik een bits bericht achter, en er gebeurde niets. Om halfzes belde ik weer, maar kon ik geen mond opendoen. Om zes uur eindigt mijn werkdag. Ik bleef nog een halfuur onbeweeglijk zitten, als vastgenageld aan de stoel, voordat ik mezelf waarschuwde dat dat telefoontje het laatste zou zijn, en toch probeerde ik het nog een keer, zonder enige hoop, toen ik thuiskwam, om kwart over zeven. Daarna liet ik me tegen de rugleuning van de stoel zakken en sloot mijn ogen.

Ik probeerde te voelen wat een steen voelt, of een alge, of een minuscule blinde rups met veel poten, meer wilde ik niet, want ik wist dat al het andere erger zou zijn, en toch maakte de avond het me zo moeilijk als je het een menselijk wezen maar moeilijk kan maken.

'Wat ben je mooi, mammie!' Mijn zoon Ignacio stond midden in de kamer met open mond naar me te kijken. 'Je lijkt wel een van die meisjes die op de televisie komen.'

Ik droeg een paarse jurk van elastisch velours, heel kort en nauwsluitend, over zo'n fantastische dunne body die de heupen omsluit zonder een spoortje achter te laten, een simpele maar doeltreffende kunstgreep, geaccentueerd door het ontwerp van een lycra panty model één-maatje-te-klein en de aanzienlijke hoogte van mijn beste zwartleren schoenen. Mijn haar onderwierp zich nog steeds, met millimetrische gehoorzaamheid, aan het onverbiddelijke plan dat het vierentwintig uur eerder was opgelegd door de borstel van mijn kapster, en het snoer van parels en amethisten, die elkaar afwisselden, allemaal even vals, rond mijn blote nek, glansde boven de wijde boothals met de gretigheid die mij diezelfde ochtend had verblind. In de veronderstelling dat mijn make-up veel minder gehavend was dan mijn ziel strekte ik zonder iets te zeggen mijn armen uit naar mijn zoon, en hoewel hij inmiddels weinig gesteld was op mijn kus- en knuffelaanvallen, dacht hij er een ogenblik over na voor hij een aanloop nam en zich vrolijk op mijn lichaam stortte, maar zijn geduld was veel eerder uitgeput dan ik had gewild. Zich met een paar deskundige bewegingen bevrijdend uit de niet minder deskundige houdgreep waarmee ik hem van zijn bewegingsvrijheid beroofde, zijn hoofd ingepast in de ronding van mijn hals, draaide hij zich om op de smalle ruimte van mijn rok en keek me verbaasd aan.

'Je huilt, mama…' zei hij, in zijn toon de koele nieuwsgierigheid die hij zou hebben gebruikt om te melden dat de staart van de kleine hagedis die hij net in tweeën had gedeeld zich onafhankelijk bleef bewegen, en daarna vroeg hij, zoals altijd, 'waarom?'

'Omdat ik van je hou,' antwoordde ik, met een vochtige, schorre stem die ik nauwelijks herkende.

'Maar daar hoef je niet om te huilen,' protesteerde hij.

'Soms wel,' hield ik vol, en hij dacht hier even over na voordat hij instemmend knikte.

'Oké.'

Toen stond hij op en ging weg.

Ik bleef zitten en vroeg me af of er woorden zijn waarmee je een kind van negen kunt uitleggen dat, ondanks wat ze mij geleerd hadden toen ik zijn leeftijd had, niet alle mannen hetzelfde zijn, en dat ze niet allemaal achter hetzelfde aan gaan, en dat ik dat heel goed wist doordat een van hen mij zojuist had afgewezen, precies op de dag waarop ik zo knap was als een van die meisjes die op de televisie komen.

Misschien kunnen de bescheiden ingrediënten van die grove redenering beter verklaren wat er gebeurde dan de feiten op zich, want de grootste klap, het element dat het moeilijkst te accepteren was van dat hele chaotische spoor dat Nacho Huertas door mijn leven trok, was precies dat, de onlogische, niet te voorziene aard van zijn afwijzing, een afsluiting die in staat was mijn obsessie en ontreddering met identieke kracht in stand te houden, een beker bitterder dan de gal die hij nooit kwam te bevatten, want op de bodem ligt nog steeds het bezinksel van alle mislukkingen die er eerder in geslaagd waren mij te gronde te richten.

En ik weet heel goed dat er geen geldig excuus is, maar ik ben er ook vrijwel zeker van dat niemand in mijn omstandigheden – geslacht, leeftijd, nationaliteit en de moraal van de verhalen die mij van jongs af aan werden verteld – een manier heeft gevonden om zonder schade een dergelijke vernedering te verwerken, vooral omdat ik toen, het moment waarop Nacho zich voor het eerst manifesteerde in zijn afwezigheid, vastgelegd op het bandje van het antwoordapparaat, alleen aan hem dacht als aan de man die hij in Zwitserland had willen zijn, een gelegenheidsminnaar, een opportunistische figurant, een effectief middel tegen het onverbiddelijke proces van verharding van de laag van verveling die mijn leven verniste, en als hij die donderdag de telefoon had beantwoord, was alles wellicht daarbij gebleven, en verder niets, want niets is dodelijker voor een verlangen dan de onmiddellijke vervulling ervan, een stelling zo omkeerbaar als een regenjas van goede kwaliteit, want er is geen grotere prikkel voor een verlangen dan de onmiddellijke frustratie ervan, noch een grotere frustratie dan die waarvan de motieven niet worden begrepen. Als het om liefde was gegaan, was alles anders geweest, maar dit ging tenslotte alleen om seks, en in zijn afwijzing had Nacho niets anders afgewezen dan mijn lichaam of, nauwkeuriger gezegd, datgene wat geen enkele man ooit afwijst, een gemakkelijke wip. Paradoxaal genoeg was dat nog het ergste, want iets meer dan verbijstering, een gêne verwant aan het wezenlijke, primaire schaamtegevoel van tieners die naar een feest gaan en urenlang op dezelfde stoel zitten zonder dat iemand ze ten dans vraagt, voegde zich bij de teleurstelling en leidde tot een gevoel van volledige verslagenheid. En er was meer. Ik had me nog nooit zo waardeloos gevoeld, maar mijn onbeduidendheid verbleekte bij iets nieuws van nog wredere aard. Ik neem aan dat het iedereen overkomt, vroeger of later, en dat er duizenden argumenten bestaan die een zo gruwelijke ontdekking kunnen ondersteunen, maar ik dank ook dit, het eerste teken van mijn eigen ouderdom, aan Nacho Huertas, want als je afgewezen wordt wanneer je bijna vijfendertig bent en de helft van je salaris aan crèmes besteedt, vergeet je gemakkelijk dat ook jongeren verbitterd raken. En misschien zegt dit niet veel goeds over mij, maar zeker is dat ik de onweerstaanbare popzangeres die ik ooit was met immense pijn, met een angstaanjagend gevoel van leegte begroef. Daarna nam ik me voor elke pijn abrupt van me af te zetten en begon ik, met de weinige liefde die ik nog voor mezelf had en alle geduld dat ik kon opbrengen, de stukken van mezelf te reconstrueren. Ik zou daarin eerder geslaagd zijn dan ik had verwacht als ik niet op een ochtend, meer dan drie maanden na dat eerste fiasco, toen het me al gelukt was de echo van zijn stem – die stuk of tien opgenomen woorden die wekenlang als een vervloeking tussen mijn slapen weergalmden – uit mijn hoofd te verdrijven, tussen de post die Adela met alledaagse onverschilligheid op mijn bureau had gelegd, een luchtkussenenvelop van bruin papier had gevonden, zonder afzender, met mijn naam in drukletters onder een sticker in twee kleuren – FOTO'S, NIET VOUWEN!

Later, toen ik naar de terughoudende gunsten van het lot begon te dingen, een werkelijkheid het hof maakte die niet alleen beminnelijker maar ook meer in overeenstemming was met zichzelf dan het gecompliceerde labyrint dat mijn dagen schetsten, probeerde ik mezelf er vaak van te overtuigen dat die envelop het eerste teken was geweest, de vroegste waarschuwing, omdat hij geen afzender had, geen enkel speciaal detail, maar toch, en ondanks het feit dat ik dagelijks zendingen van fotografen ontvang, leek mijn hart hem te herkennen, zo onstuimig begon het in mijn borst te kloppen, en mijn vingers wilden hem eerder openen dan welke andere brief dan ook om vervolgens mijn eigen bevroren glimlach in stand te houden, een blik zo stralend als de herinnering aan de beste zomer tegenover de conventioneel winterse prent van een rij sprookjesachtige huizen. Ik ging verder en zag mezelf opnieuw op een plein, en daarna voor een brugleuning, het meer op de achtergrond, en aan een tafeltje van een café, bij het raam en, ten slotte, met hem, voor de deur van een theater, geleund tegen een standbeeld, in een park. Het herinnerde me aan de onvoorbereide makers van bijna al die foto's, de piccolo van het hotel, een kelner van een van de cafés van het belangrijkste plein van de stad, een Italiaanse toerist die we toevallig tegenkwamen, en ik herkende elk beeld, berekende de dag waarop het gemaakt was, het tijdstip en de intensiteit van de kou die ik bij elke pose had verdragen toen ik, plotseling, net na het meest onschuldige portret, een zonovergoten close-up van mijn hoofd afgetekend tegen een onverwacht blauwe lucht, een foto zag die zo verbazingwekkend was dat de hele stapel uit mijn handen viel en uitwaaierde over mijn rok. In een halfduister zo egaal alsof het het product was van een nauwkeurige studioverlichting sliep een naakte vrouw op haar buik in een omgewoeld bed. Dat laatste detail maakte me aan het twijfelen, want ik kan niet gaan slapen als mijn buik onbedekt is en trek altijd, zelfs in de benauwdste nachten van augustus, een laken half over me heen, maar hij moest het met heimelijke vingers hebben weggetrokken, want op de tweede foto van de serie, een opname van veel dichterbij, herkende ik zonder enige twijfel mijn gezicht. Op de derde was de camera precies op mijn rug gericht en was alleen een verwarde bos haar te onderscheiden aan het eind van een lichaam dat veel mooier was dan dat wat ik zou hebben gezworen te hebben. Misschien daardoor, of door de duistere emotie die als een plotselinge en zeer zoete smaak in mijn keel opwelde, begonnen mijn lippen te trillen, en een dikke, ronde traan bleef een ogenblik hangen tussen de wimpers van mijn rechteroog. Het spoor ervan was al opgedroogd toen ik een met de hand geschreven, zelfklevend briefje vond op de laatste foto van het pakket, een onvervalste reclame voor Kodak: Nacho en ik samen lachend naast een bloemenstalletje, waar we een bos dwergdahlia's moesten kopen om de bloemenverkoopster, een vreemde, sombere, onvriendelijke vrouw, over te halen op de knop van de camera te drukken. Het doet me genoegen dat je tot hier bent gekomen, las ik, ik zou je graag willen zien, bel me, en daaronder zijn voornaam zonder enige versiering, Nacho.

Die keer kwam hij wel de telefoon, en hoewel ik al besloten had me de uitgestelde vernedering van het vragen van een verklaring te besparen, stond hij erop zijn aanvankelijke verdwijning te rechtvaardigen met de meest uitgebreide verontschuldigingen: een onverwachte opdracht, een bijzonder lange reis, de zenuwen van het laatste moment, steeds van plan geweest mij te waarschuwen, maar dat tot op het laatste moment uitgesteld en juist toen vergeten, en pas weer aan mij gedacht aan boord van een Jumbo die via Miami naar Ecuador vloog. Daarna schaamde ik me te veel om je te bellen, zei hij ten slotte, op een toon die zo oprecht leek, zo ontdaan van elke list, dat al mijn goede voornemens verdwenen, de vermoeidheid die ik voelde bij het idee opnieuw te beginnen aan een geschiedenis die ik al als beëindigd had beschouwd, de discipline waarmee ik de termijn van drie dagen accepteerde die ik me had opgelegd voordat ik dat gehate nummer opnieuw draaide, de oneindige behoedzaamheid waarmee ik zijn naam opnieuw uitsprak, dat alles was in een oogwenk verdwenen, en zeker is dat ik me niet meer forceerde om onweerstaanbaar voor hem te lijken, dat ik naar de afspraak ging in mijn gewone werkkleding en alleen een zwart streepje op mijn ogen, dat ik terwijl ik de deur van het café openduwde waar we hadden afgesproken de zware last voelde van een ervaring die ik nog niet eens begonnen was te verwerken, alsof ik mijn hele leven vergeefs op hem had gewacht, de momenten van afwezigheid registrerend met de nutteloze Engelse schoonschrijfkunst van een ongehuwde dame uit andere tijden, maar hij was er, hij was er, en ik had het voordeel van een kalmte die niet geveinsd was.

Toen ik hem bereikte, wist ik niet goed wat ik moest doen, hoe ik hem moest groeten, maar hij kwam naar mij toe en kuste me op mijn lippen alsof het heel gewoon was, de correct, misschien zelfs geroutineerd uitgevoerde eerste scène van een goed ingestudeerd draaiboek, maar door dit te doen maakte hij het mij mogelijk zijn geur terug te vinden en dat detail was voor mij een waardevoller gebaar dan welke groet ook. Daarna, terwijl hij me over zijn reis naar Ecuador vertelde, op de zorgeloze, vermakelijke, luchthartige toon die ik kende, nam ik de tijd om hem rustig te bekijken, en ik merkte de trekken van zijn gezicht op die het meest aan mijn geheugen waren ontsnapt, en ik sprak nauwelijks om zijn grapjes toe te juichen of op zijn beweringen met ja of nee te reageren, verdiept als ik was in de taak om mezelf aan te tonen hoe leuk ik hem vond, tot welk punt hij welke dosis onrust dan ook rechtvaardigde, in hoeverre het de moeite waard was om zo te hebben gehoopt die vraag te horen die plotseling de verlichting van het café temperde, en ons dichter bij elkaar bracht, hoewel we op dezelfde afstand als tevoren bleven, en mijn oren binnendrong als de belofte van een uitbundig en naderend einde.

'Vond je de foto's mooi?' vroeg hij eerst, als een onvermijdelijke en onschuldige inleiding.

'Ja,' antwoordde ik, zeker van de volgende etappe, 'heel mooi.'

'Alle foto's?' hield hij aan, en ik begon te lachen zoals kleine kinderen lachen, en mijn hele lichaam leek slap te worden, ineen te krimpen, te bezwijken onder het denkbeeldige gewicht van mijn lach.

'Vooral die,' gaf ik toe, en hij moest wel tot de conclusie komen dat het niet nodig was nog langer te wachten, maar hij voegde er nog iets aan toe voordat hij zich op me stortte met de gezegende drang mij te verslinden.

'Wat ben ik blij…' kon ik nog net horen voordat ik niets meer hoorde, niets meer zag, niets meer wist, voordat zijn handen mijn verstand verpulverden, zijn lippen mijn bewustzijn opzogen, zijn tong de immense holte die mijn lichaam was in bezit nam, zijn zintuigen de mijne absorbeerden tot er niets meer van mezelf in me over was, behalve de impuls die die onverbiddelijke, volledige overgave had verordend.

Toen we dat café verlieten, was ik ondersteboven van de schoonheid van een gewone straat. Toen we bij dat portaal arriveerden, was ik verbaasd over de korte duur van een zo lange wandeling. Toen hij het licht in zijn studio aandeed, keek ik op van de grote oppervlakte van nauwelijks dertig meter. Toen hij me naar het bed leidde, dat verborgen was achter een halfhoge scheidingswand, was ik verbijsterd over de intimiteit die bereikt was in een zo kleine ruimte. Toen zijn vingers mijn naakte huid raakten, verwonderde ik me over de manier waarop ze zich zonder aarzelen naar mijn borsten begaven. Toen hij bij me binnendrong, huiverde ik alleen doordat hij hiertoe besloten had. Toen hij me omdraaide, vroeg ik hem niet ongeduldig te zijn, en hij antwoordde, ik ben niet ongeduldig, liefste.

Daarna rustte ik tegen zijn lichaam en hield mezelf voor dat alle seconden van die avond de meest intense en gelukkigste van mijn leven zouden zijn en dat ik ze nauwgezet in mijn geheugen moest opslaan om ze later te kunnen oproepen. Ik wist nog niet hoezeer deze heerlijke taak mij zou achtervolgen als een vloek die meedogenloos dagen en nachten, weken en maanden, hele jaren van mijn leven zou gaan overheersen, die verloren gingen in de obsessieve reconstructie van één, oneindige reeks, de monotone, hardnekkige herhaling van elke beweging die we maakten, elk woord dat we spraken, elk gebaar, hoe onbetekenend ook, dat ieder van ons op elk concreet ogenblik had kunnen maken, mijn fantasie veranderd in de blinde ezel die zieltogend het rad beweegt van een enorme tredmolen, door mijn geheel eigen en geheel vreemde wil gekluisterd aan de taak om onophoudelijk en overal te speuren naar een opening, een teken, een woord of een symbool, iets wat mij een verklaring kon geven voor wat er daarna gebeurde. Maar toen ik afscheid nam van Nacho, was ik er zeker van dat ik ergens was gekomen, en ik had nooit gedacht dat ik ooit verrast zou worden door het zwakke, bijna gedoofde licht dat in mijn herinnering die nacht beschijnt die de enige nacht zou zijn, de uren die de laatste uren zouden zijn, maar nu een soort verbleekte versie blijken van de stralende herinnering aan de dagen in Luzern, dagen die nog schitteren met de glans van pasgeboren sterren wanneer ik zo zwak ben ze mij voor de geest te roepen.

Ik kon het niet weten toen ik die taxi nam die mij naar huis bracht. De chauffeur had de radio aan en luisterde naar een van die schilderachtige nachtprogramma's waarin mensen opbellen om hun levensverhaal te vertellen, het eerste wat in hun hoofd opkomt of precies het tegenovergestelde, en ik kon nergens anders aan denken dan aan het verhaal dat hij me net had verteld. Ik kon het niet weten toen ik op mijn tenen het huis binnenging, en me zonder geluid te maken uitkleedde, terwijl ik naar elk voorwerp, elk meubelstuk keek alsof het de laatste keer was dat ik het zag. Ik kon het niet weten toen ik glimlachend in bed stapte, en het geronk van Ignacio hoorde zonder ernaar te luisteren, en me als iets wat heel ver verwijderd was mijn eigen, eerdere wanhoop herinnerde van zo veel slapeloze nachten in gezelschap van dat aritmische, meerstemmige kabaal dat De Zaak meer waardig was dan die ronkende vreemde, een man van wie ik alles wist, van het merk van zijn favoriete sokken tot de tweede achternaam van zijn grootouders, en die ik niettemin niet meer herkende, alsof hij door zuiver toeval aan mijn zij lag te ronken.

Ik kon niet weten naar welke verschrikkelijke eenzaamheid ik op weg was, want Nacho had mij liefste genoemd en dat was het enige wat ik wilde weten.

10

De bars van luxe hotels hebben mijn voorkeur.

Niemand verwacht van een vrouw alleen dat ze rustig een drankje neemt aan een onopvallend tafeltje van een luxe hotel. Ik weet niet waarom, maar in de goedkope hotels is het effect anders, alsof de vrouwen op zakenreis, de verre vrouwelijke familieleden die naar een bruiloft gaan, de vrouwelijke ambtenaren uit de provincie die naar de hoofdstad komen om een examen te doen, of elke andere categorie van hedendaagse vrouwelijke hotelgasten waar ze mij bij vergissing zo nu en dan toe gerekend zullen hebben, zich alleen maar verder durven te wagen dan de lounge als ze boven hun hoofd de fonkelende schittering voelen van het licht dat onophoudelijk in beweging is tussen de luxueuze tranen van een kristallen spin, en een drie vingers dik tapijt onder hun hakken. Ik weet niet waarom, maar in de bar van een goedkoop hotel wekt een vrouw bij degenen die haar zien ook een dubbelzinnige vlaag van medeleven op, alsof haar eenzaamheid nooit toeval is, noch gekozen, noch voorbijgaand, en in tegenstelling daarmee, ook zonder dat ze zich dit voorneemt, het spoor onthult van een recente tragedie. In de goedkope hotels lijken alle vrouwen die alleen zijn op weduwen van een reiziger, of wezen van een sergeant, of heimelijke, zichzelf verloochenende minnaressen van een man zonder hart.

Nachtclubs zijn minder solidair en wellicht, en juist daardoor, veel aardiger, hoewel ik er niet zo zeker van ben dat de drinksters zonder partner hun intenties echt waarderen, want het contact met de lucht, die blauw is van rook en vaal van opgehoopt zweet, van welke in zwang zijnde gelegenheid dan ook, verandert op slag de meest hulpeloze van die eenzame reizigsters in wat mijn grootmoeder, mijn tante en mijn moeder met onherroepelijke bondigheid in één woord definieerden als sloerie. Tegenwoordig waagt niemand het meer om dit verouderde en kwalijk riekende etiket te gebruiken, een toverwoord dat in staat is de tijd terug te draaien en met ogenblikkelijke nauwkeurigheid de voorbije dagen op te roepen van een smerig en uiterst troosteloos land, dat echt heeft bestaan en daardoor vrees blijft inboezemen, maar ofschoon die spontane tribunalen van gesluierde matrones die in de kerkportalen hun oordeel uitspraken over de tegenspoed van hun medemensen niet meer bijeenkomen, is hun geest nog niet helemaal verdwenen. Het mag ongelooflijk lijken, maar de nachtclubs zijn een van hun laatste bolwerken. De informatie wordt vanuit een ander, bijna tegenovergesteld gezichtspunt verwerkt, dat is waar, maar de resultaten vertonen een onrustbarende verwantschap met de blik die de sloeries ten deel viel toen ze deze naam nog hadden, en toch denk ik soms dat het destijds misschien de moeite waard was om dat risico te nemen, want het beeld van een vrouw alleen die het ene glas na het andere drinkt aan een of andere bar in het Madrid van de jaren veertig, vijftig, zestig, roept een soort arrogantie op die ik me nooit heb kunnen veroorloven. Afgezien van een of andere uitdaging, van een of ander troostend schandaal, hebben de nachtclubs van de jaren negentig de twijfelachtige deugd mij te ontdoen van elke vermomming en precies te onthullen wat ik ben, een vrouw alleen, die alleen uitgaat om niet thuis te blijven, dat wil zeggen, een marginale bewoonster van de wereld die niet langer de afkeuring oproept van de hoofdrolspelers op het toneel, maar onverkort hun goedige medelijden behoudt en, wat erger is, een soort automatische verplichting om, hoewel tegen haar wil, de afschuwelijke gave te ontwikkelen om iedereen met wie ze in contact komt te veranderen in het prototype van een superieur wezen. Los daarvan is er nog mijn reputatie, een onbevlekte urn waarvan de treurige zuiverheid het enige is dat me al jarenlang zorgen baart. Aan de andere kant bevinden zich meer subtiele factoren. De bezoekers van een nachtclub denken nooit dat een vrouw alleen op doorreis is in de stad, en zo, zonder een minimale dosis mysterie, zonder de garantie van een anonimiteit die verder reikt dan een eigennaam en twee achternamen, kan ik me niet vermaken, want het kost me te veel moeite om voor ik het huis uitga in de huid te kruipen van het personage dat ik heb ontwikkeld. En dan zijn er de mannen, die vormloze massa van onbekenden waaruit zich altijd wel één vervelende zeur losmaakt die tot elke prijs dat meisje wil veroveren dat alleen aan een tafeltje zit, hoe afzichtelijk ze ook mag zijn. Ik weet wel dat niemand ter wereld dit zal willen geloven, maar ik ben er nou niet direct op uit om iemand te versieren.

Daarom houd ik van de bars van de dure hotels. Daar lijken de mannen die alleen zijn meestal moe, maar nooit wanhopig. Ik houd ervan om ze tussen de tafeltjes door te zien lopen, de sporen te ontdekken van een vermoeiende dag in de kreukels van een colbertje waarvan zelfs de revers nauwelijks de onberispelijke gestevenheid hebben behouden van acht uur in de ochtend, de zweterige en vettige glans op te merken die te veel uren van wachtend lezen hebben gedrukt op de hoeken van een al uiteengevallen krant, van zo veel keer open- en dichtgeslagen worden in één ogenblik, of de exacte mate van oprechtheid te meten van de glimlachjes die ze uitwisselen met mannen die zo op hen lijken dat ik soms even goed moet nadenken om te weten wie van hen ik vanaf het begin met mijn blik heb gevolgd. Hun vrouwelijke collega's zien er verzorgder uit, maar zijn hoe dan ook gemakkelijk te onderscheiden van de opgetutte begeleidsters van die mannen in pakken die zich gewoonlijk aan het begin van de avond verenigen met hun minnaars of echtgenoten – de twijfel is dikwijls een zuiver methodische voorwaarde – met het zowel stralende als ontspannen gezicht van iemand die een middagdutje van vier uur besluit met een bezoek aan een luxe winkelcentrum. Mijn eigen werkervaring maakt me in elk geval op dat punt onverbiddelijk: ik verafschuw ze. Ik word daarentegen ontroerd wanneer ik de inspanningen zie van degenen die, nadat ze tien uur door de stad hebben gedraafd – van taxi naar taxi, van bijeenkomst naar bijeenkomst, van probleem naar probleem – voornemens zijn om als echte dames op hun eetafspraak te verschijnen, min of meer zoals hun moeders hadden gewild dat ze op elk uur van de dag zouden zijn. De kringen en de wallen worden zichtbaar onder de foundation, hoe duur en van de laatste generatie deze ook mag zijn, de lippen behouden de spanning van de werkdag ondanks de beste bedoelingen van het meest frisse en fruitige rood, en het slaapgebrek leidt tot uitgezakte oogleden en wangen als het hele gezicht al niet de uniforme gezwollenheid vertoont die de effecten verraadt van een éclat, dat noodmiddel dat een onmiddellijke glans belooft en vrijwel altijd, in welk gezicht dan ook, een plotselinge irritatie opwekt die eerder op een symptoom lijkt van een ineenstorting van de bloedsomloop. En toch kan geen van deze aanwijzingen het in doeltreffendheid opnemen tegen het teken dat, als een onuitwisbaar handelsmerk, een werkende vrouw identificeert, waar ze zich maar mag bevinden, en haar in het geheim verbindt met haar soortgenoten die over de hele wereld zijn verspreid. Het werk emancipeert, verslaaft, verheft of verlaagt, maar verdikt altijd, en onverbiddelijk, de enkels van degene die het uitvoert. De bars van de luxe hotels wemelen van de vrouwen die stiekem hun schoenen proberen uit te trekken, die hun voeten ernaast zetten, of ze nog net met hun tenen op de grond laten rusten om zich terwijl ze zitten te bevrijden van de druk van de hakken, die gebruik maken van de dwarslat van de stoelen om hun schoenen daarop te zetten, en die het, als ze het niet meer uithouden, zelfs aandurven hun benen omhoog te brengen en hun hielen op de rand van een pilaar te laten rusten, van een kist, van elk onopvallend meubel binnen bereik. Ik bekijk ze met genegenheid, maar ze lijken te veel op me om in mijn favorieten te veranderen. Want in deze tijd mogen de leidinggevenden van welk geslacht en welke categorie dan ook, met een eventuele bijdrage van politici en journalisten – die steeds meer op de eersten gaan lijken en onderling steeds meer overeenkomen – dan wel het belangrijkste hoofdstuk vormen van de clientèle van de luxe hotels, de ware leiders van de wereld, de echte, die van altijd, laten zich zo nu en dan nog zien.

De mannen hebben, als ze Europees zijn, de gewoonte om te koop te lopen met een zeer berekende soberheid, die duidelijk wordt uitgedrukt in de snit van hun maatpakken. De vrouwen zijn dol op parels. Ze mijden opzichtige kapsels als de pest en hebben als ze Spaans zijn ze de gewoonte hun haar uit hun gezicht te trekken en samen te binden in een lage, zeer eenvoudige knot, waarbij ze neerkijken op het lange haar met blonde plukken van de burgerlijke vrouwen met pretenties. Over het algemeen dragen ze weinig sieraden, maar aan een van hun vingers schittert altijd een alleen door zijn afmeting al kwetsende briljant, en hoewel ze geen gratis reclame willen maken, zijn ze bereid tot bepaalde spreekwoordelijke uitzonderingen. Met de panters van Cartier die hun onberispelijke revers bevolken zou je, zonder meer, een troep van gemiddelde grootte kunnen samenstellen. Verder worden hun gebaren zozeer gekenmerkt door een gecultiveerde elegantie, dat het uiteindelijk alleen maar verveling opwekt. De Amerikaanse miljonairs, daarentegen, weten er een show van te maken. Zij zijn, met alle schreeuwerige banaliteit die, hoewel dat ongetwijfeld nooit zeker is, suggereert dat ze eergisteren in de achtertuin van hun huis olie hebben gevonden, de onbetwistbare sterren van deze avonden waarover ik nooit met iemand praat. En toch ga ik ook het huis niet uit om naar hen te kijken.

Ik ben niet tevreden met mezelf. Ik ben niet tevreden met mijn gezicht, met mijn lichaam, met mijn geschiedenis, met mijn leven. Op een keer,

al jaren geleden, bood de onverklaarbare desertie van Alejandra Escobar
– een vrouw van wie ik nooit iets meer heb geweten dan de naam, die een
reis had geboekt naar Tunis en op het afgesproken tijdstip niet aan de betreffende balie op Barajas verscheen, hoewel ze diezelfde ochtend van
Sevilla naar Madrid was gevlogen – mij de gelegenheid onder een andere
naam op vakantie te gaan, want de reisleidster van het gezelschap, een half
gestoorde Belgische, wilde maar niet begrijpen dat iemand in Sevilla in
een vliegtuig had kunnen stappen en vervolgens, ook al stond in het vakje
'bestemming' van haar ticket duidelijk 'Tunis' te lezen, zou hebben besloten om in Madrid te blijven. Ik legde het haar één keer uit, en misschien
om te verbergen dat haar beheersing van het Spaans nogal verschilde van
wat in de brochures werd beloofd, knikte ze heftig alsof ze me had begrepen, maar hoewel ik de paspoortcontrole onder mijn eigen naam passeerde, bleef zij me Alejandra noemen omdat ze reizigster María Luisa Robles
Díaz al van haar lijst had geschrapt, en het lukte niet haar dat te laten recti-
ficeren. Bij aankomst in Hammamet betreurde ik al bijna dat dit misverstand ongedaan moest worden gemaakt, want in de bus was ik, terwijl ik
steelse blikken op mijn reisgenoten wierp om me een idee te vormen van
het soort vriendschappen waarnaar ik gedurende de volgende vijftien dagen zou kunnen uitkijken, op het idee gekomen dat de dingen er voor
Alejandra Escobar misschien beter uitzagen dan voor mij en dat het nog
niet zo slecht zou zijn om haar naam als talisman te gebruiken. Toen ik me
realiseerde dat ze mij in dat soort luxe kampement voor volwassenen niet
naar mijn papieren zouden vragen, want in dat complex gold geen andere
wet dan de lijst van onze Belgische reisleidster, nam ik, samen met de sleutels van mijn bungalow en zonder ook maar een spoor van onrust, een
nieuwe identiteit in bezit.

Alejandra Escobar heeft me geluk gebracht, en daarom heb ik haar nog
niet durven opgeven. Haar naam rust in een hoekje van mijn geheugen
als een zachte en luxe bontjas, de eerste dagen van mei met zorg in een
hoes geborgen en in de meest frisse hoek van de kast gehangen in afwachting van de terugkeer van de winter. En wanneer een of andere winter
opdoemt, haal ik hem, net als ik zou doen met die jas die ik nooit heb
gehad, uit de duisternis te voorschijn, verwijder met uiterste zorg het stof,
hul me erin en merk onmiddellijk het behaaglijke van zijn gezelschap op,
een golf van warme en droge lucht die mij terugvoert naar een zomer van
betere dagen. En op een avond verlaat Alejandra Escobar dan weer mijn
huis, zo zelfverzekerd als María Luisa Robles Díaz zich nooit heeft gevoeld, en met de vanzelfsprekendheid van iemand die nooit een andere

wereld heeft leren kennen, kiest ze een van de grote hotels in het centrum, en vol zelfvertrouwen, bijna bevallig, trippelt ze langs de geüniformeerde portier in de richting van de imposante lounge, en wanneer de kamermuziek al zachtjes haar oren binnendringt, blijft ze een ogenblik staan om om zich heen te kijken en kiest, zonder zich ooit te vergissen, het beste tafeltje, onopvallend en met een goed uitzicht. Alejandra Escobar drinkt Schotse whisky met ijs en een beetje water, en rookt zo nu en dan een lichte sigaret zonder de rook te inhaleren, want ze had al snel ontdekt dat de tijd gemakkelijker verstrijkt als de handen iets te doen hebben.

Ik weet dat ik het niet zou moeten doen. Ik weet dat het belachelijk is, en soms denk ik zelfs dat het erger is, een schadelijke gewoonte, een gevaarlijk spel. Maar ik ben niet tevreden met mezelf, niet tevreden met mijn gezicht, met mijn lichaam, met mijn geschiedenis, met mijn leven, en Alejandra is als een goede fee, mijn enige redmiddel, mijn enige uitweg om te ontsnappen, ook al is het maar voor een paar uur, aan de saaie en tergend trage routine van de loodgrijze dagen, die er een eeuwigheid over doen om zich te verenigen met de dagen die eerder in de vlakke metalen zee zijn gegoten die mijn geheugen is. En terwijl ik gezeten ben aan een onopvallend tafeltje in de bar van een luxe hotel, en naar al die mensen kijk die een echt leven lijken te leiden, terwijl ik hun gebaren registreer, hun gewoonten, die kleine rituelen zonder betekenis die gedurende een ogenblik ook mij omsluiten, mij besmetten met hun eigen snelheid, met hun eigen razende ritme, ben ik niet meer een vrouw alleen die alleen uitgaat om niet thuis te blijven, zonder schijnbaar ander doel dan de samenstelling van een volledige catalogus van de clientèle van de bars van Madrid, maar een heel ander wezen, Alejandra Escobar, een vrouw van de wereld die om de paar minuten op haar horloge kijkt omdat ze een afspraak heeft met iemand die op onverklaarbare wijze niet zal verschijnen, of gedurende een ogenblik de toppen van haar duim en wijsvinger van haar rechterhand in de hoeken van haar gesloten oogleden legt om degene die zal kijken te laten weten dat ze een werkende vrouw is met veel verantwoordelijkheden die in haar eentje van een drankje geniet om zich na een vermoeiende werkdag te ontspannen.

Hoewel ik zelden de kans krijg het aan iemand te vertellen, draagt Alejandra altijd een indrukwekkende persoonlijke geschiedenis mee. Op sommige avonden is ze vrijgezel en op andere getrouwd, maar ze is ook wel gescheiden, en zelfs weduwe, en ze heeft één zoon, of een paar dochters, of ze heeft afgezien van een nageslacht ten gunste van een briljante carrière. De details zijn altijd in overeenstemming met mijn humeur, met de stemming waarin ik verkeer wanneer ik besluit haar tot leven te wekken, want ze redt me niet altijd van de walging en de somberheid. Soms doe ik een beroep op haar uit pure verveling, wanneer ik zelfs geen zin meer heb om verbinding te maken met het Internet. Ze is zo onuitputtelijk, heeft zo veel macht, dat ze al mijn lotswisselingen heeft overleefd. De overweldigende invasie van de informatica in mijn leven, bijvoorbeeld, heeft haar definitief een plaats gegeven.

Uiteraard was ik, toen Ramón mij tot mijn grote verrassing dat vliegbiljet gaf, nog nooit aanwezig geweest bij een conferentie van het bedrijf. Als opmakers hadden we nauwelijks een voorstelling van die massale bijeenkomsten, die in theorie bedoeld waren om de uitgevers, die daar de projecten toonden waaraan ze het laatste jaar hadden gewerkt, in contact te brengen met de distributeurs, die deze zelfde producten gedurende het volgende jaar zouden moeten promoten en verkopen, en die, in de praktijk, waren veranderd in een uiterst complexe representatie van hun eigen leven, als een soort symbolische, maar onfeilbare thermometer die meedogenloos de mate van succes en mislukking aangaf van elke gegadigde voor een eigen budget. De eerste dagen van september vulden de gangen zich met asgrauwe gezichten, te vastberaden wenkbrauwen, die met houtskool getekend leken, boven onrustbarend holle ogen en zulke ingevallen wangen dat ze veroordeeld leken zichzelf te verslinden, een spiegelbeeld van verwoesting dat, zo nu en dan, volledig verduisterd werd bij het passeren van een of ander kantoor met een of andere nietsontziende drager van het meest verblindende licht, een gezond en glad gezicht, blozende wangen en een spontane glimlach, vol verwondering over zichzelf, alle geïmproviseerde openheid van een plotseling hervonden kindertijd, door toedoen van de raad van bestuur. Beide categorieën van belangrijke figuren, de afgezette en af te zetten prinsen, zo onderling verweven als de stem en zijn echo, wisselden elkaar gedurende enige tijd af zonder ook maar enigszins te beseffen dat ze een fascinerend schouwspel boden voor de gewone werkers, degenen die geen kruimeltje macht ambieerden maar, in ruil daarvoor, gedurende enkele weken per jaar het voorrecht genoten zich op hun werk meer te vermaken dan in de bioscoop. Op veilige afstand van al deze beroering, zowel boven de projectleiders die tijdens de vorige campagne waren uitgenodigd maar die niet meededen in het lopende jaar, als boven degenen die twaalf maanden tevoren afwezig waren geweest en deze keer waren uitgenodigd deel te nemen, stonden de onmisbare deelnemers aan alle voorbije en toekomstige conferenties, zoals Fran en haar broers. De niet te stuiten ontwikkeling van de automatisering verrichtte het wonder dat Ramón en ik gedurende enige tijd tot deze laatste groep werden gerekend, terwijl de hoogste bazen een aangeboren, eerbiedige angst leerden overwinnen voor elk apparaat dat ondanks de gelijkenis geen fotokopieerapparaat was, en dat van ons zoiets maakte als de tovenaars van een primitieve stam voordat we, bij het uitsterven, terug moesten keren naar onze voormalige en comfortabele status van technici die geen beslissingen nemen over het bedrijfsbeleid.

De eerste conferentie die ik bezocht, werd gehouden in Barcelona, een stad die in mijn herinnering voor altijd verbonden zal blijven met een bepaald soort onthullingen die minder te maken hebben met de verbazing die ze teweeg kunnen brengen dan met de scepsis die ze veroorzaken bij wie ze te horen krijgt. Als een nauwelijks oorspronkelijke vertegenwoordigster van de eerste generatie Spanjaarden die ten langen leste naar het buitenland reisden alsof het de gewoonste zaak van de wereld was — een situatie die sterk gestimuleerd werd door mijn omstandigheden van alleenstaande vrouw met een eigen salaris en een zware familielast, mijn moeder, aan wie ik met moeite twee weken per jaar ontsnapte, een periode waarin ik probeerde zo ver mogelijk weg te komen — kende ik de stad nauwelijks; ik was er drie keer op doorreis geweest, waarbij ik in twee gevallen niet verder was gekomen dan de transitzone van de luchthaven. Zo ontdekte ik op mijn 36ste, nadat ik al tot Bali was gekomen en Londen zo goed kende dat ik de stad met de metro kon doorkruisen zonder een plattegrond te raadplegen, dat Barcelona, in de eerste plaats, een vrij kleine stad is, en bovendien heel mooi, prachtig, maar met de uitstraling van het juwelenkistje van een berooide adellijke dame, met een zelfbewustzijn zo overdreven alert op de geringste schade die het verstrijken van de tijd met zich kan meebrengen, dat ze het gejakker van het dagelijks leven vernist met een drang tot plechtstatigheid die eerder doet denken aan de koestering van een monument in een provinciestadje dan aan de arrogantie van echt grote steden, gecompliceerde schaalmodellen van de wereld zelf, waar de toekomst zo veel haast heeft dat er nooit tijd over is voor navelstaarderij, en zo vastligt dat het geen enkele zin heeft een poging te doen haar in bedwang te houden met de ijzeren greep van publieke werken. Als dochter van de georganiseerde en grandioze chaos van een labyrint dat tientallen mogelijke steden omvat, onderwierp ik me met het instinct van een toerist aan het schilderachtige narcisme van mijn gastvrouw, en liet alle verplichte kreten van bewondering ontsnappen terwijl ik met toenemende verbazing ontdekte hoe het historische minderwaardigheidscomplex van een Madrileense uit Chamberí kan veranderen in een onverwacht besef van afstand, een gevoel dat sterk overeenkomt met dat van superioriteit, tijdens het onschuldige traject van een toeristische route. Ik besloot de gevolgen van deze ontdekking voor mezelf te houden, maar een of ander los eindje moest wel aan de oppervlakte liggen want voor de gevel van een oud station kon ik, terwijl ik het nooit, op geen enkel ander moment in mijn leven, zou hebben gewaagd om een zo voorspelbare polemiek te ontketenen, de echo's uit mijn geheugen niet bedwingen en herinnerde ik me een felle en in onbruik geraakte uitspraak, dat gepassioneerde oordeel dat ik nooit over de lippen van mijn grootvader Anselmo heb horen komen, hoewel de vrouw die hij, vele jaren voordat hij haar tot weduwe maakte, had verlaten hem placht te citeren, zonder ook maar een komma over te slaan, steeds wanneer ze er belang bij had om te bewijzen dat haar man niet meer was dan een atheïst, een barbaar en een lammeling. Voordat ik begon te vermoeden dat hij deze adjectieven nooit had verdiend, had ik al ontdekt dat hij gelijk had, maar ik heb daar nooit ruzie over durven maken met mijn grootmoeder Pilar. Die ochtend echter, zo ver van huis, beweerde ik met een overtuiging die sterker was dan de besluiteloosheid van mijn hakkelende tong dat ook ik, als ik generaal Rojo was geweest, zonder aarzelen de dood van Durruti had verordend, want de verdediging van Madrid was een wonder, een zuiver strategische zet, zo subtiel, zo wonderbaarlijk evenwichtig, dat het laatste wat we nodig hadden een alleen opererende held was die verliefd was op zichzelf, een onnozele hals die bereid was om, helemaal alleen en van binnenuit, de omsingeling te doorbreken waar de nationalisten niet doorheen waren gekomen in een zo langdurig en hevig beleg als het offer van de burgerbevolking, en de fascisten willen Madrid innemen, maar Madrid zal het graf zijn van het fascisme, en ze komen er niet door, amen. Hoewel Ramón mijn betoog onvoorwaardelijk toejuichte, wierp de distributeur van de Costa Brava, die Durruti nu juist ter sprake had gebracht, mij een zo dodelijke blik toe dat het voldoende was om mijn aangeboren gebrek aan moed in één klap te herstellen, en ik heb mijn mond niet meer opengedaan, noch om de koers van de historische waarheid te corrigeren, noch om ook maar iets anders te zeggen, tot de bus stilstond voor de deur van het hotel.

Tussen de strenge muren van dat zeer modernistische gebouw, waar de luxe zich uitdrukte in een extreme, bijna kloosterachtige koelte, zou de werkelijkheid mij diezelfde avond een nieuwe slag toebrengen. Na de saaie middagbijeenkomst, gewijd aan een uiteenzetting over nieuwe commerciële perspectieven, en de bijbehorende maaltijd, die deze keer genoten werd in een restaurant aan de haven, onttrok ik me aan de laatste fase van het officiële programma – een drankje in een macrodiscotheek die zeer populair was – om me aan te sluiten bij een kleine groep die besloten had lopend terug te keren naar het hotel. Toen we daar aankwamen, was het nog niet eens één uur 's nachts en had ik geen slaap, maar ik slaagde er niet in Ramón, die met veel vertoon stond te gapen terwijl de receptioniste zijn sleutel zocht, noch een van mijn andere incidentele metgezellen – een paar bijzonder sympathieke verkoopsters uit Zaragoza, de distributeur uit Málaga, die met zijn vrouw was gekomen, en een ander stel, waarvan ik de afzonderlijke namen niet heb kunnen achterhalen – zover te krijgen dat ze met me mee zouden gaan naar de bar van het hotel. Omdat ik wist dat ze vreemd zouden staan kijken als ik mijn intentie kenbaar zou maken om in mijn eentje nog iets te gaan drinken, nam ik afscheid met de opmerking dat ik een paar pennen wilde bekijken die ik 's morgens in het voorbijgaan in de etalage van een van de winkels op de benedenverdieping had gezien, en ik begaf me, met langzame en stevige pas, naar een bar die verborgen was in een soort souterrain en bereikt werd via een trap die zich in een hoek van de lounge bevond.

Voor het eerst van mijn leven verving ik Alejandra Escobar, en de gevolgen hadden niet rampzaliger kunnen zijn. Zeker is dat zij noch ik ooit die kille, smakeloze omgeving zou hebben gekozen die deed denken aan de antiseptische troosteloosheid van een net geopend ziekenhuis, de kale vloer van wit marmer, pilaren bekleed met glanzend staal, waarvan de koude, metalige dreiging tussen de tafeltjes, de stoelen, de lampen door kronkelde, veel matglas en veel laminaat dat aanvoelt als plastic en de bedrieglijke indruk wekt van edel hout, een ijskoude spiegel in staat het beeld nietig te maken en neer te halen van iedereen die de moed had zijn onberispelijke strengheid te trotseren. Terwijl ik me realiseerde dat geen van de tafeltjes onopvallender was dan de andere in die ruimte die ingericht was als een toneel, herinnerde ik me de schitterende gevels van verschillende oude, luxueuze hotels die ik gezien had aan de Paseo de Gracia, en ik betreurde het twijfelachtige criterium van degenen die niet voor een van die hotels had gekozen maar voor deze ijstempel, waar ze ons hadden ondergebracht voor een prijs die vast niet veel lager was dan die van de hotels die over prestige en traditie beschikken. Zonder dat ik al besloten had te gaan zitten, wierp ik een blik op de bezoekers en voelde een vlaag van verlangen naar mijn kamer op de derde verdieping, het enorme, strak opgemaakte bed, het gehoorzame en gedienstige televisietoestel, dat niet in staat was tegen mijn wens in te gaan, en een roman van zeshonderd pagina's op het nachtkastje, een geheel project van welbehagen vergeleken met het armzalige aanbod van die halflege tent, drie tafeltjes bezet door groepjes goedgeklede mensen, onder wie een vrouw in het voorgeschreven, klassieke mantelpakje – sterk overeenkomend met dat wat ik op dat moment droeg – dat veranderd is in een soort vrouwelijk synoniem van de stropdas, en twee mannelijke toeristen van een jaar of vijftig, met een noordelijk uiterlijk en uitgedost alsof ze naar een postume editie van Woodstock gingen, die vanaf de hoge krukken die voor de bar stonden, dankzij een paar bermuda's model huursoldaat in een door de vele wasbeurten inmiddels onbestemde kleur, met hun grijsbehaarde benen pronkten. Toen ik op het punt stond op mijn schreden terug te keren, zei ik bij mezelf dat ik geen Alejandra Escobar heette en ook geen excuus nodig had om daar een drankje te drinken, zodat ik, een zekere neerslachtigheid overwinnend, op de stoel ging zitten die het dichtst bij de hand was, met een zwijgend gebaar de ober riep en een whisky bestelde met ijs en een beetje water, want Alejandra en ik drinken altijd hetzelfde. Drie kwartier later, toen ik opstond om weg te gaan, bevatte mijn glas nog twee vingers van een vloeistof met een vaag geelachtige kleur. Dat was het enige teken waaruit bleek dat er een zekere ontwikkeling had plaatsgevonden vanaf het moment dat ik die bar was binnengekomen.

Misschien waren de dingen in dit geval niet beter verlopen voor Alejandra dan voor mij. Het is moeilijk te zeggen, want zij had al snel geleerd dat er niet zoveel te verwachten valt van net geopende luxe hotels die onmiddellijk bezet zijn door een kleurloze en middelmatige horde zakenmensen en zou nooit zo'n etalage hebben gekozen. Hoe dan ook, toen ik op van de slaap mijn kamer binnenkwam, zonder zin te hebben het televisietoestel te tiranniseren, zonder de energie om de boekenlegger verder te verplaatsen langs de vierhonderd en nog wat pagina's van de roman die ik nog moest lezen en, wat erger is, zonder de kracht mijn gezicht achtereenvolgens vol te smeren met reinigingsmelk, tonic en voedende crème, zoals ik me had voorgenomen elke avond zonder mankeren te doen sinds de dag waarop ik me gerealiseerd had dat ik veel eerder veertig zou worden dan ik me had voorgesteld, was ik er al zeker van dat de verklaring voor dat fiasco vooral te maken had met mijn eigen identiteit, want het is heel moeilijk om gelukkig te zijn als je weet dat je een lelijke, ongemakkelijke en weinig modieuze jurk draagt, en Assepoester zou nooit een prinses zijn geworden in haar oude lompen vol roetvlekken.

De kracht van Alejandra Escobar ligt ook in haar eigen identiteit, de kneedbare en gastvrije ruimte waar we allemaal in passen, honderden verschillende verhalen en ikzelf, gelukkig omdat ik elke avond een nieuwe jurk draag, in staat een beetje van mezelf te houden terwijl ik me een personage toe-eigen dat niet het mijne is. Dat is het enige doel van mijn geheime avonden, die avonden waarover ik met niemand kan praten en waarop ik niets zoek wat niet reeds in mijzelf aanwezig is, in de vreemde vrouw die ik ben, en die tegelijkertijd veel beter is dan ik. Alejandra mislukt nooit, en als haar aanwezigheid een enkele keer door niemand wordt opgemerkt, is het niet haar falen, want ze is altijd een opwindend wezen, dat een indrukwekkende geschiedenis met zich meedraagt en een heel lange toekomst voor zich heeft, maar het falen van de wereld, die niet in staat is de beste van zijn dochters te herkennen. Daarom is het niet belangrijk dat ze niemand versiert, dat ze zich gaat vervelen, dat ze met niemand praat. Haar enige zin is bestaan, en dat is genoeg.

Na die nacht in Barcelona heb ik Alejandra nooit meer vervangen, maar toch, bijna drie jaar na die reis en onder geheel andere omstandigheden, verdween ze opnieuw om mij een plaats af te staan die ik niet verwacht had te bezetten. Het gebeurde in de bar van de lounge van het Ritz hotel, een van onze traditionele toevluchtsoorden, de bijna intieme ruimte die plotseling veranderde in een vijandige woestenij, het toneel van een stilzwijgende maar heftige strijd die ik meende voor altijd verloren te hebben. Toch was dit kleine avontuur goed begonnen. Na mijn werk had ik bij de stomerij de rode jurk opgehaald die ik had gekocht om mezelf te troosten voor het pijnlijke misverstand dat Ramón tot de meest vluchtige van mijn minnaars had gemaakt, en ik ontdekte tevreden dat er geen spoortje was overgebleven van de wijnvlek die me de laatste keer dat ik hem had uitgetrokken het ergste had doen vrezen. Hoewel ik wist dat ik het lot tartte, want al meer dan een jaar koos Alejandra bijna onveranderlijk deze jurk uit alle kledingstukken in mijn kast, kon ik de verleiding niet weerstaan hem nog een keer aan te trekken, want niets stond me beter dan dat strakke lijfje met lange mouw en een aanzienlijk decolleté tussen de schoudervullingen, dat eindigde bij mijn middel om over te gaan in een rok met strategische geplaatste figuurnaden, die zich kunstig versmalde tot hij de lijn van mijn knieën beroerde. Ik toonde me voorzichtiger in de keuze van de plaats, want hoewel ik eigenlijk meer zin had in Santo Mauro was ik al meer dan drie maanden niet in het Ritz geweest en ik heb altijd getracht niet al te bekend te worden bij het bedienend personeel, een voornemen waarin ik gesteund word door bepaald crisissen van bitter inzicht die hun hoogtepunt bereiken met het verlaten van Alejandra gedurende een periode die altijd onvoorspelbaar is. De koop van die jurk van rode tricot, waarvan de regelmatige bezoeken aan de stomerij zichtbaar begonnen te worden in de doorzichtigheid van het weefsel waar het de ellebogen bedekte, had een eind gemaakt aan de laatste van die scheidingen, zodat de voorwaarden meer dan gunstig geacht mochten worden, en toch had ik geen enkele maatregel kunnen nemen om te voorkomen wat er gebeurde.

Degene die de jongste leek van de twee vrouwen zag eruit alsof ze ongeveer vijfentwintig was. De oudste ging meer in de richting van de dertig maar was knapper dan de eerste, hoewel beiden, eerlijk gezegd, zelfs zonder op Ava Gardner te lijken, onmiddellijk de aandacht opeisten van de meest ongeïnteresseerde toeschouwer, die niet in staat zou zijn de vreemde schoonheid met meer grootmoedigheid het hoofd te bieden dan ikzelf. Lang, slank, de een donker en de ander met beleid blond geverfd, pronkten ze met een, voor midden april, benijdenswaardige bruine teint, en de zekerheid dat ze deze op kunstmatige wijze verworven hadden bood net zo weinig troost als de schatting van het aantal uren per week dat ze in een sportschool moesten steken om een lichaam te krijgen dat zo spectaculair grensde aan het volmaakte. Hoe dan ook, in het begin besteedde ik niet meer aandacht aan ze dan nodig was om deze gegevens te noteren en nog een enkel detail meer, zoals het nasale, zeer geaffecteerde accent dat pijn deed aan mijn oren in het korte fragment van hun gesprek dat ik bij toeval opving toen ik langs hen heen liep, of bepaalde overdreven gebaren van hun handen, die mij in staat stelden hen op slag te verwijzen naar het overbekende en karikaturale rijk van de bekakte krengen. Toch moest hun glamour een of andere geheime snaar gekreukeld hebben van het formidabele gemoed van Alejandra Escobar want op het moment waarop ik een aaneenschakeling had voltooid van neutrale, onvermijdelijke handelingen – mijn jasje losknopen, mijn tas op het tafeltje leggen, een pakje sigaretten en een aansteker pakken, gaan zitten, mijn benen over elkaar slaan, mijn tas weer pakken om hem met het hengsel over de rugleuning van de stoel te hangen, het pakje sigaretten openmaken, een sigaret pakken, deze aansteken, naar mijn mond brengen, een grote rookpluim laten ontsnappen, mijn hand omhoogbrengen om de aandacht van de ober te trekken, op zijn komst wachten, een drankje bij hem bestellen, en, ten slotte, een blik op mijn omgeving werpen – realiseerde ik me dat ik de zaak in elke fase van het proces sterk overdreef, en ik strekte de vingers die de sigaret vasthielden iets meer dan noodzakelijk was, ik streek mijn haar met nooit vertoonde regelmaat uit mijn gezicht, tuitte mijn lippen in een weloverwogen vertoon van norsheid waaraan elke grond ontbrak, improviseerde een blik van geringschatting voor de wereld die zelfs mijzelf bevreemdde, en dat alles vond plaats zonder dat ik het wilde, zonder dat ik de oorzaak kende, en daardoor zonder dat ik het kon voorkomen. Misschien richtte dit soort geïntensiveerde voorstelling van wat niets anders was dan een voorstelling de aandacht op me die ik het minst zocht, de aandacht die ik, nauwkeuriger gezegd, nooit had willen trekken. Gealarmeerd door een vaag gevoel van onrust, een plotselinge bewustwording van mezelf, draaide ik met een ruk mijn hoofd naar links en botste frontaal op vier vlekkeloos opgemaakte ogen. Een voorrecht uitoefenend van hun goddelijkheid hielden de twee bronzen beelden, die ik al besloten had te negeren, zonder ook maar een spier te vertrekken hun blik strak op mij gericht, waarbij ze tussen glimlachjes door, die mij in staat stelden een glimp op te vangen van hun perfecte, wrede gebitten, met elkaar zaten te smoezen. Het simpele vermoeden dat ze om mij lachten was voldoende om in een oogwenk een zo geharde vechtster te verslaan als Alejandra Escobar, die in de lucht oploste zonder bericht achter te laten van haar verblijfplaats, mij overleverend aan mijn eigen belachelijkheid. Ik probeerde haar met alle mogelijke middelen tot leven te wekken, maar de werktuiglijke herhaling van haar manieren van elegante vrouw, die mij nu eerder de groteske grimassen van een krankzinnige toeschenen, verslechterde de situatie alleen maar. Ik durfde niet naar de vijand te kijken, zelfs niet vanuit mijn ooghoeken, maar ik had de indruk dat hun schaterlachen, die nu openlijk waren en ongeremd, mijn oren van het ene moment op het andere bereikten terwijl ik met mijn handen in mijn haar zat alsof ik het aan het wassen was en een nieuwe peuk opstak voordat de rook van de vorige verdwenen was. Toen besloot ik weg te gaan. Niemand had het ooit voor elkaar gekregen om Alejandra Escobar ergens te verdrijven, maar ik was alleen, en ik was haar niet. Ik keek heel aandachtig en met een uitdrukking van verwondering op mijn horloge, alsof ik de vertraging niet kon begrijpen van degene die nooit op die afspraak zou komen. Ik liet drie of vier minuten voorbijgaan en richtte mijn blik toen opnieuw op de wijzerplaat, zo oplettend dat het leek alsof de beweging van de wijzers de verklaring zou geven voor een of ander raadsel dat essentieel was voor mijn toekomst. Nog één keer, zei ik bij mezelf, ik houd het nog heel even vol, ik kijk nog een keer op mijn horloge, sta op en ga weg. Maar toen, net toen ik die vage, langzame blik van hen die niets te doen, maar alleen tijd hebben in een onbestemde richting liet gaan, ontdekte ik hem in de verte, volmaakt gecentreerd tussen twee pilaren, en ik voelde hetzelfde als wat een schipbreukeling moet voelen die vastzit op een rots van twee meter doorsnede wanneer hij het silhouet van een schip aan de horizon ziet verschijnen.

Forito had mij het eerst gezien. Ik hief mijn armen op alsof ik mijn hele leven op hem had gewacht en ik zag hem met besluiteloze stappen in mijn richting komen.

Ik veronderstel dat hij, als hij het een keer heeft gedaan, dat tafereel zou hebben beschreven met de woorden dat hij de rode lap toen naar links zwaaide en recht op zijn doel afging, maar zeker is dat hij mij eerder bereikte met de juiste combinatie van angst en vastbeslotenheid die de knieën verstijft van die stierenvechters die heel oud, heel dik en heel wijs zijn en zich bij het naderen van de stier afvragen of zo veel angst wel opweegt tegen al het goud van de wereld. Zijn verwarring was zo overduidelijk dat ik, helemaal opgaand in mijn rol, hem een klein beetje aandacht niet kon ontzeggen, en ik vreesde dat hij alles zou bederven voordat hij het bescheiden doel, mijn tafeltje, zou bereiken. Toen hij voor me stond, begreep ik dat aan de verrassing mij daar aan te treffen, alleen, maar uitgedost als voor een bruiloft, zich nog een vaag gevoel had toegevoegd dat ik niet precies ik was, de vrouw die hij kende, en een argwaan die nog intenser, en nog onrustbarender was, veroorzaakt door de euforie die zijn aanwezigheid had opgewekt. Hij had me die ochtend nog gezien en kon niet weten dat mijn armen, naar voren gestoken met het gebaar van een grote dame die nooit eerder in de gelegenheid was geweest om te oefenen, en die brede glimlach die een weerzien leek te vieren waar jarenlang in het geheim naar was uitgekeken, geen ander doel hadden dan hem aan mijn zij te krijgen, en zelfs toen ik heel zachtjes zijn naam uitsprak, want er zijn beslist maar weinig namen die minder aantrekkelijk zijn, maar op een toon van oneindige tevredenheid, gedroeg hij zich alsof hij geloofde dat dat alles gericht was op een onbekende die slechts één pas achter hem liep.

Terwijl hij naast me ging zitten, draaide ik snel mijn hoofd om om te kijken wat voor gezicht die twee trutten, die gemeend hadden dat ze achter mijn misleiding waren gekomen, nu trokken, en ik moest de enige echte teleurstelling incasseren die het lot besloten had me die avond te bezorgen, want in een onopgemerkte fractie van de laatste twee of drie minuten waren beiden opgestaan en weggegaan zonder geluid te maken of aandacht te schenken, daar was ik zeker van, aan ook maar één detail van wat ik als een geweldige triomf beschouwde. Mijn eerste reactie was mijn eigen ogen voor leugenaars uitmaken. Vervolgens, toen ik al vermoedde dat ze mij misschien niet eens hadden opgemerkt, vroeg ik me af waarom de dingen altijd zo moesten zijn. Daarna stortte ik in, zo erg dat het me pijn deed de stem te herkennen die zich inspande om mij terug te brengen naar de stoel waarin ik gezeten was.

'Wat een toeval, hè, dat we elkaar hier tegenkomen?'

'Ja...' gaf ik toe, en ik dwong mezelf tot een glimlach die minder geruststellend was voor hem dan voor mij, terwijl ik me een idee vormde van de val waarin ik mezelf helemaal alleen had opgesloten.

'Nou... Dan zal ik maar een drankje halen, hè?'

'N-natuurlijk.'

Met het gebaar van een ouderwetse heer, een van de vele die ik diezelfde avond zou ontdekken, stond hij op en begon in de richting van de bar te lopen in plaats van op de komst van een ober te wachten. Ik maakte van zijn afwezigheid gebruik om een plan te bedenken dat het me mogelijk maakte om met waardigheid de vergissingen te doorstaan die ik tot op dat moment had gemaakt en zo snel mogelijk naar huis te gaan. Op dat moment had ik niet alleen geen zin om ook maar een ogenblik met hem door te brengen, maar voelde ik ook, en in de wetenschap dat geen enkel ander gevoel onrechtvaardiger kon zijn, een acute vlaag van antipathie voor de onschuldige pion die plotseling in verband werd gebracht met het fiasco van die avond, maar we hadden nog een jaar van samenwerking voor de boeg, misschien nog meer, want Ana zou hem overal waar ze ging met zich meenemen, en niemand wist nog of Fran de bedoeling had het team op te heffen als de *Atlas* klaar zou zijn. Alleen al daarom bleef me niets anders over dan me gedragen in overeenstemming met mijn enthousiaste begroeting, maar bovendien, en bovenal, wist ik heel goed, hoewel ik niets liever wilde dan verdwijnen, er op een holletje vandoor gaan, zodat hij me niet meer zou aantreffen als hij terugkwam met een glas in zijn hand, dat hij nergens schuld aan had gehad en dat ik me de volgende ochtend vreselijk zou voelen als ik voor dit of welk ander geïmproviseerd vluchtplan dan ook zou kiezen.

Zeker is dat ik hem altijd had gemogen. Ik dwong mezelf dat te onthouden terwijl ik hem door de ruimte zag lopen met een houding die sterk verschilde van de vreesachtige verlegenheid van daarvoor. Hij liep nu rechtop, zijn schouders zo recht, zo trots in zijn vastberadenheid dat hij, van verre, bijna een andere man leek, meer lang dan slungelig, meer slank dan schriel, en in zijn houding iets in zichzelf gekeerds, die melancholieke, verloren blik van drankogen die aan zijn fysieke onbeduidendheid de gecompliceerde dosis spiritualiteit verleende waar alle acteurs die het ooit hebben aangedurfd om de mist in te gaan met Alonso Quijano vergeefs naar hebben gezocht. Hij was al heel dichtbij toen ik me afvroeg of ik soms spoken zag, maar, om een reden die ik niet kon verklaren, hoewel het vast en zeker te maken had met de heftige stemmingswisselingen die mijn gemoed gedurende het voorgaande uur hadden uitgeknepen als een citroen, kon ik, toen ik naar zijn gezicht keek, met een helderheid die eerder op helderziendheid leek, de oorspronkelijke trekken zien die, weliswaar heel zwak, nog klopten onder het grove masker dat druppel voor druppel ingesleten was door de cognac. Bovendien was hij, uiteraard, zeer elegant gekleed. Ik was gewend hem in zijn eeuwige donkere broek van onbestemde kleur te zien, van een gemêleerde wollen stof die, afhankelijk van het licht, soms grijs, soms bruin en soms zwart leek, maar altijd geweven met de gelatineachtige substantie die een sinistere glans aanbrengt op de vleugels van insecten, en een overhemd van crèmekleurige katoen, dat zo vaak gedragen was dat de stof al versleten was op de rand van de kraag – het onveranderlijke kledingstuk voor de winter, dat in het voorjaar vervangen werd door een paar poloshirts van onbekend merk, één donkergroen, het andere bordeauxrood, beide zeer dun en zo verwoed gewassen dat de huid er bijna in detail doorheen scheen op enkele versleten plekken die zo willekeurig verdeeld waren als de kale kruinen van een berg – en wellicht liet ik me te veel imponeren door de onberispelijke snit van zijn pak van grof linnen, zo nieuw dat de kreukels er nog maar net in zaten in plaats van zich aan te passen aan de groeven geopend door de vasthoudendheid van de voorgaande kreukels, een uitdossing die buitensporig zomers was voor een voorjaarsavond, maar van een zo uitstekende smaak dat hem zelfs vergeven kon worden dat hij deze niet gecombineerd had met iets beters dan een roze overhemd, waarop een stropdas in een lichtgele tint, bedrukt met heel kleine motiefjes, dat wil zeggen, strikt modieus, nauwelijks opviel.

In ieder geval had ik, toen hij naast me ging zitten, al ontdekt dat ook hij groene ogen had, hoewel ze dof waren door een waterige, grijsachtige waas, en een neus die mooi moest zijn geweest voordat de bloeddoorlopen zwelling van de neusvleugels, die er nu een hobbelige en uitgezette spons van maakte, de poriën zo wijd als die van een aardbei, het scherpe profiel teniet had gedaan van het tussenschot, de strengste Romeinse keizer waardig, een gelaatstrek die echter nog opviel als de, in dat opgezette, vormloze gezicht, enige zichtbare scherpe lijn, die vervolgens doorliep in een bescheiden onderkin, die echter zeer in het oog liep bij een man die zo mager was als hij. Geneigd als ik was om hem tot elke prijs te redden van mijn eigen willekeur, zag ik in het geheel, ondanks alles, iets aristocratisch, als de waardigheid die de minst bezochte klassieke ruïnes onderscheidt, die bergen losse stenen, onherkenbaar nu, waarop zich, absurd, eenzaam, maar authentiek, twee afgeknotte zuilen verheffen die met een soort krankzinnige arrogantie de minachting van de toeristen trotseren.

Hij was uiteraard niet op de hoogte van het proces dat hem veranderd had in het voorwerp van een zo nauwgezette observatie en kwam opnieuw naast mij zitten, nam een flinke slok uit zijn glas cognac, zette het met een nog onvaste hand op tafel, en keek me aan, alsof hij me vroeg wat er vervolgens zou gebeuren.

'Wa-at een geluk dat ik je hier ben tegengekomen,' brak ik het ijs op een gematigd beleefde toon die het meest paste bij de smoes die ik onmiddellijk daarna op hem losliet, 'want ik heb een a-afspraak met een vriendin, begrijp je, en ze is niet komen opdagen...'

'Ja, ik had er ook niet op gerekend dat ik iemand van de uitgeverij tegen zou komen, want ik ben naar de presentatie van het programma voor San Isidro geweest.'

'Ah,' riep ik uit, alleen om tijd te winnen, hoewel me niet echt iets inviel wat ik kon zeggen. 'Ma-aar dat is toch nog lang niet?'

'Nou...' Hij keek me aan. 'Over anderhalve maand. De stierengevechten moeten lang van tevoren georganiseerd worden, echt waar...'

'Natuurlijk,' zei ik instemmend, en berustend in de rimpelloze leegte waartoe mijn kennis van het stierenvechten zich beperkte, veranderde ik van onderwerp zonder te vermoeden dat een zo triviale lofrede als ik bijna op goed geluk koos om aan de stilte te ontsnappen de deuren voor me zou openen van een geschiedenis die ik nooit zou vergeten. 'Je ziet er heel elegant uit... en je draagt een prachtige stropdas.'

'Ja...' gaf hij toe, terwijl hij zijn hoofd boog alsof hij zichzelf een ogenblik moest bekijken om zich te herinneren hoe hij gekleed ging. 'Het pak heb ik van een vriend van me gekregen, weet je. Zijn ouwe heer was verantwoordelijk voor de uitrusting van de arena van Vista Alegre, ik weet niet of je je die herinnert, dat was een arena in Carabanchel die jaren geleden gesloten is...' Hij ondervroeg me met een blik die ik beantwoordde door mijn hoofd te schudden, en ging door met praten. 'Nou, goed, echt waar, het punt is dat ik hem al ken sinds hij nog een jonge knul was en, godallemachtig wat wij hebben meegemaakt met zijn tweeën... Fantastisch. We gingen samen overal heen, ik ben zelfs vaak met hem mee geweest om koeien uit te testen, weet je, als hij toestemming van de eigenaar had, en zelfs als hij die niet had, want hij had zich nou eenmaal in zijn hoofd gehaald dat hij stierenvechter wilde worden, snap je, hij had een liefde voor de stieren, niet te geloven, en dat terwijl je al uit de verte zag dat hij niet... Want dat merk je, ik weet niet, ik zag het zelfs, terwijl ik net zo jong was als hij, dat hij de gratie niet had, die speciale gave van degenen die het gaan maken, maar hij moest en zou, echt waar... En hij maakte zijn debuut, weet je, met jonge stieren, zonder *picadores*, Chulito de Vista Alegre, wilde hij zich noemen, maar zijn vader en de mijne hebben hem dat uit zijn hoofd gepraat, en ten slotte heeft hij het veranderd in Chicuelo, Chicuelo de Vista Alegre, dat klinkt veel beter. Zijn eerste gevecht was in San Sebastián de los Reyes, ik was erbij en, godallemachtig, die arme jongen kreeg er twee die zo uitgekookt waren als wat, ik geloof dat ze zelfs al eens gebruikt waren bij zo'n feest in die bergdorpen waarbij ze stieren door de straten jagen... Kortom, die arme jongen deed wat hij kon en... één grote puinhoop, dat kun je je wel voorstellen, maar de pechvogel kwam er bijna tevreden uit, ik deed het niet slecht, hè, zei hij tegen me, wedden dat ik het niet slecht deed... Hij heeft nog drie gevechten gedaan voordat wij hem ervan konden overtuigen dat hij moest inpakken en wegwezen. Nou ja, zo is het leven, en toen het erop leek dat het helemaal niet goed ging met Antoñito, want toen hij opgehouden was met stierenvechten had hij nergens meer zin in, snap je, kreeg hij het idee om een videotheek te beginnen, een van de eerste, daar, in de Carabancheles, en het ging hem voor de wind, echt waar, onvoorstelbaar, en toen ging hij op een dag naar de School voor Stierenvechten, die van de Comunidad, had daar een gesprek met een paar jongens, ging optreden als hun manager, en met de poen die hij verdiende begon hij een kroeg in Marqués de Vadillo, en het ging hem weer voor de wind, en nu... godallemachtig, een luxe leventje, maar dan echt luxe, snap je, hij heeft geld als water, die vent. Kortom, omdat hij er nu graag als een modepop bijloopt, en geen tijd heeft om alle kleren te dragen die hij koopt, nou, valt mij nu af en toe een kostuumpje ten deel. Dit heb ik bijna nieuw geërfd, want hij begint een buikje te krijgen, onze Antonio, hoewel hij een paar maanden geleden lid is geworden van een sportschool, zich op de gewichten heeft gestort en flink is afgevallen. Toen heeft hij dit pak gekocht, maar omdat hij overal binnen de kortste keren genoeg van krijgt, want dat gaat zo met de rijken, ze raken overal op uitgekeken, nou, echt waar, hield hij ermee op, werd weer dik, gaf het aan mij, en ik in mijn nopjes... Hij heeft zelfs het vermaken betaald, want de waarheid is dat hij vrijgevig is, dat blijkt wel, altijd als ik een afspraak met hem heb, en ze de rekening brengen, godallemachtig, hij wuift me weg en zegt altijd, ga toch weg, ik verdien genoeg, dat zegt hij, en vervolgens betaalt hij alles, zo gaat dat. En ik ben blij dat het zo goed met hem gaat, snap je, ik ben echt blij voor hem, want hij is de enige jongen uit de buurt die het gemaakt heeft, echt waar, wat je noemt door de voordeur vertrekken... Dit klokkie,' en hij strekte zijn arm om me een nogal protserig gouden horloge te laten zien, 'heeft hij me ook gegeven. Het ziet eruit als goud, maar dat is het niet, zo ver gaat hij nou ook weer niet, logisch... Maar de stropdas is niet van hem. Die heb ik van mijn zoon gekregen. Nou ja, deze en de andere, want hij komt bijna elk jaar aanzetten met een pakje, niet te duur natuurlijk, de schat. Cadeau voor vaderdag, je weet wel...'

'Ik wist helemaal niet dat jij een zoon ha-ad,' onderbrak ik hem, met oprechte verbazing en al iets van de nieuwsgierigheid die in de loop van die avond van minuut tot minuut zou groeien en veranderen in de onbedwingbare behoefte tot het einde te komen. 'Ik dacht dat je een verstokte vrijgezel was, n-net als ik...'

'Was het maar zo,' antwoordde hij, zonder de bitterheid te verhullen die gistte in de klinkers van die woorden, 'was ik maar alleen gebleven, zoals jij...'

Hij zweeg, keek naar zijn schoenen, een paar vreselijk oude bruine mocassins, die verkleurd waren en op het punt stonden bij de naden open te barsten, die ik tot op dat moment niet had opgemerkt, keek op, glimlachte bitter en, zijn hoofd schuddend alsof niets ter wereld zou kunnen helpen, praatte hij verder op een bewust normale toon.

'Welnee, meisje, nee. Niets daarvan. Ik was getrouwd, echt getrouwd, je kunt je niet voorstellen hoe... echt waar, niets aan te doen. Ik ben het tegenovergestelde van Antonio, maar echt het tegenovergestelde, snap je... Niemand heeft me gedwongen om er zo'n puinhoop van te maken, niemand, want ik had in het begin heel veel geluk, het zag er allemaal goed voor me uit. Mijn vader was fotograaf van de stierengevechten, weet je, net als ik. Hij heeft me het vak geleerd, en hij lette heel goed op dat ik niet in dezelfde valkuilen zou lopen als hij had gedaan. Ik heb altijd voor mezelf gewerkt. Ik verkocht losse foto's en hele reportages aan agentschappen over de hele wereld; ik wilde nooit vastzitten aan één krant, zoals mijn ouwe heer, en al snel kon ik hem in dienst nemen, meer hoef ik niet te zeggen. Ik begon een studio en maakte foto's van alle grote namen, godallemachtig, ik was dus niet zomaar iemand in die tijd... Later ging ik samenwerken met een neef van mij en gingen we films maken. Dat begon een echt bedrijf te worden, en groot, echt, ik ging elke middag naar Las Ventas met zes of zeven werknemers, de cameraman, een paar jongens die hem hielpen, mijn eigen assistenten, mijn ouwe heer, die ook achter de camera stond, kortom… Door die films ging het me echt goed, want we hebben het over begin jaren zeventig… of daaromtrent, ik moet niet veel ouder dan twintig zijn geweest, en ze waren nog niet gestopt met het bioscoopjournaal, zodat we ze het grootste deel konden aansmeren van de films die we maakten, want die wisselden elke week, dus, godallemachtig, in die periode verdienden we het op onze sloffen, echt, we hadden meer dan genoeg om de winter door te komen, meer hoef ik niet te zeggen… Een paar jaar, in '74 en '75 geloof ik, want in die tijd ging Franco dood, gingen we zelfs naar Amerika, Mexico, Colombia, Venezuela, moet je nagaan, en het leverde te weinig op, zo simpel was het, en ik zei tegen mijn ouwe heer, luister, voor wat we hier verdienen, kunnen we net zo goed thuisblijven. Later kwam er een eind aan dat goudmijntje van het journaal, maar voor mij bleef het geweldig gaan, want ik verkocht heel veel films aan de televisie en begon veel klanten onder de echte liefhebbers te krijgen, van die kerels die stikken in het geld, met hun dames op de eerste rij zitten en een stierenvechter van arena naar arena volgen… Ik had de slag onmiddellijk te pakken, weet je, voordat het stierengevecht begon, filmde ik ze even, die dikke mannen met een sigaar in hun hand en die vrouwen behangen met sieraden en een anjer in hun knoopsgat, en als het afgelopen was, nog een beetje van hetzelfde en, godallemachtig, ze gingen helemaal uit bol, ze kochten alles wat ik ze maar wilde verkopen. En intussen ging ik door met de foto's natuurlijk, dat was mijn echte werk, dus, echt waar, het ging me voor de wind… Vraag maar aan Ana dan hoor je het wel.'

Terwijl hij zich op deze manier tot mij wendde, was ik voor mezelf nog aan het rekenen. Toen we elkaar leerden kennen, tijdens een van de voorbereidende vergaderingen voor de *Atlas*, moest ik net 37 zijn geworden, en zonder er echt over na te denken, had ik hem dichter bij de zestig dan bij de vijftig geschat, en daar was hij tot nauwelijks een paar minuten tevoren gebleven. De toespeling op zijn echte leeftijd, die hem niet meer dan vijf of zes jaar ouder maakte dan ik, had me verbijsterd, want zelfs de alcohol kon een dergelijke slijtage niet in zijn eentje hebben aangericht, dat kale hoofd, lukraak overspannen door een paar zuiver witte draadjes, de uitgezakte hals, waarvan de huid in trillende, asymmetrische plooien omlaag viel, de handen bezaaid met grafbloemen, die donkere vlekken die het einde aankondigen, en de grijze borstharen, want zijn overhemd, dat één knoopje verder openstond dan de grens van het stijlvolle toestond, en de losse stropdas, stelden mij in staat er een glimp van op te vangen. Ik vroeg me af welke andere catastrofes verbonden zouden zijn met het eeuwige glas cognac dat een verblijfplaats had gevonden in de holte van zijn rechterhand, toen de verwijzing naar Ana mij dwong iets te zeggen en tegelijkertijd mijn inmiddels gretige nieuwsgierigheid in een andere richting stuurde.

'Kennen A-ana en jij elkaar al zo lang?'

'Ja, zo ongeveer... Ik heb haar leren kennen toen ze net terug was in Madrid, vlak nadat ze bij haar man was weggegaan, dat zal in '83 of '84 zijn geweest, echt waar, want mijn zoon was nog heel klein... Ik weet het nog doordat ik haar een keer meenam naar het archief en zij me vertelde dat ze een dochter van dezelfde leeftijd had. Toen hebben we een afspraak gemaakt om met ze naar het lunapark te gaan, en godallemachtig, zoals die genoten, echt fantastisch, dus hebben we vaker afgesproken, altijd in het weekeinde, met de kinderen natuurlijk, dat je je geen rare dingen in je hoofd haalt, snap je, nee dus, helemaal niets, maar ik was alleen en, echt, ik wist niet wat ik met David moest doen in de weekeinden, en Ana, werkte als een paard en had half gebroken met haar familie, want haar moeder wilde dat ze bij het archief weg zou gaan en bij haar zou komen wonen, of iets in die geest, dus, godallemachtig, de zaterdagen kwamen we bij elkaar en gingen we met de kinderen naar de bioscoop, of eten in de Dehesa de la Villa, of chocolademelk met churros nemen op de Plaza Mayor, van die dingen die de kinderen leuk vonden... En die waren gauw moe, want ze zaten elkaar voortdurend in de haren, ze maakten om de haverklap ruzie, en vervolgens waren ze een halfuur aan het huilen omdat ze bij elkaar wilden blijven, echt waar, en goed, eenmaal thuis hoefden we ze alleen maar in bed te stoppen en de volgende ochtend waren ze zo mak als een lammetje, snap je... Natuurlijk was ik niet meer de oude, dat is waar, want het ging steeds slechter met me, maar ik had nog heel veel materiaal bij alle archieven en verkocht veel foto's. Ik kon leven van de opbrengst, niet geweldig, maar ik had genoeg om het te redden... tot alles naar de bliksem ging. Eerst de handel, want de wereld van de stierengevechten verandert heel snel, en de stierenvechters die ik had gevolgd begonnen ermee op te houden, en er kwamen anderen, die jonger waren en die ik niet meer kende, en die werden op de foto gezet door andere jongens die ook jong waren, kortom, een puinhoop... En daarna ben ik naar de bliksem gegaan, dat heb ik zelf gedaan, want als ik was blijven werken zoals toen had ik het weer helemaal gemaakt, maar... Zo is het leven, snap je. Toen Ana me belde over de *Atlas* zat ik aan de grond, maar dan ook helemaal aan de grond, godallemachtig, en ik stond op het punt mijn appartement te verlaten en voor nop bij mijn zuster te gaan wonen, echt waar...'

Hij richtte zijn blik weer op zijn schoenen en zweeg, en het was een zwijgen dat ik niet kon interpreteren. Ik wilde hem niet voor het hoofd stoten met een of andere begrijpende opmerking, maar ik vond ook geen waardige manier om hem te benaderen, geen enkele draad waaraan ik kon trekken om hem weer aan het praten te krijgen nu ik de aard begreep van de onverwoestbare band die Ana verplichtte om dag in dag uit haar baan op het spel te zetten, dat ondoorzichtige mysterie dat vast en zeker niemand, op de hele uitgeverij, eerder had doorgrond dan ik. Ik was nog steeds op zoek naar dat losse eindje dat zich nergens vertoonde, toen hij het uitputtende onderzoek van zijn schoeisel als beëindigd beschouwde, mij aankeek en met een meer dan voorspelbare slag afrondde.

'We nemen er nog een, hè?'

Ik knikte instemmend en volgde hem, met meer gebaren dan woorden, in een soort tussengesprek: 'Wat een geweldige plek is dit toch?! Dit en het Palace zullen altijd de beste hotels van Madrid zijn, echt waar, ook al openen ze nog zoveel van die moderne, smakeloze dingen…' tot hij, in één enkele teug, zijn glas voor meer dan de helft leegde. Daarna wreef hij met zijn rechterhand en een verrassende heftigheid over zijn voorhoofd en begon weer te praten in de richting die mij het meest interesseerde, alsof hij mijn gedachten kon lezen.

'Dus, je zou het misschien niet denken, maar de schuld van alles ligt helemaal bij mij doordat ik getrouwd ben met iemand met wie ik niet had moeten trouwen, echt waar… En bij de vrouwen, want die zijn heel slecht.'

'Som-migen,' protesteerde ik.

'Bijna allemaal.'

'Als jij het zegt…'

'Natuurlijk, dat is zo duidelijk als wat… Luister, ik heb uiteraard een lot uit de loterij getrokken. De beroerdste, de gemeenste. En dat terwijl niemand me erin heeft laten lopen, integendeel. Als je nagaat dat mijn vrienden het tegen me hebben gezegd, dat Antonio het weet ik hoe vaak tegen me heeft gezegd… echt waar, maar ik had me nu eenmaal in mijn hoofd gehaald dat ik wilde trouwen en ik trouwde, en godallemachtig… Ik ben nou eenmaal altijd een romanticus geweest, al zou je dat misschien niet zeggen, en een sukkel, een lul, dat ben ik, en toen ik haar daar zag, in die gore circustent, die naar paardenpis rook, en zij halfnaakt, met die hoge hakken op het zaagsel, en in die kou, goeie hemel, ik had het al zo koud, snap je, dat ik niet eens mijn jas uitdeed terwijl ik haar zag dansen, en ik hoorde het geschreeuw van de mensen, vier klootzakken, want bijna alle stoelen waren leeg, maar er was een kleine groep die aan één stuk door zat te schreeuwen, hé, wijfie, lekker stuk, het bekende deuntje, hoe laat ben je klaar? echt waar, en ik werd zo kwaad, ik werd zo kwaad, ik zweer je, ik voelde me... God, ik weet niet wat ik voelde, en ik draaide me om en zei dat ze hun mond moesten houden, een beetje respect voor de artieste, schreeuwde ik, en je kunt wel nagaan op wat voor toon ik dat moet hebben gezegd want ze luisterden naar me, naar mij, zo'n kleine opdonder, niet te geloven, maar ze hielden hun mond, en toen was het bijna nog erger, want in die stilte klonk de muziek alsof de luidsprekers in een oud blik geplaatst waren, en het wijsje, een soort stripteasenummer, werd plotseling zo triest dat ik me realiseerde dat de pailletten van haar jurk niet meer schitterden, zo oud waren ze, en dat ze een ladder in haar maillot had, en haar ogen glansden alsof ze bijna huilde van woede, en ik vond dat allemaal zo treurig... Het is de stierenziekte, echt waar, want als je dat met de moedermelk ingegoten krijgt, word je uiteindelijk een stierenvechter, op wat voor manier dan ook, want dat is wat je raakt, natuurlijk, en zij was het verkeerde slag, en ik wist het, maar het laatste wat ik verwachtte toen ik die ochtend uit Madrid vertrok om een reportage te maken van het gevecht van een van de jongens die Antonio in die tijd begeleidde, was haar daar tegenkomen, snap je, in El Tiemblo, een of ander gat in de provincie Ávila... of Salamanca, Joost mag het weten, ik kan het me niet meer herinneren. Er was feest, natuurlijk, daarom waren er stierengevechten, en ik moest weet ik hoe vaak voor die aanplakbiljetten langslopen want alle muren waren ermee behangen, maar ik merkte het niet op, ze leken op pamfletten van heel dun papier, echt waar, bedrukt met blauwe inkt, en uiteindelijk keek ik er gewoon uit verveling naar terwijl ik wachtte tot de poorten van de arena zouden opengaan. Ze stond er niet eens op als de eerste vedette, die in het midden stond, maar meteen daaronder, als de tweede vedette... Eerst las ik haar naam, Fanny Mendoza, en ik moest goed kijken om haar te herkennen op die foto, want die was heel klein en heel slecht. Ze trad elke avond op in een soort derdeklas Chinees theater, een rondtrekkend circus, half circus en half cabaret, godallemachtig, een puinhoop, en ik weet zelfs niet waarom ik op het idee kwam haar op te zoeken... Nou ja, ik weet het wel, ik weet het maar al te goed, ik... Kortom, je wordt altijd verliefd op iemand die het minst bij je past.'

'Omdat je haar al kende,' opperde ik, bereid om flink wat zout in de wond te wrijven, hoe pijnlijk het ook mocht zijn, hoewel ik tot mijn verdediging altijd kon aanvoeren dat niemand pijn zou vermoeden in een gezicht dat zo straalde, want zijn gelaatsuitdrukking was veranderd alsof het in zijn binnenste plotseling licht was geworden. De walgelijke en trillende man die ik kende, herinnerde zich die episode met de illusie van een kind dat zijn knikkers steeds opnieuw telt, zonder het ooit moe te worden naar ze te kijken, ze te strelen, ze in zijn handen te nemen om hun gewicht te voelen of ze onder het licht te houden om zich te verwonderen over hun doorzichtigheid. Dat was zijn grote geschiedenis geweest, zo'n geschiedenis die een leven voor altijd tekent maar niet altijd alle levens weet te tekenen, een geschiedenis zoals ik nog nooit had beleefd, en die ik hem nu zo ging benijden dat ik haar zelf moest beleven in de stiltes tussen zijn woorden.

'Natuurlijk kende ik haar, echt… Of liever gezegd, ik kende een andere vrouw, een geweldige meid, knap, mooi, pfff, je had haar toen moeten zien, dat was me iemand, die Fernanda, ze leek bijna niet echt, ze leek op zo'n poster uit de *Playboy*, godallemachtig… Ze is een behoorlijke tijd de geliefde van Antonio geweest. Hij had haar uit een revuekoor gehaald en hij was helemaal weg van haar… echt, ik had hem nooit eerder zo gezien. En toen hij met haar door Madrid begon te paraderen, zag ze er altijd uit als een vorstin, ze droeg elke dag iets anders en sieraden om van achterover te vallen, hij kocht alles voor haar wat ze maar wilde, parfums, nertsen, kleding, en zelfs een auto, helemaal nieuw. Hij at uit haar hand, snap je, en ze had zo nog jaren door kunnen gaan, een fantastisch leven, maar ze was van het verkeerde slag, echt waar, ze deugde niet, en ze wilde steeds maar meer, meer, meer, en de kruik gaat zolang te water… Op een goede dag ging ze naar Antonio met het verhaal dat ze zwanger was en ze wilde de schuld op hem schuiven, en hij… Godallemachtig, die goedzak van een Antoñito, helemaal verliefd en alles, maar zijn vrouw raakte hij niet aan… Hij was wel goed maar niet gek. Voor ze het wist stond ze op straat. En toen verdween ze uit het gezicht. Ze moest alles verkopen, beetje bij beetje, tot haar niets anders overbleef dan weer aan het werk gaan, en toen, echt waar, zo'n drie jaar later… ongeveer, kwam ik haar in dat dorp tegen. Ik vond haar leuk, heel leuk, en dat wist ze, of ze dat wist, ze was hele avonden met mij aan het flirten, uit gekheid, natuurlijk, en het was Forito voor, en Forito na, en moet je Forito zien, wat heb jij een lol, dat soort dingen… Antonio kon het niets schelen, want hij wist dat ik geen partij was, en bovendien heeft Fernanda me niet serieus genomen, maar ze maakte me helemaal gek, snap je, echt helemaal gek, want alleen een gek kan het in zijn hoofd halen om te doen wat ik deed. Die avond, in het Chinese theater, kwam ze meteen na haar optreden naar me toe. Ze ging naast me zitten en, godallemachtig hoe de tijd verandert, want ze leek wel een ander met dat onopgemaakte gezicht en die kleren, een plooirokje zoals studentes in die tijd droegen en een truitje met slijtplekken op de ellebogen, echt waar, een puinhoop... Ze begon me te vertellen hoe ze leefde, in een smerige caravan, en van het ene dorp naar het andere trok, en een slijmerd van een impresario moest verdragen en net genoeg geld verdiende om te eten... Als het zo doorgaat, zei ze ten slotte, ga ik naar een vrijgezellenbar, dat zei ze, en ik zal nooit weten of ze dat met opzet deed, maar ik voelde... Ach, ik weet niet wat ik voelde. Veel verdriet, veel woede, en een geweldige zin om iemand te vermoorden. Pak je koffer, zei ik, je gaat vanavond nog met mij mee naar Madrid. Dat zei ik tegen haar, en dat was geen grap, snap je, en later, toen we al in de auto zaten, barstte ze in tranen uit, Fernanda, en ze begon te zeggen dat ik haar vader was, dat ik de enige goeie man was die ze ooit had gekend, dat ze me nooit zou kunnen belonen voor wat ik voor haar deed... Dat was in elk geval waar, want ze heeft me nooit beloond, echt waar...'

Met een paar reflexen die ik nooit had verwacht van iemand die zo opging in zijn eigen herinnering hief hij zijn hand op om een ober aan te houden die met een fles cognac langs ons tafeltje liep, en vroeg hem met een gebaar van zijn duim zijn glas bij te vullen. Daarna keek hij me aan, en hij glimlachte op een andere manier dan ik tot op dat moment had gezien.

'Jij herinnert me aan haar,' zei hij zonder ook maar enige inleiding.

'I-ik?' Ik was zo verbaasd dat ik bleef hangen bij de i, een klinker die ik altijd meteen goed uitspreek. 'Maar ik ben geen geweldige meid...'

'Dat hoeft ook niet, maar je bent heel blond, net als zij, en je hebt heldere ogen, en een prachtige blanke huid, en je krijgt twee kuiltjes in je wangen als je lacht.'

'Maar ik ben niet slecht,' zei ik glimlachend.

'Vooralsnog...' Hij barstte in lachen uit en ik lachte met hem mee. 'Een grapje,' zei hij meteen, 'niet boos worden. Het punt is dat zij in het begin ook niet slecht was, of beter gezegd, ze gedroeg zich alsof ze het leuk vond om met mij te zijn, en ik geloofde dat we gelukkig waren, weet je, ik was toen in elk geval heel gelukkig, echt... We gingen samenwonen, min of meer in deze tijd van het jaar, en ik vertelde het aan niemand, want ik ken mijn klassieken, en het ging niemand een sodemieter aan wat we deden of niet deden, maar toen begonnen de feesten en... een puinhoop. Daar ben ik ten onder gegaan aan mijn ijdelheid, snap je, en dat erken ik, want als ik haar thuis had gelaten, wie weet, maar zij wilde niets liever dan naar Las Ventas gaan met Antonio en, godallemachtig, zij een stierengevecht mislopen, want ze was me er een, Fernanda, als die het op haar heupen kreeg... En bovendien was ze weer, godallemachtig, een schoonheid, echt een schoonheid, snap je, ze hoefde alleen maar een paar weken veel te slapen en goed te eten om er weer net zo uit te zien als vroeger, fenomenaal, echt waar. Ik kreeg er niet genoeg van om naar haar te kijken, eerlijk, soms bleef ik de hele nacht wakker om haar te zien slapen, en ik probeerde mezelf ervan te overtuigen dat die vrouw de mijne was, dat ze echt in mijn bed lag, en ik geloofde het niet, ik geloofde het zelf niet eens, dus je kunt je wel voorstellen hoe ik me voelde toen we voor het eerst samen door de arena liepen, godallemachtig... We waren nog niet binnen of de praatjes begonnen al. Iedereen keek naar ons, echt iedereen, snap je, en ik keek naar het gezicht van mijn kennissen en kon wel raden wat ze dachten, die verdomde Forito, wat een stuk heeft hij bij zich, dat moet je met eigen ogen zien... Ik was in de wolken, echt waar, tot Antonio mijn middag verpestte. Ten eerste doordat hij jaloers was, dat op de eerste plaats, hoe hard hij dat tot nu toe ook ontkent, hij ontkent maar, en moet je nagaan hoe lang het al geleden is, maar de waarheid is dat hij stinkend jaloers was, alsof ik dat niet wist, toen, groen van afgunst, dat was hij, en dan beweren dat hij het voor mijn bestwil zei, en ik zeg niet van niet, maar het voelde als een trap in mijn kruis, zo voelde het... Wees voorzichtig, Foro, zei hij tegen me, nadat hij me apart had genomen, want die is niet te vertrouwen, ze heeft minder fatsoen in haar lijf dan de kut van een hoer, dat zeg ik je, want ik ken haar... Ik zei niets tegen hem, dat geloof je niet, ik, mondje dicht, maar ik greep hem bij zijn revers en gaf hem toch een oplawaai, en als ze ons niet uit elkaar hadden gehaald, was het slecht afgelopen, heel slecht... We hebben jaren niet met elkaar gepraat, tot mijn zoon geboren was en hij naar het ziekenhuis kwam, helemaal heer, dat wel, want het eerste wat hij deed was mij zijn verontschuldigingen aanbieden, en hij heeft het later nooit gewaagd om tegen me te zeggen dat hij me had gewaarschuwd, en daar ben ik hem heel dankbaar voor, snap je... Ik kreeg nog een keer ruzie tijdens die feesten, maar ik moet eerlijk zeggen dat Fernanda daar niet de schuld van was, nog niet, want ze trok nogal de aandacht, echt, maar daar kon ze niets aan doen, en er lopen wat klootzakken rond, heel wat grote bekken en heel wat patsers, en bij de stierengevechten... godallemachtig, wat een tuig bij de stierengevechten, maar zo'n vaart liep het niet. Meteen daarna begon het heet te worden. Madrid raakte leeg, zoals ik de stad het liefst heb, en ik zei tegen haar dat we, als ze wilde, een paar dagen naar het strand konden gaan, en zelfs een hele maand, wat ze maar wilde, want het kon me allemaal niets schelen als Fernanda maar tevreden was, snap je, als ze me gevraagd had uit het raam te springen, was ik uit het raam gesprongen, ik zweer het je, en dat terwijl ik nog nooit zo van het leven had genoten, maar voor haar zou ik alles gedaan hebben, alles, zelfs een maand volpension in een hotel in Benidorm, wat ik het ergste vind wat er op deze aardbol is, echt waar… Maar nee, want ze wilde de dame spelen, en ze zei tegen me, we kunnen beter in september gaan, want dan is er niemand, en dan zitten we in een luxe hotel voor de prijs die we nu voor een goedkoop hotel moeten betalen, en ik dacht bij mezelf, alleluja, en ik zei ja, wat ze maar wilde, en juli en augustus waren fantastisch, echt fantastisch, godallemachtig, de hele dag opgesloten in huis, de blinden dicht zodat de warmte niet binnen zou komen, lekker lui in bed liggen tot etenstijd… En dan, als het avond werd, maakte ze tortilla en wat gepaneerde filets klaar en dan gingen we naar het Casa de Campo om te eten en, echt waar, daar bleven we tot twee of drie uur in de ochtend, heerlijk…'

Precies op dat moment, slechter had niet gekund, want zijn ogen waren gaan gloeien van de plotselinge noodzaak op te branden die de dood versnelt van die kooltjes die al gedoofd lijken wanneer een windvlaag ze ineens terugbrengt naar de rode trilling van het leven, kwamen drie personen die met een bijna verdachte nauwkeurigheid, zo aangepast aan het model als een vermomming, aan het beeld beantwoordden dat toeristen uit het noorden moeten hebben van stierenvechters in burger – zwarte, glimmende vetkuiven, lange bakkebaarden, openhangende overhemden, een paar medailles van El Rocío van zuiver goud en vijf of zes centimeter in doorsnede verward in het krullende en glanzende borsthaar dat omhoogklimt tot aan het sleutelbeen, strakke broeken, donkere, halfhoge laarzen, enorme zonnebrillen en ringen aan vingers die een Cubaanse sigaar omklemmen – naar ons tafeltje om afscheid te nemen van mijn vertrouweling, die meteen opstond om fikse schouderkloppen uit te wisselen, grappen die versleten waren door overmatig gebruik en onverbeterlijke wensen voor de toekomst van alle betrokkenen. Eerst stelde hij ze natuurlijk aan me voor, waarbij hij mij als excuus gebruikte voor het feit dat hij ze alleen aan de bar had laten zitten en aan de eigennaam van twee van hen een bijnaam toevoegde die misschien als artiestennaam dienstdeed. De naam van de derde was Antonio, niet meer. Terwijl ik betreurde dat mijn aanwezigheid absoluut geen indruk op hen maakte, zonder ook maar op te merken dat dat gevoel niets anders was dan het begin van een hellend vlak waarover ik, voor de zoveelste keer, een verhaal begon binnen te glijden dat mij net zomin toebehoorde als het leven dat ik me toe-eigende van de hoofdfiguren uit de romans die ik in de weekeinden las, als het leven van Alejandra Escobar dat ik verzon voor ik de deur uitging, vroeg ik me af of die man niet de man was die al sinds het begin van ons gesprek in de lucht zweefde.

'Die Antonio, dat is toch niet…?' vroeg ik op gedempte toon zodra ze ons de rug hadden toegekeerd, maar ik realiseerde me onmiddellijk daarna dat hij te jong was om de kindertijd met mijn gesprekspartner te hebben gedeeld.

'Die? Nee, welnee…' Forito had me uitstekend begrepen, maar hij wilde niet explicieter worden. Hij hield zich een paar seconden met zijn aansteker bezig, die hij met zijn vingers een aanzet gaf om over de tafel te tollen, en daarna, na een zucht die een wisseling van bedrijf leek aan te kondigen, sloeg hij zich twee keer op zijn knieën en keek me aan. 'Wij moeten ook maar gaan, vind je niet?'

'Wa-aarheen?' vroeg ik, zonder een poging te doen mijn ongerustheid te verbergen.

'Tja… ik weet niet.' Hij leek nu net zo perplex als ik een seconde daarvoor was geweest. 'We gaan maar, hè?'

Toen het ons allebei duidelijk was dat, in die vreemde uitwisseling van vragen geen van ons tweeën de bedoeling had gehad de ander een compromitterend einde voor te stellen, ontstond een stilte die troebel en zwaar was als een plas olie, een onduidelijk teken dat Forito betreurde dat hij zoveel had gepraat. Maar ik, hoewel ik aanvankelijk alleen uit beleefdheid had geluisterd, wist nog niet genoeg om hem zomaar te laten weggaan. Daarom waagde ik het, toen hij zijn hand al had opgestoken om de rekening te vragen, en nadat ik me had voorgehouden dat ik die nacht niet zou kunnen slapen als ik niet eerst gehoord zou hebben hoe het verhaal afliep, hem een directe vraag te stellen.

'Ga je me n-niet vertellen wat er daarna is gebeurd?'

'Luister…' en opnieuw zocht zijn blik toevlucht bij zijn schoenen, 'ik weet niet, ik begrijp niet waarom ik je zomaar ineens mijn levensverhaal heb verteld. Ik schaam me zelfs een beetje, ik heb het gevoel dat ik me belachelijk maak…Dat gebeurt me altijd, echt, ik drink een paar borrels en mijn tong komt los, ik kan er niets aan doen, snap je… En ik kan nergens anders over praten, godverdomme. Maar jou kan het natuurlijk geen donder schelen, je moet wel genoeg van me hebben…'

'Je hebt drie glazen gehad,' preciseerde ik, 'en ik heb niet genoeg van je, integendeel… Ik zou je mijn levensverhaal in drie minuten kunnen vertellen. Dag in dag uit sta ik op, ga naar mijn werk, kom weer thuis, eet en ga naar bed, dat is het zo ongeveer… Daarom vind ik het heerlijk om naar verhalen van anderen te luisteren, dat meen ik…'

'Maar dit… weet ik veel. Het is een gewoon verhaal.'

'Niet zo gewoon.' Ik keek hem aan. 'Mij is zoiets nooit overkomen.'

'Des te beter voor je.'

'N-nee. Slechter, des te slechter voor me.'

'Ja…?' Hij wierp me een stugge blik toe, die verbazingwekkend scherpzinnig en wijs was. 'Dan zul je het einde horen.'

'Dat was al een tijdje mijn bedoeling,' zei ik glimlachend, 'het einde horen…'

Toen barstte hij in lachen uit, en schudde zijn hoofd, alsof hij voor zichzelf toegaf dat hij niet tegen me op kon.

'Nou, dan zullen we nog maar een drankje bestellen, niet?'

'Natuurlijk.'

'Waar waren we gebleven?'

'Bij het eten van gepa-aneerde filets in het Casa de Campo… Dat is trouwens iets, even tussendoor, wat ik niet zo goed begrijp, want als jouw vrouw zo graag de dame wilde spelen, dan paste het toch niet zo bij haar om met eten en al n-naar een park te gaan…'

'Ja, maar het punt is dat ze, hoewel ze zeer gesteld was op luxe, hoewel ze niets liever wilde dan een goed leventje, opgegroeid was in Mesón de Paredes, echt waar, en er niets aan kon doen dat ze ook nog andere dingen leuk vond, dingen die ze met de moedermelk ingegoten had gekregen… Ze was heel traditioneel, Fernanda, heel taai, ze hield zelfs van broodjes orgaanvlees, die ik zo weerzinwekkend vind dat… godallemachtig, en dat terwijl ik in Carabanchel ben geboren. Kortom, we gingen heel wat avonden rechtstreeks naar Lavapiés, en ik nam dan een gerstenat, want dat vind ik heel lekker, terwijl zij zich volpropte met dat soort viezigheid… Ze werd helemaal gek van al dat eten dat op straat wordt verkocht, maar in die tijd bekommerde ze zich ook nog om mij en was het belangrijk voor haar dat ik het naar mijn zin had, en daarom had ik bijna altijd mijn eten mee, een kleine omelet, wat vlees, wat wil je nog meer… Tot het plotseling, terwijl het zo goed met ons ging, 's avonds koud begon te worden, echt waar, en we zonder enige waarschuwing overvallen werden door september. Toen heb ik haar gevraagd of ze met me wilde trouwen, want ik moest iets doen om die zomer te laten voortduren…'

'En zij zei ja.'

'Nou, nee, denk niet dat het zo gemakkelijk was. Het eerste wat ze me vroeg, was of ik gek was geworden, echt waar, en daarna, godallemachtig… Ken je me soms niet? riep ze tegen me, weet je nog steeds niet wie ik ben? Dat zei ze tegen me, maar ik antwoordde dat ik van haar hield, en dat het me helemaal niets uitmaakte wat anderen dachten, wat de mensen zouden zeggen, dat het me worst zou wezen, duidelijk genoeg, niet, en ze dacht erover na en ik wilde niet aandringen… Begrijp me goed, ik wist dat ze niet verliefd op me was, maar ik aanbad haar, ondanks alles, ik was zo verliefd dat ik er alles voor over had om haar voor de rest van mijn leven bij me te houden, terwijl ik zelfs wist dat ze nog bij mij was omdat ze nog geen betere had gevonden die het met haar uithield, zelfs dat zou ik geslikt hebben, dus, echt waar… Wat kon ik doen? Nou, haar zover krijgen dat ze met me trouwde, dat ze steeds meer genegenheid voor me voelde, dat we een kind kregen, of twee, kortom, zo naïef als wat dus. Ze dacht er bijna een maand over na. Daarna, begin oktober, gaf ze me haar jawoord in Torremolinos, in een vijfsterrenhotel waar we twee weken doorbrachten die me een berg geld kostten, maar zelfs dat vergat ik, snap je, toen ze ja zei, toen ze zei dat we gingen trouwen, want ik ging hele- maal uit mijn bol, godallemachtig… Het jaar daarna zijn we getrouwd, in april, want zij wilde wat je noemt een echte trouwjurk, diep uitgesneden en met een sleep van tien meter, echt waar, en we moesten wachten tot het wat warmer weer zou worden, maar die winter ging snel voorbij met alle voorbereidingen. Ik verkocht het appartement in een zijstraat van de Avenida de los Toreros, dat ik kort tevoren had gekocht, en kocht een ander, veel duurder appartement in de Fuente del Berro, want Fernanda wilde niet naast Las Ventas wonen, en daarna moest ik het meubileren en er een nieuwe keuken inzetten, en een restaurant zoeken voor het diner en voor de trouwkleding zorgen, en godallemachtig… Ik tekende meer cheques dan een idioot, maar met plezier, snap je, zo is het leven. En we zijn getrouwd, echt waar, in het groot, en alles ging naar de bliksem voordat mijn vrouw geleerd had de huishoudelijke apparaten te gebrui- ken…'

Hij keek me aan alsof hij mijn mening vroeg over wat ik zojuist had gehoord, en ik waagde het om een beetje verder te gaan.

'Denk je dat ze het met opzet heeft gedaan?'

'Wat?'

'Nou, dat…' Plotseling was ik bang dat ik mijn boekje te buiten ging, maar ik wist niet hoe ik terug moest. 'Eerst m-met je trouwen, bedoel ik, en dan alles naar de bliksem helpen…'

'Ik weet het niet, meisje, ik heb dat ook vaak gedacht, maar het is te erg, niet, te verschrikkelijk… Wat er gebeurde, denk ik, is dat ze toen ze met me getrouwd was dacht dat ze overal recht op had, echt waar, dat alles van haar was en dat zij de enige was die daar de lakens uitdeelde, en... een puinhoop, dat is duidelijk, een totale puinhoop, want ze wilde elke dag meer van alles, meer kleren, meer geld, meer sieraden, meer dingen, meer, meer en meer, net als met Antonio. Ze wilde alles hebben wat ze op televisie zag, alles wat ze in advertenties zag, maar dan ook alles, snap je, en godallemachtig... En ik had het toen goed, echt goed, en ik kon me zelfs wat luxe veroorloven, maar wat zij allemaal wilde, dat kon niet, dat is duidelijk. En op een dag hadden we ruzie, en twee dagen daarna weer, en zo ging het maar door, en ik was een gierigaard, en ik was een sukkel, en ik was te weinig man voor haar, echt waar, je weet het wel... Vervolgens begon ze erover dat ik haar geen Fernanda meer mocht noemen, want ze noemde zich Fanny, en dat terwijl ze maar al te goed wist dat ik die naam zo ongeveer het ergste vind wat er is, en ze begon voortdurend op stap te gaan met haar vriendinnen, nou ja, ik bedoel dat ze tegen mij zei ze dat ze met haar vriendinnen op stap ging, tot ze op een avond thuiskwam met een gouden ketting die ik nog nooit had gezien, en ze zei dat ze die gekocht had van haar geld, dat wil zeggen, van het geld dat ik haar gaf, en ik geloofde het niet, en we kregen echt slaande ruzie... Daarna ben ik de deur uitgegaan en heb ik me bedronken, en toen er geen druppel meer in kon, ben ik gaan maffen op een bank in de Calle Goya, godallemachtig, het was het begin van het einde... Ik werd opgepikt door een politieauto en om zes uur in de ochtend naar huis gebracht, echt waar. Fernanda was erg geschrokken, en ze vroeg me om vergeving, en ze beloofde dat alles weer zou worden als vroeger, en ze heeft in elk geval een tijdje de schijn opgehouden, maar ze deugde niet, dat is de waarheid, en bovendien dacht ze niet na, en we hadden nog geen zes maanden rust of de ruzies begonnen weer. Ze zei tegen me dat ik jaloers was, en of ik soms dacht dat ik haar gekocht had, en dat ik het recht niet had om me met haar leven te bemoeien, en dat we maar eens moesten zien of zij niet kon gaan en komen wanneer ze daar zin in had, ze was tenslotte bijna dertig. En ze had geen gelijk, dat had ze niet, maar ik zag alles zo somber in, zo op het punt voor altijd naar de bliksem te gaan, en ik wilde zo graag dat het goed zou komen, dat ze me ten slotte zelfs wist te overtuigen, snap je, en ik begon me schuldig te voelen, dat... godallemachtig, dat is het toppunt, wat een sukkel was ik, want ik begon te geloven wat ze tegen me zei, kun je nagaan hoe gek ik op haar was. Maar het werd alleen maar erger, echt waar, en er kwam een moment waarop ze zelfs een zuigeling niet meer voor de gek had kunnen houden. En wat me echt razend maakt, waar ik nog steeds kwaad om word, is dat het niet om liefde ging. Want als ze verliefd was geworden op een ander, nou goed, wat kon je daaraan doen, snap je, maar alles op die manier kapotmaken, zomaar… godallemachtig. En toen begon ik te drinken, echt te drinken, want mijn leven was klote, en ik wilde niet bij haar weg, nog niet, dat is de waarheid, ik kon niet bij haar weg, hoe kon ik het huis uitgaan, ik aanbad haar, ik kon niet zonder haar leven… En toen op een dag komt ze naar me toe en zegt dat ze zwanger is, net zoals ze bij Antonio had gedaan, maar deze keer was het waar. En ik ging eraan kapot, ik zweer het je, want ik wist niet wat ik moest doen, ik wist het niet… Aan de ene kant, hoe hard ze het ook zwoer, was ik er niet eens zeker van dat het kind van mij was, maar aan de andere kant… Ik weet niet, we waren twee jaar getrouwd, dat was niet zo lang, en ik dacht, misschien, met het kind… ach, ik weet niet, snap je, gebruik je verstand en hou op met al die onzin, dus… echt. En ik maar bidden, die hele zwangerschap, dat ze zo dik als een nijlpaard zou worden, maar nee, ze werd met de dag knapper, het kreng, hoewel ze natuurlijk weinig anders kon doen dan thuisblijven, en ze leek blij te zijn met het kind, en ik ook, heel erg, echt waar, en het ging een tijdje goed. Toen David geboren was, zei ik bij mezelf dat dat kleine wezentje, dat tegelijkertijd zo kwetsbaar en zo belangrijk was, de dingen waarschijnlijk wel zou veranderen, maar nee… Vergeet het maar. Ze weigerde hem borstvoeding te geven om haar borsten niet te verpesten, en mijn zoon was nog geen drie maanden toen ze hem aan mij begon over te laten om op stap te kunnen gaan. En dat kon me niet schelen, echt waar, want ik vond het prachtig om met het kind te zijn, en bovendien ging het goed, echt goed, snap je, want hij heeft me nooit een slechte nacht bezorgd, de schat, en hij dronk zijn fles in tien minuten leeg, en hij werd zo, zo sterk als wat, en het was een plezier om met hem over straat te lopen… En daar word ik nog steeds razend om, dat ze het kind heeft meegenomen toen ze bij me wegging, en dat die klootzak van een rechter niet naar me luisterde, en toen de uitspraak kwam, voelde ik me… godallemachtig, ik weet niet wat ik voelde, maar ik kon hem vermoorden, en haar ook, en het is dat ik niet meer met haar alleen ben geweest, want anders, ik had haar vermoord, echt…'

'Dus je bent n-naar de rechter gestapt…' vatte ik samen, meer voor mezelf dan voor hem, want wat ik zojuist had gehoord leek me eenvoudigweg verbazingwekkend, hoewel ik al enige tijd gezworen kon hebben dat mijn vermogen tot verbazing meer dan verzadigd was.

'Ja, natuurlijk, praat me er niet van… Een ramp. Jij hebt nooit kinderen gehad, hè?' Ik schudde mijn hoofd. 'Misschien begrijp je het daardoor niet, maar, ja, natuurlijk ben ik naar de rechter gestapt, naar verschillende rechters, ik ben in beroep gegaan tegen de uitspraak tot ik geen rooie cent meer had, en voor niets, snap je, want het lukte niet... Ik wilde dat mijn zoon bij mij zou komen wonen. Ik was bereid mijn moeder in huis te nemen, een meisje in dienst te nemen om voor hem te zorgen, wat dan ook, als hij maar bij mij was. Ik voerde aan dat zij het huis had verlaten, dat ze zonder enige waarschuwing het kind had meegenomen, dat het leven dat ze leidde haar niet in staat stelde voor hem te zorgen, godallemachtig, ik ben zelfs naar een groep van de AA gegaan en heb anderhalf jaar geen druppel gedronken, want zij voerde aan dat ik dronk, echt... Maar nee, het kind bij de moeder, en ik, een weekeinde om de twee weken en twee middagen door de week, de bekende oplossing... En zo is het tot nu toe gegaan, en ik schenk haar geen minuut van de tijd die me toekomt, geen minuut, snap je, en ook al heb ik verschrikkelijk veel zin om een borrel te nemen, als hij bij me is, drink ik alleen wijn bij het eten, en niets meer, ik zweer het je, ik ruik er niet eens aan. Hij mag me nooit dronken zien, nooit. Hij is het enige wat ik heb, maar het is genoeg, en bovendien is hij dol op me, dat is echt waar, hij houdt verschrikkelijk veel van me, David, en ik van hem... Ik ben zelfs aan het sparen, moet je nagaan, want het valt niet mee om te sparen van het schijntje dat ik nu verdien, maar ik wil dat hij iets wordt... iets belangrijks, ik weet niet, ingenieur of architect, of zoiets, maar hij zegt dat hij fotograaf wil worden, net als zijn vader, godallemachtig... Telkens als ik dat hoor, krijg ik een brok in mijn keel. Vorig jaar kwam hij op tien mei naar me toe en is alle feestdagen bij me gebleven omdat hij daar zin in had, echt waar, en zijn moeder kon er niets tegen doen, want hij zei tegen haar, als je papa aangeeft, ga ik met de rechter praten en leg ik het aan hem uit, dat zei hij tegen haar, mijn zoon, veertien jaar en een lef, snap je, en zij zong een toontje lager, en er gebeurde niets. We gingen elke middag naar de stierengevechten, voor nop, want ik heb veel vrienden in Las Ventas en die laten me gratis door, en hij bleef me maar vragen stellen, wat gaat er nu gebeuren, waarom doen ze dit of dat, hij ging maar door... Ik legde hem alles uit, en hij zei tegen me, ik moet het leren, papa, voor als ik hier ga werken, over een paar jaar... Daarom ben ik er vandaag heen gegaan, om te horen over het programma, want ik heb hem binnen de kortste keren weer in huis, en hij gaat maar door, dat hij fotograaf wil worden, net als ik... Je praat het hem niet uit het hoofd, echt waar, en dan denk ik dat alles wat ik heb meegemaakt misschien nog wel goed is geweest, dat ik eindelijk geluk heb gehad... En ik weet al wat je denkt, ik weet het, ook al ontken je het, want dat denkt iedereen, ik zou het zelf denken als iemand me zo'n ellendig verhaal vertelde, maar de jongen is van mij, snap je, van mij, echt van mij, ik weet het zeker, en niet doordat zijn moeder me het heeft gezworen, want dat mens heeft geen hersenen en geen gevoel en is niet te vertrouwen, maar doordat ik zijn vader ben, ik ben zijn vader geweest vanaf zijn geboorte en ik zal zijn vader zijn tot ik doodga, punt uit. En bovendien lijkt hij als twee druppels water op mij, moet je nagaan...'

Hij haalde een portefeuille uit zijn zak die van karton leek, want het leer was zo versleten dat de hoeken door het gebruik waren afgeknabbeld tot ze verdwenen waren, waardoor de oorspronkelijk rechthoek in een langwerpig voorwerp was veranderd, zo versleten dat het broos was, en hij haalde er heel voorzichtig een foto uit, die in een plastic hoesje zat en die hij met zijn vingertoppen aanreikte. Ik keek ernaar, en kon een glimlach niet onderdrukken. Wat ik voor me had was niet meer of minder dan een beloning voor het minutieuze reconstructiewerk waartoe mijn ogen zich met toenemende, bijna liefdevolle hardnekkigheid in de loop van die avond hadden verplicht. Daarom, omdat dat beeld iets triomfantelijks had, gaf ik mezelf stiekem een complimentje, terwijl ik een foto bekeek van het gezicht dat ooit had toebehoord aan de man die nu gespannen naar me keek, ongeduldig wachtend op het oordeel. Daar waren zijn groene ogen met hun eerlijke blik, niet besmet door enig gif, de platte neus, recht en streng, en de hoek van een puntige kin, op gelijke afstand van twee scherpe, uitstekende jukbeenderen.

'Hij is inderdaad je zoon,' vonniste ik terwijl ik hem de foto teruggaf.

'Natuurlijk,' riep hij uit met verhulde euforie, terwijl hij hem weer wegstopte, 'zelfs Antonio zegt het, en dat terwijl hij de moeder niet kan luchten of zien... Toen hij klein was, en het niet zo duidelijk was, dacht ik dat ik, als hij niet van mij was, in elk geval het lot mocht bedanken dat hij op me leek, maar sinds hij de lucht in is geschoten... godallemachtig, geen twijfel aan, snap je, want hij lijkt sprekend, echt sprekend op mij, je ziet het... En bovendien, ik mag dan zeggen dat ik niet weet wat ik van dat huwelijk moet denken, wat het kind betreft heb ik altijd precies geweten dat Fernanda met opzet zwanger is geworden om het huis uit te kunnen gaan en op mijn zak te kunnen blijven teren, echt waar...'

'Nou, dan loopt het verhaal toch n-niet zo slecht af,' vatte ik samen, terwijl ik opmerkte dat we alleen waren achtergebleven in een bar van lege tafeltjes. Zelfs de musici, twee violen en een cello, die een tijdje bezig waren geweest hun spullen bij elkaar te zoeken, waren al weg. Forito vroeg de rekening aan een ober die geduldig, tegen een pilaar geleund, stond te wachten, waarop we ons realiseerden dat het al twee uur 's nachts was, en ik was niet meer in staat nog een val te zetten die doeltreffend genoeg was om hem op te houden.

Ik liet hem betalen omdat ik wist dat elke andere oplossing hem voor het hoofd zou stoten, en we legden zwijgend de weinige meters af die ons van de straat scheidden, terwijl een verschrikkelijk gevoel van leegte, als een vochtige en koude holte, dat ononderbroken oprukte vanuit het binnenste van mijn lichaam en het onbeduidendste restje warmte opslokte, mij bij elke pas meer deed verdwijnen. Ik kende dat verschijnsel heel goed, de greep van de troosteloosheid die me wachtte, zich schuilhoudend tussen de prachtige keukenmeubels in mijn huis, elke zondagavond, wanneer de klok mij verplichtte de roman die ik aan het lezen was weg te leggen en me dwong een kleine maaltijd te bereiden, de eenvoudige omelet die ik in mijn eentje zonder eetlust naar binnen werkte, soms zelfs staande, voordat ik zuiver op discipline naar bed ging om een week tegemoet te treden die identiek was aan de voorafgaande, identiek aan de volgende, die tijd tussen haakjes die mijn leven is.

Toen, omdat ik ergens heen moest kijken, keek ik naar mijn eigen schoenen, overtrokken met rode stof, de elegante schoenen van Alejandra Escobar, en plotseling begreep ik dat die avond me wel voor altijd toebehoorde, dat die avond mijn avond was geweest, hoewel ik nauwelijks had gestotterd, hoewel ik te veel had gedronken, hoewel ik nauwelijks iets anders had gedaan dan luisteren, en de bewustwording van mijn eigen identiteit veranderde het teken van die fantasmagorische parasiet in mijn binnenste, die in een oogwenk van de zwarte aard van de troosteloosheid overging in een pijn die veel troostender was en voortkwam uit het eenvoudige gevoel van de afwezigheid. Het einde van die avond, van die geschiedenis, veroorzaakte een immens, bijna ondraaglijk verdriet.

Buiten was het heel koud. Forito, die geen romanfiguur was, veronderstelde hardop dat ik een taxi zou willen nemen. Ik, daarentegen, drukte hem tegen de zijgevel van het Ritz en kuste hem.

II

'Neem me niet kwalijk,' verontschuldigde ik me in de deuropening. 'Ik kom niet graag te laat, maar op het allerlaatste moment waren er problemen op de uitgeverij.'

Ze wierp me een vriendelijke blik toe, al haar blikken waren dat, voor ze me met een gebaar van haar rechterhand uitnodigde op mijn plek te gaan zitten. Ik overbrugde de afstand die me scheidde van mijn gebruikelijke stoel heel langzaam, alsof de traagheid die ik mijn benen oplegde, mijn armen, die stijf tegen mijn lichaam gedrukt zaten, zich niets aantrekkend van mijn bewegingen, de sporen kon laten verdwijnen of in ieder geval bedekken van de verontwaardiging die nog steeds in mijn slapen klopte en mijn wangen kleurde met een stelligheid die van zichzelf al iedere mogelijke interpretatie van schaamte of haast uitsloot. Het was woede, pure woede. Zij fronste haar wenkbrauwen toen ze het zag.

'U heeft geen beste dag gehad,' was desondanks haar enige commentaar.

'Allicht niet,' bevestigde ik op eenzelfde laconieke toon.

Ik praatte nu al meer dan een jaar iedere donderdag tegen haar, meer dan een jaar keek ik haar aan en vertelde haar mijn leven, voor haar ogen meer of minder oprechte fragmenten blootleggend van de schokkende naaktheid van mijn geheugen, en toch was ik nog niet in staat haar te tutoyeren. Dat zou ik nooit doen, zoals ik nooit in staat zou zijn haar niet langer te zien als een vage versie van de vijand, een soort onomkoopbare, eeuwige getuige van al mijn misère. Maar de knallende ruzie van die middag was ver verwijderd van de grens die de oppervlakkige intimiteit scheidt van de meest verborgen, de intimiteit die je niet eens met jezelf deelt, en per slot van rekening moest ik ergens beginnen.

'Ik heb ruzie gemaakt met mijn broer Miguel,' deelde ik mee, de eerste sigaret van die middag opstekend. 'Eerlijk gezegd doe ik mijn hele leven al niet anders, eerst thuis, toen we nog klein waren, en later op het werk, en dat zou nog zo erg niet zijn als ik ooit als winnaar uit de bus was gekomen, maar nee, want ik ben zo'n stomme trut dat hij altijd zijn zin krijgt.'

'Miguel is toch de middelste, hè?, en hij is ouder dan u...'

'Ja, twee jaar. Antonio, de oudste, is vijftien maanden ouder, maar ze kunnen het samen veel beter vinden dan ik het met een van hen, al heb ik met Antonio eerlijk gezegd nooit ruzie gemaakt, want hij en ik negeren elkaar, wat veel beschaafder is, maar het is ook waar dat hij me minder na aan het hart ligt, afijn, ik geloof dat we het hier al eens over gehad hebben...' Ze knikte en ik ging verder. 'Goed, ik weet niet of ik u verteld heb dat Miguel uiteindelijk getrouwd is met een schoolvriendin van me, María Pilar, een aardig meisje, maar wel een beetje een aanstelster, want ze tolereerde niet dat iemand haar gewoon Pilar noemde, en niet al te slim, maar een leuke meid en je kon met haar lachen. Ze was ook heel knap, een meisje dat de aandacht trok, net als mijn broer overigens, en al klinkt het ongelooflijk, ze verzorgen zichzelf zo goed dat ze tegenwoordig nog knapper zijn dan vroeger, want op twintigjarige leeftijd heeft eigenlijk iedereen wel een goed figuur en een fantastische huid, dat weet u ook, maar op deze leeftijd is het zeldzamer te schitteren, en schitteren doen ze, uiteraard... Het is ook waar dat ze niets anders doen. Sinds de geboorte van haar kinderen, en de jongste zal nu bijna dertien zijn, heeft María Pilar haar leven verdeeld tussen de kapper en de *esthéticienne*, want zo zegt zij het altijd, op z'n Frans. Iedere keer dat iemand tegen haar zegt dat ze steeds mooier wordt, vertrouwt ze hem toe dat haar geheim bestaat uit veel slapen, alsof iedere dag om elf uur opstaan binnen ieders bereik ligt. Ze heeft een fitness-ruimte ingericht in de kelder van hun huis en doet de hele ochtend oefeningen met gewichten, daarna gaat ze zwemmen, en vervolgens spreekt ze met haar vriendinnen af om te gaan winkelen, want geld uitgeven is het enige wat haar van haar neurose kan genezen. Zij zegt dat ze lijdt aan huisvrouwenneurose, en dat wij werkende vrouwen ons bij lange na niet kunnen voorstellen hoe moe je ervan wordt om de hele dag niets te doen, en hoe vreselijk het is om de hele dag binnen te zitten, nou ja, u kunt zich voorstellen, haar leven lijkt een seksistische grap, en met reden, dat snapt u... Een echte onnozele gans, vanaf de laatste haar op haar hoofd tot aan de nagel van haar linker kleine teen, en dan hou ik me nog in.'

'Het is duidelijk dat jullie geen vriendinnen meer zijn...'

'Dat is duidelijk,' gaf ik toe, terwijl ik tot mijn opluchting de effecten merkte van de routineuze scheldkanonnade die ik me had laten ontvallen zonder zelfs maar adem te halen, en die me geleidelijk bevrijdde van een reservoir vuil water dat me zwaar op de maag lag. 'Dat zijn we al jaren niet meer. Wat nieuw is, is dat we vanaf vandaag veeleer vijanden zijn. Of liever gezegd, dat we op het punt staan dat te worden, want ik hou het niet met haar uit en binnenkort zit ik elke dag met haar opgescheept... Daarom heb ik ruzie gemaakt met Miguel. Hij kwam vanochtend met het verhaal aanzetten dat Mari Pili... nou ja, mijn man noemt haar altijd zo en ik heb dat diminutief jaren geleden al overgenomen, afijn, dat zijn vrouw in een soort crisis verkeert, dat ze zich triest voelt, gedesoriënteerd, dat ze niet weet wat ze wil en niet wat er met haar aan de hand is. Ofte wel, voor één keer is ze afgedaald naar het niveau van de gewone sterveling en voelt ze zich net als iedereen, net als ik in ieder geval. Ze hebben het er-over gehad, en nu hebben ze bedacht dat ze werk nodig heeft. Snapt u? Werk, gewoon, alsof het niets is, alsof het hetzelfde is als een tijdje naar een kuuroord gaan. María Pilar heeft werk nodig, dat zei hij tegen me. En ook al heeft hij een hele afdeling voor zichzelf, al produceert hij twaalf of dertien leermethodes per jaar, hij kon niets beters bedenken dan mij haar in de maag te splitsen, want het is immers een vrouw en ik werk met vrouwen...' Ik had de aansteker in mijn hand en bracht het vlammetje zonder reden tot ontbranding en hield het knopje met mijn duim naar beneden gedrukt tot het metaal heet werd, maar zelfs op die manier slaag-de ik er niet in mezelf te kalmeren. 'Het is godverdomme het toppunt, het toppunt, ik weet niet... Ik ben het zat, echt waar, spuugzat. Soms heb ik het idee dat niemand ons serieus neemt, dat we een soort Meisjes van het Rode Kruis zijn in uitgeversuitvoering, hij durft verdomme wel...' Ik klikte opnieuw de aansteker aan en dit keer brandde ik me, en dat deed ik expres. 'Neem me niet kwalijk. Ik had niet zulke grove taal willen ge-bruiken.'

'Dat geeft niet.'

'Vast niet, maar ik vind het niet prettig.'

'Omdat u niet graag de controle verliest,' opperde ze.

'Uiteraard.' Soms dacht ik dat als de verdienste van een psychoanaly-ticus bestond uit het trekken van dit soort conclusies, mijn kostje gekocht was, al zou ik nooit van mijn leven meer een boek maken. 'Dat doet niemand graag, nietwaar?' Ik laste een pauze in, maar ze had er niets meer aan toe te voegen. 'Hoe het ook zij, ik heb op dit moment puur toevallig een redactieteam met alleen vrouwen. Het heeft heel wat voeten in de aarde gehad om de documentaliste te contracteren, Ana, de beste grafisch redactrice van de hele club. Ik heb haar op het nippertje kunnen afpikken van mijn broer Antonio. De coördinatrice, Rosa, had al heel vaak met me gewerkt, als redactrice, als correctrice, als vertaalster. Ze doet van alles, en ze doet het goed, dus ik kon niemand bedenken die de uitgave beter onder controle kon houden dan zij. Maar voor de computerverwerking heb ik een man gevraagd, Ramón Estévez, een geweldige vent, ontzettend slim, maar hij is altijd overbelast en kon er niet nog een project bij hebben. Daarom raadde hij me Marisa Robles aan, een van zijn assistenten, en eerlijk gezegd vond ik het helemaal niet leuk van hem af te moeten zien en nam ik met tegenzin genoegen met Marisa, dat geef ik toe, maar desondanks heeft het allemaal geweldig uitgepakt. Zelfs zo dat het enige wat voor mij als een paal boven water staat is dat wat er ook gebeurt na de *Atlas* die we nu aan het maken zijn, ik mijn uiterste best zal doen haar voorgoed bij me te houden, want een goede computerdeskundige binnen handbereik hebben is wat je noemt een luxe. Maar net zoals ik dit nu zeg, zeg ik u dat als Ramón me een man had aangeraden, ik die zonder enige twijfel gecontracteerd had, echt. Ik heb tot nu toe heel veel met mannen samengewerkt, en ik heb niet meer problemen met ze gehad dan met vrouwen. En met wie dan ook uiteraard minder problemen dan ik met Mari Pili zal hebben, daar ben ik van overtuigd…'

'En waarom bent u dan akkoord gegaan?' Ze leek oprecht verbaasd.

'Nou, heel eenvoudig, omdat ik een stomme trut ben… Omdat Miguel me ervan overtuigd heeft dat het een rel zou veroorzaken als hij haar zomaar ineens op zijn eigen afdeling zou plaatsen, omdat hij me gezworen heeft dat hij haar bij de eerste de beste gelegenheid naar zijn afdeling zou laten overplaatsen, omdat hij heel goed weet dat we ons uit de naad werken en dat een assistent die allerlei klusjes kan opknappen ons heel welkom zou zijn, weet ik veel… Ik heb haar komst een paar maanden kunnen uitstellen, tot we aan een nieuw deel beginnen, misschien werpt ze zich wel op als verdedigster van zeehondjes en vergeet ze het of misschien kunnen wij in ieder geval aan het idee wennen. Uiteindelijk ben ik overeengekomen dat mijn schoonzusje twee weken mee zal lopen met Rosa, twee weken met Ana, en vier weken met Marisa, want in computers is ze het meest geïnteresseerd, en dat terwijl ze met nagels van een halve meter rondloopt, hoezo is die stomme trut daarin geïnteresseerd… En toen ik het hun vertelde waren ze helemaal in hun sas, logisch, vooral Marisa, die heeft het het zwaarst, want eerlijk gezegd komen we om in het werk, dit hebben we net nodig. Kortom, een ramp. Ik had Miguel moeten zeggen dat hij de pot op kon, hem moeten dreigen dat ik hem in ruil daarvoor met een van mijn neefjes zou opzadelen bij zijn leermethode Spaans, botweg moeten weigeren me te laten opschepen met Mari Pili, maar hij trof me op een rotdag, en dat is het erge van mijn broer, dat hij het nooit moe wordt ruzie te maken, en ik kan het niet opbrengen anderhalf uur te staan schreeuwen en hij wel…'

Toen zweeg ik en keek haar recht aan, en ik vond precies wat ik verwachtte. Sinds ik haar er, direct aan het begin van de eerste sessie, op gewezen had dat ik liever had dat ze me geen vragen stelde, durfde ze me alleen maar te interrumperen om me een of andere onbetekenende verklaring te vragen, of om mijn woorden te becommentariëren. De belangrijke vragen echter verschenen zo duidelijk in haar ogen alsof ze ze met magische inkt op haar oogleden kon schrijven. Onze sessies waren langzamerhand veranderd in een geheimzinnige dialoog tussen een stem die sprak en een andere die zweeg, maar ze slaagde er altijd in zich met nadrukkelijke stiltes uit te drukken, effectiever dan welke lettergreep ook. Die stem vroeg me nu waarom ik een rotdag had gehad, en hij was echt zo rottig geweest dat ik me aan haar wil onderwierp zonder serieus stil te staan bij de gevolgen van mijn antwoord.

'Ik voel me rot,' gaf ik toe, als een minieme inleiding. 'Twee dagen geleden heb ik mijn man verteld dat ik in psychoanalyse ben.'

Ik meende een heel vluchtig oplichtend vonkje in haar ogen te zien, een ongepast blijk van emotie, dat echter al spoedig weer doofde in het neutrale, vormelijk professionele accent waarmee ze een onvermijdelijke vraag stelde, waarop mijn zeldzame aanval van oprechtheid haar in zekere zin recht gaf.

'En hoe reageerde hij?'

'Hij zei tegen me dat wij dat soort dingen niet deden.'

Dat was precies wat hij zei, ik dacht dat wij dat soort dingen niet deden, en hij zat volkomen moedeloos op een hoekje van de bank, liet zijn hoofd achterovervallen en sloot zijn ogen, en veranderde daarmee van het ene op het andere ogenblik het karakter van die scène, mijn heldhaftige bekentenis slonk tot de middelmatige proporties van een ongepastheid, een inschattingsfout, een onfortuinlijke en reeds onherstelbare opmerking, de zoveelste ramp. Mijn blik zwierf langs de vertrouwde hoeken van de woonkamer van mijn huis alsof ze een landschap afbakenden dat hij nog nooit bezocht had en daarna daalde hij af in mijzelf, in mijn vermoeide buik, die plotseling gekweld werd door de nietsontziende blik van mijn eigen ogen. Mijn naaktheid kwam me opeens voor als een stigma van mijn eigen verval, de late klaroenstoot die waarschuwt voor het instorten van een gebouw waarvan de muren al naar beneden komen en willoos in een hels kabaal van verbijstering en stof op de grond neerkomen. Als een onvoorbereide maar bewuste Eva rende ik meteen na mijn uitstoting uit het paradijs naar de slaapkamer op zoek naar wat dan ook om me mee te bedekken. Toen ik weer terugkwam in de woonkamer, in een kamerjas die het ondergoed waarin ik nog een extra portie zekerheid had gezocht aan het oog onttrok, had hij zijn ogen nog niet geopend.

Martín KMK – kort maar krachtig – noemden ze hem op de faculteit, want hij sprak graag in spreuken, korte, puntige zinnen, wreed soms, bijna altijd trefzeker, en onherroepelijk als zijn eigen overtuigingen, als de twijfels die hij me de laatste tijd met groeiende onrust toevertrouwde, en met een frequentie die zelfs voor iemand die twijfel gebruikt als een soort methodische hersengymnastiek ongewoon is. Ik bewonderde hem ook daarom, en om de discipline waarmee hij op de rem trapte als hij op het punt stond iemand die dat niet verdiende echt schade toe te brengen. Martín cultiveerde het schitteren in de vrije hoekjes van een fundamentele goedheid, een gevoel dat veel verwanter was aan het concept van individuele waardigheid en universele rechtvaardigheid dan aan de weke naastenliefde waarin de huidige slechte naam van die deugd zetelt. Misschien dat hij me daarom riep toen hij me uiteindelijk zag – weggekropen in de stoel, de revers van mijn kamerjas met beide handen omklemmend en stevig over mijn borst trekkend om zelfs de laatste centimeter zichtbare huid te bedekken – en erin slaagde zijn woorden de vriendelijke toon van een smeekbede mee te geven.

'Kom eens hier,' beval en smeekte hij me tegelijkertijd, terwijl hij zijn armen spreidde.

Het duurde even voor ik een besluit had genomen. Eerst keek ik hem strak aan, in een poging in te schatten wat hij echt voelde, wat ik voelde, aarzelend tussen tijdelijke moedeloosheid en een definitieve nederlaag. Mijn weerstand zette hem op het verkeerde been, en toen hij zijn hoofd weer naar achteren liet vallen, ongeduldig smakkend met zijn lippen, liep ik naar hem toe en zocht zijn armen, ik klampte me aan zijn lichaam vast met dezelfde hardnekkige hulpbehoevendheid die me aan het begin van die avond die zwanger was van vragen naar hem toe had gedreven.

'Ik dacht dat je een minnaar had,' zei hij even later, nadat hij een heleboel keer mijn lippen had gekust, een stelselmatig spervuur van korte, tedere kussen die voor een bittere noot op mijn verhemelte zorgden.

'En dat had je liever gehad...' prevelde ik, met een onbekend register van mijn stem, een dun stemmetje dat leek op te wellen uit de diepte van mijn eigen angst.

'Nee,' antwoordde hij, met een zo werktuiglijke stelligheid dat het verdacht was. 'Natuurlijk niet.'

En toch loog hij. Ik was ervan overtuigd dat hij tegen me loog, ondanks de zelfbewustheid waarmee hij nu naar me glimlachte, alsof de waarheid hem zojuist bevrijd had van een ondraaglijke last, loog hij, en ik wist niet wat ik nog moest zeggen, hoe ik me moest excuseren voor iets onschuldigs wat plotseling was veranderd in het ernstigst denkbare delict.

'Jullie kunnen niet je hele leven het spelletje van pure, eeuwige liefde blijven spelen,' had Marita ooit, vele jaren geleden, tegen me gezegd, toen de hele wereld nauwelijks een kleine tuin leek die zij in haar vrije tijd verzorgde. 'Dat werkt nooit. Denk erom, anders zal het nog slecht met jullie aflopen...'

Als ze niet zo dol was geweest op neuken, was ze een volmaakte reïncarnatie geweest van de rode maagd. Ze heette María Tadea, naar de heilige van haar geboortedag, en toen ik haar leerde kennen, vlak nadat ik op de universiteit was begonnen, pronkte ze met haar volledige naam als met een oorlogswond, een onderscheiding van het lot, een soort wachtwoord van boeren – en proletarische oorsprong die haar onherroepelijk voorbestemde voor een leidinggevende positie, aan het hoofd van de eigenzinnige revolutionaire legerscharen die zich vooral voedden met de telgen van een stedelijke burgerij die meer dan voorkomend was tegen de dictatuur, de ware begunstigden van de franquistische politiek, die gebaseerd was op economische ontwikkeling, kinderen van min of meer gegoede families die niet meer begrepen waarom het brood gezegend is, en die moesten gniffelen als ze de zoveelste versie van het oeroude betoog hoorden dat begon met een van die gedenkwaardige zinnen, ik heb heel wat kool gegeten zodat jij nu iedere dag naar believen biefstuk kunt eten, of: toen ik zo oud was als jij nu, werkte ik al heel wat jaartjes en ik kocht mijn eerste auto van zuurverdiend geld door overwerk, of: mijn vader gaf me toen ik twintig was tien peseta om op excursie te gaan naar de boerderij, en jij bent al in half Europa geweest en loopt nog te klagen.

'Afijn, dit zijn de ossen waar we mee moeten ploegen...' mompelde ze gewoonlijk, altijd buitengewoon trouw aan haar gezaghebbende agrarische afkomst en moedeloos haar hoofd schuddend, iedere keer dat ze haar troepen inspecteerde. Maar ondanks de hevigheid van haar eeuwige, geveinsde teleurstelling, hield ze nog meer van bevelen uitdelen dan van neuken. Daarom verhief ze vervolgens haar stem om een paar afschrikwekkende redevoeringen af te steken, zo vurig dat de woorden haar verhemelte leken te schroeien, zo als een spervuur ontsnapten ze aan haar mond, en zo fel dat meer dan eens iemand die flirtte met de ophanden zijnde revolutie het hoofd boog alvorens de vergadering ongemerkt via de achteruitgang te verlaten, met de kreeftengang, en voorgoed verdwaalde in het comfortabele voorgeborchte van de sociaal-democratie, waar niemand het aandurfde begrippen als opoffering in de mond te nemen, en strijd, pijn, stof, zweet, of de tranen van die heldhaftige moeders die hun eigen kinderen zonder aarzelen uitleveren aan een waardige dood voor een rechtvaardige zaak, wat Marita's meest geliefde *coup de théâtre* was om haar bloedige, melodramatische toespraken mee te eindigen.

Zij was de eerste persoon die het tegen me had over Martín, bijna een jaar voor ik hem leerde kennen, en uiteraard had ze geen goed woord voor hem over. Mijn toekomstige man, die een hekel aan haar had en wiens gevoelens door haar ruimschoots werden beantwoord omdat hij een rang onmiddellijk boven haar innam in het complexe organogram van de toenmalige partij, was degene die haar voor het eerst María Gaga noemde, een bijnaam die zo veel succes had dat sommige verstrooide types uiteindelijk dachten dat het haar doopnaam was. Hij was ook degene die me, vele jaren later, verklapte dat Marita foto's, opnames en zelfs films van La Pasionaria verzamelde, en die ijverig bestudeerde om in haar bijdragen nauwkeurig de gebaren, houdingen, toon en zelfs het noordelijke accent van Dolores te imiteren. Ze nam hele zinnen over uit de radiotoespraken die gedurende de oorlog waren uitgezonden – vandaar haar nadruk op de opoffering van de moeders, in een tijd waarin deze uitdrukking eerder verwees naar het koolhydratendieet, dat toen mode was –, maar naar mijn mening deed ze het erg goed. Hoewel zij rechten studeerde en ik filosofie, zagen we elkaar bijna wekelijks op de vergaderingen van het Universitaire Solidariteitscomité Latijns-Amerika waar we beiden onze respectievelijke organisaties vertegenwoordigden, een uitvinding die in werkelijkheid fungeerde als rekruteringscentrum voor de Communistische Partij, want geen van de overige leden kon ook maar in de verste verte tippen aan de overdonderende overtuigingskracht die Marita in staat was van stal te halen voor iedere vage aspirant die zich wilde wijden aan de revolutie, zelfs op het gevaar af hem voor de rest van zijn leven af te schrikken. Ik bewonderde haar om het gemak waarmee ze ieder doel dat ze zich gesteld had verwezenlijkte, hoe onzinnig het op het eerste gezicht ook leek, en ik kon het uitstekend met haar vinden, al durf ik niet te beweren dat we vriendinnen waren want Marita vatte vriendschap in die tijd ongetwijfeld op als een stedelijke, kleinburgerlijke zwakte.

'Jij en ik zijn gesprekspartners,' zei ze op een keer, onze relatie definiërend met de stelligheid die al haar ideeën karakteriseerde, en dat was waar. Gedurende haar hele studietijd, zelfs nadat mijn dialectisch treffen met Martín de horizon van mijn concrete politieke ambities had weggevaagd, en ook toen we zelf het comité ontbonden, bleven we bijna iedere week bij elkaar komen om standpunten uit te wisselen, zoals we toen zeiden, al spraken we in werkelijkheid over van alles en nog wat, over onze studie, over haar eindeloze rij vriendjes voor één nacht, over muziek, over boeken, over films. Ik herinner me haar graag zoals ze toen was, klein en mollig, met een flinke boezem en relatief korte benen, maar met een knap gezicht, ondanks haar ronde bril met een hoornen montuur, schatplichtig aan de smaak van Lev Trotski en paradoxaal genoeg geselecteerd door het franquistische ziekenfonds als een van de gratis te verstrekken monturen, die alle progressieven in die tijd uitkozen.

Vervolgens verloor ik haar uit het oog. Ik dacht dat dat voorgoed zou zijn, maar bijna een jaar nadat ik haar voor het laatst gezien had, toen ik al niet eens meer in de rechtenfaculteit rondhing, omdat ik afgestudeerd was en op de uitgeverij werkte, klonk haar stem tot mijn verrassing aan de andere kant van de telefoon.

'Fran?' vroeg ze, op zo'n resolute toon alsof het nog maar een paar dagen geleden was dat we voor het laatst iets gedronken hadden samen, en vervolgens maakte ze zich met dezelfde ongekunsteldheid bekend. 'Marita. Hoe is het ermee? Heb je soms al vakantie?'

'Nee…' mompelde ik, terwijl ik de hoorn onder mijn kin klemde om mijn bloes verder dicht te knopen. Het was halfacht 's ochtends, maar dat detail zou bij lange na niet het meest zonderlinge gegeven van ons gesprek zijn.

'Maar je zult in ieder geval wel volgens het tropenrooster werken, hè?'

'Inderdaad,' antwoordde ik. 'Daarom ben ik op dit tijdstip op.'

'Ja,' excuseerde ze zich, 'ik weet wel dat dit geen tijd is om iemand te bellen, maar ik was bang dat ik je niet thuis zou treffen, en ik slaap de laatste tijd amper, zie je…' Op dat moment begreep ik, hoewel mijn slaperigheid mijn reflexen nog afstompte, dat ze nerveus was of erger nog, dat ze zich ergens zorgen over maakte, geschrokken was, of heel erg bang, en dat ze tegelijkertijd de redenen voor haar angst voor me probeerde te verbergen. 'Heb je iets vreselijks belangrijks te doen morgenmiddag?'

Het eerste wat door me heen schoot was dat ze zich bij een terroristische groepering had aangesloten, een van die vergezochte afkortingen van extreem-links die ik had leren ontcijferen op de muren van de faculteit zelfs zonder dat ik ooit een van de leden ervan had leren kennen, maar, al was het laatste waar ik zin in had een schuilplaats bieden aan een rokend geweer of aan zijn trillende eigenaar, ik was haar een bepaalde loyaliteit als kameraad verschuldigd, en dus was ik eerlijk.

'Nee.'

'Geweldig.' Ze leek erg opgelucht. 'Dan kunnen we afspreken. Want weet je... nou ja, ik ga me laten aborteren, en ik dacht zo dat het beter is om niet alleen te gaan, want ze hebben me verteld dat ik waarschijnlijk wel een tijdje zal moeten wachten, en na afloop...'

'Natuurlijk joh...' Ik had geen verdere verklaringen nodig. 'Dat spreekt voor zich.'

Ze vroeg of ik om precies vier uur bij een uitgang van het metrostation van Canillejas wilde zijn – dan heb je nog tijd om iets te eten, verduidelijkte ze, met een kalmte waarin ik weer de Marita van altijd herkende – en ze nam afscheid met dezelfde stellige doeltreffendheid als waarmee ze me begroet had. Ik had niet veel tijd om na te denken, maar toen ik de julimorgen inliep, zo warm als de ergste julimaand uit de geschiedenis, overwoog ik dat als ze mijn hulp had ingeroepen, van een simpele gesprekspartner, dat was omdat ze bij niemand anders terechtkon, en dat idee raakte het meisje zonder vriendinnetjes dat ik ook geweest was zo diep dat ik de afspraak voor de volgende dag ten slotte vanuit een veel vriendelijker oogpunt beschouwde dan waar de werkelijkheid me reden voor zou geven.

Ik deed mijn uiterste best op tijd te zijn, maar natuurlijk stond ze me al op te wachten. Ik vond haar niets veranderd sinds de laatste keer. Ze droeg een spijkerbroek en een geel T-shirt dat ze in haar broek had gestopt, en ik zorgde ervoor niet naar haar buik te kijken, zelfs niet terloops, maar zij gaf er de voorkeur aan iedere poging tot fijngevoeligheid meteen de kop in te drukken.

'Ik ben zeven weken,' zei ze tegen me, met dezelfde glimlach waarmee ze me verwelkomd zou hebben als we hadden afgesproken om naar de film te gaan. 'Het meet vast nog geen tien millimeter. Zoals je begrijpt is er van een kind geen sprake.'

Ik begon een gesprek over koetjes en kalfjes, het gebruikelijke doornemen van de emotionele, professionele en militante gesteldheid van onze gemeenschappelijke kennissen, terwijl ik haar door een paar zijstraatjes volgde naar een onopvallend pand, een flatgebouw dat er volkomen normaal uitzag, zonder een of ander naambord in het portiek. We namen de trap naar de tweede verdieping en drukten op de bel rechts van de trap. In de tijd die het duurde voor ze kwamen opendoen drongen de klanken van een aantal transistorradio's tot me door die stonden afgestemd op verschillende muziekprogramma's, het gehuil van een baby, geschreeuw van spelende kinderen en zelfs de vage geur van ratatouille die van de binnenplaats moest komen. Toch, aan de andere kant van die onopvallende deur, waarachter gewoon een gezin leek te wonen zoals alle andere in datzelfde blok, verloor de werkelijkheid plotseling al haar kleur. In de hal, heel ruim en pas wit geschilderd, bevond zich amper een half dozijn voorwerpen, een bureau met de daarbijbehorende accessoires – telefoon, intercom, een paar brievenbakjes vol papieren, een potje met pennen –, een verlaten stoel, duidelijk bedoeld voor een afwezige receptioniste, een houten bank waarop al evenmin iemand zat, en twee posters die zo onpersoonlijk en voorspelbaar waren, nachtelijk gezicht op Manhattan, tropisch strand met palmbomen, dat we net zo goed het kantoor van een effectenmakelaar konden zijn binnengestapt als de spreekkamer van een tandarts.

We volgden de vrouw die de deur voor ons had opengedaan – een heel slank, donker meisje met kort haar en iets ondefinieerbaar mannelijks in elk gebaar, wellicht versterkt door haar bijna platte borst onder een heel ruim wit katoenen T-shirt dat, net als haar spijkerbroek, onder de witte jas uitstak die haar als werkzaam bij de geneeskundige dienst identificeerde maar met een voor ons nog onbekende rang, want ze stelde zich niet aan ons voor – door een lange, brandschone gang – de pas gedweilde linoleumvloer vertoonde duidelijk de sporen van haar klompen – naar een kantoortje vol kaartenbakken, met nog een poster, de Notre-Dame op een heldere dag dit keer, en nog een bureau, waarachter ze plaatsnam. Vervolgens, ons uitnodigend haar voorbeeld te volgen, richtte ze zich op verrassend vriendelijke toon tot Marita.

'We hebben je laatst niet ingeschreven, hè?' En met een brede glimlach wachtte ze het antwoord af.

'Nee,' antwoordde Marita, en ze glimlachte naar me, alsof ik op een of andere manier getroost moest worden, voor ze met de zelfverzekerdheid die ik verwachtte antwoord begon te geven op een uitputtende reeks vragen.

'Vertel eens hoe je heet.'

'María Tadea. U weet wel, naar de heilige van die dag…'

Op dat moment, ik weet niet waarom, kreeg ik een brok in mijn keel die niet verdween bij de wat technischer vragen – ja, ik geloof dat ik toen ik zeven was de mazelen heb gehad, nee, voor zover ik weet is niemand uit mijn familie aan iets vreemds overleden, ook niet, voor zover ik weet, ik ben nergens allergisch voor – en die daar stevig bleef zitten en me op één pas afstand hield van een even intense als onbegrijpelijke ontroering tot we dat kamertje verlieten en ons installeerden in de ernaast gelegen wachtkamer. In die ruimte, die hetzelfde was als alle wachtkamers ter wereld, veranderden mijn gevoelens drastisch. Op de bank die precies tegenover de bank stond die wij uitkozen, zat een vrouw van een jaar of veertig – die er arm uitzag en alsof ze al moeder van verschillende kinderen was – die wanhopig huilde, zo ontroostbaar en zo lijdzaam tegelijkertijd dat de tranen geluidloos over haar gezicht stroomden zonder dat ze iets deed om ze tegen te houden, ondanks de kleine, gekreukte zakdoek die ze in haar rechterhand verfrommelde. Naast haar zat een andere vrouw, die zo sterk op haar leek dat het haar zus wel moest zijn, en ook zij huilde terwijl ze aan één stuk door bemoedigende zinnen mompelde die wij niet konden verstaan, maar die we afleidden uit de ritmische, onvermoeibare liefkozingen van haar vingers, die het haar wegstreken van het voorhoofd van de meest ontroostbare, haar wangen aaiden, haar hals streelden, en tevergeefs probeerden die onstuitbare explosie van droefheid tot staan te brengen. Boven hun hoofden zorgde een fonkelnieuw affiche van de Communistische Vakbond voor Personeel in de Gezondheidszorg, die pas onlangs gelegaliseerd was, voor een objectief tegenwicht tegen de hardvochtigheid van het hele tafereel. Pas toen ik daarnaar keek, begreep ik dat, nog afgezien van de vernedering, de pijn en de angst, wij allemaal, Marita en ik, de zussen die we voor ons hadden, en het zwijgende, verschrikte stelletje, nog kinderen bijna, die links van ons naar hen zaten te kijken, op het punt stonden een misdrijf te begaan, als we er al niet mee begonnen waren.

Toen de deur openging en een verpleegster met een geruststellend voorkomen, de klassieke moederkloek met blond geverfd haar en met de stralende glimlach die alle personen die daar werkten op elkaar deed lijken, de droevige vrouw bij haar doopnaam riep – loop maar met me mee, Socorro, je zus mag ook mee als je wilt – slaakte deze een langdurige, heldere kreet, een ai dat precies zo klonk, ai!, voor ze overeind kwam. Op dat ogenblik, zonder na te denken bij wat ik deed, greep ik Marita's hand, en zij kneep in de mijne, zonder iets te zeggen. Zo, hand in hand, zaten we bijna een uur, pratend over onbenulligheden, de zomer, de reis die we het liefst zouden maken, de boeken die we de laatste tijd mooi hadden gevonden, de voor- en nadelen van de aanschaf van een auto, en ik weet niet waar zij aan dacht, maar ik was doodsbang, ik geloof dat ik nooit van mijn leven zo bang ben geweest, en ik kon er alleen maar aan denken dat alles zo sinister was, de witte muren, de glimlachen van die vrouwen in hun witte jas, de smetteloosheid die ieder voorwerp uitstraalde, sinister, en ik begon te trillen alleen al bij de gedachte dat er iets fout kon gaan, dat Marita niet zou herstellen van die simpele ingreep – geen verdoving of niks, had ze tegen me gezegd –, dat de politie zou aanbellen terwijl mijn vriendin geholpen werd, languit op een behandeltafel, volkomen weerloos, volledig aan het lot overgeleverd.

Zoals bijna altijd het geval is, was wat volgde veel minder erg dan alles wat ik van tevoren had ingeschat. Marita verloor op geen enkel moment haar kalmte. Met een verbazingwekkende wilskracht beantwoordde ze iedere glimlach met glimlachen en ze klaagde geen enkele keer over wat voor pijn ook. Toen ze haar riepen, kwam ze zonder aarzelen overeind en stelde maar één vraag.

'Mag mijn vriendin mee naar binnen?'

Dat was de eerste keer dat ze me vriendin noemde. Ik stond naast haar, hield haar hand vast en praatte onophoudelijk terwijl ik haar recht aankeek om haar te dwingen terug te kijken en te vermijden dat ze de neiging niet zou kunnen onderdrukken de monitor links van haar te bestuderen. Plotseling leek alles me heel snel, gemakkelijk en pijnloos, en bovendien veel te technisch en gecompliceerd om op het eerste gezicht te begrijpen wat er gebeurde. Toen schakelde de blond geverfde moederkloek het beeldscherm uit en zei dat het al gebeurd was. Een halfuur later, toen Marita liet zien dat ze kon lopen en zelfs rennen als dat nodig was, stonden we alweer op straat.

Ik was dankbaar voor de warmte die in ons gezicht sloeg, die sterk geconcentreerde, van zichzelf verzadigde lucht die de steden op zomermiddagen verstikt, als een onmiskenbaar visitekaartje van de werkelijkheid, van die vrijheid die de afgelopen uren op raadselachtige wijze zoek was geweest. Ik was plotseling in zo'n goed humeur dat ik alles gedurfd zou hebben, alles behalve de uitdrukking op Marita's gezicht interpreteren, kil nu, hard, mijlenver verwijderd van de kalme opluchting die ik, die nooit iets dergelijks heb hoeven meemaken, haar zonder er zelfs maar over na te denken had toebedacht.

'Mijn oma heeft mijn vader in haar eentje gekregen,' begon ze, stilstaand op het trottoir in een bijna dierlijk onverzettelijke houding, haar voeten stevig naast elkaar op de grond, haar vuisten gebald in haar broekzakken, en aanvankelijk begreep ik haar niet, ik was niet in staat de glans in haar ogen te ontraadselen, haar strakgetrokken lippen, die zich naar beneden krulden alsof haar tong nog de smaak van een galbittere vloeistof proefde. 'Mijn opa was een rechter uit de hoofdstad. Hij woonde drie of vier jaar in ons dorp, maakte haar zwanger en smeerde 'm, maar zij kon het allemaal aan. Ik had het ook gekund. Ik ben net 23 geworden, ik ben gezond, ik ben sterk, ik ben advocaat...'

Het lukte me mijn beide armen uit te strekken een seconde voor ze zich erin stortte, en met grote moeite kon ik haar kleine lichaam houden, slap en krachteloos, alsof al haar botten weggesmolten waren van pure spijt, tot ze de beheersing hervond die nodig was om eerst haar hoofd op te tillen, haar gezicht vertrokken van het huilen, en daarna haar schouders, die hun stevigheid niet helemaal terugvonden terwijl ze zich van mij losmaakte met de onzekerheid van een gedesoriënteerde baby die probeert in te schatten of hij in staat zal zijn zonder iemands hulp twee achtereenvolgende stapjes te zetten. Gedurende enkele, eindeloze minuten, stonden we daar allebei, vastgenageld aan het trottoir, volkomen roerloos, terwijl zij tevergeefs probeerde haar zelfbeheersing terug te vinden, nog altijd huilend, en ik naar haar keek en mezelf in stilte verweet dat ik niet in staat was haar te helpen, haar ergens mee naar toe te trekken waar het beter was dan hier, een plek waar haar tranen hun raadselachtige vermogen mijn benen en mijn verbeelding in één klap te verlammen zouden verliezen. De mensen bleven al stilstaan om naar ons te kijken toen Marita het aandurfde weer op te kijken.

'Het spijt me,' zei ze tegen me, en ze pakte mijn arm en wilde doorlopen. 'Het spijt me vreselijk, Fran. Ik... ik had hier niet op gerekend. Ik was er heel zeker van, ik weet niet...'

'Hoe voel je je?' vroeg ik, om af te rekenen met het gevoel dat ik een hopeloos stomme trut was.

'Belabberd. Ellendig. En ik begrijp het niet, ik begrijp het echt niet, ik had er allemaal heel goed over nagedacht, en ik wilde dat kind niet, ik wilde dat kindje niet, ik wilde het niet...'

Terwijl ze naar voren boog en opnieuw met haar hele lichaam begon te huilen, was ik op datzelfde moment weer in staat me te bewegen en na te denken.

'Het was geen kind,' verkondigde ik, terwijl ik ondertussen mijn hand opstak om een taxi aan te houden.

Ik duwde haar in de auto en gaf de chauffeur mijn adres. Dat feit schudde haar wakker.

'Nee,' smeekte ze. 'Ik wil niet naar jouw huis. Laten we liever naar het mijne gaan...'

'Maar ik ben alleen thuis,' verduidelijkte ik. 'Mijn ouders zijn al afgereisd naar de kust.'

'Hoe dan ook. Laten we liever naar mijn huis gaan.'

In die tijd, na vele studiejaren van gedeelde huizen, woonde Marita alleen, op een zolder die piepklein was maar zo verbazingwekkend praktisch ingericht als te verwachten viel, en die uitzicht had op de Madrileense hemel pal boven de Plaza del Conde de Barajas, waarvan je de uiterste grenzen maar net kon ontwaren als je half uit een van de twee dakvensters ging hangen. Daar, terwijl een fles tamelijk goedkope wodka in hetzelfde tempo slonk als een tweeliterfles Coca-Cola, vertelde Marita me, languit op bed gelegen, de laatste episoden uit haar leven terwijl ik naast haar zat te luisteren, op de enige luie stoel die ze bezat. De overtuiging waarmee ze al haar theoretische bagage toepaste op een armzalige liefdesgeschiedenis met een sinister type, waarbij ze om de drie zinnen Wilhelm Reich citeerde en de basisvoorwaarden voor de bevrijding van de vrouw, de vrije liefde en de klassenstrijd uiteenzette om me uit te leggen dat hij getrouwd was maar dat niet tegen haar verteld had, en dat zij het niet wist maar de plicht had het te begrijpen, en dat hij ertussenuit was geknepen zodra hij het nieuws over de zwangerschap gehoord had en zij vrijwillig de beslissing had genomen zich te laten aborteren, raakte me in dezelfde mate als haar droefheid die niet oploste onder de werktuiglijke doelmatigheid van haar betoog dat, ironische voorbode van nog onvermoede komende tijden, hoe goed de bedoelingen ook waren, absoluut nergens toe diende.

De laatste van haar mislukte liefdes had in feite zo weinig om het lijf dat we het al voor de wodka op was over haar familie en de mijne hadden, over het leven, over het lot en over de Geschiedenis, zoals we die toen opvatten. Toen ik mezelf het laatste glas inschonk, aangeland bij het opnieuw vertellen over de eerste jaren van mijn studie en onherroepelijk dronken, zei ik tegen haar dat ik Martín niet had kunnen vergeten, en door die bekentenis werd ze eindelijk gegrepen, van pure verontwaardiging wipte ze op en neer op haar bed.

'Je kent hem niet,' zei ze tegen me. 'Maar ik wel, ik heb de pech hem beter te kennen dan me lief is. En hij zal dan wel knap zijn, dat zal ik niet ontkennen, maar daarnaast is hij een stalinist, een macho en een ongelooflijke hals. Laat dat goed tot je doordringen, want meer is er niet.'

Een halfuur later, terwijl ik het luchtbed opblies waarop ik zou slapen, naast haar bed, was ik er bijna blij om dat ik die dingen en nog erger had moeten aanhoren, want de haat die ze voor Martín voelde leek haar in ieder geval geholpen te hebben de crisis van de abortus te overwinnen. De volgende morgen echter werd ze neerslachtig wakker, en weer zo droevig dat ik naar mijn werk belde om te zeggen dat ik me niet lekker voelde, hetgeen volledig waar was, en bij haar bleef. Het was vrijdag, en we bleven het hele weekeinde bij elkaar. Maandagmiddag, toen ik haar weer vergezelde naar Canillejas voor een controleonderzoek, hadden we al een mate van intimiteit bereikt die groter was dan ik ooit met iemand gedeeld had. En toch raakte ik haar opnieuw kwijt.

'Ik denk erover om naar mijn dorp te gaan, weet je, om een paar dagen bij mijn familie door te brengen. Misschien laat ik het aansluiten op de vakantie en blijf ik tot september...'

Dat was het enige wat ze zei, en ik moedigde haar zoveel mogelijk aan, want het leek me een heel goed plan. We spraken af elkaar weer te zien als ze terug was, maar ik kon haar niet meer vinden. Toen haar telefoon helemaal geen gehoor meer gaf, ging ik naar haar huis en de conciërge vertelde me dat ze de zolder begin oktober verlaten had. Het enige wat ik van Marita wist was dat ze nu in Cuenca woonde, maar in de gids van die provincie vond ik geen enkel nummer op haar naam. Bij de Orde van Advocaten konden ze me ook niet verder helpen, en ik berustte erin haar voorgoed te moeten missen.

Het was die herfst, in november '77, dat ik Martín in Bologna tegenkwam. Ik moest veel aan haar denken, en ik dacht er zelfs over haar uit te nodigen voor mijn bruiloft, maar die keer, anderhalf jaar nadat ik haar voor het laatst gezien had, deed ik niet eens meer een poging haar te traceren, want de herinnering aan haar had zich zo langzamerhand teruggetrokken op die vliering van het geheugen waar de drenkelingen zich verdringen die iedere hoop op redding hebben opgegeven. Op een gewone zomermiddag in 1982, toen ik op mijn man zat te wachten – die het tegen iedere voorspelling in voor elkaar had gekregen een voetbalfan van me te maken – om naar de respectieve wedstrijd van het Wereldkampioenschap te kijken, was ik niet in staat haar aanwezigheid te voorvoelen achter de samenzweerderige glimlach die zijn gezicht van sceptische stalinist deed oplichten.

'Wedden dat je niet weet wie ik op het politiebureau van Aluche ben tegengekomen?'

Toen ik haar zag staan, in de deuropening van de woonkamer, slaakte ik een kreet van verrassing en blijdschap.

Die keer kreeg ik een fundamenteel gelukkige Marita terug, dikker maar nog even leuk om te zien en uiteraard nog even efficiënt als toen. Ze was zes maanden na mij getrouwd, in oktober 1979, zwanger – je ziet, het lot, zei ze glimlachend –, met een jongen uit haar dorp, Paco, die arts was en actief voor de PSOE. Aanvankelijk hadden ze zich in Cuenca-Stad gevestigd, waar hun oudste dochter geboren was, Teresa, die niet de naam van de heilige van haar geboortedag draagt, verklaarde haar moeder, en daar woonden ze tot hij werd overgeplaatst, waardoor ze terug konden keren naar Madrid.

'Ik vind het natuurlijk fantastisch,' verkondigde ze luidkeels toen Martín, die had aangeboden iets in te schenken, terugkwam uit de keuken, een afwezigheid die ze benut had om mij twee of drie lacherige elleboogstoten toe te dienen om me te feliciteren dat ik mijn zin had gekregen, moet je zien, smiecht, zei ze letterlijk, toen ik het hoorde kon ik het niet geloven –, 'maar ik kan je wel vertellen dat het hier qua werk een stuk minder is dan daar... Een paar jaar lang was ik praktisch de enige linkse vrouw gespecialiseerd in huwelijksrecht van Cuenca en ik kwam handen tekort eerlijk gezegd, maar hier is het anders, en bovendien waren we nog niet terug, of ik was weer zwanger... Mijn zoontje is nu acht maanden. Hij heet Paco, net als zijn vader, die zich ontstellend bekrompen opstelde wat de naam betreft, niet te geloven, maar ik noem hem Fran, want dat vind ik veel mooier...'

De finale van dat Wereldkampioenschap zagen we allemaal samen bij hen thuis, een modern en behoorlijk groot appartement, gelegen in een zijstraat van de Paseo de Extremadura, dat zo uit een willekeurig tijdschrift over woninginrichting voor gezinnen uit de middenklasse kon komen, zo benut tot op de laatste centimeter was ieder hoekje, zo schoon en doordacht en op elkaar afgestemd was alles. Marita bleek helemaal op te gaan in haar rol van moeder, gespitst op het minste of geringste wat haar kinderen nodig hadden, streng en lief tegelijkertijd, en ook haar man vond ik aardig, al was hij zo ongeveer de laatste man die ik me ooit aan haar zijde had kunnen voorstellen. Paco was ouder dan wij, en hij leek zelfs nóg ouder. Hij zou veertig worden – Martín was net 29 geworden, Marita en ik waren nog 27 – en was al bijna helemaal kaal, en zijn profiel vertoonde een uitstulpend buikje, een onbetwistbaar stigma van de leeftijd waarmee wij nog niet de tijd hadden gekregen vertrouwd te raken. Hij was verliefd geworden op Marita toen ze eigenlijk nog een kind was, en leefde nog

altijd voor haar. Hij was een heel rustige man, stilletjes, liefdevol en geduldig, maar het ontbrak hem ten enen male aan intellectuele kuren, en soms
wekte hij zelfs de indruk dat de scherpzinnigheid van zijn vrouw hem een
beetje ergerde, die hardnekkig, zij het nu goedlachs, de strijd bleef aangaan met Martín en de motor was van alle gesprekken. In politiek opzicht
was hij veel gematigder dan wij drieën, al was dat detail, dat een paar jaar
later in felle discussies zou ontaarden, in die tijd, toen zijn partij voor het
eerst regeerde, niet zo belangrijk.

Ondanks alles mocht ik hem onmiddellijk en ik geloof dat ik altijd van
hem zal houden, net als Martín, die hem voor de wedstrijd was afgelopen
al had bestempeld als een geweldige vent. Ook viel het me vanaf het allereerste moment op hoe ijverig hij zijn best deed Marita gelukkig te maken,
en ik kon vaak genoeg vaststellen hoezeer hij daarin slaagde, al leerde ik
mijn vriendin zo goed kennen dat het me niet eens verbaasde bij haar, in
toenemende mate naarmate de tijd verder verstreek, een zekere jaloezie
te ontdekken doordrenkt van oude nostalgie. Marita, die altijd in alles naar
perfectie had gestreefd, bekeek me alsof mijn leven haar beter beviel dan
het hare, alsof zij altijd in haar hoofd had gehad zo te leven als ik in plaats
van het leven te verwachten dat haar ten deel was gevallen. Jarenlang cul-
tiveerden Martín en ik zorgvuldig de rol van eeuwige adolescenten. We
reisden veel, gaven alles uit wat we verdienden zonder ons druk te maken
waar het geld aan opging, verwenden elkaar voortdurend met cadeautjes,
en veroorloofden ons andersoortige luxe, zoals in het openbaar aan elkaar
zitten of onbekommerd seksuele toespelingen maken, die volstrekt buiten
hun bereik lagen, aangezien zij de grens gepasseerd waren die van een stel
een gezin maakt, een scheidslijn die ik zelf niet van plan was ooit te passeren.

'Het komt gewoon omdat jullie, hoezeer jullie het ook ontkennen, alle
twee rijkeluiskinderen zijn,' foeterde ze, 'die altijd kunnen terugvallen op
de familie en die het leven nooit serieus hebben genomen…'

Ze had ongetwijfeld gelijk, maar gelijk hebben is nooit voldoende geweest om ook maar iets in deze wereld te veranderen. Daarom trok ik me
er nooit zoveel van aan als ze me erop wees dat we niet altijd het eeuwig
verloofde stel konden blijven spelen, dat als we ons niet zouden ontwikkelen, het slecht zou aflopen met onze relatie. Ze was er erg op gebrand
dat we kinderen zouden krijgen, maar ik gaf haar altijd hetzelfde antwoord, jij hebt ze al gekregen, ik mag ze verwennen, ze heel veel speelgoed cadeau doen en met ze spelen. Mijn versie van het geheel was heel
anders, omdat Martín precies de man was op wie ik altijd verliefd had

willen worden, ik had genoeg aan hem, en hij beschermde me tegen de sleur waar Marita bij tijd en wijle door gekweld werd, met haar leven vol kinderen, toekomstplannen, en periodieke maar heftige verlangens te ontsnappen, die zij geestdriftig billijkte als ik ze tegenover de zonovergoten vredigheid van mijn bestaan zette.

'Maar je snapt het niet, problemen heb je ook nodig... Die maken deel uit van de werkelijkheid. Ze helpen je om dat wat echt belangrijk is op waarde te schatten. Het is niet slim om ze eeuwig uit de weg te gaan.'

En zo, in polemieken die even onoplosbaar waren als een vriendschap die bijna te innig werd om moeiteloos onder die noemer te vallen, verstreek de tijd. De kinderen werden groter en wij volwassenen werden dikker, maar er veranderde niets, en de tijd verstreek nog steeds, hij was blijven verstrijken terwijl Marita haar drie of vier principiële overtuigingen verfijnde, onder meer dat wij mensen veel sterker moeten zijn dan de artsen zeggen, omdat haar man arts was en niets deed van wat zijn collega's ons allemaal aanraadden, ook verstreek de dag dat ze me vroeg met haar mee te gaan naar het ziekenhuis, opnieuw, na al die jaren, omdat er een gezwel in haar baarmoeder was gevonden, vast en zeker iets onbenulligs, en hij bleef verstrijken toen een biopsie uitwees dat de tumor kwaadaardig was. Hij bleef niet eens stilstaan op 13 juli 1992, toen ik Marita opnieuw kwijtraakte, maar nu voorgoed, slachtoffer van domme pech en een domme God die toestaat dat iemand die voor zo veel mensen onmisbaar is op haar 37ste doodgaat. De tijd houdt nooit op met verstrijken. Hij kent geen mededogen. En iedere seconde verdween nog steeds onherroepelijk in het niets toen Martín, die ervan overtuigd was dat ik een minnaar had, en een soort verlate lente in onze levens had gebracht die op geen enkele wijze het einde betekende van een periode van tegenslag, Marita uiteindelijk, na al die jaren, gelijk gaf.

'Misschien hebben we ons vergist. Misschien kun je niet altijd op dezelfde manier leven, alsof de tijd geen vat op ons zou hebben, alsof het leven niet uit zichzelf verandert, alsof onze wereld niet ieder ogenblik kan instorten.'

'Wat mijn man zei is bepaald geen onzin. Het is waar dat wij dat soort dingen niet doen. Wij doen geen dingen die anderen plegen te doen. Misschien is dat wel het enige wat er loos is, ik weet niet... Ik heb het al weleens over Marita gehad, nietwaar?, mijn beste vriendin die anderhalf jaar geleden is doodgegaan, aan baarmoederhalskanker. Ik hield veel van haar, ontzettend veel, en ik ben nog steeds niet gewend aan het idee dat ze dood is, want ze is verschillende keren in mijn leven gekomen en er weer uit verdwenen, maar uiteindelijk gebeurde er altijd iets waardoor ik haar weer terugkreeg, weet u, we kwamen elkaar altijd weer tegen. Maar nu zal niemand me haar teruggeven. Ik kan dat bijna niet accepteren. De dood is altijd gruwelijk natuurlijk, vooral als het onverwacht is, en niemand kon een dood als de hare verwachten, zo'n jonge vrouw, met kleine kinderen, getrouwd met een arts, met alle papieren om op hoge leeftijd dood te gaan... Dit soort eindes is funest voor ieder scenario. De dood is uiteraard altijd gruwelijk, maar sommige sterfgevallen zijn afschuwelijker dan andere, en Marita's dood was een wrede schok voor me, voor ons. En niet alleen omdat als iemand die je heel dierbaar is te vroeg doodgaat, iemand die nog zo jong is, zo sterk, het verdriet je dwingt je bewust te worden van de kwetsbaarheid van je eigen leven, je dwingt jezelf af te vragen waarom jij eigenlijk niet dood bent gegaan in plaats van haar, en plots onder ogen te zien dat dit niet eeuwig duurt, dat het zomaar ineens afgelopen kan zijn, van de ene op de andere dag, maar ook omdat ik, toen Marita stierf, voor het eerst begreep dat er heel veel dingen aan het sterven waren, dat mijn eigen leven, de wereld zelf, ernstig ziek was geworden terwijl ik het niet eens gemerkt had...'

Er was een laatste etentje. Zonder aanleiding, zonder voetbal, zonder iets om te vieren, gewoon een etentje, met z'n vieren, op een willekeurige zaterdag, zesendertig uur voor ik opnieuw met Marita zou plaatsnemen in een wachtkamer onder de bescherming van een affiche van de Communistische Vakbond voor Personeel in de Gezondheidszorg, hetzelfde logo, dezelfde kleuren, van veel minder gewicht dan een vergelijkbaar affiche ooit had. Spanje bereidde zich voor op een groots moment, vijfhonderd jaar roem, Barcelona, Sevilla, hoge snelheid. In Paco's ogen glansde een ongezonde koorts, de laatste en gewiekste penseelstreek met de lak die al een heel land gevernist had, miljoenen harten en gewetens die tevreden waren over de dikte van die kwetsbare nieuwe verflaag die de poriën van de geschiedenis verstikte, vijfhonderd jaar armoede, ellende, en dromen gedroomd met de waardigheid van verliezers. Ik herinner me haar ergernis, haar geschreeuw, de zweetdruppels die even bleven haken in haar wenkbrauwen, haar wimpers, voor ze hun eigen weg trokken over haar wangen, en de driftige verbittering van die vragen die even in de lucht leken te hangen voor ze te pletter sloegen tegen de muur die mijn antwoorden, de antwoorden van Martín optrokken. Wie zijn jullie? vroeg ze ons, wat willen jullie?, wat ambiëren jullie? Mijn man leek heel rustig, maar zijn duimen schoten omhoog en de kleur trok in één klap weg uit zijn wangen, een stille aanwijzing voor zijn woede, het eerste, en voor een bij voorbaat berusten in de eenzaamheid, het tweede, iets wat hij nog nooit eerder had laten blijken. Ik ben dezelfde als twintig jaar geleden, antwoordde hij, iedere lettergreep nadrukkelijk uitsprekend, ik wil hetzelfde als twintig jaar geleden, ik ambieer hetzelfde als ik twintig jaar geleden ambieerde... Toen, terwijl ik naar hem luisterde, voelde ik dat mijn liefde voor Martín, een domein dat tot op dat moment niets te maken had met alles wat niet het voorwerp van die liefde was, binnenkort buiten haar oevers zou treden en zou veranderen in een soort strategie om te kunnen overleven in de stille nederlaag, de bitterste, de vrijwillige persoonlijke verbanning van wie volhardt in een waarheid die niemand wil begrijpen, waar niemand naar wil luisteren, waarin niemand meer geïnteresseerd is. En terwijl ik vanbinnen huiverde van instinctieve en wellicht onbezonnen trots, terwijl ik moed verzamelde voor de zwartste dagen, liep Marita over naar het andere kamp en hief met overgave het populaire refrein van de tastbare vooruitgang aan, beter één vogel in de hand dan tien utopieën in de lucht.

'Het komt gewoon omdat jullie geen kinderen hebben,' gaf ze de genadestoot, zodat ik tot in mijn haarwortels kleurde van de schaamte die zij voorbij leek te zijn. 'Jullie maken je geen zorgen over de toe...'

'Krijg toch de klere, Marita!' onderbrak ik haar, niet wetend hoezeer ik die woorden zou gaan betreuren, en niet alleen omdat vanaf de volgende dag haar kanker altijd met ons aan tafel zou zitten, om in stilte of uitdrukkelijk alle gesprekken te overheersen, maar omdat mijn uitroep haar betoog verhardde en Martín er misschien wel toe bracht een argument te vinden dat het bloed in mijn aderen deed stollen.

'Nou weet je, ik ben inderdaad blij dat ik geen kinderen heb,' zei hij, zonder ook nog maar een greintje mededogen, een immense vermoeidheid in zijn stem, 'want als ik ze had, zou ik moreel verplicht zijn een wereld te verdedigen waarin ze het veel slechter zouden hebben dan in de wereld die ze wacht, die waarin jouw kinderen zullen leven, de postindustriële Spaanse consumptiemaatschappij waarin ze de tijd van hun leven zullen hebben zonder zelfs maar de prijs te beseffen die anderen moeten betalen voor hun vermaak.'

Daarmee kwam een einde aan het etentje, de argumenten en het gesprek. We namen haastig afscheid en reden in de auto terug naar huis, zwijgend, hij ongetwijfeld met spijt dat hij voor de verleiding was bezweken de laatste, onaangename waarheid te onthullen, ik langzaam de gevolgen herkauwend van die profetie, en zwijgend gingen we het huis binnen, kleedden ons uit en stapten in bed. Ik kroop naar hem toe en omhelsde hem, zoals iedere avond, en zijn vingers sloten zich om mijn armen om me te verwelkomen, maar de stilte bleef intact, als een ongewenste vreemdeling die ons huis was binnengeglipt zonder dat iemand hem had uitgenodigd en die niet de minste aanstalten maakte ons alleen te laten. Alleen maar om hem te verjagen, wilde ik iets meer zeggen dan welterusten.

'Ik ben blij dat je nooit kinderen hebt gewild...' mompelde ik.

'Dat heb ik nooit op die manier gezegd,' antwoordde hij, en toen werd ik me bewust van de smalle marges van mijn armoede.

Misschien begon ik op dat precieze moment te glijden. Aan het eind van de helling keek de psychoanalytica me nieuwsgierig aan, in afwachting van concrete details over die doodsstrijd van de wereld die zij absoluut niet leek waar te nemen.

'Marita's dood,' ging ik verder, ieder woord zorgvuldig kiezend, 'is een metafoor gebleken voor mijn eigen crisis, een soort grens tussen het leven van de persoon die ik tot nu toe geweest ben, en de, andere, persoon die ik in de toekomst zal zijn. Het probleem is dat ik altijd gedacht heb te weten wie ik was en daarentegen ben ik er niet erg zeker van dat ik weet wie ik zal worden. Soms heb ik de indruk dat ik al deze afgelopen jaren in een droom heb geleefd. En dat is niet hetgeen me zorgen baart, echt niet, dromen zijn bijna altijd mooier dan de werkelijkheid. Het probleem is dat dromen op een goede dag ter ziele gaan, en het is onmogelijk ze terug te krijgen, ze te doen herleven, er koppig in onder te duiken. We zijn veroordeeld tot eeuwig waken, tot de dingen bij hun naam noemen, ons te onderwerpen aan het gewicht van de feiten, de werkelijkheid precies zo te nemen als ze is, een landschap dat even onveranderlijk is als de opeenvolging van dag en nacht, en niet als een onvermijdelijk vertrekpunt naar een betere werkelijkheid, die misschien wel nooit bestaan heeft, en die nooit meer zal bestaan, dat in ieder geval...' Ik keek haar aan en zag in haar blik zo'n verbijsterde uitdrukking dat ik even dacht dat ze het zelfs vermakelijk vond. 'U begrijpt er niets van, hè?'

'Nee,' gaf ze toe.

'Goed, ik zal het u op een andere manier proberen uit te leggen... Op de dag dat Marita doodging begreep ik dat het leven dat ik leidde sinds ik haar kende stervende was, veel langzamer maar even onverbiddelijk als zij. Een van haar favoriete uitspraken op die universitaire meetings van twintig jaar geleden was dat alle mensen geconditioneerd zijn door de geschiedenis, dat we allemaal kinderen zijn van een bepaald tijdperk, en dat we ons daarin bewegen als toneelspelers in een decor, en het arme kind is doodgegaan zonder te weten hoezeer ze gelijk had. Marita en ik hebben elkaar in een bepaald jaar leren kennen, in bepaalde omstandigheden, en we raakten bevriend omdat alles ons op dat moment naar elkaar toe dreef, alles, onze leeftijd, onze ideologie, onze smaak, onze manier van tegen de dingen aankijken, alles spande samen om ons uiteindelijk vriendinnen te laten worden. Mijn liefde voor Martín is een nog duidelijker voorbeeld van wat ik u wil zeggen. Ik, die zonder goden was grootgebracht, werd verliefd op een man die ik in mijn geloof wist te verheffen tot de categorie van god, is dat u duidelijk?' Ze knikte, en ik ging verder, heel langzaam, want ik moest ieder idee eerst goed in m'n hoofd hebben voor ik het te berde kon brengen. 'En toen ik Martín in Italië tegenkwam, toen ik met hem trouwde, begon ik uiteraard een leven te leiden dat hier heel veel mee te maken had, met de tijd waarin we leefden, met de ideeën die we hadden, met de wereld waar we naar streefden, afijn... Vervolgens keerde Marita naar Madrid terug, we kwamen elkaar weer tegen, we waren tien jaar lang onafscheidelijk, en wellicht droeg zij er onbewust toe bij dat de luchtspiegeling intact bleef, wellicht verhinderde juist haar aanwezigheid me te begrijpen dat alles veranderde zonder dat ik het besefte, en dat als Martín en ik steeds vaker alleen stonden in alle discussies, dat niet was omdat wij zo consequent waren, zo standvastig, of zo slim, maar omdat het decor van het toneel veranderd was, en de andere acteurs kenden hun rol al op het moment dat wij er nog niet eens op waren gekomen ernaar te vragen... Of misschien is het juister in de eerste persoon enkelvoud te praten, want ik heb het idee dat Martín het allemaal eerder heeft doorgekregen dan ik, al weigerde hij het te aanvaarden. Daarop doelde ik toen ik zei dat dromen ook ter ziele gaan. Mijn droom is ter ziele, de droom van links Spanje is in bed gestorven, van ouderdom, stilletjes. En hij heeft niet zo veel wezen nagelaten, maar onze verweesdheid is volkomen. Soms denk ik dat we in feite veel slechter af zijn dan onze ouders, dan onze grootouders, want we hebben de oorlog niet gekend, de gevangenis niet, de illegaliteit niet en de ballingschap niet, maar ons welzijn, onze vrijheid, onze vrede dienen nergens toe, want we kunnen niet eens dromen, we kunnen niets met zekerheid beweren, we hebben geen enkele toekomst waarin we kunnen geloven, we zijn alleen, in het middelpunt van de wereld, veroordeeld tot een betoog waar niemand naar wil luisteren, tot een geloof waaraan het onszelf ontbreekt... En er is geen uitweg.'

'Volgens mij is de situatie niet zo ernstig,' nuanceerde zij met een zekere mate van bezorgdheid in haar ogen, voorbode van een uitdrukking die ik maar al te goed kende.

'Omdat u denkt dat ik het over politiek heb, en de socialisten hebben de verkiezingen weer gewonnen, en links van hen bestaat er een onafhankelijke parlementaire groepering, maar de politiek heeft hier amper mee te maken... Ik heb het over mijn leven, over een manier van de wereld beschouwen, een manier om tegen vriendschap aan te kijken, tegen liefde, seks, ik heb het over het soort eeuwige jeugd waarop wij een levenslang abonnement dachten te hebben, en die plotseling ineengeschrompeld en gerimpeld is als het velletje van een gedroogde pruim. En misschien is het wel altijd zo gegaan. Misschien hebben alle generaties, sinds het begin der tijden, gedacht voldoende argumenten te hebben om zich tevergeefs onsterfelijk te voelen. Ik weet het niet. Maar ik vertel u wat er met mij aan de hand is, wat ik voel, ik die niet gedacht had dat dit moment ooit zou aanbreken, die geleefd heb met mijn rug naar alle tekenen toe die het einde van de wereld aankondigden, die welbewust bleef volharden in het verbazingwekkende vermogen te genieten, in het onuitputtelijke vermogen tot verbazing dat mijn jeugd kenmerkte, toen wij adolescenten alles voor het eerst deden in een adolescente stad, die ook alles voor de eerste keer deed, de hoofdstad van een adolescent land dat ook elke dag alles voor het eerst deed. Zelfs de ontgoocheling waar in die tijd over gepraat werd, herinnert u zich dat?, had het epische, bijna heroïsche, van een fonkelende, doorleefde nederlaag die we nu niet meer kunnen ambiëren, omdat de geschiedenis klein is geworden, praktisch, draagbaar, omdat er in theorie niets gebeurd is. Maar vroeger had je voorbij de dagelijkse beslissingen een universele en als u me de overdrijving toestaat zingevende horizon, die nu plotseling verdwenen is en ons alleen heeft achtergelaten met het nieuwe model auto dat we moeten kopen of met de ideale vakantieplek. De wereld is kleiner geworden, grijs, uniform. Het is geen mooie plek om te leven, maar we hebben geen andere, en we weten ook niet hoe we ons moeten weren, want dat hebben we vroeger niet geleerd, wij niet, wij waren de gezegende uitverkorenen die de loop van de geschiedenis zouden veranderen, die de wind in de zeilen hadden, en u ziet hoe we eraan toe zijn, we hopen dat rechts eindelijk aan de macht komt om te zien of alles dan de lucht invliegt... Je kunt niet plots ophouden te geloven in waar je nog altijd in gelooft, Rechtvaardigheid, Vooruitgang, Toekomst, u weet wel, de simpele poging daartoe laat vreselijke sporen na. Want als de grote droom ter ziele gaat, sleurt hij in zijn doodsstrijd alle dromen mee, en misschien leunde mijn kleine droom van gepassioneerde liefde tot in de eeuwen der eeuwen wel op die collectieve droom die ons verweesd heeft achtergelaten. Misschien…'

Of niet, zei ik bij mezelf, toen ik even een adempauze nam. Misschien is het niet meer dan een excuus, misschien weet ik niets van wat er gebeurt, waarom Marita is doodgegaan, waarom mijn man buiten de deur slaapt, waarom hij het nodig heeft om te denken dat ik een minnaar heb om zich weer als vroeger te gaan gedragen, waarom hij instortte toen hij de waarheid over deze onschuldige sessies hoorde.

Ik had haar nog veel meer kunnen vertellen. Het galbittere commentaar dat Martín nog maar een paar weken geleden ontsnapt was, de laatste keer dat ik hem iets cadeau had gedaan met als enige reden dat ik gemerkt had hoe hij er bewonderend naar stond te kijken voor een etalage, de middag daarvoor, toen we naar de bioscoop liepen. Het was een hele warme trui, van dikke wol, met de hals van een poloshirt en grote donkere ruiten, en ik weet zeker dat hij hem mooi vond, want hij trok hem onmiddellijk aan, zonder tijd te verliezen om het label eraf te halen, maar daarna, terwijl hij zichzelf in de spiegel bekeek, mompelde hij binnensmonds iets, en hij wilde ongetwijfeld niet dat ik het zou horen, maar ik hoorde het, goed zo!, dat zei hij, weer een nieuw speeltje, nu alleen nog iets aan onze wijnkennis doen… Zij zou niet in staat zijn geweest een ogenschijnlijk zo onbenullige code te ontcijferen, de verborgen vloek achter de doorzichtigheid van deze reeks alledaagse, onschuldige woorden, maar ik zou de betekenis van die jammerklacht die dat niet leek voor haar onthuld hebben, ik zou haar hebben uitgelegd dat dat soort onbetekenende, gezaghebbende weetjes – verstand hebben van wijn, van typische kroegjes, van leuke hotelletjes, van verborgen dorpjes, van kloosterzoetigheden – voor ons een teken was van oppervlakkigheid, een banier van het soort lege levens dat zich kan vullen met een handvol adresjes, met een surrogaatindex van echte emoties. Wij kopen alleen maar die dingen waarvoor op televisie reclame wordt gemaakt, beweerden we vroeger altijd, als een ironische provocatie die nooit door iemand werd opgepakt.

Ik had haar veel meer kunnen vertellen, wat er een paar maanden terug gebeurd was, toen Martín verkondigde dat hij ontdekt had dat ik helemaal niet naar fitness ging en ik niet in staat was te volharden in mijn leugen noch hem op te geven, want mijn lippen vielen ten prooi aan een plotselinge verlamming waardoor ik alleen nog maar kon zwijgen en naar de grond kijken. Toen moest hij al denken dat ik een minnaar had, en zijn reactie was onmiddellijk, vernietigend. De volgende dag, een vrijdag, liet hij me 's middags weten dat hij ergens buiten de stad ging eten met een paar vrienden, zonder zelfs maar een feestelijke aanleiding als smoes te bedenken. De zaterdag was al begonnen toen hij opnieuw belde, hè, gelukkig dat je nog op bent, ik denk dat ik maar niet thuis kom slapen, want Alfonso, die ons hier met de auto naar toe gereden heeft, is stomdronken, we zijn ons ernstig te buiten gegaan en we durven niet naar Madrid terug te rijden, we kunnen maar beter hier ergens blijven slapen... Het was halfzeven 's morgens toen ik hem naast het bed zag staan, met verwarde haren en bezweet, zijn overhemd halfopen, de knoop van zijn stropdas bijna helemaal los, een mouw van zijn colbertje als een worst om zijn linkerarm en de andere ergens in de ruimte, schommelend achter zijn rug. Hij keek me aan alsof hij dwars door me heen kon kijken, een antwoord kon vinden in de ondoorgrondelijke uitdrukking in mijn ogen, hij bleef kijken terwijl hij zich moeizaam uitkleedde, terwijl hij de kleine afstand overbrugde die hem van het bed scheidde, terwijl hij naast me in bed kroop. Daarna omhelsde hij me, zo stevig dat hij me pijn deed, en uit de diepte van die omhelzing kwam zijn stem, de stem van een eenzame dronkaard die er niet langer tegen kon.

'Ik hou heel veel van je, Fran. Ik hou heel veel van je. Ik wil tot het einde toe bij je blijven, ik wil...'

Hij maakte zijn zin niet af. Dat was niet nodig. Ik begreep zijn zwijgen beter dan zijn woorden. Hij vroeg me om hulp, hulp voor de confrontatie met mij, hulp voor de confrontatie met zichzelf, hulp om ervoor te zorgen dat de lust om met mij samen te leven hem niet zou vergaan, dat de lust om met zichzelf te leven hem niet zou vergaan, dat de lust om te leven hem niet zou vergaan. Hij vroeg om hulp en ik had alleen maar liefde, een grenzeloze, zinloze liefde, want al die liefde was niet meer voldoende. Hij vroeg om hulp, en ik kon hem alleen maar omhelzen, hem het verdriet teruggeven, en zijn zwijgen.

Ik had haar dat allemaal kunnen vertellen, maar plotseling voelde ik dat ik niet meer kon, en dat was wat ik zei.

'We zijn ontzettend moe.'

Daarna pakte ik mijn spulletjes en vertrok.

Toen ik thuiskwam, zat Martín niet op me te wachten.

12

Toen ik de deurbel hoorde wierp ik een laatste blik om me heen en raakte
ervan overtuigd dat de kaarten die ik half had afgerold en daarna over de
tafel had verspreid met de banale bedoeling de indruk te wekken van een
spontane, bewerkelijke wanorde, onherroepelijk op een slechte proeve
van een stilleven leken van een slechte studente decoratieve technieken.
Ik rolde er haastig vier of vijf op tot de bel opnieuw klonk en ik eindelijk
ging opendoen, erin berustend dat ik de signalen moest accepteren van de
dreigende chaos die boven een afspraak leek te hangen die niets uitzonder-
lijks had, al was ik dan zo zenuwachtig dat ik de noodzaak voelde me dat
bij iedere stap in te prenten.

Me aankleden was een even zware taak geweest als het neerleggen van
de kaarten, of nog erger. Niemand die me gezien zou hebben in een spijkerbroek met een geel zomerbloesje zonder mouwen, een bescheiden
concessie aan het meizonnetje dat nog warmte verspreidde toen ik van de
uitgeverij wegging, had een inschatting kunnen maken van de hoeveelheid kleren die zich een uur voor ik tot deze banale outfit had besloten,
op mijn bed had opgehoopt, maar de waarheid is dat het heel lang geleden
was dat ik zin had om een strak jurkje aan te doen, een kort rokje of een
diep uitgesneden body, en ik weigerde me het kleine genoegen te ontzeggen mezelf in de spiegel te bekijken, gereed om te verleiden, al wist ik
heel goed dat niets zo belachelijk zou zijn als om acht uur 's avonds op een
werkdag vergaderen met een auteur gekleed voor de jacht, en dat hoe
meer ik me zou laten meeslepen door mijn verbeelding, des te meer pijn
mijn botten zouden doen na de klap. Uit minimale en gezonde voorzorg

had ik me voorgenomen alle mogelijke maatregelen te treffen om zelfs de minste aanwijzing te verhullen voor de staat waarin ik verkeerde, een soort archeologische relikwie die stormenderhand bezit nam van mijn organisme en, wat erger was, van mijn sluimerende geheugen, dat niet in staat was, zo oud waren ze, de recentste sporen van een dergelijke kriebel terug te halen. Dit gaat slecht aflopen, hield ik mezelf bij iedere stap voor, terwijl ik hier en daar nog iets verschikte aan het decor dat mijn bezoek ervan zou moeten overtuigen dat ik aan het werk was toen hij aanbelde, en niet zo'n beetje ook, herhaalde ik nog eens terwijl ik me opmaakte, terwijl ik in de spiegel keek en m'n gezicht schoonmaakte en me opnieuw, wat bescheidener, opmaakte, en toch, toen hij eindelijk voor me stond, vluchtten zijn ogen zo snel weg van mijn gezicht dat ik bij mezelf zei dat ik me de moeite had kunnen besparen. Het duurde een paar tellen voor ik begreep dat het grote schilderij dat achter me hing zijn aandacht onmiddellijk had afgeleid.

'Ben jij dat?' vroeg hij, het drukke geheel van streken in felle kleuren in ogenschouw nemend waarop een dikke zwarte lijn de contouren aangaf van een onvervalste, directe afstammeling van de Venus van Willendorf.

'Ja,' gaf ik met tegenzin toe, terwijl ik me voor de zoveelste keer afvroeg of Félix, die in het openbaar altijd heftig tekeerging tegen het hyperrealisme, beoogd had mij definitief de grond in te boren door die berg gemorst vlees te bekronen met een bijna fotografische reproductie van mijn gezicht, of dat ik, zoals hij zei, ten prooi aan een moment van innerlijke, heftige verslagenheid, nooit in staat was geweest het allegorische karakter van het schilderij te doorgronden. 'Vind je het mooi?'

'Nou...' Hij vertrok zijn mond in een onzinnig gebaar van besluiteloosheid waarvan ik hem besloot te bevrijden voor hij een kleur zou krijgen.

'Nee, echt... Ik wil graag een eerlijk antwoord.'

Hij keek me even aan en glimlachte toen hij zag dat ik als eerste glimlachte.

'Eerlijk gezegd vind ik het spuuglelijk.'

'Daar ben ik blij om...' En mijn glimlach ging over in een kort lachje. 'Het is van mijn ex-man.'

'Jezus!' Hij moest harder lachen. 'Het verbaast me niks dat het je ex is...'

Terwijl ik hem uitnodigde te gaan zitten en informeerde wat hij wilde drinken en twee biertjes uit de koelkast ging halen, vroeg ik me af waarom ik dat afschuwelijke schilderij er nooit af had durven halen, waarom ik mezelf met dat ding opscheepte alsof het een soort onverbrekelijke vloek was, zelfs nu Amanda niet meer tussen herinneringen aan haar vader hoefde te leven aangezien ze dagelijks kon genieten van het onvervangbare origineel, en terwijl ik weer terugliep door de gang met een dienblad in mijn handen, nam ik me zelfs voor het diezelfde avond nog van de muur te halen, me de rest van mijn leven die kleine kwelling te besparen waar ik nooit aan had kunnen wennen, de huivering die er even door me heen trok als ik mezelf zo zag, zo weerzinwekkend, iedere keer dat ik mijn eigen huis binnenkwam. Ik geloof dat dat mijn laatste heldere gedachte was in vele uren.

Toen ik in de kamer terugkeerde stond hij niet, zoals ik verwacht had, de kaarten te bekijken, maar zat hij in dezelfde stoel als waarin ik hem had achtergelaten en keek aandachtig om zich heen, wellicht de werkelijkheid interpreterend, mijn werkelijkheid, herinnerde ik me, alsof het een landschap was. Vanaf de eerste keer dat ik hem gezien had, en zelfs na zijn telefonische woede-uitbarsting, die te heftig was geweest om normaal te zijn, had hij me een heel rustige man geleken, en niet alleen door zijn trage, bedaarde manier van bewegen, maar vanwege een eigenaardige gave, die wellicht verband hield met zijn vermogen zijn omgeving te begrijpen, die ervoor zorgde dat hij overal bijna ogenblikkelijk deel van uitmaakte, alsof hij een van die mimetische diersoorten was die naar believen van kleur en vorm kunnen veranderen. Daarom zat hij daar, eerder onderuitgezakt dan rechtop, zijn benen over elkaar op die ingewikkelde, typisch mannelijke manier, zijn linkerenkel rustend op zijn rechterknie, en liet de as van zijn sigaret in de dichtstbijzijnde asbak vallen, ontspannen en opgewekt, zo op z'n gemak alsof hij al zijn hele leven in mijn huis woonde, op die stoel zat en die asbak bevuilde.

'Is hij erg in trek?' vroeg hij me, terwijl hij op een ander enorm schilderij van Félix wees dat tegenover hem hing.

'Nogal, vergis je niet… Als hij nu zou exposeren, zouden die grote algauw anderhalve ton opbrengen.'

'Dan hangt hier voor een klein kapitaal.'

'Ja, maar het is de erfenis van mijn dochter.'

'Ja, natuurlijk…' zei hij, alsof het hem speet dat hij te open was geweest, en toen, ik weet niet zo goed waarom, minder om Félix te beschermen dan om mezelf te verdedigen, want per slot van rekening was ik ooit met hem getrouwd, verklapte ik hem dat ze, al was het maar één ding, iets gemeen hadden.

'Hij was ook docent, weet je?' Ik ging op een krukje tegenover hem zitten en stak een van mijn sigaretten op. 'Om precies te zijn, mijn docent tekenen.'

'Oh ja?' Hij leek niet bijster onder de indruk. 'Heb je de kunstacademie gedaan?'

'Nee. Ik ben met hem getrouwd toen ik achttien was. Ik schreef me in voor journalistiek, maar ik heb niet eens het eerste…'

Ik onderbrak het ultrakorte relaas van mijn universitaire ervaringen toen ik me realiseerde dat hij ineens op een andere manier naar me keek, alsof er zojuist een verborgen lampje was aangegaan achter elk van zijn pupillen, en even zwegen we allebei, hij in stilte een inschatting makend, ik ook inschattend of het waar zou zijn wat ik uit die blik kon aflezen. Toen wreef hij met zijn handen over z'n gezicht, glimlachte en vatte mijn woorden hardop samen terwijl hij me nu weer als een welgemanierde auteur aankeek.

'Even voor de duidelijkheid,' zei hij om te beginnen. 'Bij journalistiek krijg je geen tekenen, toch?'

'Nee.' Ondanks het feit dat hij zich op bewonderenswaardige wijze beheerste, schoot ik in de lach toen ik constateerde dat de richting van zijn inschattingen precies zo was als ik verwacht had.

'Dus je had les van hem op de middelbare school en naderhand kwamen jullie elkaar op straat tegen, of zoiets…' Hij stak zijn hand op, alsof hij een stilte afdwong, toen hij begreep dat de marge van zijn laatste aftelsom te krap was. 'Nee, wacht, dat kan niet, want als je op je achttiende getrouwd bent was daar geen tijd voor… of wel?'

'Waarvoor?'

'Om hem op straat tegen te komen.'

'Ik heb nooit beweerd dat ik hem op straat…'

'Aaahg!' Hij benadrukte zijn ongeduld met een klap op zijn been, een kinderlijk gebaar dat een openhartige, ietwat gespannen glimlach versterkte, de uitroep van een kind dat een verstopt cadeautje zoekt op het moment dat hij eindelijk een glimp van het gekleurde papier opvangt achter een gordijn. Ik amuseerde me, en ik had zin me nog veel meer te amuseren, dus bleef me niets anders over dan mee te werken.

'Goed,' gaf ik toe. 'Ik zal het je vertellen. Ik had les van hem in mijn laatste jaar op de middelbare school, het voorbereidend universitair jaar.'

'En?'

'En toen kreeg ik iets met "M".'

'In het laatste schooljaar?'

'Ja.'

'Wat leuk…' Hij sloeg zijn handen weer voor zijn gezicht voor hij zijn hoofd, dat zachtjes heen en weer bewoog, voorover liet vallen, en zo bleef hij een paar seconden hoofdschuddend zitten. Daarna keek hij me aan. Hij leek eenvoudigweg verrukt over wat hij zojuist gehoord had.

'Waarom?' vroeg ik, zelf ook op het punt in de val te raken van zo'n onnozele glimlach.

'Nou, ik weet niet, ik had het gewoon niet verwacht…' Hij nam even een adempauze voor hij tot de aanval overging. 'Per slot van rekening zijn leerlingen altijd een van de grote seksuele fantasieën in mijn leven geweest.'

'Tegenwoordig niet meer?'

'Pfff, nu is het anders… Zij zijn altijd kinderen, en ik word steeds ouder. Ze spreken me al jaren met u aan. Maar in het begin… Nou ja, ik was heel jong toen ik op de faculteit ging werken, net afgestudeerd…'

'Je was een slimme jongen,' onderbrak ik hem.

'De slimste,' glimlachte hij. 'Dus ik was maar twee of drie jaar ouder dan de studenten van mijn eerste colleges, en toen, ja, in die tijd kon ik het niet helpen, tijdens de eerste colleges nam ik de meisjes aandachtig op, ik schatte hun kansen in, of liever gezegd, de mijne, ik bestudeerde ze maanden… En afijn, je begrijpt…'

Ik besloot te laten merken dat ik het begreep.

'Je versierde er een hoop.'

'Een paar,' bekende hij, met een uitdrukking alsof het hem zogenaamd speet die hem erg goed stond.

Ik probeerde hem te zien met de ogen van een eerstejaars studente, me hem voor te stellen op de faculteit, als hij lesgaf, een man die langer leek dan zijn lengte aangaf, forser dan zijn gewicht zou onthullen, veel jonger dan hij in werkelijkheid was, en heel slim, met een eigenaardig gezicht, want hij zou knap zijn volgens de algemeen geldende opvattingen als zijn hoofd niet iets te groot was, zijn oren niet iets te groot, zijn wenkbrauwen niet iets te groot, al stond dat surplus hem goed, zo goed dat hij hele lichtingen toekomstige geografes zou kunnen verleiden, of mij zou kunnen verleiden, want tegen die tijd, toen hij een nuancering meer dan voorzien aanbracht, kon ik hem al zien met de ogen van een studente.

'Maar ze waren allemaal meerderjarig.'

'Ik was bijna meerderjarig.'

'Bijna. Dat is het 'm juist… Hoe oud was je?'

'Zeventien. Het spijt me.'

Hij begon te lachen en ik lachte met hem mee terwijl mijn bloed liet doorschemeren dat het zich de uiterst gevaarlijke weg nog wist te herinneren die gewoonlijk uitmondde in de toestand van opwinding.

'Nee,' zei hij toen. 'Laat het je maar niet spijten, maar vertel me hoe het zat.'

'Geen sprake van,' antwoordde ik zonder er zelfs maar over na te denken, voor ik zelfs maar de tijd had te vermoeden dat dat spelletje zich weleens tegen me zou kunnen keren.

'Jawel, kom op' – hij leek erg geïnteresseerd – 'alsjeblieft, vertel het me.'

'Maar het is een heel lang verhaal.'

'Ik heb geen haast. Mijn vrouw is vanmiddag met de kinderen en de hond vertrokken om de vrije dagen bij een vriendin door te brengen aan wie ik een bijzondere hekel heb, een soort apostel van de hondenliefde met een heel groot huis, in Santander, met twaalf of veertien kwijlende, stinkende honden. Ze zullen zich prima amuseren...'

'En jij?' vroeg ik als terloops, alsof ik niet gemerkt had dat hij zojuist de eerste minimaal gunstige gelegenheid had benut om me te laten weten dat hij alleen in Madrid was, alsof mijn hart niet een sprongetje had gemaakt in mijn borstkas toen ik dat hoorde, en, sterker nog, alsof mijn verbeelding, hopeloos verstrikt in de ketenen van de verrukkelijkste zinsbegoocheling, niet onmiddellijk was gaan samenzweren en opperde dat hij deze situatie tot op de millimeter zo gepland had toen hij juist vanavond met me afsprak, en toen hij ervoor koos dat juist bij mij thuis te doen.

'Ik ben, voor de zoveelste keer, gered door die goeie, ouwe karst,' antwoordde hij, zo rustig alsof hij niets gemerkt had van de snelheid waarmee ik zijn informatie verwerkte. 'Ik ben een boek aan het schrijven over mijn lievelingsgebergte en ik moet dit weekeinde naar Los Monegros om allerlei metingen te doen, dus ik kan tot morgen naar je blijven luisteren' – hij nam een strategische adempauze – 'of tot overmorgen, mocht dat nodig zijn...'

Zichtbaar van mijn stuk gebracht kreeg ik opnieuw de slappe lach, wat me niet verhinderde snel de risico's te overwegen waaraan ik mezelf had blootgesteld.

'Nee, ik meen het, ik...' Ik koos voor de veiligste weg. 'Ik heb er gewoon niet zo'n zin in.'

'Waarom niet?'

Hij sloeg al een waarschuwende toon aan, bijna als een minnaar, en leek niet bereid zich gewonnen te geven. Ik had ook geen zin als een aansteller te kijk te staan, en daarom was ik eerlijk.

'Omdat je geen erg hoge dunk van me zult hebben als je het gehoord hebt.'

'Hoezo?' En in zijn scherpzinnige blik verschenen nu vonkjes van een voortijdige opwinding. 'Omdat jij begonnen bent?'

'Hoe kom je daar nou weer bij?' protesteerde ik, en ik keek naar de grond alleen maar om hem niet te hoeven aankijken, al had hij ruimschoots de tijd vast te stellen dat ik zo rood werd als een tomaat.

'Hé!' riep hij me, en hij legde een hand op mijn knie, als een manier om mijn aandacht te trekken. 'Ik ben ook docent. Op de universiteit is het gevaarlijk, op een middelbare school, zeker in die tijd, moet het regelrechte zelfmoord zijn geweest. Dus jij moet begonnen zijn. En de verleiding moet ongetwijfeld enorm zijn geweest, onweerstaanbaar. Als je het risico gaat lopen in de gevangenis te verdwijnen...'

'Nee, echt niet...' protesteerde ik opnieuw. 'Zo simpel lag het niet, in feite is niemand begonnen, ik... Ik was nog erg jong en had het niet zo in de gaten... Bovendien moeten wij kaarten bekijken.'

'Nee,' glimlachte hij.

'Hoezo niet? Natuurlijk wel.'

'Nee. Jij neemt die welke jou goeddunken en ik vind het allemaal uitstekend. Kom op, vertellen.'

'Dat getuigt niet bepaald van accuratesse...'

'Natuurlijk is dat accuraat,' en zijn hand, die nog steeds op mijn knie lag, kwam in beweging en trok traag een liefkozende cirkel. 'Alsof jij dat niet weet...'

'Javier, alsjeblieft!' smeekte ik hem lachend. 'Maar waarom wil je dat ik het je vertel?'

'Omdat ik dodelijk jaloers ben,' bekende hij, met een openhartigheid die me in verwarring bracht. 'Omdat ik dolgraag had gewild dat jij op je zeventiende mijn leerling was geweest. En omdat ik geen tijd verspild zou hebben aan het schilderen van afschuwelijke portretten van je, trouwens.'

Vanaf dat moment belandde ik in een duikvlucht. Mijn laatste gespartel was eigenlijk symbolisch, en hij wist dat.

'Maar ik geef je op een briefje dat je het geen leuk verhaal zult vinden.'

'Natuurlijk wel. Ik zal het prachtig vinden.'

'Maar je zult geen erg hoge dunk van me hebben als je het gehoord hebt.'

'Een hogere. Ik zal een veel hogere dunk van je hebben.'

'Echt niet, want ik geef het niet graag toe, maar eerlijk gezegd heb ik me als een *cockteaser* gedragen...'

'Des te beter. Hij verdiende ongetwijfeld niet anders.'

'En je loyaliteit?'

'Ik ben bereid volkomen loyaal met jou te zijn, dat heb ik je al gezegd.'

'Oké. Maar eerst heb ik een borrel nodig.'

'Geef mij er dan ook maar eentje...'

Terwijl ik de ijsblokjes langs de binnenkant van twee kristallen glazen liet glijden met een bedachtzaamheid die mijn onzekerheid beeldend verraadde, probeerde ik tevergeefs het effect in te schatten dat mijn geschiedenis met Félix zou kunnen hebben op de broze, uiterst kwetsbare kiem van iets, iets met een nog onbestemde status, wat leek te zijn ontstaan tijdens mijn gesprek met Javier Álvarez. Maar dat ik het hem uiteindelijk in geuren en kleuren besloot te vertellen was niet omdat ik vermoedde dat het voor de hand lag dat hij geen weerstand zou kunnen bieden aan de dwaze adolescent die ik ooit geweest was, en dat het juist niet voor de hand lag dat hij mij, zo veel jaar later, nog als het onvervalste verlengstuk zou zien van die eigenzinnige waaghals die met open ogen in haar eigen val trapte. Dat ik het hem vertelde was omdat ik mezelf plotseling voorhield dat het allemaal misschien alleen maar ooit gebeurd was opdat ik het die avond aan Javier zou kunnen vertellen.

Toen hij uiteindelijk vertrok, bij de derde poging, was het halfeen 's middags. Ik liep naakt met hem mee naar de deur, verschool me erachter en kuste hem op zijn mond. Geen van ons beiden zei gedag, niet eens tot ziens. Vervolgens, toen ik uit het gezoem van de motor afleidde dat de lift naar beneden ging, vroeg ik me af wat ik kon gaan doen. Ik sloeg mijn ogen op naar het *Portret van Ana als godin van de vruchtbaarheid* dat pal voor me hing en dacht erover het nu meteen van de muur te halen, maar zelfs daartoe voelde ik me niet in staat. Mijn oogleden zakten langzaam voor mijn ogen en toen pas realiseerde ik me dat ik glimlachte, en mijn glimlach leek zich los te maken van mijn lippen, in de lucht te zweven, zich te vermenigvuldigen tussen de wanden van de kamer, tussen de wanden van mijn lichaam, en van mijn ziel, zoals de woeste glimlach van de Cheshire Cat. Maar jij heet geen Alice, hield ik mezelf voor, en ik probeerde ernstig te zijn.

'Je bent niet verliefd, Ana,' zei ik hardop tegen mezelf. 'Je bent niet verliefd geworden, beeld je nou maar niets in want het is niet waar, het kan niet waar zijn, het bestaat niet...'

Het was leuk, onderhandelde ik in stilte verder met mijn eigen verlangen, goed, oké, het was heel leuk, een fantastische vent, geweldig gevreeën, een liefdesnacht... Nee, geen liefde. Vooruit, wel liefde, en wat dan nog? Hij is getrouwd, heeft een hele hoop studentes die veel jonger zijn dan jij met wie hij het kan aanleggen, en je ziet hem van je leven niet terug, dus...

'Godallemachtig!' Mijn lippen verbraken de stilte opnieuw toen ik constateerde dat al mijn intelligentie, al mijn gezonde verstand, het gewicht van alle levenservaring die ik in zesendertig jaar had verzameld, er niet in slaagden mijn glimlach ook maar een onbenullig klein beetje minder breed te maken. 'Godallemachtig!' Iets beters wist ik niet uit te brengen. 'Godallemachtig!'

Toen begreep ik dat mijn situatie veel weg had van het herstellen van een onverwachte, acute ziekte, en ik kroop weer in bed, ging liggen aan de kant waar hij had geslapen, trok de asbak naar de rand van het nachtkastje, en rookte de lekkerste sigaret uit mijn lange carrière als rookster. Ik was verliefd geworden op Javier Álvarez, en al zou ik me inspannen dat vanaf dat precieze ogenblik tot het moment vlak voor mijn dood te ontkennen, de waarheid is dat ik er uiterst tevreden over was dat ik me pardoes in de peilloze diepte had gestort waar de enige mensen in verdwijnen die ooit echt geleefd hebben.

Ik voelde het al aankomen toen ik het tweede glas inschonk, terwijl mijn verhaal heel langzaam vorderde tussen de voortdurende onderbrekingen door, veroorzaakt door zijn vragen – op je bovenbeen?, dat meen je niet!, maar waar precies? –, zijn minutieuze preciseringen van vlijtige leerling – ho, ho, even wachten... dat begrijp ik niet, ik dacht dat je door panty's heen niets kunt lezen –, zijn subtiele nuanceringen van docent aan het werk – maar jij was vast helemaal niet kinderlijk, hè?, natuurlijk maakt dat uit, want in het laatste jaar van de middelbare school is kinderlijkheid regel, compleet het tegenovergestelde van op de universiteit –, toen voelde ik het aankomen, wist ik het bijna zeker, want ik had nog nooit iemand ontmoet zoals hij, en die ongebruikelijke mengeling van nieuwsgierigheid en inzicht, van kalmte en opwinding, van gekscherendheid en reflectie, die van hem een heel jonge en tegelijkertijd heel volwassen man maakte, vond ik veel en veel aantrekkelijker dan welke andere mogelijke combinatie van die ingrediënten ook. En ik weet niet wat hij allemaal over mij te weten kwam terwijl hij naar me zat te luisteren met een raadselachtig glimlachje, dat soms ironisch leek, en soms ongelovig, maar doorlopend voldaan, terwijl hij naar me keek met de ingehouden begerigheid van een entomoloog die nauwkeurig de vlinder bestudeert die hij zo meteen meedogenloos op een kartonnetje zal prikken, maar ik, alert op de minste

286

reactie van zijn kant, doorzag ook enkele van zijn kaarten, want ik ontdekte dat hij absoluut niet verlegen was, al deed hij nog zo zijn best de schijn van het tegendeel op te houden, precies het omgekeerde van wat iedereen doet, en zelfs kreeg ik het vermoeden dat zijn heftige nieuwsgierigheid, de zogenaamd onschuldige belangstelling waarmee hij naar details informeerde waarvan het steeds moeilijker werd ze hardop te bekennen, vooral een strategie van hem was om het verhaal te rekken, mijn opwinding te voeden, en ook de zijne, de situatie in dusdanige banen te leiden dat er nog maar één mogelijke uitweg was, die we desondanks langs onvoorziene weg bereikten.

Daarvoor had ik het minstens een half dozijn keer bij het verkeerde eind gehad, want hij stortte zich niet boven op me toen ik hem vertelde op wat voor manier Félix mijn rokje weer naar beneden had gedaan midden onder het geschiedenisproefwerk – een ernstige fout, meende hij, ik zou je benen in het zicht hebben gelaten –, al evenmin toen ik hem uitlegde hoe ik schriftelijk van mijn dankbaarheid getuigd had op mijn bovenbenen – je bent de duivel in hoogsteigen persoon! zei hij alleen maar –, ook niet toen ik me de anonieme voetstappen herinnerde die een eind maakten aan onze eerste kus, gewoon in het lokaal waar we altijd les hadden – ik zou dolgraag willen dat ik het geweest was, was zijn commentaar –, niet toen het de beurt was aan de uiteenzetting over simultaneïsme – is het hier erg warm? vroeg hij op dat moment, lachend, en ik zei dat ik het niet warm had, en hij repliceerde, nee, ik zei het omdat ik erg begin te transpireren –, en niet toen ik hem opbiechtte met wat voor plechtigheid ik besloten had de dood van oom Arsenio te herdenken – want je ging natuurlijk naar hem toe om te neuken, verzekerde hij stellig, en ik ontkende, niet precies, en hij verzekerde nog eens, natuurlijk wel! – en zelfs niet toen ik tot slot en met tegenzin een haastig en sterk gecomprimeerd beeld schetste van de ellende van mijn huwelijk.

'Zo,' zei ik toen, al mijn verwachtingen nog intact, ondanks zijn zelfbeheersing, of zijn behoedzaamheid, of zijn luiheid, want zijn ogen gloeiden, en daarom konden ze niet liegen. 'Dat was het. En, heb je je vermaakt?'

'Is dat alles?' vroeg hij, en hij deed of hij teleurgesteld was.

'Eh… ja. Dat wil zeggen, het amusante deel. Als je wilt, kan ik je over mijn scheiding vertellen.'

'Nee, bedankt. In mijn omstandigheden zou een klein duwtje weleens gevaarlijk kunnen zijn.' Ik wilde niet direct de ontvangst bevestigen van dat commentaar om niet al te snel mijn verstand te verliezen, en hij benutte die adempauze om aan te dringen. 'Maar vanaf je vierentwintigste tot nu moet er toch een hoop gebeurd zijn…'

'Dat valt nogal mee,' antwoordde ik, terwijl ik me stiekem afvroeg of het zou kunnen dat hij daadwerkelijk in die richting aan het vissen was om erachter te komen of ik op dit specifieke moment alleen was of niet, en me er onmiddellijk daarna bij neerlegde dat ik mijn verstand te snel verloren had. 'Niets amusants. Soms denk ik weleens dat ik op mijn zeventiende al het kruit verschoten heb waar ik in dit leven recht op had.'

'Nee, uitgesloten…' en hij keek me aan, zo'n doordringende blik dat deze dwars door me heen ging en zich vastzette op een punt ergens achter mijn nek. 'Ik weet zeker dat je nog een berg te goed hebt.'

'Laten we het hopen.'

'Het is hoe dan ook jammer, want ik vind het erg leuk om naar je te luisteren…'

'En ik zou het erg leuk vinden om naar jou te luisteren.'

'Wat wil je, dat ik je mijn leven vertel?'

'Eerlijk is eerlijk, nietwaar?'

'Oké,' ging hij akkoord. 'Maar dat moet dan na het eten. Heb jij geen honger?'

'Nou…' – ik keek op mijn horloge en slaakte bijna een kreet toen ik constateerde dat het al halftwaalf was – 'eerlijk gezegd wel. We kunnen even in de koelkast kijken wat er is…'

'En als er niks is, trakteer ik op pizza.'

'Dat is vast niet nodig,' zei ik stellig, veel zelfverzekerder dan mijn knieën, want bij het overeind komen verraadden mijn benen plotseling alle drank die ik tot me genomen had, al hield de opwinding mijn hoofd verbazingwekkend helder, en zette zij zelfs die indirecte zenuwvezel van mijn fijngevoeligheid op scherp die maakt dat je je onmiddellijk bewust bent van de kleinste details van wat er om je heen gebeurt. 'Ik heb gisteren boodschappen gedaan, en omdat ik er wel nooit aan zal wennen dat ik alleen woon, heb ik vast weer te veel ingeslagen.'

Terwijl ik mijn best deed mijn lichaam niet onder te laten doen voor mijn verstand liep ik de gang in en hield de muren in de gaten, die zich keurig gedroegen en geen moment dichterbij kwamen, en stapte voor hem de keuken binnen. Hij kwam zwijgend achter me aan en leunde tegen het stuk aanrecht dat zich precies tegenover de koelkast bevond terwijl ik al aandachtig de inhoud ervan bestudeerde.

'Kijk…' kondigde ik aan, 'ik heb genoeg ingrediënten voor drie of vier verschillende salades, oesterzwammen, die zijn heerlijk als je ze grilt, lekkere rauwe ham, twee moten verse zalm, ravioli gevuld met vlees…'

Ik was van plan verder te gaan met het fruit, maar op dat moment voelde ik zijn linkerarm om mijn middel, en een tel later schoot zijn rechterhand te hulp om me om te draaien. Toen dat gelukt was, stonden we zo dicht bij elkaar dat onze neuzen elkaar bijna raakten. Toen, terwijl hij zijn romp rechtop hield, liet hij zijn benen tegen de mijne vallen waardoor ik in een vreemde thermische paradox terechtkwam, mijn rug tegen de rekjes van de geopende koelkast voorvoelde de kou die aanvankelijk nog amper merkbaar was, en mijn buik tegen de zijne werd door de kleding heen de diagonale afdruk gewaar van zijn volle, harde geslacht, als een onmiddellijke belofte van warmte, en ondanks het strikt urgente karakter van de situatie, kon ik nog een miniem restje kalmte opbrengen en mezelf van buitenaf bekijken, met die fijngevoeligheid voor details, en als ik ooit iets gewenst heb in dit leven, dan is het dat dat tafereel een metafoor zou zijn voor de tijd die me nog restte, en dat de kou voortaan nog hooguit de kleding op m'n rug zou beroeren. Vervolgens vroeg ik hem wat hij wilde eten, en hij kuste me om me in één tel duidelijk te maken op wat voor manier de kalmste man in één enkel gebaar zelfs het kleinste zweempje kalmte kan verliezen, en op dat moment hield mijn bestaan op en belandde ik in een omgeving die anders was dan de wereld die ik kende, waar de glimlachen in de lucht zweven, en de tijd urenlang stil kan staan in één enkele seconde, en vrouwen als ik verliefd worden als beesten die tegelijkertijd maanziek, doodsbang en voorgoed gevangen zijn.

Ik herinner me niet hoe we in bed kwamen. Wel weet ik daarentegen nog dat hij een knoop van mijn bloes trok en dat ik zelf mijn broek over mijn enkels moest trekken, want de vaardigheid van zijn vingers was plotseling over voorbij mijn knieën, en hij keek me aan en slaakte een diepe zucht, zijn handen gespreid, alsof hij wilde zeggen dat híj verder niets meer kon doen. Ik herinner me heel goed het gewicht van zijn lichaam, zijn tanden, de lok haar die voor zijn gezicht viel maar waartussendoor ik nog wel zijn ogen kon zien telkens als ik de mijne opendeed, ik herinner me zijn ogen, diep en vochtig als bodemloze putten, zijn wijdopen ogen, dat eigenaardig spitse van zijn ogen, scherp als lanspunten, als vriendelijke spijkers, als wijze schedelboren die weten wat zich achter de huid bevindt, wat het vlees en de botten verborgen houden, ik herinner me hoe zijn ogen in me binnendrongen, hoe ze zich meester van me maakten zelfs als ik ze niet kon zien, hoe ze mijn lichaam in één klap uit balans brachten, en ik herinner me ook mezelf, los van alle natuurkundige wetten die deze planeet besturen, bevrijd van mijn geheugen, overgeleverd aan het zijne, op de rand van de onberedeneerbare emotie die een stadshond doet opspringen als ze hem op een dag loslaten in een dennenbos, een terminale zieke als ze hem vertellen over een nieuwe, onfeilbare behandeling, een terdoodveroordeelde als hij op een transistorradio in de verte een onverwacht relaas hoort over de revolutie die zojuist is uitgebroken, en ik herinner me dat ik die grens ongemerkt passeerde, zonder dat ik daartoe besloten had, zonder te weten wie de stap zette die me aan de andere kant van de betekenis van de woorden bracht, in het territorium van ander genot, andere angst, andere blijdschap, een geluk dat verschilde van het geluk dat ik iedere willekeurige dag kan benoemen. En toch veroverde Javier Álvarez me niet, hij bezat me niet, hij verleidde me niet, want legers veroveren de steden niet die hen met de poorten wijdopen opwachten, want niemand neemt iets in bezit wat hem al toebehoort, want de reputatie van een verleider komt juist voort uit de weerstand, al is die maar symbolisch, van zijn beoogde doel. Wat er gebeurde was veel simpeler en tegelijkertijd veel moeilijker verklaarbaar, want wat er gebeurde was dat zijn armen, zijn handen, de hebzuchtige begerigheid van zijn ogen omzetten in warmte, het teken van een kortstondige, draagbare zomer die me omhulde zoals ik die hooguit één keer eerder, voorbij de verste drempel van mijn kindertijd, in een flits voorvoeld had, alsof ik sindsdien slechts geleefd had om op zijn terugkeer te wachten. Er was iets uitermate pervers aan die gespleten omhelzing, de warme onschuld van zijn armen die de duistere, grenzeloze lust die zijn ogen kleurde versterkte, een vertrouwde knipoog gevangen in de tint van een onontwarbaar mysterie. Dat was wat er gebeurde, en ik weet niet meer op welk moment van de val ik geen vaste grond meer onder mijn voeten voelde, maar ik kreeg amper de kans me te herinneren dat dit de eerste keer was terwijl mijn aarzelende gestuntel, mijn stijve onzekerheid van beginneling, als vanzelf oplosten in een wonderlijke, probleemloze harmonie.

Naderhand wel. Naderhand liet hij zich heel rustig van me afrollen, en hij drukte zijn lichaam tegen het mijne, en kuste en streelde me met een gevoeligheid die ik op een of andere manier al kende. Toen realiseerde ik me dat ik nooit naar bed was geweest met een man met zo'n obscene verbeelding, en dat ik nooit naar bed was geweest met zo'n welgemanierde man, en nooit, nog niet in mijn stoutste dromen, had ik durven vermoeden dat er een man zou bestaan met zo'n obscene verbeelding die tegelijkertijd zo welgemanierd was. Die ontdekking deed pijn alsof het lot me een dolkstoot in mijn rug had gegeven, want ik ga hem kwijtraken, hield ik mezelf voor, al zou ik dat niet willen. En ik wist al zeker dat ik dat niet wilde.

'Heb je brood?' vroeg hij toen ik al aan het bedenken was welke formulering hij zou kiezen om afscheid te nemen.

'Brood?' zei ik hem na, en het duurde even voor ik weer bij de les was. 'Ja, natuurlijk.'

'Ik zou namelijk wel zin hebben in een paar eieren met ham. Ik maak ze.'

'Geen sprake van,' zei ik, terwijl ik de kast doorzocht tot ik een satijnen ochtendjas vond met een patroon van pagoden en Japanse maagden, die me bijzonder geschikt leek voor de gelegenheid. 'Ik maak ze wel, want jij beschadigt vast en zeker de tefallaag met de schuimspaan, en ik heb er genoeg van om steeds nieuwe koekenpannen te kopen...'

'Je vergist je,' diende hij me van repliek, terwijl hij zo in zijn broek stapte. 'Ik ben heel netjes... Maar als jij erin volhardt mijn vaardigheden te verachten, kan ik altijd de tafel dekken.'

Toen hij klaar was ging hij op een stoel zitten, pal achter me. Dat weet ik omdat hij, terwijl ik alle vijf mijn zintuigen in de strijd wierp om een paar perfecte eieren te bakken, met een dooier die precies goed was, niet te vloeibaar en niet te vast, en het eiwit goed gestold, de randen versierd met krokante korstjes, iets zei wat me dwong me om te draaien.

'Ik vind je erg leuk, Ana.'

Hij zat heel rustig op zijn stoel, naakt vanaf zijn middel, terwijl hij rookte en met wijdopen ogen naar me keek. Ik was daartoe niet in staat, richtte mijn blik weer op de pan en wedde met mezelf dat ik de laatste dooier niet heel zou houden, voor ik reageerde.

'En ik vind jou erg leuk,' zei ik, terwijl ik het vierde ei ongeschonden uit de olie viste.

'Mooi!' vatte hij kort samen toen ik de borden op tafel zette, al heb ik nooit geweten of hij mijn bekentenis becommentarieerde of het verschijnen van het eten toejuichte, dat hij haastig, maar overduidelijk met smaak, soldaat maakte.

Daarna ruimde hij heel netjes de tafel af, de borden in de gootsteen met de glazen en het bestek erbovenop – dat moest ik hardop erkennen –, vulde de kan water bij voor hij hem terugzette in de koelkast, naast het schaaltje ham, en leunde tegen de muur, tegenover me.

'Dan kunnen we wel weer terug naar bed, hè?'

Op dat moment was ik niet in staat een snedig antwoord te formuleren, niet zozeer onthutst als wel verwonderd over het gemak waarmee, in een kalm tempo maar zonder onderbrekingen, mijn persoonlijke versie van dat min of meer universele scenario waarvan ik alle hoop op meer dan een bijrol allang had laten varen, zich gladjes ontrolde. Toen ik opstond, met een glimlach op mijn lippen, liep hij de keuken uit en ik volgde hem zonder iets te zeggen. Het was al over tweeën, en toen ik mijn ochtendjas uittrok voelde ik de kou.

Ik sprong op het bed alsof ik in een zwembad plonsde, hetzelfde haastige en onbeholpen gebaar, en hij – hij lag op zijn zij en keek naar me met een geamuseerde glimlach – trok me naar zich toe voor ik de tijd had gekregen hem onder het laken te zoeken. Toen realiseerde ik me dat onze laatste handelingen, de gebakken eieren, zijn voorstel vlug terug te gaan naar bed, mijn zwijgen toen ik in de gang achter hem aan liep, de werktuiglijke reactie je tegen de ander aan te drukken om warm te worden, evengoed tot de dagelijkse routine zouden kunnen behoren van een stel dat al jaren hetzelfde huis deelt, dezelfde tijd, dezelfde wijze om die te besteden, een tevreden, harmonieus stel, misschien zelfs wel gelukkig. Ik durfde er niet zeker van te zijn dat dat een goed teken was, maar het vredige gevoel waarmee ik me kon overgeven aan de armen van een man die amper twaalf uur geleden gewoon iemand van mijn werk was, maakte me niet eens bang.

'Vertel nog eens wat,' zei hij toen.

'Nog meer?'

'Ja, ik vind het erg leuk om naar je te luisteren.'

'Tja, ik weet niet...'

'Bijvoorbeeld. Heb je zussen en broers?'

'Drie, twee zussen en één broer.'

'Hoe heten ze?'

'Mariola, Antonio en Paula.'

'Is Mariola de oudste?'

'Ja.'

'En jij?'

'Ik ben de derde,' glimlachte ik. 'En, is het erg interessant?'

'Heel erg.'

'En jij?'

'Ik ben de eerstgeborene van acht kinderen, zes jongens en twee tweelingzusjes.'

'Toe maar!'

'Ik vind je heel erg leuk, Ana.'

'En ik vind jou heel erg leuk.'

292

'Je bent ontzettend aantrekkelijk, en ik ben weg van je manier van praten…'

'Hoe praat ik dan?'

'Ik weet het niet precies, maar je hebt een speciale manier van vertellen.'

'Dat heeft nog nooit iemand tegen me gezegd.'

'Nee? Nou ja, als je ook alleen maar omgaat met mensen als je ex verbaast me dat niets.'

'En hoe is mijn ex dan wel?'

'Een zak.'

'En hoe weet je dat?'

'Omdat ik dat weet.'

'En waarom weet je dat dan?'

'Omdat het je ex is.'

'Vind je dat vervelend?'

'Dat je een ex hebt?' Ik knikte. 'Natuurlijk. Heel erg vervelend.'

'Daar geloof ik niks van.'

'Waarom niet?' Hij moest lachen. 'Vind je het vervelend dat ik het vervelend vind?'

'Nee, natuurlijk niet.' Ik nam even een adempauze, vooruitlopend op het feit dat ik eerlijk zou zijn. 'Ik vind het leuk… Hoewel jij een vrouw hebt.'

'Ja, maar ik zou het leuk vinden als je dat vervelend vond.'

'Ik vind het vervelend.'

Hij verwelkomde mijn woorden met een eigenaardige glimlach, de gezichtsuitdrukking van een jongetje dat twijfelt tussen kattenkwaad en vandalisme.

'Ik ook.'

'Flikker op!'

'Echt… Zal ik je eens wat zeggen, Ana?'

'Zal ik jou eens wat zeggen?'

'Wat?'

'Dat je wel brutaal bent.'

'Ja, dat klopt. Maar je moet ook erkennen dat ik allercharmantst ben.'

'Je bent allercharmantst.'

'Ik ga je nog een keer neuken. Nu meteen.'

'Wat?'

'Dat is wat ik je daarnet wilde zeggen. Als jij er niks op tegen hebt, tenminste.'

'Nee, ik heb er niks op tegen,' gaf ik toe. 'Ik vind het zelfs een uitstekend plan.'

Ik weet niet of de tweede keer beter was dan de eerste. Ik weet dat alles langzamer ging, hoewel niet precies rustiger, ik weet dat zijn ogen niet veranderden, al welde er precies in het gaatje van de verwondering een ander lichtje op, de vrolijke voldoening waarmee zijn blik mijn lichaam veranderde in een bekend landschap, en ik weet dat zijn begerigheid niet afnam, ik weet dat zij zelfs toenam, al veranderde zij van teken en van aspiraties en werd veel intenser, completer, en toch gebeurde er iets nieuws en belangrijks binnen in me, want op een bepaald moment viel me een onbetekenend, ritmisch geluid op, dat van het hoofdeinde van het bed dat jubelend iedere stoot van mijn minnaar verwelkomde ondanks de schroeven waarmee het aan de muur was vastgezet, een discreet, onophoudelijk gebeier, als een intieme code, een eigenaardig lied dat eerder aan mijn aandacht ontsnapt was en nu moeiteloos mijn oren bevolkte om me erop te wijzen wat er precies aan de hand was, om me te dwingen te begrijpen dat afgezien van de verrassing, van de emotie, en zelfs van dat ondefinieerbare, bruisende, weldadige gevoel dat maar een paar uur rust nodig had om tot een onvervalste verliefdheid uit te groeien, ik met die man aan het neuken was, en dat zijn lichaam in het mijne zat, en zich bewoog, en nooit had dat gebaar me zo onverbiddelijk geleken, omdat ik het nooit als een zo noodzakelijk lot gevoeld had, en toen kreeg de seks de overhand over alles wat er daarvoor gebeurd was, en ik stelde mezelf geen vragen meer, de toekomst lag niet langer op me te wachten over een paar uur, zijn leven en het mijne bestonden niet langer buiten de grenzen van de lakens, en in plaats van er lijdzaam op te wachten, als een gift, als een gunst, als een onverdiend cadeau, concentreerde ik me op het najagen van mijn eigen genot zonder na te denken over de consequenties, niet eens over de dosis edelmoedigheid die dit soort egoïsme in zich draagt, en nooit was mijn verbeelding zo obsceen geweest, en nooit had het me minder moeite gekost me te gedragen als een welgemanierd meisje, en nooit, nog niet in mijn stoutste dromen, had ik durven vermoeden dat ik zou kunnen veranderen in een vrouw die zo'n obscene verbeelding had en tegelijkertijd zo welgemanierd was, en ik weet zeker dat dat me meer met hem verbond dan alle dingen die er die avond gebeurd waren, die we gezegd hadden, die we gedaan hadden.

Daarna viel ik in slaap. Ik wist dat wat er gebeurde heel belangrijk voor me zou zijn, en ik nam me zelfs voor nog even wakker te blijven om ieder detail in mijn geheugen te prenten, om een sleutel te vinden waardoor ik later moeiteloos het hele verhaal zou kunnen reconstrueren, om te genieten van deze onverwachte staat van genade, maar Javier bewoog zich een paar keer om de beste houding te vinden, en ik voegde me moeiteloos naar zijn lichaam, ik kreeg een laatste kus die me liet weten dat hij nog wakker was, en ik vrees dat ik eerder sliep dan hij. De volgende morgen trof me nog steeds in datzelfde wonderbaarlijke land waar ik afscheid had genomen van de wereld, maar na de kussen, en de omhelzingen, en het lachen om niets, het bewijs dat alles wat ik me herinnerde echt gebeurd was, stond ik ineens weer met beide benen op de grond.

'Goed, ik moet eens gaan…'

'Nu al?' vroeg ik, en om het alarmlicht te verhullen dat in mijn ogen knipperde als een rood stoplicht, nam ik mijn toevlucht tot het onfeilbare gezonde verstand van de huisvrouw. 'Wil je niet ontbijten?'

Hij beantwoordde mijn vraag met een glimlach.

'Natuurlijk,' zei hij toen. 'Ik moet maar eens gaan na het ontbijt.'

Maar dat deed hij niet. Hij kleedde zich aan, kwam bij me in de keuken zitten, nuttigde rustig een kop koffie met melk met vier of vijf *magdalena's*, stak een sigaret op en keek me aan. Ik glimlachte naar hem. Ik kon me niet herinneren hoe lang het geleden was dat ik me voor het laatst zo prettig had gevoeld, als die eerste keer überhaupt bestaan had en, paradoxaal genoeg, was de zekerheid dat er een eind aan kwam niet voldoende om ook maar één krasje te maken op de onkwetsbare schil waarmee de gevolgen ervan me afgeschermd hadden. Hij leek het allemaal te beseffen. Alsof mijn glimlach een zwijgende uitnodiging inhield, keek hij op zijn horloge en deed alsof hij niet eerder geweten had dat het zo vroeg was.

'Het is pas halfnegen…' meldde hij. 'Dat is geen tijd om op reis te gaan. Ik val vast en zeker in slaap boven het stuur en sterf ter plekke.'

'Ja?' vroeg ik, spottend.

'Natuurlijk. Vooruit, doe eens iets voor me. Red mijn leven…'

Hij stond op, liep om de tafel heen en ging achter me staan, legde zijn handen onder mijn oksels met een gebaar alsof hij me zo omhoog wilde tillen, en vervolgens, zonder ook maar één keer te aarzelen, leidde hij me terug naar de slaapkamer, deed m'n ochtendjas uit, ging aangekleed in bed liggen en begon zonder waarschuwing vooraf te praten.

'Gisteren vertelde ik je dat ik de oudste was van acht kinderen, hè? Nou, ik herinnerde me net een spelletje dat ik bedacht heb toen ik… ik weet niet, negen of tien was, misschien wel jonger, iets onzinnigs natuurlijk, al had het veel succes, want het hele gezin speelde uiteindelijk mee, nou ja, allemaal, behalve mijn ouders natuurlijk… Ik had het verzonnen om mijn broer Jorge te pesten, de tweede, want al ben ik maar een jaar ouder dan hij, we hebben het nooit goed met elkaar kunnen vinden, nooit, en toen we klein waren was het nog erger. We zijn allebei heel competitief en we kunnen geen van beiden tegen ons verlies.' Hij hield even zijn mond om me aan te kijken en glimlachte. 'Maar hij heeft veel minder geduld dan ik, en daarom lukte het hem bijna nooit van me te winnen.'

'En hoe ging dat spelletje dan?'

'Je moest ervoor zorgen dat het leuke langer duurde. We mochten alleen maar spelen als we iets kregen waar we heel dol op waren, een zuurtje, een lolly, een bonbon, of zelfs dingen die zo weg waren al waren ze niet eetbaar, zoals die potjes zeepsop waarmee je bellen kon blazen bijvoorbeeld, of ballonnen, of van die zakjes met plaatjes. De bedoeling van het spel was dat je het bewaarde, dat je alles deed om die schat intact te houden als de ander hem al kwijt was. En er waren geen spelregels, weet je, alles was toegestaan, een zuurtje in je mond stoppen en ervoor zorgen dat je het niet met je tong aanraakte en je meteen omdraaien om het weer in te pakken en in je broekzak te verstoppen, stukjes krant kapotscheuren met zo'n zakje plaatjes ervoor zodat de ander, als hij dat geluid hoorde, zou denken dat het al open was, door de gang lopen met dat ding waarmee je zeepbellen kon fabriceren en blazen, maar zonder het ooit in de zeep te dopen, dat soort dingen... De winnaar was diegene die, uren later, als de vijand al niet eens meer dacht aan de bonbon die hij opgegeten had, hem rustig uit zijn schuilplaats te voorschijn haalde, er zo opzichtig mogelijk mee pronkte, en hem heel rustig en met veel genoegen opat, want de smaak van de chocola mengde zich met die van de overwinning.'

'Dus eigenlijk bestond het spelletje uit de afgunst van je broer voeden...' vatte ik samen.

'Of de grenzen van mijn eigen begeerte aftasten,' antwoordde hij. 'Het was ook een soort wilskrachtgymnastiek, en als je er goed over nadenkt een bijna ascetische oefening. Dat zei mijn vader tenminste, die erg enthousiast was over mijn uitvinding omdat die volgens hem het karakter hardde. Mijn moeder daarentegen ergerde zich er vreselijk aan, want die zei dat als mensen ons zouden zien, ze zouden denken dat we honger leden. En eerlijk gezegd, nu ik het je zo vertel, realiseer ik me dat het een spelletje voor arme kinderen lijkt, en dat waren we niet, ook niet rijk, lage middenklasse, met te veel kinderen om je luxe te kunnen permitteren, we gingen 's zomers nooit op vakantie bijvoorbeeld, maar we waren ook niet arm, al heeft het me bloed, zweet en tranen gekost om ervoor te zorgen dat ze me lieten studeren, en in ruil daarvoor zette mijn vader me vanaf het derde jaar 's middags aan het werk, om een secretaresse uit te sparen. Hij had een transportbedrijf, nu leidt mijn broer Jorge het, en ik zat op kantoor, ik nam de telefoon op, stippelde de routes uit, ontfermde me over de pakbonnen en de facturen, dat soort dingen… Hoe dan ook, dat spel dwong ons de dingen op waarde te schatten, zelfs een hogere waarde dan ze in werkelijkheid hadden. Ik weet niet, het is raar… Ik was het namelijk compleet vergeten. Ik moest er vannacht plotseling weer aan denken, voor ik in slaap viel, en toen bedacht ik dat het leven wel een goeie grap uithaalt eigenlijk, want destijds, toen ik nog een kind was en de volwassenen de belangrijke beslissingen voor me namen, won ik altijd, het lukte me altijd ervoor te zorgen dat het goede langer duurde, en nu ik volwassen ben, nu ik in theorie de baas over mijn eigen leven ben, hangen de leuke dingen, die nooit gebeuren, áls ze gebeuren nooit alleen van mij af…'

Ik keek aandachtig naar hem en zag een oprechte, enigszins nostalgische, maar lachende blik, waaruit ik de betekenis van zijn relaas niet kon afleiden, maar ik was er nog niet uit of wat ik net gehoord had een aanbod was, het verzoek om een verlenging, een elegante manier van afscheid nemen, of gewoon een zuiver toevallig opgehaalde herinnering, toen hij – hij streelde heel langzaam mijn rug – zich tegen me aandrukte en terwijl hij zijn kin in de ronding van mijn hals legde iets zei wat de verwarring compleet maakte.

'Zou jij geen zin hebben…'

Ik draaide me om in zijn armen om hem aan te kunnen kijken. Hij stikte van het lachen.

'Wat?' vroeg ik, half verbaasd en half euforisch.

'Nou…' Hij deed zijn ogen dicht en lachte, alsof hij zich er plotseling erg voor schaamde verder te praten. 'Om een beetje te neuken…'

'Oh, als het maar een beetje is…' Ook ik moest lachen, de ongeremde, ongelovige en luidruchtige lach van een kind dat zojuist het grootste speelgoedbeest heeft gewonnen in een tombola. 'Maar ik zal me wel moeten concentreren,' hield ik hem voor.

'Ja, ik ook…' gaf hij toe, 'en je moet me beloven dat je me zult respecteren als ik versaag.'

'Dat beloof ik.'

'Mooi zo.'

Die twee woorden hadden de uitwerking van het startschot bij een wedstrijd, en ik weet niet of die kinderlijke oefening van je zuurtjes urenlang bewaren er wel of niet iets mee te maken had, maar feit is dat de con-

centratiefase minimaal was, en het resultaat fonkelend als een bundel vuur-
pijlen. Daarna kondigde hij opnieuw aan dat hij weg moest, en dit keer
ging hij zelfs douchen. Ik kwam niet uit bed terwijl ik zijn spoor volgde
via de half openstaande deur, de douchestraal, het aanspringen van de gei-
ser, de stilte die voorafging aan het geluid van zijn voetstappen op de tegels. Maar ook dit keer kon hij niet wegkomen. Toen hij weer terugkwam
in de slaapkamer, naakt en nog druipend, ging hij zonder iets te zeggen
weer in bed liggen. Daar lagen we nog minstens een uur, en ik realiseerde
me dat er zich geen betere gelegenheid zou voordoen om een poging te
wagen me van een stukje toekomst te verzekeren, hem te vragen wat hij
met me van plan was, wat er zou gebeuren nadat hij was weggegaan, wanneer hij dacht dat we elkaar weer zouden zien, of gewoon of hij dacht dat
we elkaar nog eens zouden zien, ik realiseerde me dat dit het uitgelezen
moment was om hem al die dingen te vragen, maar ik was bang alles te
verpesten, die concrete versie van welbehagen teniet te doen, de zachte,
uitgeputte kussen, die elkaar woordeloos opvolgden, de stille pauzes die
van alles konden uitdrukken, en uiteindelijk, om halfeen, liet ik hem vertrekken zonder iets te vragen, alsof er niets gebeurd was.

Om kwart voor twee was zelfs de lust me al vergaan me af te vragen
hoe ik toch zo ongelooflijk stom had kunnen zijn. Ik had zo genoeg van
mijn behoedzaamheid, of mijn beleefdheid, of mijn respect, of mijn angst,
of hoe je die ziekelijke terughoudendheid ook zou kunnen betitelen, dat
ik alleen nog maar zin had om te huilen. Ik hield mezelf voor dat ik hem
nooit meer terug zou zien en dat ik het weer mooi voor elkaar had, en de
tranen zaten me letterlijk hoog, om mijn dreigende nederlaag nog eens te
benadrukken.

Maar soms lopen de dingen anders.

Het lijkt onmogelijk, het is ongelooflijk, maar soms gebeurt het.

Daarom, precies op dat moment, en ik weet dat het kwart voor twee
was omdat mijn oog op het display van de wekker viel toen ik opnam,
ging de telefoon.

'Hallo, met Javier.'

'Echt?' vroeg ik, als een dwaas verstrikt in zijn eigen geluk.

'Ja,' en ik voelde dat hij glimlachte aan de andere kant van de telefoon.
'Ik ben bijna in Guadalajara, maar ik dacht, als je me uitnodigt voor de
lunch maak ik nu meteen rechtsomkeert.'

Toen ik de glazen deuren doorliep die op de enorme hal uitkwamen die
ik iedere dag met tegenzin doorkruiste, stond ik even stil om een herin-

nering te wijden aan de miserabele vrouw, niet ik, al had ze hetzelfde lichaam, hetzelfde gezicht, die vijf dagen geleden precies de omgekeerde weg had afgelegd. Ik draaide me om en kon nog net Javier zien, die op dat moment optrok, alsof hij had zitten wachten tot ik me zou omdraaien voor hij wegreed. Ik kon niet anders dan zijn voorbeeld volgen, maar, en ook dat was verbazingwekkend nieuw, het idee dat ik acht uur lang beelden moest bekijken, er notities van maken, ze classificeren, opmeten en scannen, viel me niet zwaar. Nooit was er een schitterender maandagochtend. Dat constateerde ik toen ik met lichte tred de trappen nam en een heel legioen beklagenswaardige slachtoffers van achterhaalde of nooit bevredigde dromen links inhaalde, toen ik door de gang liep en me allerlei onbenullige details opvielen, zoals de lengte van de donkerblauwe stukken tapijt of het aantal voetstappen dat ik kon zetten tussen de ene kamerdeur en de volgende, en vooral toen ik constateerde dat de enorme studio die ik tegen mijn wil deelde met twee andere grafisch redacteuren en de laatste ouderwetse plakproevenmaker die op de uitgeverij werkte – een soort levend museumstuk wiens hulp alleen maar werd ingeroepen voor heel urgente of bijzonder veeleisende opdrachten – bijna leeg was. Teresa, de redactrice van de afdeling Tekst, letterlijk van me gescheiden door een muur van enveloppen en dossiermappen, beantwoordde mijn groet met gebrom. Onze twee collega's, veel praatgrager, waren weg, en dat bleef zo gedurende het grootste deel van de ochtend, misschien alleen maar omdat ik geen zin had om met wie dan ook te praten.

Ik schoof mijn tafel naar het raam, zoog me vol met het krachtige, stralende, straffe licht van die ochtend die gemaakt was voor gelukkige mensen, en sloot m'n ogen. Ik kon zijn geur nog ruiken, zijn handen voelen, de precieze klank van zijn stem horen, ik kon nog naar hem terugkeren, naar de tijd die ik er door hem bij had gekregen, alleen maar door mijn ogen te sluiten. Toen ik ze weer opendeed voelde ik dat de lucht zwaarder was, dat hij compact en rozerood was geworden, gestold, net als de lucht die ik me herinnerde, en ik hield me moeiteloos staande, plotseling gewichtloos, licht, alsof ik bestond uit vogelveertjes, in een soort kamer van warm schuim die de wereld was en dezelfde temperatuur had als mijn lichaam. Dat zeldzame gevoel dat alles klopte, de wonderlijke harmonie die ik zelf uitscheidde en die zich aan alles hechtte, duurde ruim twee uur, terwijl ik werkte in een tempo dat abnormaal hoog lag voor een maandagochtend, en mijn bureau moeiteloos en zonder dat ik erbij na hoefde denken schoonde van achterstallige opdrachten, mijn verbeelding, mijn wil en mijn verstand naar volle tevredenheid gegijzeld door de lijn van zijn wenkbrauwen, door het profiel van zijn slapende gezicht, door zijn manier van glimlachen of vriendelijk om iets vragen. Nooit was de werkelijkheid zo ver weg. Daarom was het ontwaken zo wreed.

'Hallo, mag ik even storen...'

Een stem die zo schel klonk dat het bijna een klankkarikatuur leek, martelde mijn oren op het moment dat mijn schouder een opdringerige reeks klopjes registreerde. Het niets waaruit ik gedwongen werd terug te keren was zo immens dat mijn schouders krampachtig samentrokken en mijn ademhaling versnelde alsof ik zojuist met de dood bedreigd was.

'Sorry,' hoorde ik pal achter mijn nek. 'Ik wilde je niet laten schrikken.'

'Nee, nee, ik ben degene die sorry moet zeggen...' en ik draaide me om om te constateren dat ik de eigenares van die stem van een goed afgerichte papegaai juist geïdentificeerd had. 'Ik zat te dromen.'

María Pilar Weetikveel de Antúnez, die pal na haar veertigste besloten had te leren werken omdat ze zich plotseling realiseerde dat ze zich ontzettend verveelde met die ijzerhandel thuis, glimlachte opgelucht naar me. Ik nam haar zwijgend een paar tellen op, haar nieuwe kapsel opmerkend, dat pas geverfd was in een robuuste houtkleur, noten misschien, of mahonie, en zorgvuldig zo geknipt dat haar voorhoofd omlijst werd door een rechte pony, als van een bereidwillige late leerling, een stijl die ze al veel te lang ijverig cultiveerde op ieder ander mogelijk gebied, van de heel fijne gouden kettinkjes waaraan een hele vracht minuscule juwelen hing – een hartje, een letter, nog een letter, een briljant, een hondje, een appeltje – op haar sleutelbeen, tot de dikke, donkere lycra panty die zichtbaar was vanaf de zoom van haar minirok van cheviot tot aan de rand van een paar laarzen met een typisch kinderlijk dessin, en iets onmiskenbaar orthopedisch. Altijd als ik haar zag moest ik denken aan haar naakte man die me heftig neukte op de vloer van de woonkamer, maar dit keer verbaasde ik me er dankzij Javier niet over dat een man als Miguel kon leven met zo'n vrouw, maar over het goede idee dat ik had gehad om niets met hem te beginnen.

'Vind je het mooi?' vroeg ze, terwijl ze haar haar beroerde. 'Ik zag het op een omslag bij Linda Evangelista.'

'Het staat je geweldig,' antwoordde ik, terwijl ik ondertussen zon op een manier om me van haar te ontdoen. 'En het maakt je heel jong.'

'Ja...' gaf ze bescheiden toe, terwijl ze de slappe punten van het zijden sjaaltje schikte dat volstrekt nergens toe diende, ze had het om haar hals gedrapeerd, over een coltrui die mijn dochter naar school had kunnen dragen toen ze twaalf was. 'Nou, hier ben ik dan. Zeg maar wat ik moet doen…'

'Luister eens…' zei ik, terwijl ik eindelijk van mijn stoel kwam, mijn lippen geplooid in een stralende glimlach, 'ik ben bang dat je werkschema iets gewijzigd is. Wacht hier eventjes, wil je? Dan ga ik navragen hoe het precies zit. Je kunt die foto's wel even bekijken,' voegde ik eraan toe, al bijna op de drempel, terwijl ik vaag in de richting van mijn bureau gebaarde, 'dan krijg je alvast een beetje een idee…'

Ik had nauwelijks een stap in de gang gezet of ik realiseerde me dat hij in te grote mate op de sombere gang van altijd leek, maar de vissenkom was vlakbij, en mijn voeten snelden voort terwijl ik in stilte bad dat ik Marisa op een gunstig moment zou treffen. Om een of andere duistere reden die niemand nog had kunnen ontdekken was ze de laatste tijd heel zenuwachtig en als in zichzelf gekeerd, afwezig zelfs soms, een eigenaardige gemoedsgesteldheid voor iemand die alleen over zichzelf praatte om zich te beklagen over de monotone voorspelbaarheid van haar leven, de sleur van almaar dezelfde dagen die nauwelijks van elkaar gescheiden werden door het opgaan en ondergaan van de zon. Het was niet de beste tijd om haar om zo'n gunst te vragen, maar ik had geen keus. Rosa, die bekneld zat in haar eigen uitzichtloze passie, zou ongetwijfeld niet erg veel sympathie kunnen opbrengen voor mijn geval. En met Fran heeft nog nooit iemand over privé-aangelegenheden durven praten.

Ik had geen geluk. Nog voor ik bij de vissenkom was hoorde ik haar al schreeuwen, de nieuwste methode waartoe ze tegenwoordig haar toevlucht nam om problemen op te lossen, en dat waren er, dat moet gezegd, een heleboel, want Ramón en zij hadden de status van een soort wijze tovenaars verworven die wonderen konden verrichten en tot wie iedere werknemer van iedere afdeling zich wendde als de machines op hol sloegen.

'Wat is er aan de hand?' zei ze toen ze me zag, bij wijze van begroeting, en ik duimde voor mezelf.

'Marisa, alsjeblieft, ik moet even met je praten,' mompelde ik, terwijl ik een angstige blik wierp op de volledig ontmantelde computer die op haar bureau lag, om me onmiddellijk daarna te troosten, toen ik besefte dat het de hare niet was. 'Het is dringend…'

'Ook al?' vroeg ze met een geschrokken gezicht. 'Wat een maandag, godallemachtig, wat een maandag…! Je hebt na-atuurlijk weer onmogelijke pa-arameters ingevoerd in Photoshop, hè?, als ik het niet dacht. En nou zit het systeem zeker vast? Uiteraard. Hoe vaak heb ik je nou al niet gezegd dat een scanner geen koffiezetappa-araat is, daar moet je voorzichtig mee omgaan…'

'Nee nee, dat is het niet…' Ik trok letterlijk aan haar arm om haar mee te tronen naar een hoekje. 'Met mijn scanner is niks aan de hand. Althans, vooralsnog…' voegde ik eraan toe bij de gedachte dat Mari Pili nu al een tijdje op haar gemak in de zaken op mijn bureau zat rond te neuzen. 'Maar met mij wel…'

'Wat is er, vertel eens?' zei ze onmiddellijk, alsof ze al uren op me zat te wachten.

'Nou, eh… Dit weekeinde is me iets onvoorstelbaars overkomen, iets fantastisch…' Ik haalde adem en knalde het er in één keer uit. 'Ik ben verliefd geworden.'

'Wat?' stelde ze opnieuw een vraag terwijl ze me aankeek met een ge-zicht dat ze ook zou hebben getrokken als ik haar zojuist had meegedeeld dat ik kanker had.

'Ik ben verliefd geworden.'

'Op een man?'

'Nee, op de barokkunst… Wat denk je?'

'Maar… jij?' Ze stond volkomen paf. 'Gewoon pa-atsboem?'

'Gewoon patsboem.'

'Kutterdekut!' Ze zweeg, alsof ze mijn woorden rustig moest herkau-wen, en plotseling begon ze te lachen. 'Kutterdekutterdekutterdekut!'

'Ja,' beaamde ik, zonder het te kunnen voorkomen, terwijl ik ook moest lachen, 'dat had er eerlijk gezegd wel iets mee te maken…'

'Ho, n-nee, ik wil het niet horen!' gilde ze, terwijl ze de rug van haar rechterhand tegen haar voorhoofd legde alsof ze op het punt stond flauw te vallen. 'Ik wil het n-niet horen. Godverdommese vuile klotetrut, sm-merige geluksvogel…!'

'Noem me maar wat je wilt, maar probeer je even in mij te verplaatsen.'

'N-niets liever dan dat.'

'Nee, echt… Mari Pili zit in mijn kamer op me te wachten en ik kan haar niet op sleeptouw nemen, Marisa, ik kan het niet, ik zweer je dat ik het niet kan, niet vandaag, niet deze week… Ruil alsjeblieft met me, neem jij haar deze week in ruil voor de eerstvolgende week dat het jouw beurt is en ik zal je tot op het uur van mijn dood dankbaar zijn, ik zal je slavin zijn, ik zal alles doen wat je wilt, ik zweer het je, echt waar… Het is veel te lang geleden dat ik met m'n hoofd in de wolken liep. En ik wil niet zo snel weer op aarde terugkeren, dat wil ik niet, ik kan het niet, het zou niet eerlijk zijn.'

'Maar ze heeft vorige week met mij m-meegelopen. Dat zal een ra-are indruk maken…'

'Zeg dan tegen Fran dat ze erg vooruit is gegaan, dat ze echt aanleg heeft voor informatica…'

'Maar ze is zo stom als het achtereind van een varken.' Ze reageerde op mijn suggestie alsof ik haar een mop had verteld. 'En dat weet Fran maar al te goed, het is haar schoonzus. Da-at gelooft ze nooit.'

'Nou, zeg haar dan dat je het deze week ontzettend druk hebt en dat je een hulpje goed kan gebruiken…'

'Dat gelooft ze ook nooit, maar…' Ze zweeg even en keek omhoog, alleen door haar ogen te bewegen, alsof ze nog nadacht over iets waarvan ik wist dat ze er allang een beslissing over had genomen. 'Oké. Ik za-al Mari Pili op sleeptouw nemen… onder één voorwaarde.'

'Wat je maar wilt, dat heb ik je al gezegd.'

'Je moet het me vertellen. A-alles. Zo snel mogelijk.'

'Natuurlijk.' Ik had al rekening gehouden met zo'n soort onvermijdelijke tol. 'Onder de lunch, is dat goed?'

'Prima. En nog iets, om de eetlust va-ast op te wekken… Ken ik hem?'

'Hem?'

'Nee, m-m'n vader…'

'Ja, je kent hem.'

'En wie is het?'

Mijn eerste reactie was een zenuwachtige lachbui. Vervolgens probeerde ik nog wat tijd te winnen.

'Je gelooft het vast niet.'

'Hoe kom je daar nou bij?! Zo la-angzamerhand geloof ik alles wat ze me vert…'

Oké, eigen schuld, zei ik bij mezelf voor ik haar abrupt onderbrak.

'Javier Álvarez.'

'Wat?!'

Als ik haar had opgebiecht dat ik zojuist met God naar bed was geweest hadden haar ogen dezelfde pure verbijstering uitgestraald, maar geen zweempje meer dan waar ik op dat moment getuige van was. Daarna wreef ze met twee handen over haar gezicht, als om zich voor te bereiden op wat nog komen ging, en ik herinnerde haar hardop aan mijn waarschuwing om aan te geven dat ik haar verbazing, ondanks alles, heel goed begreep.

'Ik zei toch dat je het niet zou geloven…'

'Maar meen je het echt?'

'Ik heb nog nooit van mijn leven iets zo echt gemeend.'

'Ja-avier Álvarez... De enige die ik ken, de accurate auteur dus...'

'Ja, die.'

'Kutterdekut...!' en ze keek me aan alsof we alle twee volslagen gek waren geworden. 'Stuur mij dat stomme varken maar, vooruit, straks doe ik nog goeie za-aken ook...'

'Hartstikke bedankt, Marisa.' Ik gaf haar twee klapzoenen om de afspraak te bezegelen.

'Geen da-ank,' hield ze me voor. 'Ik verwacht je rond lunchtijd.'

Mari Pili deed alsof ze het allemaal begreep en accepteerde de gewijzigde plannen zonder morren. Ik liep met haar mee naar de deur met een gevoel van enorme opluchting, al had haar interruptie het wonder van die ochtend al onherroepelijk verstoord, want het simpele feit dat ik Marisa had moeten vertellen wat er gebeurd was, hoe summier ons gesprek ook geweest was, had een duidelijke, genadeloze streep getrokken in mijn vage tijdsbesef, en mijn geschiedenis met Javier, die zich nog altijd in het heden had afgespeeld tot het moment waarop de schoonzus van Fran de deur was binnengelopen, was nu precies dat, een geschiedenis, iets wat in het verleden gebeurd en misschien wel afgerond was, cirkelvormig, voorbij, gewoon een vroegtijdige herinnering. Alleen al als ik daaraan dacht, stokte mijn adem.

Toen hij terugkwam, donderdag tegen lunchtijd, had ik al mijn eerdere zorgen over de toekomst reeds weggewoven en ze geclassificeerd als de ongewenste consequenties van een typisch vrouwelijke neurose en juist daarom niet bij mij passend. Maandagochtend, de aankomst van het vliegtuig uit Santander dat op Barajas een wazige vrouw aan de grond zou zetten, vergezeld van twee al even vage kinderen en een hond die ik veel beter kende, dankzij de accurate fysieke gelijkenis tussen alle exemplaren van zijn soort, leek me een heel ver verschiet, een datum die zo astronomisch ver weg lag dat hij voor hetzelfde geld nooit zou aanbreken. Dat gevoel duurde nog de hele vrijdag, en haalde ook de zaterdag, terwijl ik ieder moment als een geschenk aanvaardde en de maandag zich als een ander einddoel aftekende, een plek om te bereiken, en niet om uiteen te gaan. Zondag daarentegen was ik, misschien wel aangestoken door de intrinsieke droefheid van die dag die altijd in het teken van afscheid staat, wel in staat te begrijpen wat me boven het hoofd hing, en ik waagde het zelfs een indirecte vraag te stellen over zijn meest onmiddellijke toekomstplannen die hij perfect begreep, al gaf hij er de voorkeur aan hem maar half te beantwoorden.

'Trouwens…' onderbrak ik hem, terwijl hij zich er lachend over beklaagde dat hij geen minuut van het lange weekeinde had besteed aan het lezen van een proefschrift in vier delen over de morfologische evolutie van de zuidelijke hoogvlakte, een heel interessant project volgens hem, waarvoor de leescommissie aanstaande donderdag bij elkaar zou komen, 'wat ga je doen met Los Monegros?'

'Oh!' antwoordde hij na een tijdje, 'nou, ze laten liggen waar ze liggen. Ze zullen me niet missen, weet je? Dat is het prettige aan werken met reliëfs, bergen verjaren niet en raken ook niet uit de mode, er is twee- of drieduizend jaar voor nodig om te laat te komen… Maar desalniettemin, aangezien ik helaas niet zo lang zal leven, zal ik er een van de komende weekeinden naar toe moeten, niets aan te doen… Je zou met me mee kunnen gaan. Vanuit een autoraampje lijkt het heel lelijk, maar als je het leert kennen zul je merken dat er geen intenser, authentieker landschap bestaat, geen landschap dat de werkelijkheid van deze planeet beter representeert…' Hij leek zo geëmotioneerd dat ik een glimlach niet kon onderdrukken. 'Echt waar, lach me niet uit. Al die bergen die onophoudelijk van vorm veranderen, die zich plooien naar het water, het ijs, die iedere klimatologische verandering aanvaarden… Het zijn de betrouwbaarste getuigen van de geschiedenis van de aarde, ze herbergen de precieze, methodische sporen van de cycli die elkaar hebben opgevolgd sinds lang voor wij überhaupt bestonden, we verdienen ze niet, echt. Het is iets fabelachtigs…'

'Ik hou meer van de zee,' waagde ik het mijn mening te geven.

'Wat? De vissersdorpjes, de verscholen baaitjes, de eilanden in de Middellandse Zee en zo?' Ik knikte. 'Bah! Al die flauwekul…'

Ik geloof dat dat de enige keer was dat een van ons de mogelijkheid van een latere ontmoeting opperde, en omdat het zijn initiatief was, leek me dat meer dan voldoende. Ik durfde hem niet te zeggen dat ik met hem naar Los Monegros zou gaan, naar een pension in Móstoles of naar het einde van de wereld, waar hij me maar mee naar toe wilde nemen, want hij vermeed het onderwerp net zo behoedzaam als ik, al was het om andere redenen. Ik probeerde niet veeleisend, bezitterig en opdringerig te lijken, om hem te bewijzen dat ik niet tot dat legioen vrouwen behoor die hun lichaam lenen in ruil voor iets – die fantasmagorische rechten gebaseerd op seks –, die uiteindelijk altijd doen alsof hun orgasmes gefingeerd zijn en hun huid van plastic, niet van hen, niet in staat genot te beleven aan de huid van de ander. Hij, en dat was me van begin af aan duidelijk, en van begin af aan was ik hem er dankbaar voor, vermeed het me te behandelen als een liefje, een typische, vaste, voorbeeldige minnares, en hij haastte zich de eerste de beste gelegenheid die zich voordeed te benutten om duidelijk te maken dat hij nooit een relatie met iemand had gehad die in die rol zou passen.

'Weet je waar ik zin in heb?' zei hij donderdag, nadat hij gegeten had en het eten naar behoren had geprezen, en omdat ik niet reageerde gaf hij zichzelf antwoord. 'In een hele lange siësta…'

'Alleen?'

'Nee…' – hij glimlachte – 'met jou. Althans, als je zin hebt om te slapen… Anders laten we het zitten. Ik wil niet dat je een verkeerde indruk van me krijgt, maar ik weet niet precies wat ik moet doen. Dit is nieuw voor me.'

'Dit?' Ik schoot in de lach. 'Wat?'

'Nou, de siësta van de volgende dag… Ik ben een zeer bereidwillige minnaar, maar slechts voor één nacht.'

'Heb je nooit twee nachten achterelkaar met dezelfde vrouw geslapen?' vroeg ik, op zo'n toon dat hem duidelijk moest zijn dat ik er geen woord van geloofde.

'Jawel. Met de mijne.'

'Hou toch op!'

'Ik zweer het.' Ik geloofde het nog steeds niet, maar hij deed zijn best serieus te zijn. 'Ik zal niet beweren dat ik een trouwe echtgenoot ben, want dat ben ik niet, ik geef toe dat ik zelfs heel ontrouw ben, maar ik hou niet van problemen. Ik hoef ze niet zelf op te zoeken om er mijn handen al aan vol te hebben.'

'En ben ik een probleem?'

'Uiteraard,' lachte hij. 'En niet zo zuinig ook.'

Ik had al ontdekt hoe makkelijk hij me van m'n stuk kon brengen met onverwacht openhartige ontboezemingen, maar toch duurde het even voor ik reageerde.

'Weet je?' zei ik alleen maar. 'Ik heb ontzettende slaap.'

'Daar ben ik blij om.'

Vanaf dat moment, en tot hij me die maandag voor de deur van de uitgeverij afzette, op weg naar het vliegveld, gedroegen we ons allebei alsof we niets hadden meegemaakt voor we elkaar kenden, alsof hij niet getrouwd was, alsof ik het niet wist, alsof de wereld onherroepelijk zou ophouden te bestaan na dat weekeinde. Vrijdagochtend kondigde hij aan dat hij even naar buiten ging om de krant te kopen, hij zocht in zijn zakken naar kleingeld en hoewel hij ongeveer driehonderd peseta had, vroeg hij of ik hem er nog tweehonderd kon lenen. Voor ik ze ging halen had ik al begrepen dat hij ging bellen, maar het kwam niet in me op hem te zeggen dat hij ook vanaf mijn toestel kon bellen, omdat ik wist dat hij liever niet wilde dat ik erbij was. Zaterdagmiddag, toen Amanda belde, een beetje bezorgd dat ze, al drie dagen, niks van me hoorde, stond hij onmiddellijk op en zei dat hij even iets te drinken ging halen in de keuken, en hij kwam pas terug toen ik had opgehangen. Op dat moment realiseerde ik me dat het me moeite gekost zou hebben een gewoon gesprek te voeren als hij erbij had gezeten, al kostte het me meer moeite mezelf ervan te overtuigen dat ik liever had gehad dat mijn dochter niet gebeld had.

Toch praatten we veel, en niet alleen over onze jeugd, die zich bijna gelijktijdig had afgespeeld, want hij was nog geen twee jaar ouder dan ik, maar ook over minder verre verledens, waarvan de uitlopers het heden raakten. Toen hij mijn hele geschiedenis met Félix tot het eind toe gehoord had, besloot hij me een paar episoden uit zijn eigen leven te vertellen, onbelangrijke dingen en sommige andere zo belangrijk dat ik er ingespannen naar luisterde, bijna zonder adem te durven halen. Hij kreeg het voor elkaar me te vertellen dat hij genoeg had van het leven met zijn vrouw zonder dat hij ook maar één kwaad woord over haar zei, integendeel, alsof hij haar begreep, haar wilde beschermen, hij spon een web van barmhartige adjectieven rond haar die de meedogenloze werkelijkheid geen moment konden verhullen. Arme Adelaida, zei hij telkens, die arme Adelaida, noemde hij haar, en hij nam in zijn eentje alle schuld op zich, Adelaida begrijpt er niets van, de ziel, het is mijn schuld, ze heeft geen idee, natuurlijk niet, hoe zou ze dat moeten hebben als ik haar al eeuwen niets meer over mezelf vertel, onvoorstelbaar, hè?, nou ja, ze vindt het geweldig mijn vrouw te zijn, ik kan het ook niet helpen, ik begrijp het ook niet, maar het is zo, arme Adelaida, ze heeft een cadeauwinkel, ze zegt dat ze geografie stomvervelend vindt, ik snap niet waarom ze die studie ooit gedaan heeft, alhoewel, toen ik dat hoogleraarschap kreeg was ze veel en veel blijer dan ik, dat wel, en nu heeft ze een hond gekocht, de arme ziel... Uiteraard gaf ik geen moment aan de weerzinwekkende verleiding toe de kant van die arme Adelaida te kiezen. Uiteraard verwachtte hij geen moment dat ik dat zou doen.

We praatten veel, en we neukten veel, zoveel dat ik toen ik weer achter mijn bureau ging zitten nadat ik in de deuropening van de studio afscheid had genomen van Mari Pili, nog steeds het dubbelzinnige gezelschap voelde van duizend spelden, bijna stompe overblijfselen, al tot rust gekomen, van de spierpijn die me de afgelopen uren gedwongen had me bewust te zijn van mijn benen. Tot dat moment had ik die steeds begroet met een heftige steek van voldoening, maar op dat moment, toen ik gedwongen werd de werkelijkheid vanuit andere hoeken te bezien dan vanuit die gecreëerd door mijn eigen verlangen, vroeg ik me veeleer af of hij ooit nog eens echt iets zou betekenen, behalve een intieme, gedempte pijn.

De rest van de ochtend was een ramp. Ik deed absoluut niets meer behalve uit het raam kijken, alsof de bomen me konden horen, alle antwoorden bij voorbaat konden weten, en mijn humeur wiegde zachtjes tussen hun takken als een van de vele blaadjes, een minuscule dosis leven die bezield werd door de wind en die naar believen schommelde tussen euforie, de verleiding herinneringen op te halen vanuit een volkomen onschuld, en de ontgoocheling die voortkwam uit mijn eigen ervaringen. Ondertussen bonkte, als een op hol geslagen hamer, een regel zonder uitzonderingen, een levenslange veroordeling, tussen mijn slapen de enige vraag, dezelfde valstrik als waarin de enkels van Rosa al helemaal ontveld waren geraakt, zo lang zaten ze er al in vast, Rosa, dolgedraaid en volkomen in gedachten verzonken, terwijl ze me hardop vroeg of het mogelijk zou zijn dat hij niet hetzelfde had gevoeld, het eerste voornaamwoord hetzelfde, het tweede anders, in de eerste persoon en veel erger, me uitdagend vanuit de herinnering aan mijn barmhartige ironie van toen. Ik dacht aan wat Javier op dat precieze moment zou doen, geconcentreerd en afwezig tegelijkertijd misschien, en dan glimlachte ik, of apathisch vervallen in het ritme van zijn vroegere bestaan, en dan wilde ik dood. Als ik op dat punt was aangeland reageerde ik, wantrouwde ik mijn eigen gedachten, zo veel dwaasheid opgehoopt in zo'n kleine tijdsrimpeling, en ik nam me voor nergens meer aan te denken, mezelf uit te schakelen, me met geweld te beheersen, maar alles begon weer opnieuw, en op een bepaald moment, ik weet niet meer of ik me in de wolken of in de hel bevond, roffelde Marisa op de deur om haar beloning op te eisen.

Haar komst dwong me af te dalen naar een praktischer niveau, en alleen dat al deed me goed. Ik dacht razendsnel na terwijl we zonder een vast doel door de gang liepen, en overduidelijke risico's negerend besloot ik te opteren voor het bedrijfsrestaurant ondanks het feit dat het nog maar het begin van de maand was. Hoewel Marisa nogal tegensputterde – poeh, niet te geloven, het lijkt wel of de liefde ons gierig maakt – besloot ik te breken met de traditie goed nieuws met een lunch buiten de deur te vieren omdat dat me zekerder leek. Inmiddels wist ik dat Mari Pili ergens met haar man zou zitten eten, dat Fran een afspraak had met de distribu-

teurs en dat Rosa al de hele ochtend in conclaaf zat met een Franse fotograaf die ze wel mee uit eten zou moeten vragen, dus Mesón de Antoñita
en zelfs andere restaurants in de buurt zouden weleens een woud van oren
kunnen zijn.

'Ik vertel het je,' waarschuwde ik Marisa, 'maar mondje dicht, hè? Zelfs
tegen Ramón.'

'Nou ja, zeg!' Ze deed alsof ze zich boos maakte. 'Wa-at denk je wel
niet…'

'Nou ja, voor het geval dat…' besloot ik, terwijl ik achter haar in de rij
voor de zelfbediening ging staan.

Ik vulde mijn dienblad met het eerste wat ik zag staan. Ik had geen zin
om te eten en ook niet om het niet te doen, het was me allemaal om het
even, maar het tafeltje zocht ik behoedzaam uit, in het rustigste hoekje dat
ik kon vinden, en ik ging met mijn gezicht naar de deur zitten, om eventueel gezelschap te zien aankomen. Daarna nam ik een slok wijn en keek
haar aan.

'Ik ben een en al oor,' zei ze.

Ik begon haar het verhaal vanaf het begin te vertellen, en, inmiddels
berustend in mijn onvermogen de lijn van mijn eigen stemmingswisselingen te volgen, de emotionele roes die een soort scheprad aandreef dat in
razende vaart midden in mijn buik rondmaalde, slaagde ik erin iedere
scène moeiteloos opnieuw te beleven, iedere zin, ieder gevoel dat ik me
hardop herinnerde, en ik voelde me veel beter omdat Javier echt bestond,
omdat alles wat ik vertelde daadwerkelijk gebeurd was, en misschien was
dat al genoeg, al zou ik hem nooit meer terugzien. Ik raakte zo enthousiast
dat ik de voorwaarden vergat die ik zelf mijn gesprekspartner had opgelegd, en, wat erger was, hoewel ik tegenover de deur zat, zag ik niemand
binnenkomen, er verscheen niemand in mijn blikveld terwijl Marisa haar
handen overdreven ver uit elkaar hield om een karakteristiek gebaar te
maken, en dat gebeurde precies op het moment dat een bekende stem
vanaf mijn linkerkant mijn oren bereikte.

'Wie heeft er zo'n forse jongen?' Rosa, bedaard en met een glimlach,
zette alsof het de normaalste zaak van de wereld was een dienblad op tafel
en ging naast me zitten, om aan te geven, alsof daar nog enige twijfel over
bestond, dat ze van plan was ons gezelschap te houden.

'Had jij niet een of andere Fransman op bezoek?' vroeg ik met een dun
stemmetje, zonder enig probleem overstemd door Marisa's antwoord, dat
veel stelliger was.

'De accurate auteur.'

'Vast ja.' Rosa knikte zonder een van ons beiden aan te kijken, in beslag genomen door haar gevecht met een geopende fles ketchup die desondanks koppig weigerde ook maar één druppel van zijn inhoud prijs te geven. 'Alle klootzakken hebben een gigantische. Niets aan te doen, zo is het leven…'

'Het is geen klootzak,' mompelde ik, al ben ik er niet zeker van dat mijn woorden een bres konden slaan in de geluidsmuur van klappen waarmee de nieuwkomer de bodem van de glazen fles teisterde. 'En hij is ook niet…' zo gigantisch als die daar beweert, wilde ik er nog aan toevoegen, maar ik hield net op tijd mijn mond. Dat is godverdomme helemaal mooi, dacht ik, even geërgerd alsof Rosa niet hem beledigd had, maar mij.

'En wie is de begunstigde van een dergelijk wonder?' vroeg ze opnieuw, terwijl ze tevreden de brede vloed rood, glanzend, vocht bekeek, dik als nepbloed, die, onstuitbaar nu, over haar frieten stroomde.

Marisa keek me aan, haalde haar schouders op en tuitte gelijktijdig haar lippen, een grimas die bedoelde te zeggen 'het spijt me maar we zijn gesnapt' en tevens 'wat kan het je uiteindelijk ook schelen?', en omdat het me niet lukte antwoord te geven in het uiterst korte tijdsbestek dat ze me bereid was toe te staan, interpreteerde ze mijn zwijgen zelf zoals haar dat het beste uitkwam.

'Deze hier…' – en ze laste even een pauze in om spanning te creëren – 'de onschuld zelve.'

Rosa verslikte zich in een stuk schnitzel, en ik moest haar mijn eigen fles water aanreiken toen ze al bijna leek te stikken.

'Wie?!' vroeg ze, alsof ze er niet helemaal zeker van was dat ze na een heel leven doof te zijn geweest nu haar gehoor terug had, en ik besloot dat het nu wel welletjes was met al die kretologie.

'Ik,' antwoordde ik luid. 'Hoezo? Is daar iets mis mee?'

Toen begon ze te lachen.

'Sodeju! Dat moet inderdaad een accurate zijn…'

'En een gro-ondige,' voegde Marisa daar schaterend aan toe.

Ze kwamen niet meer bij van het lachen, en ze hadden zo veel lol dat ik wel met ze mee moest doen en ook begon te lachen, puur omdat ik zin had om te lachen, tot Rosa haar gezicht weer in de plooi kreeg en haar lippen zich half sloten in een nostalgische, bijna droevige, en wanhopige glimlach. Toen, zwaaiend met een estafettestokje dat niemand haar overhandigd had, pakte Marisa de draad weer op van ons eerdere gesprek.

'Het komt erop neer,' zei ze, zich tot degene wendend die achterliep, 'dat deze hier woensdagmiddag een afspraak had met Ja-avier Álvarez, en hij erop aandrong dat zij hem haar leven zou vertellen, en dat het laat werd, en toen ze opstonden om iets te eten te maken, viel hij voor de koelkast aan, en ze gingen naar bed en hij vree twee keer met d'r, en de volgende ochtend nog een keertje, nou jij weer, met veertig ja-aar schoon aan de haak...'

'Achtendertig,' corrigeerde ik, maar zij sloeg geen acht op die nuancering.

'En vervolgens zei hij dat hij naar Los Monegros moest omdat hij een boek over dat gebied aan het schrijven is, dus het moge duidelijk zijn dat het bij hem een en al accuratesse is wat de klok slaat, maar hij belde onmiddellijk weer en zei tegen A-ana dat als ze hem uitnodigde voor het middageten hij rechtsomkeert zou maken... Daar waren we gebleven. Voor de seksuele details ha-ad je eerder moeten komen...'

'En kwam hij terug?' Rosa keek me aan met dezelfde glans in haar ogen als Amanda toen ze klein was, wanneer die zich, vlak voor het verhaaltje afgelopen was, niet langer kon inhouden en vroeg of de gevangen prinses dood zou gaan of met de prins zou trouwen.

'Ja, hij kwam terug,' antwoordde ik.

'En hij vertrok weer...'

'Vanochtend.'

'Godver!' Ze verborg haar blik even in haar schoot voor ze zichzelf dwong tot een geforceerde glimlach. 'Hartstikke leuk. Hè?'

'Ja...' stemde ik in, voor ik verder vertelde.

Toen ik klaar was had ik de indruk dat mijn verhaal meer had losgemaakt dan ik kon inschatten, want niet alleen Rosa keek op een speciale manier naar me, Marisa was ook zenuwachtig geworden, zo zelfs dat ik haar voor het eerst van mijn leven een sigaret zag opsteken en roken, al inhaleerde ze niet. Ze was vreemd stil, peinzend, en ze keek geen één keer naar me, zelfs niet in mijn richting, terwijl Rosa een absurde reeks vragen op me afvuurde die ze voor zichzelf al beantwoordde voor ik het kon doen.

'Maar, wanneer realiseerde je je dan dat je verliefd op hem was?'

'Meteen.'

'Ja, maar met meteen bedoel je toen je alles op een rijtje kon zetten en erover kon nadenken, toen je weer alleen was, hè?'

'Nou... ik weet het niet precies. Misschien. Maar toen was ik al verliefd op hem, dat weet ik zeker, want ik herinner me dat ik het dacht voor ik in slaap viel.'

'Wanneer?'

'Woensdagnacht.'

'Dat kan niet.'

'Nou… ik denk van wel.'

'Nee!' – ze sprak inmiddels met zo veel vuur of haar leven bij iedere lettergreep op het spel stond – 'want verliefd worden is iets rationeels, een creatie, een bewerking van de realiteit…'

'Nou, bij mij sloeg het toe onder het neuken.'

'Niet waar!' Ze leek woedend. 'Dat kan niet.'

'Jawel' – en ze slaagde erin mij kwaad te maken – 'jezus, Rosa, ik kan het ook niet helpen!'

'Dat komt omdat je het je niet gerealiseerd hebt, omdat je veel geluk hebt gehad en alles heel snel ging, maar neem maar van mij aan dat verliefd worden een heel traag proces is.'

'Soms misschien…' gaf ik toe, zonder dat ik tegen haar durfde zeggen dat het zo langzamerhand welletjes was dat ze alles wat er op welk uur en welke dag en welke plek ter wereld ook gebeurde, probeerde te manipuleren om haar obsessie voor Nacho Huertas te rechtvaardigen.

'Altijd.'

'Geen sprake van.'

Er kwam een abrupt einde aan de discussie toen Marisa besloot op de wereld terug te keren en me de enige vraag te stellen die ik niet kon beantwoorden.

'En wat ga je n-nu doen?'

Ik begreep perfect wat ze bedoelde, maar dat wilde ik niet zo snel toegeven.

'Hoe bedoel je?' murmelde ik.

'Nou, gewoon, heel simpel.' Ze sprak luid en duidelijk. 'Wat ga-a je doen? Ga je hem zoeken, ga je hem negeren, ga je wachten tot hij jou belt, ga-a jij hem bellen?'

'Je komt hem hoe dan ook tegen,' kwam Rosa tussenbeide, 'over tien dagen… Op het feest van de uitgeverij, weet je nog wel? Alle auteurs zijn uitgenodigd. Hij ongetwijfeld ook. En Nacho. Ik hoop dat hij komt…'

Ze kruiste haar vingers terwijl ik voelde hoe de vleugels van een barmhartige engel me moeiteloos optilden tot het plafond van de eetzaal, en ik had haar bijna gezoend alleen maar omdat ze zo'n goed geheugen had terwijl de informatie die ik nooit had mogen vergeten in één klap weer bovenkwam, een jaarlijks terugkerend ritueel, het feest van de uitgeverij, op het dakterras van het gebouw, een paar weken voor de Boekenbeurs, gratis drinken en dansmuziek, het was erg leuk en iedereen kwam altijd, alle auteurs kwamen, altijd...

'Ik zeg het omdat dat het enige is wat werkelijk telt in deze wereld.' Marisa hield aan, haar gezicht plotseling somber. 'En ik kan het weten, want verder heb ik alles. Ik heb een huis, ik heb werk, ik heb een inkomen, ik heb vrije tijd zat, ik zit op het Net, ik ga veel naar de bioscoop, kortom... Maar ik slaap a-alleen 's nachts. En eigenlijk heb je dan helemaal n-niets.'

Haar laatste twee zinnen bleven in de lucht hangen en zweefden als een vreemd soort dreiging boven onze hoofden.

Maar soms lopen de dingen anders.

Ik weet dat het onmogelijk lijkt, dat het ongelooflijk is, maar soms gebeurt het.

13

Als je 's nachts alleen slaapt, heb je eigenlijk helemaal niets.

Nu klinkt deze zin wel goed. Hij klinkt intelligent, bondig en echt, bijna niet passend bij mij, want wanneer ik denk, stotter ik niet, maar een ogenblik na hem onomwonden te hebben uitgesproken, zonder ook maar even stil te hebben gestaan bij de betekenis van elk woord, besefte ik dat ik het nooit, nooit, zelfs niet in de lange gesprekken die ik met mezelf voer, had aangedurfd om de essentie van het leven aldus te definiëren, en die buitengewone opwelling van genialiteit stoorde me meer dan nooit eerder geniaal te zijn geweest. In die tijd had ik de wreedheid al aanvaard van de paradox waaraan ik onderworpen was sinds de hemel besloot mij ineens, abrupt, in één enkele dosis de enige gunst te verlenen die ik jarenlang had durven vragen. De dingen waren eindelijk veranderd, dus, dat was onweerlegbaar, maar mij bleef zelfs niet de troost het vagelijk aan het toeval te wijten, want ik had de teugels daarvan stevig in handen genomen. Ik was het geweest die Forito tegen de gevel van het Ritz had gedrukt. Ik had hem gekust.

Die nacht was de eerste nacht in lange, heel lange tijd die ik niet alleen doorbracht, maar het was ook de eerste nacht die ik bijna slapeloos doorbracht sinds een datum die zelfs nog voor de vooravond lag van die verre terugreis vanuit Tunis. Ik ben een slaapmachine, en toch schuwde de slaap mij minuut na minuut om met een gemeen en tergend geduld steeds langere uren te weven. Ik ben een vrouw zonder intuïtie, en toch ontvouwde die ongewenste wake voor mijn, onverwacht scherpe, in de duisternis geopende ogen de gedetailleerde en zeer nauwkeurige kaart van het tegelijkertijd onmogelijke en alledaagse conflict dat al vele dagen in beslag heeft genomen die opnieuw gelijk zijn geworden, want geen ervan heeft mij toegestaan een uitweg te vinden.

Forito, zo feilloos als de meest onbetekenende van de bijrolspelers wier verborgen talent het lot had gekozen om in hun handen de enige rol te leggen die het definitief kon bevestigen, sliep aan mijn zij met de stille, diepe verlating van een slapend kind. Maar zelfs het gesnurk en gekuch waar ik tevergeefs op wachtte terwijl ik probeerde te wiegen op het precieze ritme van zijn ademhaling, zouden de zaak niet vereenvoudigd hebben, want al mijn andere inschattingen hadden er hopeloos naast gezeten. Langzaam nam ik ze nog eens door, een voor een, terwijl ik, enigszins toegeeflijk voor mijn eigen fouten, een nog beminnelijke ironie tentoonspreidde. De waarheid is dat ik, gedurende de korte tijd waarin ik kon denken, alleen maar dacht dat ik me in al mijn stappen vergiste, dat elke kus, elke omhelzing, elk min of meer bruusk gebaar, min of meer bestudeerd om een verlangen uit te drukken dat nog onduidelijk was, dat alleen naar binnen groeide, niet meer was dan een volgend traject van de lange, doodlopende steeg waarin uiteindelijk de arme droomsters stranden die een alcoholist willen verleiden. En toen ik ten slotte ontdekte dat de enige goede vergelijking de manke vergelijking is, kon ik niet meer denken, want alle alcoholisten zullen wel impotent zijn, maar Forito, die al met al niet zo'n zware alcoholist moest zijn, maakte mij duidelijk dat Fernanda Mendoza, godallemachtig, hoe weinig ze ook van hem had gehouden, echt waar, niet alleen van hem had gehouden om zijn banksaldo.

Ik heb nooit succes gehad bij de mannen, dat is de waarheid, maar het is ook waar, en daar ben ik zeker van, dat ik die keer succes had, want slechts weinig mannen zijn in staat zo te praten, te liefkozen, van iemand te houden als Forito van mij hield, terwijl ik veranderde in de keizerin van het universum, de hoofdpersoon uit een roman, de ster uit een film, een personage waarvan ik gedroomd had tijdens zo veel alleen doorgebrachte weekeinden, op basis van romans en films. En wellicht, als hij een opwindende man was geweest, knap, intelligent, met aanzien, in staat in vier uur tijd drie keer te neuken, zou die gedresseerde manier van mij moppie, engeltje, liefje noemen, zijn trillende verheerlijking van een ouderwetse tederheid, een zo virtuoze uitvoering van de achterhaalde partituur van de Spaanse heer, te veel zijn geweest, maar ik ben nooit naar bed geweest met opwindende mannen, en op dit punt in mijn leven weet ik dat ik dat nooit zal doen. Het probleem is dat ik meer dan genoeg redenen heb om te vermoeden dat ik nooit meer een man als Forito zal ontmoeten. En dat

Forito ondanks alles, hoezeer ik ook, steeds wanneer ik dat denk, van mezelf walg, hoe ellendig ik me ook voel, hoezeer ik me ook schaam dit te erkennen, een probleem voor mij blijft.

Dat was het wat me uit mijn slaap hield. Dat en nadenken over mezelf, nadenken over hem, terwijl ik de volgende ochtend door de gangen van de uitgeverij liep, de aardige en nutteloze dronkaard, die stotteraarster van de computers, op ieder potje past een dekseltje, zou een of andere grapjas zeggen, en ik dacht aan de woorden van Ramón, wij zijn verliezers, Marisa, wij winnen nooit de loterij, geen enkele loterij, en toch, als Ramón met me naar bed had gewild, had ik me gevleid gevoeld, maar hij wilde niet, en ik had deze man gewild, die een seconde nadat hij op de rand van het bed was gaan zitten het licht had uitgedaan om zich in het donker uit te kleden, wat mij in de gelegenheid had gesteld hem aan de andere kant van de matras na te doen, en voor niets ter wereld had ik gewild dat hij me naakt zou zien, mijn romp van een oud kind, mijn heupen van een onechte matrone, die onrechtvaardige, immense kont, en mijn lelijke huid, blank, maar niet van porselein, voor niets ter wereld had ik hem mijn wonden laten zien, en toch kan ik hem juist dat het moeilijkst vergeven, dat hij me met dat onschuldige gebaar bij zijn eigen medelijden betrok, dat hij mijn armzaligheid op voorhand aanvaardde en samenvoegde met gelijke delen van de zijne, dat hij, toen alles nog moest beginnen, toen het nog niet nodig was, aan de lichtschakelaar bekende dat hij en ik niet meer waren dan verliezers. Als ik zijn lichaam had kunnen bekijken, dat minuscule skelet van vel en been dat ik niet waagde hem verraderlijk te ontstelen, terwijl hij sliep, zou mijn geheugen misschien een onaangenamer herinnering herbergen van die nacht waarin ik nauwelijks zijn handen leerde kennen, mager en lang, warm, en zijn mond van cognac, zoet en aanhoudend, en zijn onvoorziene geslacht, zelfverzekerd en geduldig, maar nu, nu ik dit lichaam zo goed ken dat ik mijn ogen maar hoef te sluiten om het te zien, blijf ik de minimale stoutmoedigheid missen die wellicht niet meer had gedaan dan de zaken verergeren.

Ik herinner me zelfs niet wanneer ik voor het laatst over zulke krachtige redenen beschikte om mezelf te begrijpen, en toch weet ik dat ik mezelf nooit minder heb begrepen dan nu, want nooit heeft het bewustzijn van wat ik ben een zo hoge tol geëist, nooit heeft een zo diepe houw mij zo zuiver in tweeën gespleten. Want het is onrechtvaardig, het is verachtelijk en het is verschrikkelijk, maar het kost me heel veel moeite om te accepteren dat de man van mijn leven uiteindelijk Carpóforo Menéndez zal heten, een zo belachelijke naam, en toch weet ik dat ik niets beters zal tegenkomen, en je eigenlijk helemaal niets hebt als je 's nachts alleen slaapt, en wat me het meest pijn doet, wat me tot in het duisterste hoekje van de huid van mijn ziel beschaamt, is dat ik alleen door te denken wat ik denk, alleen door te voelen wat ik voel, weet dat ik hem onwaardig ben, en toch kan ik niets doen om het te voorkomen.

Ik vervloek Alejandra Escobar, vrouw van de wereld, schepster van waanideeën in andermans hoofd, maar ik weet ook dat Alejandra Escobar nooit heeft bestaan.

Ik redde die brochure uit de berg post die zich sinds de dag waarop mijn moeder overleden was op het haltafeltje had opgehoopt. Een paar weken na de begrafenis, toen ik mezelf de verplichting oplegde om orde in haar papieren te brengen, werd ik verrast door die foto van een palmen- strand die ik had kunnen zweren nooit eerder te hebben gezien, en door de naam die op het etiket gedrukt stond, die niet de mijne was, maar die van een andere María Luisa, die altijd in het appartement boven heeft gewoond en die ik nooit als zo'n wereldreizigster had gezien. Daarom bladerde ik hem door, en omdat ik geïntrigeerd werd door het sobere op- schrift dat als een kunstmatig eiland aan de blauwe horizon dreef van een wonderbaarlijk valse zee, zo intens van kleur dat ze geschilderd leek met gouache. Club Méditerranée, las ik. Maar in die tijd ging ik niet voor luxe.

Een paar maanden later, echter, toen een aantal bezoeken aan de notaris en een mutatie van een aantal nullen op het afschrift van mijn bankreke- ning me er eindelijk van hadden overtuigd dat ik tamelijk rijk was, deed nu precies de belofte van een luxe die ineens heel redelijk leek mij beslui- ten mijn eigen exemplaar te bemachtigen. Ik stond voor de eerste echte vakantie van mijn leven, een hele maand voor mezelf, zonder verant- woordelijkheden, zonder gevoelens van wroeging, zonder de hardnekkig gekweekte noodzaak om, het ergste vrezend, elke dag naar Madrid te bel- len, om inderdaad zo ongeveer het ergste aan de andere kant van de lijn aan te treffen, de zuchten van mijn moeder, haar doffe, klagerige stem, wanneer kom je terug, die verpleegster heeft een hekel aan me, blijf niet zo lang weg, alsjeblieft, ik kan elke dag doodgaan... Tot op dat moment had ik me altijd laten verleiden door afstand, zo ver mogelijk weg voor zo weinig mogelijk geld, maar ik had genoeg van goedkope vakanties, van exotische reisprogramma's voor verrassende prijzen die dat uiteindelijk nooit echt bleken te zijn, van gevaarlijke expedities die je nooit kon on- dernemen zonder handdoeken, insectenverdelger en alcohol om de bad- kuip te desinfecteren, waarbij ik door mijn leeftijd elk jaar meer losraakte van de groepsgeest, want ik wist nooit iemand over te halen om met me mee te gaan en mijn toevallige reisgenoten waren nauwelijks aan de universiteit toe, elk jaar jonger, elk jaar meer in groepsverband en meer geneigd mij te behandelen met de zorg die gereserveerd wordt voor een volwassen, alleenstaande vrouw. Daarom dacht ik dat ik misschien wel een discreet laagje glamour verdiende, een palmenstrand, een eigen bungalow, cocktails in ananasschil, avondamusement, waterskiën, zon, kreeft, en een paar nieuwe omslagdoeken. Op het kantoor van de club – want dit is veel meer dan een reisbureau, werd me onmiddellijk na binnenkomst uitgelegd – werd ik over andere bijzonderheden geïnformeerd die mij overtuigden. Het maakte niet uit dat ik alleen zou reizen, want dat was veel gemakkelijker om vriendschap te sluiten. De maaltijden werden geserveerd aan tafels voor acht personen, en vrijwel elke avond werden er dansen, wedstrijden, barbecues en allerlei andere vormen van vertier georganiseerd. Onze klanten, zei de hostess, behoren economisch gezien tot de hogere middenklasse, veel mensen uit de vrije beroepen, managers, hogere functionarissen, ontwikkelde mensen in het algemeen, hoogstaand, en ontspanning is verzekerd. De mogelijkheden, van toeristische uitstapjes tot languit lezen in de zon, zijn oneindig, verzekerde ze mij, en worden volledig bepaald door de individuele wensen.

Ik koos Hammamet, een club van de organisatie die gelegen was aan de kust bij Tunis, wegens het klimaat, het strand, en de schoonheid van de plaats, die op de foto's te zien was, en ik werd in geen van deze dingen teleurgesteld. Ik genoot van het dorp, dat prachtig was, mijn bungalow, die op een poppenhuis leek, het strand, dat schitterend was, de cocktails, die geserveerd werden in de voorspelbare exotische houders, en zelfs van de vergissing van onze Belgische reisleidster, die mij voorzag van de naam van en de herinnering aan Alejandra Escobar. Het niveau van het gezelschap oversteeg echter nauwelijks dat van de jonge rugzaktoeristen, die per slot van rekening altijd heel aardig waren en me voortdurend uitnodigden om stickies met ze te roken, een detail dat een flinke bijdrage leverde aan het verbeteren van mijn humeur tijdens de tweede helft van die waanzinnige reizen, die ik verder doorbracht met lachen en aan één stuk door koekjes eten. De drugs die mijn nieuwe buren stimuleerden waren van geheel andere aard. Aan tafel zaten, links van mij, twee Spanjaarden, een echtpaar, die zo onuitstaanbaar waren dat ik de eerste dag al blij was dat niemand van de andere tafelgenoten onze taal beheerste om me niet meer te hoeven schamen dan het hoogst noodzakelijke. Hij plakte zijn haar zelfs op zijn hoofd als hij naar het strand ging en gedroeg zich alsof

hij de baas van de wereld was, terwijl hij theaterdirecteur was in een wat
obscure provinciehoofdstad, echt waar, en zich gedroeg alsof Broadway
nog te klein voor hem was. Zijn vrouw zwoer dat ze op jongere leeftijd
actrice was geweest en was zeer verbaasd dat ik me haar naam noch haar
gezicht herinnerde, vooral omdat we van dezelfde leeftijd waren, zoals ze
ten slotte zichtbaar loog. Nu hield ze zich bezig met astrologie, een gegeven dat haar vriendschap bevorderde met de vrouwelijke helft van een
stel Fransen, die net zo onuitstaanbaar waren als zij en tegenover hen zaten. Deze explosieve Spaans-Franse alliantie deelde de tafel gelukkig in
tweeën, waardoor ik alleen bleef met twee Italianen van tegen de dertig
en een Welshman die al tegen de zestig was.

Guido en Carlo waren heel knap en leken veel op elkaar. Ze hadden
dezelfde lengte, ongeveer één meter tachtig, dezelfde haarcoupe, bijna
militaire stekeltjes, hetzelfde goed verzorgde lichaam, waar liefdevol aan
gewerkt was in een sportschool tot het verstandige punt waarop dit detail
niet meer te verbergen zou zijn, en dezelfde uitstekende smaak wat kleding betreft; ze werkten allebei bij de Italiaanse vestiging van dezelfde
softwarefabrikant, een multinational die ik goed kende. Maar als deze omstandigheid niet vanaf de eerste dag tot een schilderachtige conversatie in
twee talen had geleid, had ik uiteindelijk wel over iets anders met ze gepraat, want ze waren bijzonder sympathiek, hoffelijk en grappig, hoewel
ze daar nu niet direct heen waren gegaan om vrienden op te doen. Ze
hadden elkaar en dat was genoeg, en dat ging zo ver dat ik ze alleen tijdens
de maaltijden zag, of liever gezegd, tijdens de avondmaaltijd. 's Morgens
gingen ze naar een nudistenstrand dat behoorlijk ver weg was – zo'n veertig minuten lopen door de duinen – en ze kwamen pas aan het eind van
de middag terug. 's Avonds, onmiddellijk na het dessert, sloten ze zich op
in hun bungalow en lieten zich niet meer zien tot de volgende ochtend
aan het ontbijt. Dans en vertier hadden ze niet nodig, want niemand vermaakte zich zo als zij.

Jonah, daarentegen, was nogal somber gezelschap, hoewel hij nog het
meest in de buurt kwam van een vriend die ik daar wist te maken. Hij was
een typisch voorbeeld van een man die het zelf had gemaakt; op jonge
leeftijd begonnen als mijnwerker was hij, zoals hij me in een onzeker
Spaans uitlegde, doordat hij altijd de beste was, aan de top gekomen. Maar
toen hij ten slotte tot directeur van de mijn werd benoemd, en echt geld
begon te verdienen, was bij zijn vrouw vergevorderde cirrose geconsta-
teerd. Hij was vijf jaar daarvoor weduwnaar geworden en sinds die tijd
was zijn vrije tijd het grote drama van zijn leven. Zijn kinderen hadden

hem letterlijk gedwongen naar Tunis te gaan, maar hij kon er maar geen plezier in krijgen doordat alles wat hij deed, elke hap die hij nam, elke druppel die hij dronk hem aan zijn arme Meg deden denken. Meg zou hiervan genoten hebben, was zijn favoriete opmerking, zelfs toen hij me had overgehaald een spelletje domino met hem te spelen. Ik luisterde naar hem met rouwogen terwijl ik slechts aan twee dingen dacht, hoe leuk ik het had gevonden om de Tibetaanse kloosters te ontwaren door een dichte wolk van hasjrook, en dat ik op een dag waarop ze dit het minst zouden verwachten heimelijk de Italianen naar hun nudistenstrand zou volgen om ze te bespieden en groen van afgunst te worden, en me een beetje te ver-maken, ik ook, ook al was het dan van afstand. En als Said niet was ver-schenen, had ik dat risico denk ik ook genomen.

Maar Said verscheen, onverwacht, op de vrijdag van de eerste week die ik daar doorbracht, een krankzinnige avond, net als de vijf die aan deze vooraf waren gegaan, barbecue met bal en stoelendans, en een massa vol-wassen mensen zonder gevoel voor het belachelijke die daar liepen rond te huppen en dronken werden op één glas. Ik zat wat afgezonderd, met Guido en Carlo, die bij uitzondering een whisky hadden besteld voordat ze ervandoor zouden gaan, en zij zagen hem het eerst, een witte vlek op de achtergrond, tussen de struiken die het zwembad afbakenden, en aan-vankelijk merkte ik alleen dat ze lachten, dat ze elkaar met hun ellebogen aanstootten en elkaar ineens omhelsden, een echte, innige omhelzing, ik had ze elkaar nog nooit zien omhelzen, en Guido, de sterkste, dwong Carlo zich om te draaien om mij over zijn schouder heen te kunnen aan-kijken, en hij zei iets tegen me wat ik niet begreep maar wat me dwong om wat beter te letten op wat er gebeurde, en pas toen zag ik hem, een jonge man, donker, die een paar stappen dichterbij was gekomen zodat ik hem zou zien, en hij keek me uit de verte aan, en glimlachte, en plotseling begreep ik alles hoewel ik geen Italiaans sprak, en ik vermoedde dat zij hem het eerst hadden gezien en dat ze hem leuk hadden gevonden, en dat ze een kleine komedie hadden opgevoerd, gedaan hadden alsof ze jaloers waren, tot ze zich hadden gerealiseerd dat hij naar mij keek, niet naar hen, en ze verwachtten dat ik iets zou doen, maar ik wist niet wat ik moest doen, ik bleef onbeweeglijk zitten, als geworteld in het gras, en ik kreeg geen tijd om over een beweging na te denken, want Guido liet Carlo los, kwam naar me toe en gaf me lachend een duw, 'dai, Alessandra,' zei hij alleen, en ik begon te lopen, als een pop die net is opgewonden.

'Goedenavond,' begroette de onbekende mij in het Spaans.

'Dag,' antwoordde ik, in het schemerdonker zijn donkere, schitterende ogen en zijn parelwitte tanden onderscheidend. 'Waarom kijk je naar me?'

Hij begon te lachen en zwaaide met zijn handen door de lucht om mij duidelijk te maken dat hij, afgezien van de bekende begroetingsformule, geen Spaans sprak, en ik herhaalde de vraag in het Frans, terwijl ik het waagde om hem wat aandachtiger en een ietsje vrijpostiger te bekijken, waardoor ik ontdekte dat de Italianen zich niet hadden vergist. Het was inderdaad een knappe jongen, niet zo lang, maar langer dan ik, niet zo jong, maar veel jonger dan ik, met een huid die donker was, maar glansde als een spiegel, krullend haar, mooie handen en het lichaam van een groot kind onder een wit, wijd, bijna volledig openstaand overhemd en een witte, schone, eerder strakke dan nauwsluitende broek.

'Je lijkt je te vervelen,' antwoordde hij ten slotte, in een Frans dat heel wat beter was dan het mijne, 'en dat vind ik niet leuk. Wij moeten erop toezien dat niemand zich verveelt.'

'Werk je hier?' vroeg ik hem, niet zozeer verrast doordat ik hem niet eerder had gezien als wel door de behoedzaamheid waarmee hij zijn schuilplaats achter de haag had verlaten, een detail dat mij op de gedachte bracht dat hij naar binnen was geglipt door over het hek te springen.

'Natuurlijk, ik ben verantwoordelijk voor dit alles...' Met gestrekte wijsvinger maakte hij een rondgaand gebaar dat beoogde alles te omvatten wat ons omringde, en pas toen merkte ik op dat hij op het borstzakje van zijn overhemd een plastic plaatje droeg waarop ik met moeite het woord *Amusement* kon ontcijferen.

'Ah!' riep ik uit, meer voor mijzelf dan voor hem, merkwaardig opgelucht door het feit dat hij daar inderdaad bleek te werken.

'Ik heb op je gelet,' bekende hij, met een verbluffende ongedwongenheid. 'Waarom dans je niet?'

'Omdat niemand me ten dans vraagt.'

'De Engelsman niet?' Ik realiseerde me dat hij Jonah bedoelde en ik begon te lachen. 'Ik heb op je gelet,' herhaalde hij, ook lachend.

'Dat merk ik...'

'Wil je met mij dansen?'

Ik verbood mezelf ten strengste ook maar te denken dat ik nee zou kunnen antwoorden, en ik pakte hem bij zijn pols om hem naar de dansvloer te leiden, maar hij wilde zijn voeten niet van de vloer brengen.

'Nee, niet daar...' zei hij. 'Beter hier. Hier ziet niemand ons.'

Toen ik mijn armen om zijn nek sloeg, een ogenblik voordat ik met hem achter de haag verdween, kon ik Guido en Carlo nog zien, een arm om elkaar heen geslagen en glimlachend, en met hun armen omhoog aan-

moedigende gebaren makend, en plotseling voelde ik me goed, heel zelfverzekerd, overal toe in staat, een onverwachte kracht die meteen daarna
zijn doeltreffendheid bewees, want Said nam me in zijn armen alsof hij
bang was dat ik er vliegend vandoor kon gaan, en hij drukte zijn lichaam
zo tegen het mijne dat hij elke mogelijke beweging van mijn benen be-
lemmerde, en pas daarna begon hij aan een twijfelachtig soort nabootsing
van een dans waarbij hij langzaam zijn middel bewoog op het ritme van
de muziek, die van heel ver kwam, zo ver dat ik het lied niet kon herkennen, een typische langzame ballade uit de jaren zeventig, *Nachten van wit
satijn* misschien, ik weet het niet, ik waardeerde zijn druk en volgde vagelijk de schommeling die zijn geopende handen op mijn lichaam uitoefen-
den, één op het midden van mijn rug, de andere veel lager, behoedzaam
naar beneden glijdend tot hij op mijn achterwerk rustte met een vrijpos-
tigheid die me in verwarring bracht. Toen, alsof een of ander heimelijk
motief ondergeschikt was gemaakt aan die inleidende en essentiële verovering, bewoog hij zijn hoofd en ik dacht dat hij me ging kussen, maar
hij deed het tegenovergestelde, want hij bewoog zijn gezicht weg van het
mijne, alsof hij me wilde aankijken, en bracht, zonder mijn achterste los
te laten, zijn andere hand naar mijn hoofd om het heel langzaam te strelen.

'Je hebt heel mooi haar,' fluisterde hij, 'blond, blond...'

Daarna kuste hij me inderdaad, en hij deed het zoals niemand mij had
gekust sinds ik veertien was, gespannen, gehaast, met een geweldige onbeholpenheid, zijn tong drukte tegen mijn gehemelte als de vuist van een
wanhopige drenkeling, mijn eigen tong terugdringend tot deze geen plekje meer had om zich te bergen, tot hij me plotseling te veel was, zoals mijn
tanden me te veel waren, mijn tandvlees, mijn gespannen, nutteloze lippen, mijn hele mond, die niet meer was dan een verlenging van zijn
mond, mijn hele lichaam, dat niet meer was dan een verbaasd voorwendsel voor zijn heftigheid, de drang die mij dwong tot de onontkoombare
onbeweeglijkheid van een wassen beeld. Die onweerstaanbare passiviteit
bracht een vreemde blik in mijn ogen, verspreidde een zeer witte licht-
bron waaronder ik naar mezelf keek met de gematigde en afstandelijke
interesse die die scène zou hebben verdiend als de hoofdpersoon een andere vrouw was geweest, misschien de lelijke blonde toeriste die een week
voor mijn aankomst was gearriveerd, of die andere, die zo op haar lijkt en
ongetwijfeld een week nadat ik vertrokken ben mijn plaats zal innemen.
Ik zag hen zo duidelijk alsof ik ze altijd had gekend, onopvallende biogra-
fieën, een onopvallend uiterlijk, bescheiden ambities, en de bescheiden

elegantie van iemand die voor niemand anders hoeft te zorgen dan zichzelf, altijd gepoetste schoenen draagt en een tas die halfleeg is. Ik wist dat zij zijn favoriete prooien waren, de gemakkelijkste, want hij had mij opgemerkt, wat gemakkelijk was, en toch begreep ik niet goed wat een man als hij daarvoor in ruil kreeg, en op de aardige hypothese dat knappe toeristes nooit alleen reizen, volgde een veel vreselijker vermoeden, zo vreselijk dat ik, voordat ik begreep dat hij me nooit om geld zou durven vragen, want die brutaliteit zou hem zijn baan kunnen kosten, overvallen werd door een gevoel van paniek dat in een oogwenk de kracht van mijn armen verveelvoudigde, zodat ik me nauwelijks hoefde in te spannen om hem van me af te duwen.

Hij stond me met een geamuseerde uitdrukking aan te kijken, alsof hij mij vroeg wat er daarna zou gebeuren, en ik wist het niet, en ik miste zijn warmte, de brutale medeplichtigheid van zijn omhelzing. En toen kwam er plotseling, uit de kelder waarin ik de dingen begraaf waarvan ik niet wil weten dat ik ze weet, een andere verstandige overweging op, die diep was en waar, en ik beluisterde zwijgend mijn eigen stem, een neutrale vraag, onbevooroordeeld, oprecht geïnteresseerd in het krijgen van een antwoord, en waar wil je het geld voor, Marisa, dat zei ik, je bent vijfendertig en je bent alleen, en je bent net zo gek op vrijen als arme kinderen op chocola, en je weet geen kloot te versieren, stommeling, wat wil je nou eigenlijk? Waardigheid, antwoordde ik mezelf timide, en ik vertelde mezelf op te sodemieteren. Daarna strekte ik mijn armen naar hem uit, en ik kuste hem en zei tegen hem in het Spaans, kom, en hij begreep me, maar ook deze keer wilde hij me niet volgen naar mijn domein, en hij trok me in tegenovergestelde richting mee naar een soort magazijn, een rechthoekig gebouw met betonnen muren dat vol stond met allerlei soorten werktuigen en gereedschap en waar, achterin, een kleine kamer was, met een ijzeren bed dat ik, ondanks het feit dat het geheel onbekleed was, vreemd verwelkomend vond.

Toen het allemaal voorbij was, en dat was onmiddellijk, speet het me niet dat ik geluisterd had naar mijn scherpste stem, de duisterste, de stem die het heftigst mijn ware belangen verdedigde. Said was geen goede minnaar, of was in elk geval nooit een goede minnaar voor mij, maar zijn schoonheid, zijn leeftijd, het evenwichtige geheel van attributen waarover hij beschikte, maakten van hem een uniek exemplaar in mijn armzalige verzameling van veroveringen, een jonge en exotische versie van dat soort opwindende mannen waar ik zelfs nooit aan heb durven denken, en waren op een geheimzinnige wijze een compensatie voor zijn onstandvastig-

heid, zijn gehaastheid, en zelfs voor de mechanische desinteresse – zo snel
waren zijn lippen, zijn vingers, bepaalde aangeleerde liefkozingen die mij
er op geen enkel moment van wisten te overtuigen dat mijn genot ook
maar een beetje belangrijk voor hem was – die een mate van onverschilligheid demonstreerde die in het Westen de grens van het onvergeeflijke
overschreden zou hebben, maar die bij hem zo natuurlijk, zo onschuldig
was als ademhalen. Ik vergaf hem moeiteloos zijn zonden terwijl ik me
weer aankleedde, en ik volgde hem zwijgend over de weg die mij terug-
voerde naar mijn bungalow, en ik voelde me lichter, tevredener met mezelf dan ik me, voor zover ik me kon herinneren, in jaren had gevoeld.
Aan de rand van het zwembad nam hij afscheid van mij met een onhoor-
bare kus, en ik wilde niet wachten om hem te zien weglopen. Ik herinner
me nog het heuglijke weerzien met mijn schone lakens, het serene gevoel
waarmee ik afzag van het orgasme dat hij me niet had kunnen bezorgen,
en de heerlijke zwaarte van de slaap, die me omhelsde zodra ik mijn hoofd
op het kussen had gelegd, fysieke tekenen van een zo armzalig, maar zo
belangrijk gebaar voor mij.

Mijn idylle met Said zette zich voort tot het eind van mijn verblijf in
Hammamet, nacht na nacht etappes opeenstapelend die altijd overeen-
kwamen, bijna identiek waren. De dagen verloren hun betekenis tot het
punt waarop ze in een last veranderden, een onvermijdelijke tegenspoed,
de tussentijd waarin ik plotseling afzag van het strand om domino te spelen
met Jonah of op de veranda van mijn bungalow te doen alsof ik las, in de
vage hoop in de verte een glimp op te vangen van hem, terwijl hij bezig
was een motor te vervoeren of met het knippen van een heg. Bij het vallen van de avond begon de echte dag, de tijd van de belangrijke dingen,
de tijd van leven. Een paar uur voor de avondmaaltijd sloot ik me op in de
badkamer om een bad te nemen, mijn gezicht te reinigen en me zo goed
op te maken als ik kan, wat niet veel voorstelt, terwijl ik zorgvuldig nadacht over de kleren die ik aan zou trekken om te gaan eten. Aan tafel
prezen Guido en Carlo, de enigen die deelgenoot waren van mijn geheim,
luidruchtig mijn uiterlijk, maakten grappen, vroegen me om bijzonderheden en werkten op hun manier mee aan mijn euforie. Later verwijderde
ik me onopvallend van het gezelschap en wandelde, wachtend op de verschijning van Said, bij het zwembad rond. En Said verscheen altijd, kwam
altijd op tijd om me mee te nemen naar het ijzeren bed in het gereedschapsgebouw. Hoewel ze voldoende voor me waren, waren onze ont-
moetingen heel kort. We hebben nooit samen geslapen. Hij zei dat hij
terug moest naar huis, in het dorp, en ik heb hem nooit gevraagd waarom,

het kwam zelfs niet in me op om me dat af te vragen, iets wat ik later betreurde want wellicht was datgene wat er gebeurde gemakkelijker voor me geweest als ik de noodzaak had gevoeld mezelf en hem vragen te stellen.

Op vrijdagochtend verscheen hij achter de bar en riep me met een gebaar van zijn wijsvinger. Ik ben vanavond vrij, zei hij tegen me, en ik heb bedacht dat we naar het dorp zouden kunnen gaan, iets drinken, ik kan je alles laten zien en daarna kunnen we vis gaan eten in de bar van een vriend van mij, de echte Arabische keuken, legde hij uit, geen rotzooi... Om zeven uur precies ontmoette ik hem, breed glimlachend, bij een van de zijdeuren van de club, waar een vuile Vespa stond met stationair draaiende motor, een grote deuk boven het achterwiel en overal roestplekken. Een touw, bedoeld om iets vast te binden waarvan ik niet kon zien wat het was, liep diagonaal over het voorste deel en het plastic zadel vertoonde zo veel scheuren dat het leek alsof een psychopaat er met een mes op had ingehakt, maar het was zijn scooter – hij had me er een keer over verteld en leek heel trots op het bezit ervan – en ik had geen reden hem teleur te stellen, dus glimlachte ik ook, zo goed als ik kon, voordat ik achter hem ging zitten en mijn armen stevig om hem heen sloeg omdat ik al vermoedde dat een rit op die rammelkast hetzelfde zou zijn als boven op de haken van een mixer zitten.

We stopten in een gewone straat, niet breed niet smal, voor een rij witgekalkte huizen die wat grootte en uiterlijk betreft op elkaar leken. Said was even bezig om de scooter met een ketting aan een paal vast te leggen, en daarna duwde hij me, zijn handen op mijn schouders, tegen een muur, dicht genoeg bij de scooter om een eventuele dief te ontmoedigen, maar ver genoeg ervandaan om niet door een toevallige voorbijganger in verband te worden gebracht met dat wrak. Daarna trok hij, bij wijze van uitleg, aan het witte overhemd waarin ik hem altijd had gezien: ik ga me omkleden, zei hij, wacht hier. Ik zag hem met zijn James Bond-loopje uit een B-film de straat oversteken en binnengaan in een van die huizen, niet beter of slechter dan de andere, en gedurende een kwartier gebeurde er niets en kwam er nauwelijks iemand voorbij, alleen een paar kinderen die me zonder veel nieuwsgierigheid bekeken en een gesluierde oude vrouw die in zichzelf leek te praten. Het geschreeuw overviel me volkomen, zozeer dat ik niet eens moeite deed om te raden waar het vandaan kwam, maar het werd hoger, frequenter, heftiger, en ik herkende de stem van Said een minuut voor ik hem naar buiten zag komen, zijn haar kammend met een zorgvuldigheid die onverenigbaar was met de woede die in zijn ogen brandde.

Hij droeg een nieuwe spijkerbroek, met een vouw erin geperst, en een zalmkleurig overhemd van Lacoste, waarbij hij vastgegrepen werd door de vrouw die achter hem aan het huis uitkwam, een heel knap meisje, veel knapper dan ik, en heel jong, jonger nog dan hij, die degene was die het hardst schreeuwde, en dat met zo veel vuur deed, zo veel woede, met een zo aan wanhoop grenzende overtuiging, dat ik in eerste instantie de twee kleine kinderen niet zag die met haar naar buiten moesten zijn gekomen om bescherming te zoeken in de schaduw van haar lichaam, en die zich allebei aan de benen van hun moeder vastklemden tot zij hen dwong haar los te laten en ze naar mijn minnaar duwde. Hij reageerde op dat gebaar met een laatste schreeuw, die zo buitensporig woedend was, dat het tot een verschrikkelijk gehuil leidde bij de jongste, een jongetje van ongeveer drie jaar, dat zich op de grond liet vallen, in elkaar kroop, en daar bleef liggen, midden op straat, alsof hij bezweken was onder zijn eigen verdriet. Toen veranderde de houding van Said volledig. Zachtjes pratend, in een ritmisch, bijna muzikaal gefluister, liep hij naar het kind, trok het naar zich toe, drukte het tegen zich aan en wiegde het in zijn armen tot het stil was, zonder ook maar te merken dat de vrouw van deze onderbreking gebruik had gemaakt om het huis weer binnen te gaan en de deur met een klap dicht te gooien. Het meisje, dat weinig ouder was dan haar broertje, draai-de vervolgens haar hoofd om, op zoek naar mij, zonder er ook maar een moment aan te twijfelen dat ik, of een andere vrouw als ik, op dat mo-ment in de buurt moest zijn, en toen ze me zag, bleef ze me strak aankij-ken, met ondoorgrondelijke ogen, intens maar niet opzettelijk vijandig, een steenkoude blik, vermoeid van ouderdom, van weten, maar niettemin nieuwsgierig, de blik van een jong dier, dat een prooi beloert maar op het punt staat achter een vlinder te vluchten. Dat was het detail dat de grootste indruk op me maakte.

Ten slotte kwam Said naar me toe, met het kind nog in zijn armen. Dit zijn mijn kinderen, zei hij alleen, ik moet vanavond bij ze blijven, en ik zei niets, ik vroeg hem niets. Hij had me alleen verteld dat hij achtentwin-tig was en nu in het oude huis van zijn ouders woonde, het huis waarin hij was opgegroeid, maar toen we hadden plaatsgenomen op een toeris-tisch terras, naast het kasteel, voelde hij zich genoodzaakt met een verhaal te komen over de hele gang van zaken, een banaal, voorspelbaar, pathe-tisch verhaal: hij hield niet van zijn vrouw, had nooit van haar gehouden, zijn ouders hadden hem al uitgehuwelijkt toen hij nog een kind was, hij had nooit kunnen kiezen, legde hij me uit in het Frans, terwijl hij stiekem onder de tafel mijn hand drukte, en ik luisterde nauwelijks naar hem, ik wilde alleen maar dat hij zijn mond hield, dat hij ophield met het zeggen van stommiteiten, dat hij zich zou beperken tot een glimlach om die avond niet te bederven, en de volgende avond niet, die de laatste zou zijn. Het jongetje had er al snel genoeg van om ons in het Frans te horen praten en begon heen en weer te hollen over het strand, maar het meisje weigerde van haar stoel op te staan en trotseerde met oneindige kalmte de woede van haar vader. Geknield op haar stoel, met haar ellebogen op de tafel geleund, keek ze me aan zonder ook maar met haar ogen te knipperen, met een vreemde, ongewone blik die voortkwam uit een gelijke mengeling van belangstelling, vermoeidheid en wantrouwen. Ik mocht haar, dat meisje, ik voelde haar heel dicht bij me. Ik veronderstelde dat haar moeder haar had opgedragen om mij in de gaten te houden en ik begreep haar, en ik begreep ook die woedende vrouw die mij nu wel dood moest wensen. Dat was de reden waarom ik, toen Said zijn hand opstak om de ober te roepen, en opnieuw weigerde zijn dochter het ijsje te geven waarom ze had gevraagd, dat ze al een paar keer had geëist, op een hoge, vastbesloten toon in een taal die ik niet verstond, aanbood haar te trakteren, een kaart vroeg, deze aan haar liet zien, met gebaren aan haar duidelijk maakte dat ze het ijsje moest kiezen dat ze wilde, maar ze verwaardigde zich zelfs niet om ook maar te kijken naar de kaart die ik haar vergeefs voorhield. Ze was niet bereid mij toe te staan haar op iets te trakteren, en toen ik dat begreep, realiseerde ik me dat ik haar nog meer mocht dan tevoren.

Die avond ging ik in het gereedschapsgebouw met Said naar bed alsof er niets was gebeurd, en toch ben ik dat meisje nooit vergeten, ben haar vader nooit vergeten, ondanks de banaliteit van die geschiedenis, ondanks de bitterheid van dat onmogelijke ijsje, nooit, en ik weet niet waarom, ik begrijp het eerlijk gezegd niet, maar nog steeds denk ik zo nu en dan, op het meest onverwachte moment, aan de dochter van Said, denk ik aan haar vader.

De glimlachende, donkere, tot spleetjes geknepen ogen van Said keken me ook die ochtend aan, tot ik besloot ze te verjagen door mijn eigen ogen te openen. Forito sliep nog. Hij lag op zijn rechterzij en werd bijna helemaal bedekt door het laken, waardoor ik nauwelijks zijn nek kon zien, het dun wordende, witachtige haar op zijn schedel, het hoofd van een oude man, zei ik bij mezelf, voordat ik mezelf met kracht de onvergeeflijke opwelling verweet die me slechts enkele uren daarvoor in zijn armen had gedreven. Vastbesloten zo snel mogelijk het fabelachtige territorium terug te veroveren dat Alejandra Escobar in één enkele nacht had afgestaan

aan de werkelijkheid, stond ik haastig op, waarbij ik mijn twee voeten gelijktijdig op de vloer zette als een innerlijke belofte van vastberadenheid, maar toen ik om het bed heen liep om de gordijnen te openen, de inspanning om een nieuwe en andere dag in te wijden – vrij van de herinnering aan de voorgaande nacht – overlatend aan het zonlicht, zag ik de schoenen die Forito uiterst zorgvuldig aan het voeteneind van het bed had neergezet voordat hij erin was gekropen, de ene naast de andere en beide perfect op één lijn, met de bijbehorende sok erin, als de schoenen van een kind dat is gaan slapen in de verwachting van de komst van de Drie Koningen, en ik bezweek onvoorwaardelijk voor de aandoenlijkheid van dat object: een paar bruine schoenen, bijna gestorven van ouderdom, op het punt bij de naden open te barsten. Precies op dat moment opende hij zijn ogen, en ik glimlachte tegen hem zonder me er echt bewust van te zijn dat ik dat wilde doen. Zijn glimlach bracht me echter het beste terug van de voorgaande nacht: een attente, tedere en zelfverzekerde minnaar, bijna het beste wat ik ooit had kunnen verlangen.

'Goeiemorgen,' groette hij me met zijn schorre stem, waarbij hij me met zijn hand uitnodigde om op de rand van het bed te gaan zitten, en ik wenste dat hij iets stoms zou doen, iets verkeerds zou zeggen, dat hij voor mij zou beslissen, dat hij zich op eigen kracht uit mijn leven zou verwijderen, maar hij nam een van mijn handen in de zijne, streelde hem met lichte vingers en glimlachte weer, verlegen. 'Hoe voel je je?'

'Goed,' zei ik, en ik boog mijn hoofd om de confrontatie met zijn glanzende ogen uit de weg te gaan. 'M-maar ik ga het ontbijt maken, anders komen we te laat op het werk…'

Toen ik hem de keuken zag binnenkomen, net zo elegant als ik hem had ontmoet in de bar van het Ritz, het pak van grof linnen, het roze overhemd, de gele stropdas met de kleine motiefjes, verbaasde ik me over de manier waarop iemand kan opknappen, als het niet door geluk is, dan in elk geval door gelukkig toeval, en terwijl ik de koffie inschonk, zonder me bewust te zijn van het bijzonder intieme karakter van die handeling voordat ik eraan begonnen was, bedacht ik dat er misschien een eind was gekomen aan mijn kerstdagen alleen, mijn vakanties alleen, mijn verjaardagen alleen, en ik voelde iets nieuws, iets vreemds, alsof binnen in mijn borst een spons groeide die zich zonder ophouden uitzette, alsof mijn lichaam gevuld werd met een ander lichaam van gewichtloze watten, een plezierige parasiet die het helemaal verslond en in ruil daarvoor een merkwaardige rust voortbracht. Desondanks veranderde ik nog geen komma van het betoog dat ik in mijn eentje had voorbereid, waarbij ik mijn aandacht schijnbaar verdeelde tussen het koffiezetapparaat en de broodrooster.

'Luister, Foro…' begon ik, terwijl ik de kruimels met mijn wijsvinger naar een hoek van de tafel veegde, en zonder hem te durven aankijken maar vastbesloten hem nooit meer Forito te noemen, 'ik denk dat het beter is dat je hier op de uitgeverij niets over vertelt, weet je, want de mensen… nou ja, je weet wel hoe dat gaat, en het zou niet zo leuk zijn als ze grappen over ons gingen m-maken, goed, dat is wat ik…'

'Zoals je wilt,' zei hij, en ik keek hem eindelijk aan, en ik zag dat hij tegen me glimlachte, en daardoor begon ik me heel nerveus te voelen.

'Goed, ik bedoel n-nu, vandaag, m-morgen… Want er is per slot van rekening ook n-niets gebeurd… nog niet, bedoel ik, ik weet niet, ik wil n-niet dat je denkt dat ik… Kortom, ik weet niet wat jij ervan vindt, maar ik denk dat het beter is dat niemand het weet… Op dit m-moment in elk geval… Lijkt m-me…'

'Natuurlijk, wat je maar wilt,' herhaalde hij, net zo breed glimlachend als tevoren, en ik besefte dat mijn slechte geweten me een gemene streek leverde.

In het portaal gingen we uit elkaar, want hij wilde nog langs zijn huis om een paar foto's op te halen, en ik stapte helemaal in de war in de bus. Toen ik uitstapte, een halfuur later, had ik de dingen nog geen greintje helderder, en de computers weigerden me een handje te helpen. Ik had alles gegeven voor een flinke storing, zo'n catastrofe die me op elke andere dag wanhopig zou maken, een monsterlijke automatiseringspuzzel die mijn hersenen zou opslorpen alsof iemand ze met een rietje opzoog, maar er gebeurde niets, alle machines werkten, alle systemen functioneerden, alle randapparatuur, onderdanig als nooit tevoren, voldeed gedwee aan de verwachtingen bij alles wat ik maar verzon, en het werk waar ik mee bezig was, een dummy maken van de begeleidende teksten van het zesde deel, was zo mechanisch en saai als maar kon, zodat me niets anders overbleef dan mijn eigen hoofd belasten, geduldig de luchtbelletjes tellen die voorafgingen aan het ophanden zijnde kookpunt ervan, en afwachten.

Ik was al weet ik hoe vaak opgeschrokken zonder dat er enige reden voor was, toen een lichte en plotselinge onrust, zoals de gewaarwording van andere ogen, me dwong op te kijken van het scherm en mijn blik op de glazen wanden van de vissenkom te richten, en daar zag ik hem naar me staan kijken, nog in de kleding van zondag en met een nieuwe, beheerste gelaatsuitdrukking. Toen hij de kleine beloning van mijn blik had gekregen, hoestte hij licht met zijn hand voor zijn mond, een onhandige tactiek van verstrooidheid improviserend, en verdween onmiddellijk naar rechts. Hij gedroeg zich hierin altijd, net als in al het andere, als een heer, en respecteerde de regels die ik had opgelegd met een nauwgezetheid die zo nu en dan leek te grenzen aan vrees. Daardoor, doordat ik vermoedde dat zijn missie om mij niet teleur te stellen heel belangrijk voor hem was, steeds wanneer ik hem erop betrapte stiekem naar mij te kijken, of zag hoe hij aan de kant ging om lang voor het punt waarop we elkaar zouden passeren ruimte voor me te maken in een gang, of mij verraste met de snelheid waarmee hij zijn blik afwendde wanneer we elkaar tegenkwamen in een lift, dacht ik een ogenblik niet meer aan mijn eigen verwarring en vroeg me af wat hij in werkelijkheid zou voelen, wat hij van mij zou denken, welke rol hij me zou hebben toegewezen in zijn leven als hij net als ik was, niet in staat te accepteren wat het toeval hem in de schoot had geworpen zonder voor zichzelf op zoek te gaan naar problemen die misschien niet eens bestonden. Toen herinnerde ik me de vriendelijke, onschadelijke, bijna gebruikelijke grappen waarmee de rest van het team lachte om de symptomen van de voorkeur die Foro gewoonlijk voor mij toonde, de liedjes die hij neuriede wanneer hij me zag verschijnen, het automatische gebaar waarmee hij naar voren kwam om de koffie voor me te betalen, of de onverwachte vlagen van verlegenheid die hem zonder enige aanleiding overvielen wanneer ik hem verraste bij het meest onschuldige gesprek. Rosa had altijd al beweerd dat hij verliefd op me was, en Ramón steunde haar daarin met zo veel enthousiasme dat ik, in de tijd dat de vraag of hij wel of niet gelijk had mij volkomen onverschillig liet, meer dan eens heb gedacht dat hij iets wist wat hij me niet wilde vertellen, maar in die tijd interesseerden de gevoelens van Foro me zo weinig dat ik niet eens op het idee kwam hem daarnaar te vragen. Na de avond in het Ritz, echter, waren de dingen eindelijk veranderd, hoewel ik nog niet had kunnen vaststellen in welke richting, en vond ik het idee net zo leuk als angstaanjagend, en die gevoelens waren zo tot op de millimeter in evenwicht dat het mij ertoe bracht met verzegelde lippen verder te gaan. Toch waren er dingen die me meer angst inboezemden dan de liefde van Forito.

Als ik mijn eigen geschiedenis in een roman had gelezen, als ik deze in een film had gezien of in een televisieserie, weet ik zeker dat mijn oordeel zonder aarzelen was geweest: ze is een kreng. Maar de fictie tooit de meest onbetekenende personages met charmes die ongekend zijn in de echte wereld, ik weet dat heel goed want ik ben een van hen, en ik weet dat innerlijke schoonheid geen schoonheid is en niets, hoogstens een voorwendsel om degenen die mooi zijn vanbuiten een morele kwaliteit toe te dichten die ze niet hebben omdat je die domweg niet kunt hebben. De wereld wordt niet bevolkt door magere juffrouwen met een dichterlijke ziel die in staat zijn Gary Cooper te verleiden, noch door spookachtige verschijningen met een door zuur verbrand gezicht en een zo verfijnde geest dat de verloofde van de knapste tenor uit liefde voor hem bezwijkt, dat zijn allemaal leugens. De magere juffrouwen masturberen als een gek als ze de dertig zijn gepasseerd en de spookachtige verschijningen versieren hun hol met posters uit de *Playboy* en gaan langzaam dood van walging, en de rest van de wereld geeft geen zier om de armzaligheid van hun lot, daarom zijn de leugens nodig. En de leugens zijn gevaarlijk, net als alle verslavende medicijnen, want ze veranderen een arme verwarde vrouw, een zo onbetekenend schepsel dat het leven zich nooit heeft verwaardigd haar op de proef te stellen in haar bijna veertig jaar van zinloos bestaan, in een kreng van een meid, en die fictieve ellende kan haar net zozeer vernietigen als de wreedste, de oorspronkelijkste en bloedigste misdaad die ooit is gepleegd. Maar het was zelfs dat niet wat me het meest pijn deed, want ik zou veel gemakkelijker afstand hebben gedaan van de fictieve vrijer die verliefd zou kunnen worden op de fictieve schoonheid die mij vanbinnen siert als Foro, al toen we elkaar ontmoetten, geen deel had uitgemaakt van het reeds gereduceerde stukje van deze wereld dat het mijne is, als ik hem buiten de uitgeverij had gekend, op neutraal terrein. In dat geval was alles wellicht anders geweest, en had mijn zwijgen een andere waarde gehad.

Hij wist zich te gedragen als een heer, en keek niet naar me, sprak niet tegen me, zocht me niet in de gangen, maar nadat hij door de uitgeverij had gelopen in dat linnen pak dat niemand ooit had gezien, verscheen hij de volgende dag in een gewaagde combinatie van een marineblauwe blazer met goudkleurige knopen en een vrijwel nieuwe spijkerbroek, en die radicale verandering van imago ging niet ongemerkt voorbij aan de kwaadaardigste waarneemsters, twee directiesecretaresses, vrijgezellen en in de vijftig, die niets te doen hadden en hun ochtenden wijdden aan wandelingen door het gebouw op zoek naar iets om tijdens de lunch die giftanden van ze van hyena's in de overgang in te kunnen zetten. En in de rij in de eetzaal hoorden we hun commentaren, – heb je Forito gezien, hoe hij eruitziet?, ja, kind, wat een gezicht!, en wie zal hij gestrikt hebben?, Joost mag het weten, maar ze moet wel wanhopig zijn, om met zoiets in zee te gaan moet de nood wel hoog zijn…!, nou ja, je weet het, op elk potje past een dekseltje…

En het was Ana die het tegen ze opnam, Ana die Foro verdedigde, Ana die ze uitlachte zonder naar ze te kijken, maar op een toon die er geen enkele twijfel aan liet bestaan tot wie haar woorden gericht waren, woorden die geladen waren van spot, van minachting, geladen van een onvoorwaardelijke genegenheid voor die man die zich om mij in de klauwen van die feeksen wierp, het was Ana, en niet ik, die op luide toon tegen hen tekeerging, niets is meelijwekkender dan mensen horen praten over dingen waar ze geen verstand van hebben, vinden jullie niet?, en het was Fran die op dezelfde toon antwoordde, natuurlijk, er is niets wat ik zieliger vind, en een van hen draaide haar hoofd op tijd om om te kunnen vaststellen dat Ana de aanval weer inzette, mannen bijvoorbeeld, zei ze vervolgens, als je ze alleen maar uit je dromen kent... wat vinden jullie, zou je dan niet beter je mond kunnen houden in plaats van je bemoeien met echte mannen?, maar dan zouden ze veel te veel medelijden met zichzelf krijgen, was de bijdrage van Rosa, ja, lachte Fran, en dat zou in een collectieve zelfmoord eindigen, ach, zei Ana ter afronding, dat is in elk geval economischer, en ze lachten allemaal, en de eer van mijn minnaar werd gewroken door hen, door vrouwen die niet met hem naar bed waren geweest, door vrouwen die hem niet verloochend hadden buiten de muren van hun huis, door vrouwen die hun moeder, hun tante en hun grootmoeder niet hadden horen praten zoals die twee gemene en ongelukkige vrouwen praatten, en die zichzelf daarom nooit hadden beloofd dat ze nooit zoals zij zouden worden. En ik zweeg, en dat niet alleen, ik besloot nooit van mijn leven meer met Forito naar bed te gaan.

De volgende dag was ik nog tevreden over mijn beslissing. Vierentwintig uur later twijfelde ik al. De volgende stap werd nu niet direct door mij gezet, maar door die felle stem die ik herbergde zonder het te weten tot hij, vanuit zijn afgelegen schuilplaats, door mijn keel omhoogklauterde om mij in de armen van Said te duwen, een stem die als een alarm klonk toen Foro het voor elkaar kreeg om mij vrijdagmiddag tegen het lijf te lopen en ik niets tegen hem zei, een stem die donderde als de echo van een executiepeloton toen ik alleen thuiskwam en de deur van binnen sloot, een stem die me niet liet slapen, en me de hele zaterdag geselde met woorden die zo onomwonden waren als kanonskogels, stommeling, stommeling, stommeling, zei de stem, wat ben je toch een stommeling, en triest, en laf, onrechtvaardig, en droevig, vooral droevig, want diep vanbinnen bevalt hij je, natuurlijk bevalt hij je, hoe kan hij je niet bevallen als ik dit zeg, en wat doe je, je als een stommeling gedragen, en waar wacht je op?, zeg het, idioot, waar wacht je eigenlijk op?, op een vriend die de directiesecretaresse bevalt?, wat jammer, Marisa, kind, wat jammer! wat ben je toch een stommeling, stommeling, stommeling, maar goed dat die

Tunesiër dat besefte die nu de liefde van je leven wordt, want een andere als deze zul je niet meer krijgen, stommeling, daar kun je in elk geval zeker van zijn... Het was die stem die op zondagochtend de hoorn van de telefoon nam, en een nummer draaide dat hij uit zijn hoofd moest kennen, en Forito groette en hem uitnodigde om paella te komen eten, en mij daarna de straat opduwde om brood te kopen en een halve kilo petitfours, en een bos beeldschone anjelieren met bloemblaadjes in de kleur fuchsia doorsneden door witte draadjes die met de hand getekend leken, en veel lelietjes-van-dalen, een bos die prachtig stond in een glazen vaas in het midden van een tafel voor twee.

Ik was degene die de paella maakte, en hij was heerlijk. Ik was ook degene die ervoor koos heel dicht bij Foro te gaan zitten, op de bank, na de koffie, en die een bittere ontboezeming – ik ben heel blij dat je me hebt gebeld, zei hij, met die geheel eigen natuurlijke verfijning die hem in staat stelde elke kloof op het meest hachelijke pad te omzeilen, zonder ooit één enkel steentje los te maken met de hak van zijn oude, bruine schoenen, ik dacht al dat we elkaar niet meer zouden ontmoeten – beloonde met een oprechte kus, verbazingwekkend oprecht, zoals mijn wijsvinger dat was bij het aandoen van het licht in de slaapkamer een ogenblik nadat hij het had uitgedaan, waarbij het me tegelijkertijd lukte de plafondventilator aan te zetten, die niet meer wilde piepen met zijn oude toon van hulpeloos kind. Ik was het ook, een zo zuivere ik, zo ontdaan van innerlijke drogredenen dat ik haar bijna niet herkende, die uit mijn bewustzijn dat verwarde mengsel verbande van aangeboren leugens en verworven waarheden, waardoor het ballast verloor als een ballon die zich heel snel verheft, het idee dat mijn lichaam lelijk, mijn vlees triest was. Ik gaf het opdracht blij te zijn, maar later, toen de stilte niet langer een harmonieus geluid was en veranderde in een lawaai dat we niet konden horen terwijl het ijverig een onzichtbaar obstakel fabriceerde op het kussen, waar onze hoofden onbeweeglijk bleven liggen, en zo dicht bij elkaar alsof ze veroordeeld waren voor altijd en eeuwig één enkele ademhaling te delen aan beide zijden van een muur van lucht, was Foro de enige die durfde te spreken.

'Wat een... Wat een geluk dat het niet meer in is om commentaar te leveren op je prestaties in bed, vind je niet, want dat was toch vervelend, godallemachtig, hoewel het toch ook wel een goede kant had, echt waar...' Toen lachte hij even en keek me aan. 'Want eerlijk gezegd voelde je je dan toch wel geruster.'

'Als het daarom gaat,' zei ik glimlachend, 'kun je gerust zijn. Je was heel goed.'

Hij verviel tot een zwijgen dat ik niet kon interpreteren, waarbij hij heftig zijn hoofd bewoog alsof hij zichzelf feliciteerde met zijn gelijk.

'Er is iets bij jou wat ik heel leuk vind,' zei hij daarna. 'Heb je ooit gemerkt dat je na het vrijen niet stottert?'

'Nee...' Ik was meer stom dan stil; mijn tong was verlamd van verbazing.

'Het is echt waar. Ik realiseerde me dat de vorige keer en nu heb ik alleen die onzin over dat praten erover gezegd om te kijken of het klopte, echt waar. En je hebt me in één ruk geantwoord.'

'Serieus?' Hij knikte en ik legde me erbij neer dat hij gelijk had. 'Ja, dat zou kunnen... Ik stotter ook niet altijd. Ik zeg de meeste letters goed, maar ik blijf normaal gesproken hangen bij de a, bij de n en soms, als ik erg zenuwachtig ben, ook bij de m.' Alejandra stottert nooit, dacht ik vervolgens, dat weet ik vanaf het begin, sinds ik haar in Tunis hoorde praten, in een Frans dat net zo slecht was als het mijne. 'Heb ik nu gestotterd?'

'Nee.'

'Weet je het zeker?' Hij knikte weer en ik geloofde hem. 'Hoe is het mogelijk... Waarschuw me als ik het weer doe.'

'Goed,' zei hij lachend. 'Maar waar ik aan heb gedacht... Ik hoop dat je me begrijpt: als je meer stottert naarmate je zenuwachtiger bent, moet vrijen je wel rustiger maken.'

'Natuurlijk, dat geldt voor iedereen.'

'Maar dat betekent dat als je een leuke vriend zou hebben, en met hem zou samenleven, en om de dag vrijt, om maar iets te zeggen, en hij goed zou zijn, nou, echt waar... dan zou je ophouden met stotteren.'

'Dat weet ik n-niet.'

'Je hebt gestotterd.'

'Da-at heb ik me a-al gerealiseerd.'

'Het spijt me.'

'Nee, laat maar hangen.'

Hij lachte met me mee om die vreselijk flauwe grap en voegde er niets aan toe, want het was niet nodig. Ik was degene die besloot een beetje verder te gaan toen de kussen, de omhelzingen en andere, minder gevaarlijke gespreksonderwerpen uitgeput raakten – de herinnering aan zijn kindertijd in Carabanchel was als de hoge hoed van een goochelaar, een plek waar van alles uit kon komen – en ik deed het zonder erbij na te denken. Ik stond op het punt om aan te bieden iets te eten te maken, want het was avond geworden achter het raam en op de klok op mijn nachtkastje zonder dat we het hadden gemerkt, toen die woorden, wonderbaarlijk compleet, zonder toestemming uit mijn mond stroomden.

'Weet je, Foro? Ik heb echt een heerlijke middag gehad.'

'Nu heb je niet gestotterd.'

'Omdat ik n-niet wil stotteren. Misschien word ik wel rustig van jou.'

'Nou, je weet het.'

'Wat?'

'Je hoeft me alleen maar te bellen.'

Dit aanbod zonder voorwaarden, dat meer in de buurt kwam van een liefdesverklaring dan ik ooit heb gehad, luidde een periode in die gekenmerkt werd door de verwarrende ongehoorzaamheid van de tijd.

Mijn dagen, die tot op dat moment onbegrijpelijk gelukkig leken in de smalle leest van een altijd identieke, exacte, mathematische pasvorm, vierentwintig uur in totaal, acht om te werken, acht om te slapen, twee of drie om me te voeden, de rest alleen om me bewust te maken van hun gang door mijn leven, begonnen aan mijn controle te ontsnappen, te rekken en te krimpen alsof ze van elastiek waren, tussen mijn vingers door te glippen – dagen van water, van gas, van rook – of stil te blijven, solide en muurvast, gedurende veel meer uren dan ze bevatten – dagen van steen, van aarde, van lood – zonder dat ik dit wilde en zonder dat ik greep kon krijgen op het lot dat ze leidde. En toch bleef mijn situatie gedurende vele maanden gelijk, vond er geen echte verandering plaats. Precies in het hart van de maalstroom kon ik heel goed mijn eigen bewegingloosheid waarnemen.

Vanaf dat moment speelde mijn leven zich op twee verschillende vlakken af, aangrenzend en parallel als de twee oneindige lijnen op het schoolbord die er nooit in slaagden zich te verenigen. Het beste ervan was intiem, vruchtbaar, bijna volmaakt, want mijn geschiedenis met Foro werkte onophoudelijk voor zichzelf, beetje bij beetje kleine, maar definitieve overwinningen boekend, en als eerste kocht ik geen tandpasta met kaneelsmaak meer omdat hij dat niet lekker vond, en later verbande ik voor altijd de groene paprika uit al mijn gerechten, zelfs als hij niet bij mij kwam eten, omdat hij er niet goed tegen kon, en vervolgens gooide ik een warme pyjama van bruin flanel in de vuilnisbak omdat hij zei dat die me eigenlijk in een rauwe aardappel veranderde, en ik miste hem zelfs niet toen het weer koud werd. Maar geen van deze gebaren slaagde er ook maar in het teken te krassen van een andere tijd, die slechter was, en bovendien nooit tegelijk, maar altijd een beetje eerder kwam, of een beetje later, een publiek vlak, koud en objectief, waarop ik leefde als een onverschillige toeschouwster bij mijn eigen geschiedenis, de gegevens hanterend die de anderen hadden, gebruikmakend van hun codes, bezwijkend voor gevoelens die mij in de verste verte niet toebehoorden en die het moment in zich droegen van zweren: geen dag meer, geen nacht meer, niet één enkele kus meer, in weerwil van die wrede stem die altijd waakzaam was in afwachting van de kleinste onoplettendheid om me dan te beledigen met dat brute accent van die waarheden die valser kunnen zijn dan welke leugen ook.

De werkelijkheid werd beetje bij beetje besmet door die plotselinge rekbaarheid die het verstrijken van de tijd ijl maakte, en het interpreteren ervan veranderde in een onvoorspelbare taak, op sommige dagen heel eenvoudig, op andere verschrikkelijk gecompliceerd, en vrijwel altijd onoplosbaar. Wanneer ik met hem samen was, vond ik Foro leuk, hield ik van zijn manier van praten, van de dingen begrijpen, van de verhalen die hij vertelde, en zelfs van zijn gewoonte om voortdurend de dialogen te onderbreken van de films die we samen op televisie zagen met grappen en meningen die me ware lachstuipen bezorgden en me meer dan compenseerden voor de zinnen die ik niet kon horen. Hij was niet in staat een film serieus te nemen, verwikkeld te raken in het leven van de personages, ook maar enige emotie te riskeren in verband met een van hen, en hij begreep zelfs niet veel van de begerige gretigheid waarmee ik naar het scherm tuurde op zoek naar de kleinste ruimte die me in staat zou stellen me in de plot te mengen, te lachen of te huilen of verliefd te worden of te sterven van angst in het lichaam van de betreffende acteur. Soms dacht ik dat juist daar, in de exacte lengte van de kloof die ons scheidde tegenover elke verzonnen geschiedenis, zijn voordeel ten opzichte van mij zetelde, zijn vermogen de echte wereld te waarderen, een territorium waaruit ik hem had verbannen zonder me daar erg bewust van te zijn sinds mijn verwarring, mijn angsten, en die weerzinwekkende versie van de schaamte waarin ik het verafschuwde mezelf te herkennen voor hem een aparte werkelijkheid hadden geconstrueerd. Want Foro bestond net zo zeker als ik zelf bestond wanneer Alejandra Escobar het huis uitging, maar de tijd die ik met hem doorbracht maakte geen deel uit van de wereld van elke dag, de wereld die ik bereid was hem te ontzeggen. Daar leek Foro voor eeuwig veroordeeld om een oude en versleten man te zijn, dronken en nutteloos, grappig op het verkeerde moment, een figurant in een slechte, oude klucht, een onaanraakbare. En dat werd hij weer, zonder enige nuancering, wanneer hij zich een aantal uren van mij verwijderde. Ook de tijd kan doodbloeden.

Midden tussen dat alles was er de liefde, die overwint of verdoemt, die de wreedste misdaden legitimeert. Ik was er zeker van dat ik niet van Foro hield, want de liefde op zich zou alle hindernissen overwonnen hebben, dat wist ik, dat had ik in de boeken gelezen, dat had ik in de films gezien. Maar ik wist ook dat ik hem 's nachts miste, vlak voor ik ging slapen, en dat leek veel op een andere liefde, een kleine liefde, niets bijzonders, te gewoon om in boeken voor te komen. Soms vroeg ik me af of er geen verschillende liefdes bestaan, zoals mensen verschillend zijn, de jaargetijden, de luchten boven de steden, maar ik wist niet wat ik mezelf moest antwoorden, want ik was nooit verliefd geweest op iemand die bij me paste, ik wist niet goed hoe deze dingen werken. Ik was er zelfs niet zeker van dat verliefd zijn noodzakelijk is om met iemand gelukkig te zijn en vroeg me af of dan niet eerder het tegenovergestelde zou gebeuren, en bij tijd en wijle betwijfelde ik of verliefd worden genoeg was voor alles. Ik dacht veel na over de geschiedenis van Ana met Javier Álvarez, die kort nadat Foro en ik elkaar in de bar van het Ritz hadden ontmoet was begonnen, en ik probeerde in te schatten hoe zij zou hebben gereageerd als het toeval haar een minnaar als de mijne had toegewezen, maar ook dat raadsel wist ik niet op te lossen, misschien doordat het op onjuiste veronderstellingen berustte, en bij vrouwen als Ana komt de mogelijkheid om iets te krijgen met mannen als Foro niet eens in het hoofd op. Daarom vertellen ze op zo luide toon over hun affaires met opwindende mannen, mannen bij wie het niet eens in het hoofd opkomt om iets te krijgen met vrouwen als ik. Dat geloofde ik, maar misschien vergiste ik me, bij tijd en wijle overtuigde ik mezelf ervan dat Ana nooit zo diep zou zijn gezonken, en dat vermoeden deed me meer pijn dan aanvaarden dat er twee verschillende soorten lotsbestemmingen zijn, voor twee verschillende soorten mannen en vrouwen, meelijwekkende mensen, opwindende mensen. Ik wist het niet, ik wist niets van mezelf, ik wist niets van anderen, met één enkele uitzondering, want van één ding was ik zeker, wist ik met een verpletterende zekerheid dat het ging gebeuren, zoals ik weet dat de nacht op de dag volgt, dat de wolken verdwijnen als de regen ophoudt, dat de onverbiddelijke dood de lichamen verstijft. Zo wist ik dat ik, als ik die man liet ontsnappen, aan een toekomst van volledige eenzaamheid werkte, de horizon die ik al vaag kon zien toen het lot voor mij een paar dobbelstenen gooide die me zeker niet zouden passen, en het gooide een drie. Het had een zes kunnen gooien, maar de helft van zes is veel meer dan nul, en als je 's nachts alleen slaapt, heb je eigenlijk helemaal niets, en toch, en hoewel ik dit alles wist, wist ik niet wat ik met mijn leven moest doen. Ik had nooit gedacht dat proberen gelukkig te zijn zo moeilijk zou blijken.

En toch was dat het enige wat ik gedurende lange tijd deed, proberen gelukkig te zijn, gebruikmaken van het goede dat die tijd meebracht die te snel voorbijging en nooit voorbij leek te gaan, de warmte waarderen van een ander lichaam tussen de lakens, mijn uiterste best doen op nieuwe en moeilijke gerechten voor de vrijdagavonden, de zomer doorbrengen in Madrid, met de blinden gesloten en de ventilator aan, wachtend op de adempauze van het vallen van de avond om naar het Casa de Campo te trekken en daar op een goed tafeltje de buit uit te stallen van tortilla en gepaneerde filets, in de buitenlucht, precies voor het meer, alleluja, echt waar. Ik miste Katmandoe, noch Bali, noch Hammamet, die zomer, maar ik miste Foro toen hij met David naar het strand vertrok, begin augustus, ook al was er niets ter wereld wat hij zo erg vond, en ik kreeg spijt dat ik zijn uitnodiging niet had aangenomen, want ik bleef thuis, alleen, om na te denken, van die onzin die je soms zegt, en ik deed niets anders dan televisie kijken en me te pletter vervelen. Toen ze terug waren, zag ik verbaasd hoezeer Foro op zijn zoon begon te lijken.

De verandering, van dat gezicht, van dat lichaam, de handen die niet trilden, het vlees dat een verloren ruimte heroverde tussen de huid en de botten, de krachtige stem, de koffie, met broodje en al, die het vroegere glas cognac verving van de vroegere ochtenden, was al zo duidelijk dat, op de uitgeverij, september de maand van Foro was, en de gissingen naar de geheime identiteit van die wanhopige vrouw die met zoiets in zee was gegaan namen plotseling in volume af, bezweken onder de druk van een hypothese van andere aard, opmerkingen die minder geladen waren van verbazing dan van bewondering voor een gedaanteverwisseling die naar het absolute scheen te streven en waarin iedereen ervan uitging dat er een vrouw bij betrokken moest zijn. Ik volgde dat proces op afstand, waarbij ik trots was op hem, op deze verandering waarvoor ik me verantwoordelijk achtte, en ik gaf zelfs toe aan de bescheiden stoutmoedigheid om het onderwerp bij de kleinste gelegenheid aan te snijden, wellicht kracht zoekend in de eenstemmigheid van de anderen, een duwtje dat me de moed gaf om me eindelijk aan de juiste kant te scharen, welke dat ook mocht zijn, en ik had nooit gedacht dat er meer dan één kon zijn tot Ana mij op een dag, nadat het toeval ons bij de koffiemachine bijeen had gebracht, de ogen opende, alleen maar om Ramón daarna de kans te geven zijn vingers erin te drukken.

'Hij wil me niet vertellen wie het is.' Nooit had een van mijn minimale toespelingen zo'n lang betoog opgeleverd. 'Gisteren heb ik het hem weer gevraagd, maar niets. En dat terwijl ik hem alles vertel, en dat zei ik tegen hem, het is niet eerlijk, Foro, ik vertel je altijd hoe het met mij gaat en jij... Ik vertel het je ook, zei hij tegen me, alles, behalve de naam. En ik zei tegen hem dat ik dacht dat we vrienden waren, en hij zei dat ik niet vals moest spelen, en dus... Ik denk dat ze een beetje gek moet zijn, niet, want om hem te verbieden te zeggen wie ze is, op deze leeftijd... Het lijkt goddomme wel alsof we nog op school zitten. En ik weet zeker dat ze hier werkt, hij zegt van niet, maar ik weet zeker dat het wel zo is, en ze moet op dit moment in het gebouw zijn, want als dat niet zo was, waarom dan al die geheimzinnigheid. Het enige wat ik uit hem heb weten te krijgen is dat het een vrouw is die heel eenzaam is, dat ze in de dertig is, dat ze nooit getrouwd is geweest en dat ze een zwak karakter heeft... Nou ja, dat zijn mijn woorden, want hij is vastbesloten haar te beschermen, haar altijd te verdedigen... Je krijgt het gevoel dat hij op haar past alsof ze nog een jong meisje is, dat ze dit niet mag horen, dat ze dat niet zal denken, niet in het hiernamaals mag geloven. Godverdomme! En het enige wat ik wil is dat hij haar aan me voorstelt, en niet voor mij, want mij maakt het niet uit, maar voor hem, want als hij 's nachts met haar in bed ligt, waarom mag hij haar dan overdag niet eens groeten. Wie denkt die meid wel dat ze is! Verdomme nog aan toe!'

'Een kreng,' zei Ramón instemmend, terwijl hij zichzelf gelijk gaf door met zijn hoofd te knikken. 'Dat weet ik wel zeker.'

'Dat zeg ik ook tegen hem,' vervolgde Ana, die plotseling een rode kleur had gekregen, alsof ze dankbaar was voor de komst van de hulptroepen, 'maar hij, geen woord, hij verdedigt haar altijd. Je begrijpt het niet, zei hij pas, maar ze is mijn laatste kans. En een trut, Foro, zei ik tegen hem, en dat zeg je me nu, terwijl je niet meer drinkt en er tiptop uitziet? En hij maar doorgaan, nee, Ana, je begrijpt het niet, en ik van ik begrijp het wel, ik begrijp het wel, waarom zou ik het niet begrijpen... Wie zou nou niet begrijpen dat een vrouw gek is op een man die zoiets voor haar overheeft, en in ruil daarvoor, nou, dat zien jullie, hij is als de dood voor haar, mondje dicht, je zou het moeten zien, echt. Ik denk dat hij heel erg gek op haar is, maar ik ben bang dat ze hem niet verdient, eerlijk... Maar goed, ook al is hij een sufferd, ik moet eerlijk zeggen dat ik blij voor hem ben, want je hoeft hem maar te zien...'

Op dat moment fluisterde ik dat ik naar de wc moest en begon de gang door te lopen. Zonder me ook maar af te vragen waar ze heen gingen, volgde ik mijn voeten naar de vissenkom, ging in mijn stoel zitten en keek naar het scherm van mijn computer, waarover onophoudelijk een tennisballetje stuiterde, dat bij elke beweging een geelachtig spoor achterliet dat de willekeurige koers, het zuivere toeval van zijn traject bewees. Met mijn ogen gericht op elk van de lichtkettingen die elkaar eeuwig uitwisten, zag ik een verbazingwekkende overeenkomst tussen het leven van elk van die bolvormige illusies en mijn eigen leven, waarvan ik ook niet wist in welke richting het de volgende keer zou stuiteren.

Het ergste was niet dat die onpartijdige waarnemers die zonder ook maar te twijfelen tot de conclusie waren gekomen dat ze een kreng moest zijn, uiteindelijk zo dicht bij mij waren. Daar hield ik al rekening mee, en ik rekende ook op een mate van begrip die veel groter was dan zij zelf vermoedden als ze op een dag eindelijk mijn identiteit zouden kennen. Maar waar ik nooit aan had gedacht, was dat mijn geschiedenis op zo'n vreemde manier kon worden verteld. Ik was zo gewend om aan Foro te denken in termen van het minste van twee kwaden, een noodoplossing, een redmiddel voor wanhopige vrouwen, dat ik nauwelijks kon geloven dat iemand hardop datgene zou kunnen zeggen wat ik mezelf verweet zonder mijn lippen te bewegen. Want zij wisten niet wat ik wist, en toch waren ze er zeker van dat Foro beter was dan de vrouw met wie hij af en toe sliep. En er was iets wat nog verbazingwekkender was. De simpele mogelijkheid dat die man, voor wie ik maar niet kon kiezen, mij uiteindelijk zou kunnen verlaten voor een andere vrouw die hem meer zou verdienen, schetste mij, met de afschrikwekkende nauwkeurigheid van een nachtmerrie, het beeld voor ogen van de drempel van een hel die ik nog nooit had bezocht. En dit gebeurde allemaal toen ik al besloten had om voor onbepaalde tijd van mijn situatie te genieten, toen ik de regels van mijn dubbelleven al geaccepteerd had zonder ze met mezelf te bespreken, toen ik geloofde dat ik het ergste al had gehad. En toch heb ik nooit een ergere nacht gehad dan die.

Toen ik de volgende ochtend opstond, zonder ook maar een minuut te hebben geslapen, wist ik iets meer dan toen ik de avond tevoren naar bed was gegaan. Het eerste was dat het oneindig moeilijk voor me zou zijn om Foro af te wijzen, en niet alleen omdat een egoïstische inschatting duidelijk had gemaakt dat hij de enige oplossing voor mijn toekomst was, maar ook omdat ik van hem hield. Het tweede was dat alle gelukwensen van de wereld mij er niet van zouden kunnen overtuigen dat er geen enkele kans was, hoe klein dan ook, dat een van de mannen die Alejandra Escobar liefhad in werkelijkheid zou bestaan, en dat het niet de moeite waard zou zijn om de rest van mijn leven daarop te wachten. Dit gebeurde doordat ik niet verliefd was op Foro. Ten derde wist ik zeker dat me niets anders overbleef dan iets doen. Ten vierde, dat december voor de deur stond en dat je je geen slechtere tijd kunt voorstellen om beslissingen te nemen. Ten vijfde, dat mijn karakter veel meer is dan zwak. Wat ik niet had verwacht, in de verste verte niet, is dat die ogenschijnlijke rijkdom, de ongekende luxe om te kunnen kiezen tussen twee verschillende mannen, één echte, altijd hetzelfde en onvolmaakt, en de ander volmaakt, altijd anders en onecht, in de loop der tijd zou kunnen veranderen in een bron van permanente, permanent intense angst. Dat was echter wat er gebeurde.

Kerstmis, met zijn lichtjes en liedjes, de geprefabriceerde vreugde van de televisiereclame en de oprechtheid van de goede wensen van de gewone mensen, bracht een bedrieglijke adempauze met zich mee. De dosis echt geluk die ik ontleende aan dat extra werk waar de rest van de mensheid een bloedhekel aan heeft – het huis versieren, het menu voor het diner bedenken, veel vaker naar de markt gaan dan gewoonlijk, een paar dagen van tevoren de zeevruchten en de kalkoen bestellen, me op de avond van de drieëntwintigste in de keuken opsluiten om vast wat voorwerk te doen, op kerstavond om zes uur de tafel dekken, vijf minuten voordat de deurbel zou gaan me in alle haast opknappen, en opnieuw aan hetzelfde te beginnen zodra ik de volgende ochtend een voet op de vloer had gezet – was niet meer dan een voorproefje van wat ik voelde toen ik Foro zag verschijnen, keurig gekleed en glimlachend, met een fles in elke hand, alsof hij beoogde mij eraan te herinneren dat ik, nog maar een jaar geleden, op dat tijdstip in pyjama voor de televisie zonder eetlust op een filet met aardappels had zitten kauwen. Op eerste kerstdag kwam David bij ons eten, en hij gaf me een bijzonder mooie sjaal van bedrukt gaas cadeau.

'De kerstman is geweest,' zei hij glimlachend, terwijl hij een knipoogje gaf in de richting van zijn vader, 'je moet mij niet bedanken.'

Het was zo lang geleden dat iemand mij met Kerstmis iets had gegeven, dat de tranen me bijna in de ogen sprongen. Maar de tijd wilde niet stilstaan bij een vreugde die tegelijkertijd zo zuiver en zo klein was, en de wijn van oudejaarsavond was bitterder.

Niets had mij erop voorbereid toen we bij dat feest arriveerden. De beroemde Antoñito nodigde elk jaar al zijn vrienden uit om het nieuwe jaar te verwelkomen in zijn kroeg in Marqués de Vadillo, die voor de gelegenheid versierd was met kleurige papieren slingers die tussen de hammen door kronkelden die aan het plafond hingen, wat net zo'n verbijsterend effect had als de combinatie van de meubels – tafels en stoelen van ruw hout, bijna het Mesón de Antoñita waardig – en de kledij van de genodigden, een en al glitters, fluweel en sieraden die te opzichtig waren om echt te zijn. Het geheel, de bakkebaarden, Cubaanse sigaren en smokings van de mannelijke begeleiders van al die valse hertoginnen inbegrepen, was zo fascinerend dat mijn stemming, die bij binnenkomst al goed was geweest, omhoogschoot als de kurken van de champagneflessen die zonder ophouden de lucht ingingen. Ik voelde me heel goed, misschien doordat ik een lange jurk droeg, de eerste die ik ooit van mijn leven had gekocht, een rode jurk, met schouderbandjes, heel strak, zo strak dat ik nauwelijks had gegeten om ongelukken met de ritssluiting te voorkomen, en misschien zou dit detail alles kunnen verklaren, want toen ik begon te drinken, het ene glas na het andere, moest mijn maag wel veranderen in een immens zwembad van alcohol, waarin nauwelijks meer dreef dan drie of vier stuurloze gamba's en een dozijn druiven, die ik, dat wel, nauwgezet naar binnen had gewerkt, één bij elke klokslag, terwijl ik met al mijn kracht het geluk opriep. Ik voelde me zo goed dat ik, lang voordat ik dronken was, Foro meesleepte naar de geïmproviseerde dansvloer in het midden van de ruimte, en hem met kracht omhelsde, en hem heel veel kussen gaf, zoals ik hem tot dat moment alleen had gekust wanneer we alleen waren, doof voor de muziek en toch bewegend met hem doordat ik hem in mijn armen meesleurde. Toen gebeurde het. Gebruikmakend van een kort moment waarin ik zijn mond bevrijdde van de mijne om een glas leeg te drinken, maakte hij, hij was veel nuchterder, zich licht van me los, keek me aan en stelde de vraag die hij me nooit eerder had kunnen stellen.

'Zeg me één ding… Waarom vind je het niet erg om me te kussen en te omhelzen in aanwezigheid van mijn vrienden, maar mag ik niet eens tegen je praten in aanwezigheid van de jouwe?'

'Ik heb geen vrienden,' antwoordde ik snel, mijn lippen besluiteloos tussen de glimlach die ze nog vormden en de troosteloosheid die ze voorvoelden.

'Dat is niet waar.' Hij sprak deze woorden uit op een toon die ik nog niet had gehoord, een mengeling van ernst en hardheid.

'Ik… Ik begrijp je n-niet.' Het was een halve leugen. 'Ik…'

'Kijk nou, je stottert weer,' onderbrak hij me met een moedeloos gemompel. 'We moeten er maar over ophouden.'

Daarmee eindigde de avond. We bleven daar nog minstens drie uur, af en toe samen, af en toe ik alleen en hij grappen makend en lachend met al die mensen, beiden drinkend, ik meer, terwijl ik bedacht dat het treurigste van alles was dat Foro helemaal geen gelijk had, want Ramón, of Ana, of Rosa, waren alleen maar mijn vrienden omdat ik geen andere had, vrienden als de zijne, als Antoñito, die hem recht in zijn gezicht de dingen zei die hij niet wilde horen wanneer het goed met hem ging en zijn leven verlichtte wanneer het slecht met hem ging; ik had niemand bij wie ik op die manier steun kon zoeken, ik had niet tegen hem gelogen toen ik zei dat ik geen vrienden had, hij kon dat niet begrijpen, maar de uitgeverij was alleen mijn wereld omdat ik geen andere kon verwachten. Die avond besefte ik niet alleen dat Foro leed, door mijn schuld. Ik ontdekte ook dat hij, in weerwil van elke schijn, veel minder meelijwekkend was dan ik.

Als ik het al niet had vermoed, zou hij het kort daarna wel duidelijk maken. Toen de auto van die neven van hem, figuurlijk of echt, dat weet ik niet, die aangeboden hadden ons naar het centrum te brengen, voor de deur van mijn huis stopte, vroeg hij de bestuurder een ogenblik te wachten en liep samen met mij de straat op, en ik luisterde naar hem, maar ik had te veel gedronken om echt na te denken over wat die woorden betekenden. Ik kreeg de sleutel bij de derde of vierde poging in het slot en ging het portaal binnen terwijl ik de deur openhield om hem erdoor te laten, maar hij wilde me niet volgen. Ik liep weer naar buiten, zonder dat ik al goed begreep wat er gebeurde, en hij duwde me zachtjes naar de deur om ertegenaan te leunen, waarbij hij met voorzichtigheid te werk ging, alsof ik een kwetsbaar voorwerp was. Toen kuste hij me op mijn mond, met zijn altijd zoete, nog steeds zoete mond van cognac.

'Ik hou heel veel van je, Marisa,' zei hij. Daarna keerde hij me zijn rug toe en begon te lopen.

'Foro!' riep ik, toen hij het portier van de auto al geopend had. 'Kom je niet boven...?'

'Nee,' antwoordde hij.

Zijn neef reed weg en ik bleef zwijgend staan, tegen de muur geleund, zonder goed te weten wat ik moest doen, tot de kou me dwong naar boven te gaan.

De volgende dag belde hij me en vroeg me om vergeving, en ik zei dat ik hem niets te vergeven had, en hij kwam naar me toe, en bleef slapen, en we deden allebei alsof er niets was gebeurd, en de dagen deden alsof ze elkaar net als tevoren opvolgden, maar de tijd was van huid gewisseld, en werd zwaar, dreigend, troebel, en elk uur voorspelde een teken van het einde, elke minuut vermorzelde de voorgaande met razernij, elke seconde deed pijn. Op 14 februari, toen hij 's avonds naar me toe kwam, onaange-

343

kondigd, met heel veel drank achter zijn kiezen en lege handen, en in de fauteuil in de zitkamer plaatsnam, zijn benen over elkaar sloeg en strak naar zijn schoenen keek voor hij begon te praten, wist ik al wat hij ging zeggen.

'Luister, Marisa, ik wilde je een cadeautje geven, weet je, ik liep er al een hele tijd over na te denken, godallemachtig, en ik wist niet goed wat je leuker zou vinden, een tas, schoenen, oorbellen, echt waar... Ik had een sieraad voor je willen kopen, iets van goud, maar ik wilde niet dat je rare dingen ging denken, dus heb ik ten slotte besloten een muziekdoos voor je te kopen, want je zei laatst dat je die zo mooi vond, toch, en dat je er nooit een had gehad, en na het werk ben ik direct naar die winkel gegaan, die met die poppen op de Gran Vía die je zo leuk vindt, en ik heb op het punt gestaan naar binnen te gaan, op het punt, echt waar, en ineens durfde ik niet. Ik was bang om een cadeau voor je te kopen, ik hoop dat je me begrijpt, en niet alleen omdat je veel meer stijl hebt dan ik en dat gedoe van Valentijnsdag natuurlijk alleen maar banaal vindt, dat weet ik wel zeker, want, godallemachtig, zoals jij een dame bent in allerlei dingen, maar omdat ik... Ik weet niet wat ik hier eigenlijk doe, Marisa, ik weet niet wat ik beteken in je leven, ik weet zelfs niet of ik wel iets beteken, echt waar, en toen heb ik gedacht... ach, ik weet niet! Het punt is dat ik er niet goed meer tegen kan. Als we een stel zijn, zouden we ons ook als een stel moeten gedragen, vind je niet, en als we dat niet zijn... Ik weet niet. Ik begrijp wel dat ik geen goeie partij ben, dat begrijp ik, hoewel ik bijna niet meer drink en zo, echt waar, ik begrijp dat je je niet aan mijn voeten werpt, dat zou ook onzin zijn, want, godallemachtig, op onze leeftijd... En ik weet het niet, ik weet niet wat je van me denkt, wat je met me wilt, maar ik heb geen zin om zo door te gaan en bang te zijn om cadeautjes voor je te kopen, want ik voel me hopeloos, vanmiddag voelde ik me hopeloos, echt een ontzettende sukkel, echt waar. En ik heb veel meer te verliezen dan jij, dat is duidelijk, en ik vraag je ook niet om met me te trouwen, want daar gaat het niet om, maar, ik hoop dat je me begrijpt, ik moet je vertellen wat er met me gebeurt, en je moet me iets zeggen, je moet me zeggen of ik binnen of buiten ben, of ik op je kan rekenen of niet, of we morgenochtend samen zijn of dat het voor die tijd afgelopen is, echt waar...'

Toen keek hij op. Hij keek me aan en vroeg het met zijn ogen, en ik, mijn rug stijf tegen de rugleuning van de bank, mijn benen naast elkaar en onbeweeglijk, mijn vuisten gebald, als vastgenageld aan de sierkussens, was niet eens in staat om te knipperen.

'Goed…' zei hij na een ogenblik dat eeuwig leek te duren, 'als je geen zin hebt om te praten, ga ik.'

Ik zag hem opstaan, met zijn handen over zijn gezicht wrijven, ze vervolgens in zijn zakken stoppen en een voet bewegen, maar voor hij ook maar één stap kon zetten, knapte er iets in mijn hoofd, en ik voelde een echo van gebroken glazen, en daarna een geweldige rust.

'Ja, ik wil je iets zeggen,' gilde ik bijna, terwijl de tranen plotseling in mijn ogen stonden, en ik had geen tijd om uit te rekenen hoe lang het geleden was dat ik voor het laatst had gehuild. 'Ga niet weg, Foro, alsjeblieft…'

Pas later kreeg ik dat belachelijke idee, veel later, hij sliep als een kind, net als de eerste nacht, en ik probeerde te wennen aan de gedachte dat het altijd zo zou zijn, probeerde te wennen aan de toekomst die ik mezelf zojuist had toegewezen zonder het ook maar te durven zeggen, zorgvuldig noemde ik alle goede dingen die me wachtten, zonder er één te vergeten, en sloot mijn twijfels op in een verre koffer waarvan ik de sleutel zo snel mogelijk moest kwijtraken, en toen kreeg ik dat idee, en het leek me een stommiteit, dat moest het wel zijn, maar alles leek op mijn hand te zijn, ik had een week vakantie voor me en een perfect excuus, Foro zou aan het werk zijn, in Madrid, clubs als die van Hammamet zijn het hele jaar open, en ik ging niets verkeerds doen, alleen een muntje opgooien, dat was een manier als elke andere om een beslissing te nemen, om het lot te dwingen voor mij te kiezen, om het toeval een handschoen terug te geven die ik al te lang bezat, en het zou de laatste keer zijn of het zou voor altijd zijn, Alejandra Escobar zou me definitief verlaten of ik zou me voor altijd incarneren in Alejandra Escobar, kruis of munt, even of oneven, zwart of rood, er zou een andere man in mijn leven zijn of er zou nooit meer een ander zijn, het klonk goed, het leek listig, spannend, juist. 's Morgens had ik een besluit genomen.

'Geef me een beetje tijd, Foro,' zei ik toen ik wakker werd, voordat we opstonden. 'Ik verdien het natuurlijk niet, je hebt al genoeg gewacht, maar de volgende twee weken worden verschrikkelijk, dat weet je, we zijn de *Atlas* aan het afmaken en ik moet een heleboel dingen afronden, ik zal zelfs de zaterdagen moeten werken. Daarna wil ik de week vakantie die Fran ons gaat geven gebruiken om naar het dorp van mijn moeder te gaan, naar Jaén, om die dingen te regelen met die grond van mijn grootmoeder waar ik je over heb verteld, want mijn neven hebben me al wel twintig keer gebeld en ze kunnen niets doen zonder mijn handtekening… Als ik terugkom, en als je het wilt, kunnen we gaan samenwonen.'

Geen enkele verrader is ooit met een zoetere kus beloond dan de kus die ik kreeg, die ochtend.

14

Ik ontdekte plotseling dat vochtige aarde naar zonde ruikt.

Terwijl ik het uiterst subtiele aroma inademde van de schuld die zich verborg in het prestige van een zo poëtische geur, berustte ik erin die hevige aanval van melancholie te verbinden met de plaats op de bank waar ik niet meer ging zitten om met mijn kinderen naar de volgende afleveringen van het mutantenepos te kijken, het raadsel met een vaag begin en onmogelijk einde dat me eerder in staat had gesteld terug te keren naar mijn eigen kindertijd om net als zij te schreeuwen en te klappen. Eerder wilde wel zeggen jaren eerder. Die chronologische nauwkeurigheid ontketende een rilling van ontzetting over mijn hele rug, en ik bracht de paraplu over naar mijn linkerhand om de revers van mijn regenjas met mijn rechterhand over elkaar te slaan, maar hoewel het goot van de lucht, kon geen enkel gebaar me beschermen tegen de kou die uit de kern van mijn eigen wervels voortkwam.

Zonder dat zwart geschilderde hek ook maar een moment uit het oog te verliezen, noch de bronzen plaat die op de muur was bevestigd, rechts van de deur, nummer 48 en geen enkele naam, noch de jonge maar robuuste cipres die nauwelijks boven de groene, onberispelijk gesnoeide haag van thuja uitkwam, in de linkerhoek van die mij onbekende tuin, dwong ik mezelf serieus na te denken over mijn kinderen, Ignacio, tien jaar, mannelijk, donker, ongehoorzaam maar lief, een luie leerling met een uitstekende intuïtie, die hij nu ineens zou moeten leren gebruiken, en Clara, zeven jaar, vrouwelijk, licht kastanjebruin, gehoorzaam en gedisciplineerd, goede leerling, verantwoordelijk maar nogal nukkig en zo nu en

347

dan zelfs stug, die nog in de Drie Koningen geloofde. De laatste tijd legde ik mezelf dit soort hersengymnastiek regelmatig op en trachtte bij het begin te beginnen, waarbij ik de gegevens herhaalde die ik nooit zou kunnen vergeten om me te beschermen tegen mijn vergeetachtigheid, want ik was doodsbang voor de mogelijkheid dat de kinderen, met die eenvoudige en directe intelligentie die volwassenen al zijn kwijtgeraakt, als eersten zouden ontdekken dat hun moeder ze had verlaten, dat de vrouw die ze in de ochtend bleef wekken, het ontbijt voor ze maakte, die ze hielp aankleden en hollend naar de bushalte bracht, diezelfde vrouw die vervolgens 's avonds voor ze zorgde – als ze 's avonds thuis was – en ze in bad deed, eten gaf en in bed stopte, niet dezelfde was van vroeger, maar een handige bedriegster, een identieke kopie die nauwelijks nog een draadje van haar gedachten aan ze wijdde. Ik moest wel aan de kinderen denken want Kerstmis stond voor de deur maar ik had geen idee welke cadeautjes ze het liefst zouden willen hebben, mijn hoofd stond er niet naar om met ze voor de televisie te gaan zitten en een geestelijke notitie te maken van de speelgoedreclames die ze aan het gillen maakten, ik schonk ze geen aandacht wanneer ze tegen me spraken, maar ik wist dat ik vroeger of later met ze naar de Plaza Mayor zou moeten om zaagsel te kopen, en kurk, een papieren hemel en een nieuw figuurtje om de kerstkribbe te maken, en we zouden, uiteraard, ook de kerstboom moeten versieren, het jaar daarvoor was de helft van de lampjes doorgebrand, daar moest ik ook aan denken, en aan het vervangen van een paar kerstballen, die ze hadden gebruikt om te voetballen, en Clara zou met alle geweld een rommelpot willen, zoals elk jaar, en vervolgens zou ze er, zoals elk jaar, geen enkel geluid aan weten te ontlokken en tranen met tuiten huilen om haar onbeholpenheid, zoals ik om de mijne huilde wanneer zij me niet kon zien.

Ik werd gepasseerd door een groene auto, die mij onopzettelijk nat spatte. Hij was maar een seconde naast me, maar ik had tijd om het gezicht te zien van de bestuurder, dat verlamd was van verbazing bij het vaststellen dat de donkere gedaante verscholen achter een eenvoudig reclamebord van een restaurant in de buurt een doorweekte vrouw was, vervaagd door de regen, net als die straat, die huizen die gedoemd leken op te lossen in de onverbiddelijke, loodrecht vallende stortregen die op het punt stond de eenvoudige constructie van mijn paraplu te vernietigen. Terwijl ik vergeefs, met natte handen, de plassen water van me afsloeg die die wielen over mijn jas hadden verspreid, voelde ik een hulpeloosheid die strikt fysiek was, een troosteloos gevoel van armoede in mijn huid, als de eerste fase van een toestand van beschimmeling die ik kende, hoewel het heel diep begraven lag in mijn geheugen. Toen besefte ik dat mijn kinderen niets te maken hadden met de zondige geur van vochtige aarde.

De herinnering was veel ouder, vaag zelfs, een jaar voordat ik naar de eerste klas zou gaan, hadden de nonnen de school verkocht, mijn zusje Angélica had een voorsprong van drie jaar en samen met mama ging ik haar altijd ophalen bij dat immense gebouw, een donkere tuin met oude bomen, aristocratische stenen banken bekleed met mos, zoals die te zien waren in griezelfilms, en ouderwetse prieeltjes, met hun bijbehorende verroeste ijzeren bogen waarlangs zelfs de herinnering niet meer omhoog-klom aan de laatste rozenstruik. De buitenmuren, oud en dik als die van een fort, schermden de leerlingen van de meisjesschool af van het rumoer van de Castellana en creëerden de illusie van een onafhankelijke wereld die op eigen kracht in de ruimte en in de tijd hing. Dat is tenminste wat ik me herinner van dat mysterieuze betoverde kasteel, dat Angélica elke middag op een holletje verliet als iemand die uit een gevangenis ontsnapt, net toen ik dacht dat ik de helft van mijn leven zou geven om naar binnen te mogen. Maar ik was een gelukkig meisje, uit een gelukkig gezin, mijn moeder werkte niet, mijn vader wel, en hij verdiende genoeg om te waar-borgen dat zijn vier kinderen, later vijf, toen Natalia bijna op een ongele-gen tijdstip werd geboren, nooit het gevoel zouden hebben dat het ze aan iets belangrijks ontbrak, en ze vonden het zo erg om ons naar school te sturen, dat ze ons thuishielden, waar we de hele dag speelden, warm en beschermd, tot we de leeftijd bereikten waarop de leerplicht in werking trad, in mijn geval zes jaar. Juist toen verkochten de nonnen de school, de donkere tuin met zijn kabouters erin, de puntvormige ramen met ge-brandschilderd glas waarachter het bijna pijn deed niet de hemelsblauwe puntmuts te ontwaren van een middeleeuwse prinses, de prieeltjes van verroeste ijzeren bogen en die banken van begroeide steen, maar niemand zei het tegen mij, niemand waarschuwde me voor wat me werd ontno-men, het was de eerste droom in mijn leven en hij ging in rook op als de uitgedroogde blaadjes van die verwelkte rozen, verdween in een wolk van kleurig stof, en daarna in het niets. Toen ik die ochtend in de auto van mijn vader stapte, had ik zelfs geen vermoeden van wat er ging gebeuren, maar het bevreemdde me dat we er zo lang over deden en ik vroeg talloze malen, waar gaan we heen?, naar school, herhaalde hij, Angélica zat naast me te snotteren, de onnozele hals, dacht ik, zonder in de hare mijn eigen tranen van andere ochtenden te voorzien, en ten slotte, toen ik schoon genoeg had van het wachten, reed de auto een heel gewoon, alledaags hek door met vierkante spijlen en stond stil voor een gebouw van rode baksteen met enorme ramen, dat nog gewoner en alledaagser was, voor een tuin die dat niet was, twee of drie vlekken gras in een kaal stuk grond, en een enorm geasfalteerd plein grenzend aan de linkervleugel van het gebouw. Toen vroeg ik het voor de laatste keer, maar waar heb je me heen gebracht...? Naar je school, antwoordde mijn vader, kijk eens, hij is nieuw, jij gaat hem inwijden, wedden dat je hem leuk vindt?

Ik heb hem nooit leuk gevonden, nooit, maar ik heb er ook nooit een hekel aan gekregen, want ik was in het algemeen een gelukkig kind, en misschien daardoor meegaand, bijna altijd vrolijk, en gedisciplineerd, dat wil zeggen, een ideale leerling, vooral doordat ik meteen begreep dat leren en goede cijfers halen de snelste en zekerste manier was om te overleven in dat labyrint zonder geheimen, en het kostte me eerlijk gezegd niet veel moeite om dit in praktijk te brengen. Zo kwam het dat de nonnen mij met rust lieten, hoewel ze me altijd bij mijn volledige naam bleven noemen, Rosalía, wat ik niet leuk vind, en ik liet hen met rust, wat een veel vruchtbaarder en vreedzamer relatie was dan die waarop ze hadden durven hopen met het zusje van Angélica Lara, een onrustig, opstandig en tegelijkertijd overgevoelig meisje, eeuwig heen en weer geslingerd tussen schreeuwen en huilen, die hen niet alleen haatte, maar ook meer dan genoeg moed had om ze dat recht in hun gezicht te zeggen. Ik begreep dat ongelukkige gevoel van mijn zusje Angélica niet, dat soort eeuwig onbehagen, die voortdurende teleurstelling in zichzelf en alle andere dingen in deze wereld, dat een volmaakte gelijkenis vertoonde met het ongelukkige gevoel van mijn broer Juanito, drie jaar jonger dan ik en net als zij onrustig, gedesillusioneerd, gesloten, niet in staat iets te vertellen van wat er met hem gebeurde of iets te waarderen van wat hem omringde. Te midden van hen ging het met Carlos en mij altijd wel goed, we waren tevreden en rustig, hadden goede cijfers en een ontspannen, diepe slaap, zoals je bij alle kinderen verwacht. Nu woont Juan, die een briljante toekomst in Spanje en tegelijkertijd zijn eerste vrouw liet schieten, in de Verenigde Staten, is getrouwd met een negerin met een behoorlijk lichte huid en een schoonheid die zo spectaculair is dat niemand ook maar op het idee komt dat ze behoorlijk wat ouder is dan hij, geeft colleges natuurkunde aan een universiteit in Virginia en heeft drie kinderen die heel donker en net zo knap zijn als hun moeder. Hij komt hier heel weinig, maar we hebben allemaal, met uitzondering van mama, die prompt zucht wanneer iemand zijn naam uitspreekt, de indruk dat het heel goed met hem gaat. Angélica is veertig jaar, maar ziet daar niet naar uit, vanbinnen noch vanbuiten, en werkt bij een reclamebureau; ze verdient bergen geld, lacht veel en zegt, ten slotte, dat ze heel tevreden is met haar leven. Ze heeft een eind gemaakt aan een huwelijk waarvan we allemaal dachten dat het werkte, en waaruit ze een dochter had, werd als een idioot verliefd op een musicus, een paar jaar jonger dan zij, met wie ze meteen trouwde en meteen nog een kind kreeg. Ze zijn zeven jaar bij elkaar en zoenen elkaar waar ze maar kunnen, op straat, in de bioscoop, en zelfs tijdens familie-etentjes. Natalia heeft haar studie nog niet afgemaakt, maar met Carlos en mij gaat het nog steeds goed, getrouwd met onze oorspronkelijke partners, beiden met een lichte huid, de Spaanse nationaliteit, passend wat leeftijd, uiterlijk en werk betreft, klaarblijkelijk altijd tevreden en rustig, en de hoogste cijfers halend die mijn ouders ooit hadden durven wensen voor hun kinderen. Soms, gedurende een van die aanvallen van melancholie die mijn broer volledig van de wereld isoleren, tijdens het etentje op kerstavond, of op zijn verjaardag, kom ik in de verleiding hem te vragen of zijn kalmte voor hem hetzelfde betekent als de mijne voor mij.

Ik had geen hekel aan school, zoals Angélica, want dat stompzinnige gebouw had, hoe lelijk het ook was, hoe weinig charme het ook had, niet genoeg macht om ook maar een krasje te maken in mijn bewustzijn van gelukkig kind, maar toch heb ik daar de betekenis van de troosteloosheid leren kennen. Nooit zal ik die vreselijke middagen van eindeloze regen vergeten, het grijs van de hemel boven de horizon hangend als een vervloeking die ik niet verdiende, de avond die zich op wintermiddagen rond halfzes sloot als de vuist van een verdorven reus, het tijdstip waarop ik op de verblindende zomerdagen doortrokken van zwembadchloor en een grote loomheid nog maar net begon te ontwaken uit de siësta; ik herinner me het gekletter van de regen op de ramen, waardoor ik in de verte de lichten kon zien van de bussen, die aangestoken waren wanneer de bel klonk en de school uit was, en ik herinner me het troosteloze gevoel waarmee ik mijn spullen bijeenpakte, en de trap afliep, en buiten kwam op dat verlaten schoolplein dat iedereen tuin noemde. Ik moest het helemaal oversteken om bij de bus te komen en dan, ja dan begon ik Angélica bijna te begrijpen, want mijn rok liet mijn knieën altijd onbedekt, en een aantal jaren ook een groot deel van mijn bovenbenen doordat mijn moeder weigerde om elk jaar een nieuw uniform voor me te kopen, met als enige uitzondering de sokken, maar deze waren, in weerwil van het veronderstelde prestige van de school, zo slecht, zo dun, dat, hoewel ik ze pas half oktober voor het eerst droeg, het elastiek zich begin november al voor altijd had overgegeven, en vanaf dat moment droeg ik ze afgezakt rond de enkels van mijn blote benen. Ik kreeg kippenvel bij het contact

met de koude, met de regen, met de wind, ik herinner me die vernedering van de winter, het pad bedekt met ijskoude plassen die mijn schoenen
doorweekten, de kleine maar onuitputtelijke gesel van waterdruppels die
uiteensloegen in mijn knieholten en een verschrikkelijk gevoel van eenzaamheid dat ik zelfs nu nog niet zou kunnen definiëren, maar dat me
tegen die natte grond drukte met de zekerheid dat ik niemand op deze
wereld had. De geur van vochtige aarde, de geur van verlatenheid, van
eenzaamheid, van bitterheid, van een wrede verbanning van de kleur van
de zomers vergezelde me naar het inwendige van de schoolbus, een draagbare gevangenis overheerst door de damp die de ramen beschilderde met
zijn afschuwelijke grijze kwijl en de atmosfeer tot verstikkens toe ver-
dichtte, de troosteloosheid verscherpend van die stoelen van namaakleer,
het plastic in de hoeken gescheurd en de ingewanden van schuimrubber
naar buiten stekend, en de traagheid, de vochtigheid in alles, het afschuwelijke gevoel al het water van deze wereld met je mee te torsen, en het
afschuwelijke voorgevoel je daar nooit meer van te kunnen bevrijden,
want het was al binnengedrongen in mijn kleding, in het leer van mijn
schooltas, in mijn met modder besmeurde schoenen, in mijn verbeelding
en in mijn ziel. Dan, wanneer ik dacht te verdrinken in mijn eigen nostalgie, wanneer ik begon te twijfelen aan het gelukkige meisje dat ik nog
nauwelijks was, ging de deur van de bus voor mij open in het centrum van
de echte wereld, Barquillo hoek Almirante, waar de grond geasfalteerd
was en de trottoirs geplaveid, en het water ordelijk naar de rioolputten
stroomde die verborgen lagen tussen de wielen van de auto's, en er was
licht, er waren mensen, en het rook er naar net gebakken bladerdeeg in de
deur van de banketbakkerij, en, in mijn handen, naar de schil van de man-
darijn die de groenteboer me gaf wanneer hij me voorbij zag komen en
het warme wachtwoord uitsprak van mijn naam, Rosa, een geweldige
geur die in de kieren van mijn vingers bleef hangen tot na de thee, al heel
veilig in mijn buurt, in mijn huis, mijn schuilplaats, een oude stad met
hoge gebouwen als goede feeën en cafés die tot vroeg in de ochtend
openbleven. De geur van zonde kwam later, als een laatste, maar definitieve precisering.

Ik herinner me zelfs de naam niet meer van die jongen die het voorbereidende jaar voor de universiteit deed op het college naast ons, wat wil
zeggen dat zijn hek zich op een halve kilometer van dat van ons bevond,
in de verste uithoek van een afgelegen buitenwijk. Ik herinner me evenmin zijn gezicht, maar hij had krullend haar, rossig kastanjebruin, en ik
weet dat hij lang was en nogal dik. Hij was bovendien, zoals we dat toen

noemden, veel ouder, want hij was een paar keer blijven zitten, en hij had een bromfiets en de leeftijd om zijn rijbewijs te halen. Dat was ongetwijfeld de reden waarom ik belangstelling voor hem had, want ik vond hem eerlijk gezegd niet echt leuk, maar hij vond mij zo leuk dat hij met ons mee bleef gaan nadat hij zijn vriendinnetje had afgezet, een meisje uit de zesde dat hem vervolgens in de steek liet omdat ze de intense wekelijkse hofmakerij, die al mijn schoolvriendinnen dodelijk jaloers maakte, niet kon aanzien. Ik zat in de vijfde en ging elk weekeinde uit met de vriendenclub, waarbij we de hele route aflegden, Moncloa, Princesa door, Argüelles, Princesa terug, Moncloa, en de hele ronde opnieuw, maar de laatste etappe haalde ik meestal niet. Mijn vriendinnen moesten om tien uur thuis zijn, en de jongens mochten tot halfelf op straat blijven, maar het had mij al zo veel moeite gekost om mijn moeder zover te krijgen dat ze het beschamende aanvankelijke tijdstip van negen uur 's avonds een halfuur zou verplaatsen dat ik het niet aandurfde haar te tarten, dat had ik nooit gedurfd, ik gedroeg me goed tegen haar, goed tegen mijn zusjes en broers, en tegen mijn vader, ik schreeuwde nooit, zoals Angélica eerder schreeuwde, zoals Juan later schreeuwde, ik sloeg nooit met deuren en was nooit brutaal, en ik kwam niet te laat, ik had ze nooit reden tot ongenoegen gegeven, maar er is in dit leven altijd een eerste keer.

Het was de eerste keer dat we samen hadden afgesproken, zonder de vriendenclub, en toen ik bij de deur van de Parador de Moncloa kwam en hem zag, met de houding van eigenaar tegen dat dubbel geparkeerde bestelbusje geleund, was ik op slag ontwapend door emotie, want het was helemaal niet normaal om uit te gaan met iemand die een auto had. Ik was een beetje teleurgesteld dat hij niet zou rijden, maar werd tegelijkertijd overvallen door een dubbelzinnig gevoel van opluchting toen ik merkte dat onze intimiteit niet volledig zou zijn. Op de kenmerkende manier van die tijd waren we met drie stelletjes, en al het andere was net zo kenmerkend, het onmiskenbare uiterlijk van hippies van goede familie dat zijn vrienden hadden, die sterk op die van Angélica leken, hetzelfde lange haar van allemaal, de twee gitaren in de auto die ze met meer zorg behandelden dan zichzelf, en zelfs de vuile, langharige hond van de bestuurder, die vreedzaam op de matras achterin ging liggen, tussen het stel dat we voor ons hadden en het stel dat ik vormde met die jongen van wie ik me nog steeds de naam niet herinner. Ze vertelden me dat we naar Valdemorillo gingen, naar een geweldige kroeg waar ze goedkope wijn hadden en een uitstekende kaas, en mij leek dat prima, misschien doordat ik voordat we Madrid uit waren de eerste trek nam van een stickie, dat voorin was gedraaid en steeds werd doorgegeven; mijn metgezel was mysterieus afhankelijk van dat verkeer, hoewel hij net nadat we snel door het laatste stoplicht waren gereden zijn hand in mijn decolleté stopte en zijn tong in mijn mond, en ik beantwoordde zijn kussen en dacht dat ik iets geweldigs, iets belangrijks en gevaarlijks deed, iets wat bijna mijn oudere zusje waardig was, en ik vond het prachtig, ik vond alles prachtig, zelfs die karaffen goedkope wijn waarvan ik te veel dronk en genoeg morste om mijn bloesje te ruïneren, en de liedjes, bijna allemaal politiek, sommige grof, onbeschoft zelfs, maar het was allemaal leuk, en de constante, onuitputtelijke, vurige kussen werden op een gegeven moment onmisbaar, en ik kuste die jongen die zijn naam heeft verloren met een honger naar kussen die ook ik, misschien voor altijd, heb verloren. Ik voelde me fantastisch, tot ik op mijn horloge keek en zag dat het halfnegen was. Ik geneerde me zo om hardop te zeggen dat ik een uur later al thuis moest zijn dat ik een tijdje wachtte in de hoop dat iemand voor mij zou beslissen dat het moment gekomen was om terug te gaan naar Madrid, maar dat gebeurde natuurlijk niet, en om tien voor negen moest ik mijn gloednieuwe vriend in het oor fluisteren dat we moesten gaan. Hij wierp me een zo duidelijk geërgerde blik toe dat ik een ogenblik vreesde verloren te zijn, maar hij vond me blijkbaar zo leuk dat hij me ten slotte tegemoetkwam. Het was echter niet eenvoudig voor hem om de anderen over te halen, en het was al tien over negen toen we weggingen uit die kroeg, waar niemand van ons zich gerealiseerd had dat het dreigende grijs van de lucht dat ons vanaf Madrid begeleid had zich zou ontladen in een enorme stortbui. Het regende met zo veel volharding, met zo veel hardnekkigheid, met zo'n ambitie om de wereld onder water te zetten, dat we op de korte afstand die ons van het busje scheidde volkomen doorweekt raakten, en toen we er eenmaal in zaten, veranderden we de matras die ons ontving in een ondiep en onvoorzien meer. Maar nog steeds was alles goed. Met een rustig gevoel en in een uitstekend humeur gaf ik me over aan een nieuwe sessie van beten en handtastelijkheden want we hadden niet meer dan twintig minuten over de heenreis gedaan en ik zou dus niet meer dan een kwartier te laat komen, wat een redelijk, aanvaardbaar, zelfs onschadelijk tijdstip was. Het busje hobbelde ritmisch over een zandpad in de richting van de autoweg, waar we vast en zeker sneller zouden gaan rijden, dacht ik, maar juist toen er meer licht kwam, en het geraas toenam van banden die over nat asfalt reden, stonden we stil.

Het was zondag. Ik wist het toen ik die ochtend opstond, en ik wist het nog steeds toen het etenstijd was, en ik wist het terwijl ik me klaarmaakte, en zelfs toen ik om halfzes naar mijn afspraak ging, en toen we teruggingen naar Madrid, toen het avond was, was het nog steeds zondag hoewel ik dat vergeten was, en bovendien regende het, en daar kwam het door, want we zaten vast op een regenachtige zondagavond, de weg naar La Coruña was een immense rivier van stilstaande lichten, een oneindige vijver van nutteloze motoren, een dubbele rij van wanhopige mensen die mijn eigen wanhoop toedekte en nog iets meer, want de zittenblijver van het naburige college kuste me en betastte me in het donker, en ik kon niet anders dan reageren hoewel ik ook niet anders kon dan denken aan wat me boven het hoofd hing, en ik vermaakte me uitstekend en zette tegelijkertijd mijn leven op het spel, maar de verkeersopstopping was afgrijselijk en hoe ongerust ik me ook maakte, daar was niets aan te doen, ik had geen enkele controle over de situatie buiten maar kon gebruikmaken van de situatie binnen, en dat was wat ik deed terwijl in mijn binnenste een nieuw en vreemd gevoel ontwaakte, dat onvermijdelijk verbonden was met de regen en de koude van een avond in februari, met de geur van mijn kleding die vochtig was van wijn en water, van mijn met modder besmeurde schoenen, en ik voelde me inwendig oneindig schuldig omdat ik me niet schuldig genoeg voelde, en uitwendig lachte ik en maakte ik grapjes, wrong ik me in bochten door dat verontrustende genot dat opgewekt wordt door die liefkozingen die halverwege stoppen, en ik wist dat ik me niet goed gedroeg, maar ik had niet de geringste kracht om me anders te gedragen. Buiten het busje rook het naar vochtige aarde, binnen het busje rook het naar vochtige aarde, en het was ook de geur van kussen en van angst, een huivering die mij niet verliet voor ik ten slotte de zitkamer betrad in het huis van mijn ouders, dat niet meer het huis was van een gelukkig gezin, want mijn vader, die zwijgend op zijn woede zat te broeden, was niet gelukkig, noch mijn moeder, die huilend tekeerging alsof ze levend gevild werd, tien over halftwaalf, zei ze, tien over halftwaalf en je hebt niet eens gebeld, tien over halftwaalf, alsof ik nog niet genoeg te stellen heb met je zuster, tien over halftwaalf en een dezer dagen weten jullie me met zijn allen nog gek te maken...

Voor straf kreeg ik huisarrest voor de weekeinden gedurende een heel lange tijd, ik weet niet meer of het drie maanden was, of zes, en ik eerbiedigde de straf met een kalmte die onverklaarbaar was bij iemand die niet gewend was gelukkig te zijn, maar mijn concept van geluk, en van de prijs die je ervoor moet betalen, was in één keer en voor altijd veranderd. Ik kon dit niet uitleggen aan die jongen, die me bijna onmiddellijk in de steek liet, minder geschokt door de gevolgen van ons avontuur dan door de volgzaamheid waarmee ik me zonder ook maar een kik te geven naar de ouderlijke discipline voegde. Het kon me niet veel schelen, want de waarheid gebiedt te zeggen dat ik hem toch niet leuk vond, en misschien vergat ik daardoor zo snel dat vochtige aarde naar zonde ruikt.

Er waren meer dan twintig jaar en een ramp voor nodig om plotseling de gewaarwording van die geur terug te vinden op de kruising van twee straten in de afgelegen buitenwijk Pozuelo de Alarcón, terwijl ik vanachter een metalen reclamebord voor een restaurant in de buurt het ijzeren hek bespiedde van een huis waarin ik nog nooit was uitgenodigd. En de vochtige aarde raakte me harder dan welk woord, welke gedachte, welke raad dan ook, misschien doordat ik het begrip zonde de laatste tijd zorgvuldig had ontweken en de regen en de koude van de laatste avond van november dit voor mij hadden teruggebracht, net zo zuiver en vervormd als vroeger, maar anders, want bij thuiskomst wachtte mij iets veel ergers dan een berisping, dan straf, dan ergernis, en mijn kinderen hadden niets met dat alles te maken. Ik zondigde tegen mezelf, en voor een dergelijke zonde bestaat geen vergeving.

Ik nieste twee keer en dacht aan mijn zusje Angélica, aan mijn broer Juan. Misschien is geluk als gewoonte als een van die verslavende medicijnen die zich aanpassen aan het lichaam tot het punt waarop ze tegelijkertijd onwerkzaam en onmisbaar worden en de eigen wil voor altijd kapotmaken. Misschien was ik wel gelukkig gebleven zonder me daarvan bewust te zijn. Misschien gaan gelukkige kinderen wel geloven dat hun staat een eeuwigdurende gave is, een onherroepelijke toestand, een vaste, definitieve bestemming, als een bezit, en weigeren ze daarom de regels te accepteren van een ander leven, kunnen ze geen ander einde aanvaarden. Nacho Huertas kon niet weten dat ik gewend was gelukkig te zijn, en ik had nog geen manier gevonden om hem te overtuigen toen de vochtige aarde mij met haar geur van zonde begon te kwellen.

Ik kon het geen minuut meer verdragen. Ik stond al op het punt weg te gaan toen de ijzeren hekken zich op eigen kracht openden als de poorten van de grot van Aladdin en een kleine, nieuwe, zwarte auto zijn neus in de richting van de zandweg stak, die als trottoir fungeerde, en zo dicht bij mij stilstond dat ik zonder enige moeite door de regen heen de cijfers kon lezen van een nummerbord dat ik uit mijn hoofd kende. Mijn hart klopte in mijn keel, ik dacht dat ik zou sterven van spanning, maar ik had geen geluk.

De vrouw van Nacho Huertas reed langs me heen en ook zij spatte me onopzettelijk nat, maar ze was niet eens nieuwsgierig genoeg om naar me te kijken.

Na die avond van uitgestelde seks die ik op het verkeerde moment had geëind op de heimelijke *futon* in zijn studio besloot ik dat ik op die man die mij liefste had genoemd zou reageren met mijn eigen onbeperkte liefde, maar dit besluit, waarvan hij nog niet op de hoogte was, bracht hem er niet toe mij te bellen, dus begon ik hem te bellen. Toen hij de telefoon niet opnam en mij daarmee beroofde van lange gesprekken van een halve ochtend vol seksuele grappen en toespelingen op naderende afspraakjes die nooit geconcretiseerd werden, begon ik lange boodschappen op zijn antwoordapparaat achter te laten. Toen hij mijn telefoontjes niet beantwoordde, van antwoorden die steeds korter en lustelozer werden tot lokkertjes die steeds ingewikkelder en gewaagder werden, die ik, in de beste stijl van de freelance redactrice die ik in een andere tijd was geweest, begon op te schrijven voordat ik ze losliet op het ongevoelige oor van een machine, begon ik zijn nummer op alle mogelijke uren te draaien, alleen om zijn stem aan de andere kant van de lijn te horen. Toen ik op het gefluit van zijn fax begon te stuiten, die op veel meer uren was ingeschakeld dan redelijk leek, raakte ik ervan overtuigd dat het legendarische prestige dat de occulte wetenschappen gedurende millennia hebben verworven, niet op niets kan berusten en begon ik Bambi op te zoeken. Toen ik ten slotte mijn verstand terugvond in de zekerheid dat de tarot flauwekul is, want geen van de gunstige voorspellingen die vanaf ver voor mijn geboorte voor mij geschreven stonden in de sterren werd ook maar bij benadering vervuld, schreef ik Nacho Huertas een ontroerende, subtiele, ironische, oprechte en intense brief, waarop hij nooit antwoordde. Toen ik er genoeg van had om te wachten op ook maar één antwoord op mijn tweede, mijn derde, mijn vierde, mijn vijfde brief, begon ik heimelijk bij zijn huis rond te hangen. Intussen verstreek de tijd.

Toen het zover was gekomen, wist ik niet goed meer wat ik wilde, wat ik hoopte te vinden door hem op een zo waanzinnige manier te zoeken. Misschien was het niet meer dan een woord, een antwoord, een formule om de onbekende op te lossen die mij in het ongewisse hield, bij handen en voeten gebonden, hangend aan een onzichtbare haak vastgeschroefd in de sluitsteen van het hemelgewelf, zwevend, als een stuntelige, trage en eigenzinnige Robin, die nooit in de leer is geweest bij Superman, boven de wereld die de anderen bewoonden zoals ik hem had bewoond tot die verslavende hartstocht mij met geweld uit zijn schoot had verbannen, en ik leefde zonder te leven, sliep zonder te slapen, wist zonder te weten datgene wat alle anderen wisten. Ik vroeg me af of een man die gelukkig is met zijn vrouw zich halsoverkop in de armen zou hebben gestort van een

onvoorziene reisgenote, of een man die in staat is zich helemaal te verliezen in een niet-voorziene liefdesnacht deze toets ongedeerd kan hebben
doorstaan, of een man die in staat is onder te gaan in een andere huid zonder te veranderen 's nachts zou zijn opgestaan om foto's te maken van een
toevallige vrouw terwijl ze sliep, of het mogelijk was, echt mogelijk was,
dat die man niet hetzelfde had gevoeld als ik, dat hem niet hetzelfde was
overkomen als mij, dat hij niet, minstens één keer per dag, een fluistering
zou horen die voortkwam uit het middelpunt van zijn bewustzijn en niet
moe werd steeds hetzelfde te herhalen, als een plaat met een kras erop, als
een weergalmende vloek, als een onwrikbare uitdaging, je bent nog op
tijd, moest die stem zeggen, kon die stem niet anders dan zeggen, zij is de
weg voor de rest van je leven, bel haar of je zult er tot de dag van je dood
spijt van hebben. Misschien was één woord voldoende geweest, vergeef
me, maar hij heeft me nooit willen redden door het uit te spreken.

Hoewel er een moment kwam waarop hij voor mij ophield te bestaan
op het neutrale terrein van de werkelijkheid, hoewel hij van toen af aan
ophield een man te zijn en zich beetje bij beetje ontdeed van zijn vlees,
van zijn botten, zijn inhoud en zijn vermogen tot beweging, om beter te
passen in het vleesloze omhulsel van een idee, een permanente obsessie die
doof was voor zichzelf en alleen in mij groeide, beetje bij beetje de plaats
innemend van alles wat ik in mij had om mij ten slotte te laten openbar-
sten, door de naden te breken van een lichaam dat niet lang meer in staat
was haar te verduren, had de man die Nacho Huertas heette de wereld van
de levenden niet verlaten en gaf, zo nu en dan, een teken van zijn bestaan.

Niets zou onrechtvaardiger zijn dan het hem te verwijten, de last op
zijn schouders te laden van mijn eigen gekte, van die giftige infectie die
hij had veroorzaakt zonder dit in de zin te hebben, als een microscopisch
virus dat op zich zelfzuchtig en onschuldig is, voor altijd gevangen in zijn
eigen kwaadaardige aard, maar zeker is dat die situatie hem beviel, ik was
ervan overtuigd dat hij van mij genoot zoals een kind zou genieten van
een speeltje waarvan de batterijen nooit opraken, een pop die elke dag iets
anders kan, elke dag ingewikkelder en moeilijker, dankbaarder in zijn
excentriciteit. Zijn eigenliefde moest wel geweldig groeien met de intensiteit van mijn liefde, met de onvoorwaardelijkheid van mijn aanbiedingen, met mijn overgave en mijn geloof, brandstof voor een eigendunk die
al grensde aan de status van goddelijkheid, een innerlijk prestige waar hij
nog geen afstand van wilde doen want hij liet me nooit het totale diepte-
punt bereiken, hij liet nooit na mij een teken te sturen wanneer ik wanhopig was, wanneer ik er genoeg van had steeds opnieuw de herinneringen

op te roepen die het meest plezierig, het meest intens, het gelukkigst waren, wanneer ik besefte dat bepaalde woorden, bepaalde gebaren, bepaalde vrijpartijen iets weg begonnen te hebben van die beduimelde plaatjes, met kromme hoeken en een vage, vettige aanslag die voor altijd een illustratie doordrenkt die al gedrukt leek op glansloos karton, die mijn zoon voortdurend schudde. Precies op zo'n moment liet hij mij door iemand de groeten overbrengen, of belde hij me, of, hoewel dit maar twee keer is gebeurd, verscheen in de deur van mijn kantoor en groette me alsof hij nooit meer iets van me had gehoord sinds we terug waren uit Luzern.

De eerste keer kon ik hem nauwelijks zien achter de deur, die hij geopend had met een duidelijke bedoeling die hem echter niet verder bracht dan de drempel. Daarvandaan zei hij hallo, knipoogde naar me, en werd door iemand die ik niet kon identificeren onmiddellijk naar buiten getrokken. We zien elkaar straks, was de formule die hij koos om afscheid te nemen, en ik antwoordde hem met hetzelfde perplexe stilzwijgen waarmee ik op zijn groet had gereageerd, want het klassieke beeld van de dood als een oude, gesluierde vrouw die een zwarte mantel over de grond sleept, het silhouet van haar gebogen rug omkranst door de glanzende ronding van de zeis, zou minder indruk op me hebben gemaakt. Er gingen minstens tien minuten voorbij, misschien meer, voor ik erin slaagde een minimale beheersing over mijn spieren terug te krijgen, net voldoende om een sigaret op te steken en deze haastig op te roken, tabak verbrandend als een puber die zich op de wc heeft verstopt. Pas daarna stelde ik, tot mijn verrassing, vast dat ik niet tevreden was. De zekerheid dat hij zich op zulke momenten onder hetzelfde dak bevond als ik, misschien op niet meer dan een paar meter afstand, maakte me zeer onrustig, maar de spanning die hieruit voortvloeide was zo groot dat ik aanvankelijk dacht dat het veel beter was geweest als ik hem helemaal niet had gezien. Deze eerste reactie maakte ongetwijfeld deel uit van mijn eigen verbazing, als een soort plotselinge kater van een zo intense emotie dat ze pijn doet, want direct daarna stond ik op en ging op weg om hem te ontmoeten, waarbij ik hem eerst in de studio zocht, waar Ana mij bijna met genoegen vertelde dat ze hem niet had gezien, en daarna in het Archief, waar geen enkele fotograaf die op bezoek is in het gebouw aan voorbijgaat, en waar ze me vertelden dat hij daar al minstens een halfuur tevoren was weggegaan, en daarna bij Tekst, bij Grote Werken, bij Wetenschap en Technologie, tot ik tevergeefs alle gangen op alle verdiepingen had afgelopen om daarna naar buiten te gaan en vast te stellen dat hij ook niet in een van de cafés in de buurt was, een mislukte expeditie die resulteerde in een lange serie verwensingen waarmee ik mezelf er ongenadig van langs gaf en mijn gebrek aan reactie vervloekte, mijn traagheid en mijn onbeholpenheid. Maar in die tijd spraken we zo nu en dan nog met elkaar, in de ochtend, was hij nog niet opgehouden te bestaan, noch mij te zoeken, had ik de hoop nog niet verloren.

Toen ik hem voor de tweede keer in de uitgeverij zag, was het me nog niet gelukt de gevolgen van de verkoudheid kwijt te raken die ik als enige beloning had overgehouden aan die pijnlijke bewakingssessie in de regen. Hij kon niet weten dat ik uren op wacht had gestaan bij de deur van zijn huis, maar hij moest al mijn brieven al ontvangen hebben, en toch was zijn begroeting net zo gewoon, net zo normaal en vrolijk, hoewel hij, nadat hij hallo had gezegd, de deur aan de binnenkant sloot en recht naar mijn tafel liep zonder me ook maar enige ruimte te laten voor onbeweeglijkheid, want ik stond op alsof ik gedreven werd door een veer bij het zien van een troebele vastbeslotenheid in zijn ogen, de aankondiging van een gewelddadigheid die ik niet wist thuis te brengen tot hij me bereikte en me met kracht in zijn armen nam. Dat was de laatste keer dat ik hem in mijn leven zou kussen, maar ik voelde niets bijzonders, misschien doordat ik meteen daarop een bekend geluid kon horen, dat van mijn deur, die opnieuw openging, en hoewel hij niet stopte, zich zelfs niet omkeerde, draaide ik mijn hoofd om en opende op tijd een oog om de verbijstering te zien van Fran, die als verlamd in de opening stond, de deurknop nog in haar rechterhand en in haar linkerhand een grote, rechthoekige envelop. Een ogenblik later was ze verdwenen. De deur ging weer dicht terwijl Nacho langzaam zijn omarming liet verslappen. Voordat hij mij helemaal losliet, keek hij mij glimlachend aan.

'We moeten praten, Rosa,' zei hij vervolgens.

'Ja...' wist ik alleen te antwoorden, geschrokken door bepaalde tekenen die op een kort bezoek wezen.

'Ik moet nu gaan...' Nadat hij een paar boeken en een map had opgepakt die hij op mijn bureau had gelegd, pakte hij de regenjas van de vloer die hij bij binnenkomst over zijn arm had gedragen, 'maar een dezer dagen bel ik je en dan maken we een afspraak... Goed?'

Hij streelde mijn gezicht met twee vingers en ging ervandoor.

'Goed...' antwoordde ik toen hij me al niet meer kon horen, en daarna barstte ik in tranen uit.

Toen ik dacht dat de sporen van mijn tranen zo waren afgezwakt dat een niet zo aandachtige toeschouwer ze kon aanzien voor de verstopping die eigen was aan mijn onmiskenbare verkoudheid ging ik naar het toilet met de bedoeling ze te onderdrukken met koud water. Mijn gezicht zag er niet uit, maar ik kon niet langer wachten. Fran zat achter haar bureau rekeningen te tekenen, en toen ze me zag kreeg ze een kleur, een reactie die ik niet had verwacht en die niets anders deed dan mijn eigen blos accentueren. Ik had me voorgenomen geen woord aan de eerdere scène te wijden, maar voor ik er erg in had stond ik de idiootste verontschuldigingen te stamelen.

'Het spijt me verschrikkelijk wat er gebeurd is, Fran, ik, eh… Nou ja, ik weet niet wat ik moet zeggen…'

'Het geeft niet, het geeft niet,' antwoordde ze, alsof ook zij niets liever wilde dan er maar niet op ingaan.

Vervolgens haalde ze uit een la de grote rechthoekige envelop te voorschijn die ze me niet eerder had kunnen overhandigen en spreidde de inhoud op haar bureau uit. Het was de dummy van een deel waarvoor we te weinig tekst hadden gehad, wat Marisa ten slotte had weten op te lossen door bijna onzichtbaar met de marges van lettergrootte en interlinie te spelen, tot ze erin geslaagd was het er precies zo te laten uitzien als de andere delen. Nadat ik hier even van genoten had, wilde ik weggaan, maar voordat ik haar kamer kon verlaten, riep ze me op een toon die ze zou hebben gebruikt als ze iets heel belangrijks zou zijn vergeten.

'Rosa…'

'Ja?' zei ik, terwijl ik me omdraaide, en ik zag hoe ze naar mijn ogen keek en begreep dat de sporen van mijn tranen nog geen greintje van hun kleur op mijn gezicht hadden verloren.

'Nee…' zei ze, terwijl ze opnieuw kleurde en haar blik op de papieren richtte die voor haar lagen. 'Niets.'

Ik begreep de betekenis van die ontkenning heel goed, een ontbreken van woorden dat zeldzaam veelzeggend was, de gedachtepuntjes die ik moeiteloos invulde toen ik terugkeerde naar mijn plek met een tred die niet zozeer vermoeid was als wel moe van een vele keren mislukte oefening, hou er meteen mee op, had ze tegen me willen zeggen, neem hem niet serieus, en ze had het niet aangedurfd, maar dat was het, hetzelfde als wat Ana me in het begin had gezegd, hetzelfde als wat Marisa me al een tijd geleden had gezegd, zij had het nu willen herhalen, nu ik er al zeker van was dat Nacho me nooit zou bellen, niet een dezer dagen noch welke andere dag dan ook, nu ik de somberheid van het einde al voorzag, een duisternis zonder schakeringen als enige oogst, en toen, terwijl ik door de gang sjokte, vroeg ik me af hoe Fran de folterende strekking van mijn geschiedenis zou hebben gereconstrueerd, want ik had haar niets verteld, dat zou nooit in mijn hoofd zijn opgekomen, niemand had het ooit gewaagd om met haar ook maar het kleinste detail van haar persoonlijke leven te bespreken, en toch wist ze het, daar was ik zeker van, want ze had me nog nooit zo aangekeken, en nooit eerder had ik haar een kleur zien krijgen, en nog veel minder een poging zien doen om iemand goede raad te geven, maar ik bleef niet te lang bij dat mysterie stilstaan omdat de oplossing me nauwelijks interesseerde, in werkelijkheid kon het me niet schelen, het maakte me niet uit dat de mensen achter mijn rug over me praatten, in het restaurant, in de kantoren, in de kringen die zich spontaan vormen bij de fotokopieerapparaten, bij de koffiemachines, Marisa zou niets van me heel hebben gelaten bij Ramón, Ana zou Forito van alles op de hoogte hebben gehouden, en aan Fran had iedereen het kunnen vertellen, want zelfs Bambi was eindelijk achter de identiteit gekomen van de man die ik op zijn tafel zo wanhopig had achtervolgd, en had ten slotte zelfs grappen gemaakt, ik zie een fotocamera, zei hij een keer, maar goedaardig, dat wel, en hij had zelf plezier gehad om deze geestige opmerking, en mij had het niet gestoord, integendeel, het feit dat iedereen over Nacho en mij praatte, ondersteunde tot op zekere hoogte het werkelijke bestaan van een geschiedenis die niet meer bestond, die misschien wel nooit had bestaan, vertegenwoordigde een opbeurende knipoog tegenover de grauwe werkelijkheid, en bovendien kwam er een moment waarop ik een zeker genoegen leerde ervaren in mijn eigen neergang, een zekere onbegrijpelijke vreugde toen ik mezelf herkende in de bekrompen beperkingen van een minuscule worm die zich met zijn buik over de grond slepend voortbeweegt, en toch kwam zelfs daar een eind aan, ik wist het al voordat ik de deur van mijn werkkamer openduwde, dat die tragische schoonheid beetje bij beetje vervaagde zoals op foto's de schoonheid verdwijnt van dode meisjes, dat het aureool van mislukte en verdoemde heldin dat het enige was dat ik nog bezat zo nu en dan doofde boven mijn gewone, uiteindelijk typisch onbevredigde vrouwenhoofd, dat het verstrijken van de jaren had getriomfeerd en de toekomst daar lag, meedogenloos en ongebroken, en op me wachtte met de spottende glimlach van een winnaar die nooit ook maar een moment heeft getwijfeld aan de zekerheid van zijn overwinning.

De meest eenvoudige en tegelijkertijd bedrieglijke formule om het geluk in handen te krijgen is het verzet. Ik ben een geboren verzetsstrijdster, net als Madrid, en dat heb ik altijd geweten, ik ben altijd zo geweest, van jongs af aan. Dat was het grote verschil tussen Angélica en mij, tussen Juanito en mij, mijn geduld, mijn volharding, en een aangeboren talent om me op te rollen bij het geringste teken van bedreiging en ogenblikkelijk een keihard schild te vormen dat me tegen elke agressie vanbuiten kan beschermen, wat er ook gebeurt. Waar het om gaat is weerstand bieden, het linkeroor met het rechteroor verbinden via een denkbeeldige tunnel, waarvan de diameter in staat is elke stortvloed van onaangename woorden die me aan één kant van mijn hoofd belagen op te nemen en ogenblikkelijk naar de andere kant af te voeren, zodat ik veilig ben voor hun betekenis en consequenties. Je verzetten, wachten op het juiste moment om in opstand te komen, volledige berusting veinzen in slechte tijden, heimelijk uitzien naar de komst van de goede tijden, toegeven voordat toegeven onvermijdelijk wordt, cessies verhullen als concessies, je verzekeren van een positie, hoe klein dan ook, voordat je de volgende bevecht, en zwemmen, zo snel je kunt, zonder ooit je kleren uit het oog te verliezen. Zo had ik geleefd, de problemen en de grote beslissingen uit de weg gaand, een houding die zo ten diepste verstandig was dat alle voortekenen voor mij op een eeuwig geluk hadden gewezen, mijn vader had het al gezegd, jij redt het wel, nee, over jou maak ik me geen zorgen, jij eindigt niet als Juan, jij eindigt niet als Angélica… Daar had hij gelijk in gehad, maar zijn schot in de roos had me niet zo'n pijn gedaan als de tijd oneindig was gebleven, zoals die keer dat ze me straften en ik gedurende heel veel maanden alle weekeinden thuis moest blijven en ik inschatte dat het niet de moeite waard was om herrie te schoppen over een zo onbetekenende termijn. Maar later begon ik de jaren kwijt te raken, begon ik te beseffen dat ik achteromkeek en ze niet kon zien omdat ze niet meer op hun plaats waren, gevallen waren, uiteengevallen waren, elkaar onderling wreed hadden uitgewist, en dat de tijd die me restte steeds korter was, steeds korter, te kort om op comfortabele wijze de geest te herbergen van een verzetsstrijdster.

Nog maar enkele maanden eerder, nog maar enkele weken eerder misschien, waren de vage beloften van Nacho Huertas voldoende geweest om mijn verzet tot aan de grenzen van mijn eigen pijn voort te zetten, maar voor alles is een eerste keer, en als daaraan een eind komt, houdt alles op, en daarom kon ik me niet meer vastklampen aan zijn woorden alsof ze een ballon waren die omhoogvliegt wanneer hij op het punt lijkt leeg te lopen, ik kon mijn geloof niet met ze voeden, ze waren zelfs niet genoeg om mijn zieltogende toestand te verlengen, die van dat type mensen dat met nog één zwakke levensdraad handig verstoppertje speelt met hun lot. Toen ik dat begreep, keek ik bij mezelf naar binnen en zag niets, ik zocht tot in het laatste hoekje en trof het leeg aan, ik zei tegen mezelf dat het

het beste was wat me had kunnen overkomen en was niet in staat ook maar een woord te geloven van wat ik tegen mezelf zei.

De volgende ochtend ging ik niet naar mijn werk. Ik belde om me ziek te melden en bleef de hele dag in bed. Ik was echt ziek. Kerstmis was eindelijk gekomen en ik had nog nooit zo naar de dood verlangd.

Mijn kinderen hadden zich zo voorgenomen om mij te verlossen van die mysterieus aangename en tegelijkertijd verschrikkelijke toestand van innerlijke vernietiging, dat ze daar uiteindelijk in slaagden. Ze deden zo hun best om me in beweging te krijgen, om me te overtuigen van de absolute noodzaak om op tijd te beginnen met de kleine rituelen die voorafgaan aan het grote jaarlijkse familiefeest, de indigestie en de verspilling, dat ik voor ik er erg in had overladen was met werk, mijn agenda overvol van kleine taken die zo bewerkelijk en dringend waren dat ze me niet veel tijd lieten om me bezig te houden met de ontmoedigende zekerheid dat ik niets meer te doen had. Ignacio speelde een belangrijke rol in een toneelstuk over de kerstgeest dat zijn taalleraar had geschreven, en ik moest zijn antwoorden uit mijn hoofd leren om op elk moment met hem te kunnen repeteren. Clara zou herderinnetje zijn in de levende kerststal die vlak voor de voorstelling op de laatste dag van het trimester in de hal van de school zou worden opgesteld voor de ouders, en ik moest met haar op zoek gaan naar de stoffen voor haar jurk en haar een paar keer meenemen naar het huis van mijn moeder – die zowel haar oude naaimachine nog in goede staat bewaarde als de vakkundigheid waarmee ze jarenlang voor ons allemaal kleren had gemaakt – om te passen. De inspanning was de moeite waard, want ze zag er prachtig uit in haar lange rok, met streepjes, een witte bloes met kanten kraagje, en een vestje van synthetische lammetjesvacht waarop haar grootmoeder haar uiterste best had gedaan en dat zo perfect geknipt en genaaid was dat het bijna van echte vacht gemaakt leek. Ik geloof dat het moment waarop ze helemaal verkleed voor me verscheen de eerste keer was in zeer lange tijd dat ik erin slaagde weer echt naar iets te kijken en ik bekeek haar zonder aan iets anders te denken dan haar vermakelijke vrolijkheid, die van een meisje dat van zichzelf ijdel en betoverend was. Dit fenomeen herhaalde zich van toen af aan met een zekere regelmaat, en ik had werkelijk plezier in het kwajongensachtige gedrag van mijn zoon Ignacio, die, wanneer ik hem de rug toekeerde, een beeldje van de Ongelooflijke Hulk tussen de herders zette die in aanbidding bij het kerststalletje stonden of het kindje Jezus ontvoerde om mij daarna een losgeld van vijfhonderd peseta te vragen, en in de huilbuien van Clara, die elke keer in tranen uitbarstte wanneer ze een koekkransje, een chorizoworstje of de gelede figuur van Doctor x ontdekte die haar broer tussen de kerstballen in de boom had gehangen, en ze dreigde hem met het schrijven van een aanvullende brief aan de Drie Koningen om alles te verklikken.

Ik weet niet wat iemand voelt die een lange periode van geheugenverlies achter de rug heeft, maar het kan niet zo anders zijn dan de ervaring die ik destijds had terwijl ik met de kinderen in de omgeving van de Puerta del Sol rondliep, waar alle winkelstraten bezaaid waren met lichtjes, bogen en meer bogen van gekleurde lampjes die het enthousiasme versterkten van de honderden ogen die gericht waren op de etalages van de speelgoedzaken, een woud van kleine, stevig gehandschoende handen tegen de glazen ramen, alsof ze de kostbare inhoud tegen de kou wilden beschermen, en de verkleumde neuzen, zoals de neuzen van mijn kinderen waren toen het me eindelijk lukte ze weg te trekken van de deur van een winkel om ze een ogenblik later, misschien twee stappen verder, opnieuw te zien verkleumen voor de volgende verleidelijke uitstalling. Ze vonden alles mooi, alles prachtig, alles verbazingwekkend, en dit leidde ertoe dat ze elke middag bezig waren hun prioriteitenlijstjes van de onmisbare cadeautjes te veranderen, waarbij ze de lijst van hun weldoeners aanpasten tot alle mogelijke combinaties waren uitgeput, en, weet je, mama?, ik vraag dat niet meer aan tante Angélica, ik kan haar beter dat andere vragen, en dat wat ik haar wilde vragen, kan ik beter aan opa en oma vragen, want die krijgen het altijd voor elkaar dat de Koningen precies bij ze brengen wat ik wil, en aan oom Alvarito ga ik dat vragen, want hij heeft me gezegd iets kleins te vragen, en hij zal zich wel niet zo goed gedragen want de Koningen besteden nooit veel geld aan zijn cadeautjes… Ik keek met plezier naar ze, en ik benijdde ze om hun ambitie, een schat aan onaangetaste blijdschap, de constante tekenen van een oneindige tijd, en ik probeerde me te herinneren wat er twaalf maanden eerder was gebeurd, en ik kon zelfs geen fragment van die dagen terughalen, hoewel ik wist dat alles hetzelfde was geweest, dat ik met ze door dezelfde straten had gelopen, dat ze net zo verkleumd voor dezelfde etalages hadden gestaan, dat ze dezelfde wensen hadden geformuleerd, cijfers optellend en aftrekkend van de som van mogelijk geluk, de gelijkenis was zo sterk dat het me nu onmogelijk leek dat ik ook die herinnering kwijt was, maar het was zo, want de vrouw die diezelfde kinderen een jaar eerder op dezelfde ontdekkingsreis had vergezeld, op jacht naar plezier, was veel meer dan ik en was tegelijkertijd veel minder, en hoewel ze haar aandacht kon richten op de mechanische taak van het ontwijken van auto's of het onthouden van een merk tafelvoetbalspel zonder dit ergens te noteren, lukte het haar in die tijd niet om echt te leven, want ze was vrijwillig gevangen tussen de perverse tralies van een denkbeeldige liefde.

Ik herinnerde me niets, geen datums, geen woorden, geen anekdotes, maar ik kon moeiteloos de opeenvolgende fases reconstrueren van de begoocheling gefabriceerd tijdens andere tarotsessies, en de precieze dag waarop een fotograaf uit San Salvador bij me langs was gekomen om me de hartelijke groeten te doen die Nacho hem een maand eerder, in een afgelegen kamp van guerrillastrijders in een gebergte in Midden-Amerika, nadrukkelijk had gevraagd aan mij over te brengen. Toen ik me dit alles realiseerde, maakte zich een gevoel van ontzetting van me meester, want om de jaren niet kwijt te raken, had ik op het punt gestaan de kindertijd van mijn kinderen kwijt te raken, ik was al wat stukken kwijt die ik nooit meer zou kunnen terughalen, datums, woorden en anekdotes waarvoor ik zelf had bepaald dat er geen ruimte mogelijk was in een bewustzijn dat gevuld was met stommiteiten. Pas toen begon ik weer na te denken, en ik gebruikte mijn fantasie, die zo lang getiranniseerd was geweest door de monotone blikvernauwing van een obsessie, om een mogelijke toekomst te ontwerpen, met de kinderen en zonder Nacho Huertas. Toen realiseerde ik me bovendien dat ik nog steeds een man had.

Ignacio veranderde plotseling in de grote onbekende, en ik denk dat hij voor mij altijd de paradoxale hoedanigheid zal houden van oninteressant mysterie, zoals dat van dat lelijke gebouw dat ooit mijn gloednieuwe school was. Onder de bescherming van de huiselijke en feestelijke sfeer van de maand december besloot ik hem te observeren zoals ik nooit eerder had gedaan, met aandacht en op gepaste afstand, en een objectieve analyse te maken van zijn woorden, zijn gebaren, zijn dagelijkse gewoonten, zijn stemmingen en zijn grillen, zijn manier van kleden en de programma's die hem voor de televisie hielden. Gehoorzamend aan een generatiegebod dat een percentage bevestigt dat nog hoog is aan uitzonderingen was hij kort tevoren 42 jaar geworden maar had nog steeds het jeugdige uiterlijk van een lange, slanke jongen, dat in de juiste mate genuanceerd werd door het willekeurig tussen zijn haar opduikende grijs en de fijne, zeer lichte rimpels die de lijn van zijn ogen verlengden. Hij was altijd aantrekkelijk geweest, maar misschien nu wel in zijn beste periode, en dat betekende ook, vanuit strikt fysiek oogpunt, dat een onpartijdige blik hem misschien wel een zeker voordeel gaf ten opzichte van Nacho Huertas. Ik weet dat omdat ik, hoewel ik me het tegenovergestelde voornam, er nooit in slaagde mijn blik niet onpartijdig te laten zijn. Verder was mijn man ook niet veel veranderd in de drie jaar waarin ik met succes had gedaan alsof ik nog met hem samenleefde. Hij was altijd bezet, vaak volledig afwezig, zelfs wanneer hij 's middags thuiskwam, hij tenniste elke zaterdag en had op een bevredigende manier een beginnende cocaïneverslaving onder controle, wat hem er niet van weerhield mij bijna dagelijks te verwijten dat ik nog steeds verslaafd was aan tabak, waar hij kort na zijn dertigste verjaardag mee was opgehouden. In de weekeinden deed hij zijn uiterste best om zich met de kinderen bezig te houden en speelde hij met ze tot hij van vermoeidheid omviel zodra hun geduld was uitgeput, een zeldzame deugd die hij aanvulde door volharding zonder zichzelf ook maar de geringste inzinking toe te staan, zich op eigen initiatief een wekelijkse opoffering getroostend waar mijn kinderen, nog niet in staat dit soort subtiliteiten te waarderen, hem misschien wel nooit dankbaar genoeg voor zullen zijn. 's Avonds, elke vrijdag, veel zaterdagen en soms op donderdag, ging hij eten en drinken met de vrienden die hij al zijn hele leven had, andere mannen van 42 die beter of slechter het jeugdige uiterlijk van min of meer lange en slanke jongens hadden bewaard en hem ontvingen met afgezaagde grappen en schouderklopjes, hoe gaat het, jongen?, nou daar zijn we dan, beter dan ooit... Er waren al heel wat jaren verstreken sinds we gelijktijdig besloten hadden niet meer samen uit te gaan, maar ik besloot hem een paar keer te vergezellen en ik verveelde me dood, en, wat erger is, ik had het gevoel dat ik een avond beleefde van tien, vijftien jaar eerder, maar zonder zin om te lachen om de grappen waarvan ik toen niet meer bijkwam.

Mijn onderzoek kwam al snel ten einde, nadat het resultaten had geoogst die onvoorstelbaar ver verwijderd lagen van de mogelijke resultaten die me ertoe hadden aangezet om eraan te beginnen. Ik wenste dat ik echt ziek was geweest, dat ik me vergiste, dat ik het verlies van Ignacio kon betreuren zoals ik dat van de kinderen had betreurd, dat ik hem opnieuw in mijn leven kon opnemen, als het een leven was wat ik leefde, maar het werkte niet. Het enige element dat ze gemeen hadden, de Rosa die gebrand had in de vlammen van een dwaze hartstocht en de Rosa die zich had voorgenomen met moeite uit de as te herrijzen, was een diepgaande onverschilligheid voor die man die een vreemde bleef toen al het andere mij weer toebehoorde, en de verrassing lag hier in tegengestelde richting. Wat me verbaasde was niet meer dat ik me de dingen niet kon herinneren, maar dat ik werkelijk in staat was geweest ze te doen, want ik was steeds met die man blijven samenleven, ik was steeds met hem blijven vrijen, ik had hem cadeaus gegeven en ik had ze ontvangen, ik had hem verschillende keren per dag gekust en ik had hem een arm gegeven wanneer we uit de bioscoop kwamen, ik had me zorgen gemaakt over zijn gezondheid en ik had hem mijn dagelijkse zorgen verteld, samen hadden we Clara naar het ziekenhuis gebracht toen haar amandelen moesten worden geknipt, samen hadden we de cijfers van Ignacio opgehaald in het jaar waarin hij in september een herexamen had voor wiskunde, samen waren we naar bruiloften, doopfeesten en begrafenissen geweest, we deelden dezelfde auto's, hetzelfde huis en hetzelfde bed, we poetsten tweemaal per dag onze tanden voor dezelfde spiegel, en ineens kon ik dat alles niet meer geloven, begreep ik niet hoe dat allemaal had kunnen gebeuren, herkende ik mezelf niet in die vreemde vrouw die naast een vreemde man liep.

Dat ondraaglijke gevoel van vervreemding, als een smerig, permanent gevoel opgesloten te zijn in het lichaam van een ander, het huis van een ander, het leven van een ander, een of andere onbekende geboren uit een slechte droom en op angstaanjagende wijze in staat in mijn eigen lichaam te gedijen, in mijn eigen huis, in mijn eigen leven, mij onwaarneembaar, zonder abruptheid overleverend aan een soort staat van niet-zijn waardoor ik mezelf nauwelijks toestond mezelf van afstand te bekijken, vanuit een ver en verraderlijk perspectief, veranderde in de postume nalatenschap van mijn ongelukkige liefde voor Nacho Huertas, in de ultieme pijn, de ultieme krenking. De onbegrensde ambitie van die fantasie, die me uit de echte wereld had verdreven en me binnen de grenzen van een denkbeeldig avontuur had gehouden, werkte in alle richtingen, zoals een glazen wand die op een terras wordt geplaatst om het interieur tegen de winterkou te beschermen onvermijdelijk de warmte van de zon concentreert op zomerse middagen. Terwijl ik, dankzij mijn eigen wil en de grillen van het lot, hangend aan een draad leefde, hield de werkelijkheid zich afzijdig voor het goede en voor het slechte, om me de clementie te ontzeggen van een vergeten geliefde, maar ook om me te beschermen tegen het bestaan van een echtgenoot die zo slecht in mijn plannen paste als hij. Terwijl ik droomde over Nacho Huertas, terwijl ik voortdurend tegen hem sprak zonder mijn lippen te bewegen, terwijl ik hem zocht in alles wat me overkwam, terwijl ik hem liefkoosde met de vingers van mijn denken en hem op het versierde voetstuk van mijn toekomst plaatste, was mijn man zo onschadelijk geweest als een marionet, een papieren figuur geplaatst in een grof decor dat mij niet kon misleiden, hoezeer het ook deed alsof het nooit was opgehouden de echte wereld van alledag te zijn. Daardoor kon ik met hem leven, met hem praten, met hem slapen zonder me erg bewust te zijn van wat ik dagelijks met zulke triviale inspanningen riskeerde, want toen was ik het zelf die de wetten van de werkelijkheid dicteerde, was ik het die besliste wat echt was, wat belangrijk was, en wat niet bestond had geen enkele betekenis. Maar toen ik tegen mijn wil ontwaakt was uit die droom van onbegrensde macht, ontdekte ik dat de werkelijkheid nooit was opgehouden naderbij te komen, hoe onverbiddelijk ik ook haar opschorting had verordend, en ze leek me vreemder dan ooit, en onverdraaglijk, ongelooflijk, veel verder afstaand van alles wat ik ben dan ik me in mijn ergste waanbeelden had durven voorstellen. Mijn kinderen redden zich onmiddellijk en op eigen kracht. Ignacio, daarentegen, kon ik niet redden, zelfs niet door met al mijn kracht aan hem te trekken.

Nadat ik van de zoveelste poging had afgezien, ging ik door zonder te begrijpen hoe ik op het punt was gekomen waarop ik me bevond, maar het meest verbazingwekkend van alles was dat mijn man, die gedurende de laatste jaren blijkbaar geen enkele verandering in mijn gedrag had opgemerkt, dit ook nu niet scheen op te merken en met een verbluffende vanzelfsprekendheid mijn plotselinge belangstelling, mijn voortdurende observatie aanvaardde, alsof hij erin berustte om met een automaat te leven, die het ene teken of het tegenovergestelde kon geven, alsof het hem misschien niet uitmaakte met wie hij leefde. Mijn onrust was zo groot dat ik, tijdens de laatste maaltijd van het jaar, toen ik voor het eerst merkte dat mijn zus Natalia mij met een vreemde vasthoudendheid aankeek, alsof ze naar me toe wilde komen om me iets vertrouwelijks te vertellen maar hiertoe om een of andere duistere reden maar niet kon besluiten, het gevoel had in een horrorfilm te leven, en alle details die me voorheen hadden gealarmeerd vanwege het ongewone van hun aard, leken me nu zo natuurlijk als maar mogelijk was.

Maar de volgende keer dat we elkaar ontmoetten, toonde Natalia nog dezelfde belangstelling voor mij, en het kostte me nu moeite om voorbij te gaan aan de plotselinge genegenheid die ze voor me toonde. December was eindelijk voorbij en we vierden de verjaardag van mijn vader, die net zo ver verwijderd was van oudjaar als van Driekoningen, drie januari, een feest extra in de uitputtende kerstagenda van onze familie. Mijn zusje deed niets anders dan naar me kijken, om haar blik onmiddellijk af te wenden wanneer deze de mijne kruiste, waarbij ze met dezelfde aandacht op me lette als ik had gestopt in de mislukte bestudering van mijn man, ze doorboorde me met haar ogen alsof ze veel verder wilde komen dan de grens van mijn kleding, van mijn huid en van mijn woorden, maar hoewel ik opzettelijk een toevallige ontmoeting in de hal organiseerde, door er wat langer over te doen dan nodig was om de kinderen hun jas aan te trekken terwijl Ignacio de auto ging halen, wilde ze me niets zeggen.

Drie dagen later, bij Carlos thuis, tijdens een etentje dat nog chaotischer, lawaaiiger en wilder was, en terwijl alle kinderen door de gang renden, het papier van hun cadeaus scheurden, elkaar sloegen met hun nieuwe zwaarden en elkaar de poppen naar het hoofd gooiden, vond ik haar wat minder nerveus, maar nog net zo vreemd, en de nieuwsgierigheid, die oude en aardige verleiding, kwam weer tot leven, als teken van mijn langzame maar niet te stuiten terugkeer naar de wereld waarin de anderen leefden.

'Wat is er met je, Natalia,' vroeg ik haar heel direct, terwijl ik naar de hoek liep waar ze alles met een vermoeide uitdrukking stond aan te zien om haar een stuk van een kerstkrans te brengen.

'Nou... Dat kan ik je niet vertellen.'

'Maar is het ernstig?'

Op dat moment kwam Clara aan mijn riem hangen, in tranen omdat een van haar nichtjes haar had beroofd van de batterijen voor haar nieuwe pop, die niet meer praatte, niet meer huilde en niet meer aan de fopspeen trok, en ik moest orde en recht herstellen door een beroep te doen op de tas van mijn moeder, die op de avond voor Driekoningen altijd tientallen batterijen van verschillende grootte koopt in de verwachting van dit soort onvermijdelijke rampen. Op een gegeven moment kwam mijn zusje glimlachend op me af en maakte met haar hand een gebaar van 'er is niets aan de hand, echt niet', wat mij er nu juist van overtuigde dat er iets aan de hand was, hoewel het me niet hielp om erachter te komen wat er precies aan de hand was.

Natalia, achtentwintig jaar, studente bouwkunde, was een zo volmaakt model van mij als ik op de beste en meest volgzame momenten van mijn kindertijd had kunnen worden van Angélica. Als dochter van oude ouders, en bovendien verwend en vertroeteld door al haar broers en zusters, was ze toch vriendelijk van aard en tevreden met de wereld, wat haar niet verhinderde om zich te vermaken, hoewel haar idee van vermaak niet ver verwijderd lag van de definitie van doodsaai die we, veel opgewondener, hanteerden in de tijd van mijn jeugd. Het belangrijkste verschil tussen ons was dat ik het nooit had aangedurfd om een slecht meisje te zijn, hoe aanlokkelijk dat plan mij ook toescheen, en zij zich absoluut niet leek in te spannen om precies het tegenovergestelde te zijn. Ze was een goede studente, gedroeg zich verantwoordelijk, rookte niet, dronk nauwelijks en gebruikte geen drugs, behalve, naar mijn mening, wat ontbijtgranen die haar kom met melk veranderden in een soort smerige brij waarvan de aanblik al voldoende was om braakneigingen bij me op te wekken. Ze was een gematigde milieuactiviste, voorstandster van een gezond leven en lid van een sportschool, en hoewel ze een krankzinnig activiteitenniveau ontwikkelde, had ze tijd om uit te gaan met de vriend die ze al heel lang had en die zo bij haar paste dat hij speciaal voor haar gemaakt leek te zijn. Toen ze me ten slotte belde, een paar weken na mijn teleurstellende ondervraging, om me te vragen haar voor een willekeurige dag voor de lunch uit te nodigen omdat ze bedacht had dat ze me ondanks alles toch wel iets te vertellen had, kwam het in me op dat ze misschien zwanger was, of verliefd was geworden op een andere man, of dat ze besloten had met haar studie te stoppen, of in het buitenland te gaan wonen, of een boerderij te beginnen, of boeddhiste te worden, alles behalve dat het lot, die ontwijkende god die zich vermaakte in zijn vermomming van mechanisch konijn opdat ik hem zou achtervolgen als een razende en door de inspanning al half versufte windhond, nu juist haar had gekozen als instrument om mij de gebruiksaanwijzing door te geven voor mijn eigen leven, een antwoord dat ik vergeefs had gezocht in de kaarten van de tarot, de som van de cijfers op de nummerborden van de auto's, de straatnamen van Pozuelo de Alarcón, de veranderingen in de boodschap van het antwoordapparaat van Nacho Huertas en de verbazingwekkende intensiteit van mijn ellende.

'Luister, Rosa, ik wil je eerst iets zeggen…' Ik had ten slotte gekozen voor het Mesón de Antoñita omdat ik, naast de herinnering aan bepaalde bittere gesprekken, plotseling, en tot mijn grote genoegen, mijn oude zwakte terug had gekregen voor de bonen met patrijs van de donderdagen, maar Natalia, die een beetje met haar lepel in de inhoud van haar bord zat te roeren, zonder ook maar ergens te beginnen, leek niet zo veel eetlust te hebben. 'Ik weet niet of het goed is wat ik ga doen. Echt, ik zal misschien de rest van mijn leven spijt hebben van deze stap. Daarom wil ik dat je weet dat ik het doe omdat ik geloof dat het het beste is en omdat ik ervan overtuigd ben dat je het moet weten… Goed, ik weet niet, maar voor ik begin moet je beloven dat je me vergeeft als ik iets stoms uithaal… Beloof me dat.'

Fernando is arts, dat was het enige waaraan ik kon denken terwijl zij me die bijna kinderlijke belofte probeerde te ontfutselen, dat haar vriend arts was en in een ziekenhuis werkte, en dat je in ziekenhuizen kinderartsen hebt en oncologen en specialisten met andere, net zulke afschuwelijke namen, en veel bedden, die wit zijn en klein, als kleine delen van een hel die zich in de kleur vergist.

'Je moet het me beloven, Rosa…'

'Het zijn de kinderen, niet?' vroeg ik in plaats van antwoord te geven. In enkele seconden had ik me erbij neergelegd dat het ergste van alles was dat ik een of ander ongeluk meer dan verdiend had. 'Wie? Wat is er met ze, Natalia? Zeg het.'

'Waar heb je het over?' En ondanks de vreemde spanning waaronder ze gebukt ging, begon ze te lachen. 'Met de kinderen is niets aan de hand, wat moet er aan de hand zijn?'

'Weet je het zeker?'

'Toe nou, Rosa, jij bent toch hun moeder! Als er iets met ze zou zijn, zou jij dat toch als eerste weten.' Ik kon niet anders dan knikken. 'Luister… Daar heeft het niets mee te maken.'

'Dan kan het niet ernstig zijn.'

'Ja, dat is het wel.'

'Vertel…'

'Herinner je je de dag voor kerst?' begon ze eindelijk. 'Herinner je je dat je op de 23ste 's middags met de kinderen naar je schoonouders ging omdat het gesneeuwd had en ze in de sneeuw wilden spelen?'

'Ja, natuurlijk herinner ik me dat.' Sinds Ignacio's vader met pensioen was gegaan, woonden mijn schoonouders het hele jaar door in Cercedilla, in het grote, oude huis dat zowel vervallen als heerlijk was, waar ze altijd de zomer hadden doorgebracht. Mijn kinderen waren gek op dat huis, vooral in de winter, als er 's morgens sneeuw lag, en ik had hun smeekbeden niet kunnen weerstaan, dat wist ik allemaal nog heel goed.

'En je belde me, weet je nog? Op de ochtend van de 24ste, omdat je je gerealiseerd had dat je vergeten was langs huis te gaan om het cadeau van de kerstman voor je zoon op te halen, en je vroeg me naar je huis te gaan en het op je bed te leggen met een briefje erbij, zodat je man het 's middags mee zou nemen naar Cercedilla…'

Ik bevestigde al haar opmerkingen met een beweging van mijn hoofd. Mijn vader, die altijd een echte passie had gehad voor mechanisch speelgoed, had mijn zoon Ignacio op zijn achtste verjaardag een elektrische trein gegeven. Hij maakte zelf een houten blad op maat om de rails op vast te spijkeren, bekleedde het met kunstgras, vermaakte zich met het vastplakken van boompjes en verkeerslichten, wist ergens miniatuur steenslag te vinden om tussen de dwarsliggers te strooien, en kocht een locomotief, een goederenwagon, een passagiersrijtuig en een station. De blijdschap waarmee mijn zoon dat alles in ontvangst nam was zo groot dat hij plechtig en op luide toon zwoer dat hij nooit van zijn leven iets mooier zou kunnen vinden dan dat cadeau. Zijn grootvader, die door die reactie nog enthousiaster werd, begon hem vervolgens uit te leggen wat ze met zijn tweeën zouden gaan doen om van die trein echt iets bijzonders te maken, en ze kwamen tot de conclusie dat ze nog meer locomotieven moesten kopen, en veel wagons, en verkeerslichten die het echt deden, en figuurtjes van reizigers om op het perron te zetten, en nog een heleboel andere dingen. Vanaf die tijd kiest mijn vader voor elke verjaardag van Ignacio en voor elke kerst het materiaal dat nodig om de volgende fase van zijn Babylonische project te voltooien en mijn zoon waardeert dit geschenk nog steeds meer dan alle andere, maar op de dag voor kerstavond, dat klopt, had ik, door de haast van de te ondernemen reis en de zorg om de warme kleding die mee moest, een typisch moederlijke neurose waaraan ik me niet kan onttrekken, vergeten de complete trein mee te nemen die ik bij die gelegenheid aan Ignacio zou geven. Daarom, en omdat ik wist dat het me misschien de hele ochtend niet zou lukken mijn man te pakken te krijgen, was ik zo geschrokken, maar had me een ogenblik later herinnerd dat Natalia, onze vaste oppas, een set sleutels van mijn huis had. Toch was ik, toen ik haar bij mijn ouders thuis belde en aan de andere kant van de lijn kreeg, dit verhaal volledig vergeten waaraan zij mij nu zo nodig hardop moest herinneren.

'Goed, maar de trein was er op tijd,' zei ik samenvattend. 'En hij was compleet, ik weet niet…'

'Ja,' zei ze instemmend, 'maar ik moest hem op de tafel in de kamer zetten omdat ik hem niet op je bed kon zetten.'

'Maakt dat iets uit?' vroeg ik, inmiddels volledig in verwarring.

'En of dat iets uitmaakt!' Om mijn verbijstering nog groter te maken, leek Natalia nu bijna kwaad op me. 'Natuurlijk maakt dat iets uit! Begrijp je het niet?'

'Nee.'

'Luister, waarom…?' Ze zweeg even, beet op de binnenkant van haar lip en besloot de koe bij de horens te vatten. 'Ik kon het pakket niet op je bed zetten omdat er iemand in jouw bed lag te slapen, hoewel het tien uur in de ochtend was.'

'Ignacio?' probeerde ik, zonder veel nieuwsgierigheid.

'Nee, verdorie, nee!' Ze sloeg met haar gebalde vuisten op de tafel, en toen de kleur van verontwaardiging van haar altijd zo kalme gezicht verdwenen was, vond ik haar zo grappig dat ik bijna begon te lachen. 'Hoe kon het nou Ignacio zijn, verdomme, om tien uur 's morgens!'

Ik keek haar glimlachend aan, stak een sigaret op, nam een trekje en besloot haar zo snel mogelijk gerust te stellen.

'Ik neem aan dat het in elk geval een vrouw was...' bevestigde ik terwijl ik haar in haar ogen keek.

'Uiteraard,' antwoordde ze uiterst verrast. 'Wat had het anders moeten zijn?'

'Nou ja, het had een vent kunnen zijn, maar dat geloof ik eerlijk gezegd niet...'

'Ik begrijp je niet, Rosa.' Haar ogen, die onophoudelijk naar het geringste spoortje van emotie in mijn ogen hadden gezocht, botsten nu op de afwezigheid daarvan alsof ze niet in staat waren te geloven wat ze zagen.

'Het verbaast me niet, Natalia, ik moet je eerlijk zeggen dat het me niet verbaast, maar doe me een plezier, hou op met je zorgen maken, echt. Ik stel het bijzonder op prijs dat je me dit hebt verteld. Je hebt me geen verdriet bezorgd, je hebt mijn leven niet kapotgemaakt, je hebt je niet bemoeid met dingen die je niet aangaan, niets van dat alles.'

'Je wilt me toch niet vertellen dat jullie van die...' en ze kreeg opnieuw een kleur, maar niet van boosheid, 'van die mensen zijn die... of doen jullie aan partnerruil of zoiets...?'

'Natuurlijk niet!' Nu was ik degene die geschokt was. 'Dat moest er nog bij komen! Natalia, lieve hemel, wat denk je wel van me...? Nee. Het punt is, goed, op de een of andere manier vermoedde ik het al, en bovendien, als je de waarheid wilt horen, interesseert het me niet, en niet omdat we een open huwelijk zouden hebben, maar omdat het me niet interesseert, punt uit.'

'Het interesseert je niet?'

'Nee.'

'Maar, helemaal niet, niet een heel klein beetje?'

'Helemaal niet.'

'Dat kan niet.'

'Dat kan wel.'

'Maar... waarom blijf je dan bij hem?'

Ik drukte de peuk uit, stak een nieuwe sigaret op en bleef haar aankijken.

'Tja... Dat is nog eens een goede vraag, snap je.'

Op deze zo directe, ogenschijnlijk zo gemakkelijke en simpele vraag kon ik geen antwoord vinden omdat in het ontbreken van redenen om hem te beantwoorden nu precies het enig mogelijke antwoord school. Die conclusie hield me niet meer dan twee of drie seconden bezig, maar toen ik afscheid nam van mijn zusje om weer aan het werk te gaan, alleen in mijn kantoor, betreurde ik opnieuw dat Natalia Ignacio niet op de ochtend voor Kerstmis in mijn bed had betrapt met een man, iets wat de zaken voor mij bijzonder vereenvoudigd zou hebben, en ik verbaasde mezelf over de nuchterheid waarmee ik in staat was datgene te denken wat ik dacht zoals ik het dacht voordat ik genoot van de thuiskomst van die oude, scherpe ironie, een vermogen dat absoluut onverenigbaar was met de wanhoop, die, als de verloren zoon, kwam wanneer ik haar al niet meer verwachtte om leven en kleur te geven aan mijn bleke innerlijke dialogen.

Niettemin kon de gezegende wedergeboorte van mijn aangeboren vermogen om de spot te drijven met mezelf mij niet redden van de kalmte waarmee mijn zusje, een van de meest verantwoordelijke, verstandige, minst ironische mensen die ik ken, de trekker had overgehaald van het pistool waarmee de start van de laatste race werd aangekondigd. Want ik had me niet afgevraagd waarom, maar waarvoor. Want het was waar, het was absoluut waar dat het me niets interesseerde dat Ignacio met andere vrouwen sliep, zelfs niet in mijn eigen huis, zelfs niet in mijn eigen bed, zelfs niet enkele uren voordat het kindje Jezus in Bethlehem geboren zou worden, maar wat me wel interesseerde, waar ik niet onverschillig tegenover stond, was dat er iets gebeurd was wat ik haar hardop kon bevestigen en dat ik naar mezelf kon luisteren terwijl ik dat deed, want alleen op dat moment kon ik er zeker van zijn dat Ignacio me onverschillig liet, alleen op dat moment, hoewel ik het zelf nauwelijks kan geloven, moest ik wel opmerken dat Nacho Huertas, uiteindelijk, wel Ignacio moest heten, net als mijn man.

Daarna stelde ik mezelf een mooie, net geschilderde nieuwe deur voor, een oud, net verbouwd appartement midden in het centrum van Madrid, de Calle Barquillo misschien, of de Calle Almirante, waar de stortregens kunnen vallen zonder dat je het merkt, want de grond is geasfalteerd en de trottoirs zijn geplaveid en de wielen van de auto's sussen zachtjes mijn kinderen in slaap, die twee kinderen die, met een beetje geluk, nooit de geur van de zonde zullen kennen, maar heel snel zullen leren dat de mandarijntjes die je van een groenteboer krijgt die jouw voornaam kent, geuren naar thuis zijn, naar bescherming en veiligheid, naar die enige plek op de hele wereld waar je echt en voor altijd thuishoort. Toen kwamen de tranen en herinnerde ik me dat ik altijd gelukkig was geweest, dat ik die gewoonte heb, en de illusie van een toekomst, het geloof erin, en zelfs nieuwsgierigheid ernaar, die ik meende te hebben begraven in hetzelfde graf als mijn verloren liefde, dansten weer voor mijn ogen.

Vanaf dat moment concentreerde ik me op het vinden van een formule die me het werkelijke en definitieve verzet zou garanderen, een effectieve en redelijk pijnloze methode, een vluchtplan dat verschilde van alle andere waaraan ik vergeefs was begonnen voor en na mijn reis naar Luzern, want deze keer zou het uitgevoerd worden. Ik had nooit gedacht dat ik in staat zou zijn Ignacio op een dag te verlaten, maar ik had ook nooit eerder naar de dood verlangd.

Ik zei uiteraard niets tegen hem, geen verwijt, geen traan, geen voortijdige ruzie. Ik ben een geboren verzetsstrijdster. Net als Madrid. Geduld is een overheersend trekje in ons karakter.

15

Toen ik die ochtend een andere handtas had gepakt was ik vergeten mijn portemonnee mee te nemen, en daarom moest ik uit mijn werk even langs huis. Ik had ontzettende haast, net genoeg tijd om plusminus vijf minuten na het afgesproken tijdstip op het consult bij de psychoanalytica te verschijnen, maar toen ik langs de deur van de woonkamer liep dreven mijn ogen me in de richting van een schouwspel dat even overweldigend was als de bekoring van een onherstelbaar genot.

De bomen in het park, Casa de Campo, deden al het laatste knoopje dicht van hun fraaiste uitmonstering. De weinige groene blaadjes die nog overleefden aan de jongste takken bewogen wanhopig, niet in staat de concurrentie aan te gaan met de extreem frêle, fluweelachtige schoonheid van hun voorouders, rode, gele, oranje, paarse glinsteringen die schitterden met de flonkering van sterren die op het punt staan te doven onder de melancholieke teerheid van de ondergaande zon in oktober. Madrid, aan mijn voeten, bezweek voor de betovering van oktober en nam een kleur van vroeger aan, van stilstaande jeugd. De dakpannen baadden in de laatste fonkeling van de dag alsof de horizon een roller was die ze zonder onderbreking bestreek met purpurine, prachtig nepgoud, dat een onmogelijke schaduw wierp over de schone, met licht overspoelde straten, zo scherp omlijnd, zo duidelijk, alsof ze onderdeel uitmaakten van een reusachtig toneeldecor. De wereld leek een kleine plek, een geïmproviseerd, afgedankt stuk speelgoed tegenover de adembenemende wil van de wereld, en de mensen, in de verte, bewogen als minuscule, nijvere mieren die niet weten dat ze in een glazen kistje wonen terwijl ze gedachteloos de routine volgen waartoe hun strikte natuur van levende wezens hen dwingt. Niet vaak had dat vertrouwde uitzicht me geïmponeerd met zo'n overdonderende schoonheid en ik geloof dat ik er nog nooit zo door overrompeld was. Toen ging de voordeur open.

'Fran?' De stem van Martín, die in de hal ongelovig een vraag stelde in het niets, deed me opschrikken alsof er een schot had geklonken.

'Ik ben in de woonkamer,' antwoordde ik, al was ik er liever op mijn tenen tussenuit geslopen, zonder geluid te maken, zonder dat hij het zou merken, want het was donderdag, en de donderdagen, de dag van mijn analyse, waren een kleine wekelijkse marteling geworden, een zevende deel van mijn leven dat ik graag had opgegeven als hij in ruil daarvoor, als ik thuiskwam, niet meer op die tegelijkertijd lompe en beleefde toon, die hij speciaal voor deze gelegenheden was gaan cultiveren, zou vragen wat er gebeurd was, waar we het over gehad hadden, wat voor conclusies ik getrokken had uit de laatste sessie.

'Wat doe je hier, met je jas aan?' vroeg hij me toen hij eenmaal naast me stond, nadat hij me gezoend had, bijna in mijn hals, en ik merkte dat zijn blijdschap over mijn onverwachte aanwezigheid groter was dan zijn verbazing.

'Kijk,' zei ik alleen maar terwijl ik naar het raam wees, maar hij liet zich niet zo snel imponeren.

'Ja, prachtig,' zei hij terwijl hij zijn aktetas op een stoel gooide en zijn stropdas afdeed om die erbovenop te werpen. 'Doe je jas uit en ga zitten. Ik zal iets voor je inschenken.'

'Dat kan niet,' zei ik bijna angstig, met spijt dat ik het misverstand niet meteen uit de weg had geholpen. 'Ik moet onmiddellijk weg, ik kom te laat…'

'Bel op.' Hij draaide zich om toen hij al bijna in de deuropening naar de gang stond. 'Bel op en zeg dat je niet komt. Eén keertje maakt niet uit, neem ik aan. Zeg dat er iemand in het ziekenhuis is opgenomen, of dat je een ontzettend belangrijke vergadering hebt en niet op tijd klaar bent, of dat je ergens tegenaan bent geknald met de auto, weet ik veel… Het is ook niet heilig, toch?'

'Nee, maar ik begrijp niet…'

'Bel.'

'Waarom?'

'Daarom.' Zijn toon was zo verhard dat zelfs hij het merkte, en hij corrigeerde zichzelf onmiddellijk. 'Omdat ik het je vraag. Alsjeblieft. Voor deze ene keer, goed?'

'Oké…' gaf ik toe, terwijl ik mijn jas uittrok en bijna ondanks mezelf een enorme opluchting voelde alleen al bij het idee dat ik die avond de deur niet meer uit hoefde.

'Wat wil je drinken?'

'Ik weet het niet, eigenlijk heb ik nergens zin in…'

'Je krijgt wel zin.' En hij glimlachte naar me op een moment dat ik het het minst verwachtte. 'Wat wil je drinken?'

''t Maakt me niet uit… Doe maar iets.'

De afspraak afzeggen was zo eenvoudig als twee minuten praten met een ontzettend keurige receptioniste die niet eens nadere details vroeg over de redenen die me tot 's avonds laat in de uitgeverij zouden ophouden. Daarna ging ik in een fauteuil zitten, vond de eerste slok gin-tonic die mijn man op tafel had neergezet veel lekkerder dan ik had vermoed – ik dacht dat we maar het best met iets lichts konden beginnen, zei hij alleen maar om zijn keus te rechtvaardigen –, en uiteindelijk glimlachte ook ik, als een kind dat op het punt staat uit eigen vrije wil mee te doen aan iets heel stouts. Daarom kostte het me zo veel moeite te reageren, zo verstijfde ik toen hij op die manier begon te praten.

'Ik heet Martín,' zei hij, half liggend op de bank, zijn rechterarm dubbelgevouwen achter zich tegen de rugleuning, op een toon alsof hij me absoluut niet kende. 'Dat is geen alledaagse naam. Mijn vader, beroepsmilitair uit roeping, zocht voor zijn zonen die Castiliaanse namen uit die hem het robuustst leken, het mannelijkst, het krijgshaftigst, met uitzondering van mijn oudste broer, Pedro, die naar hem is genoemd. Voor ik werd geboren, heette zijn tweede kind Nuño, en het vierde, dat maar een jaar ouder is dan ik, Guzmán. Mijn jongste broer, de zevende, heet Rodrigo. De meisjes – dat zijn er maar twee – ontsnapten aan die regel en hebben de namen van maagden, Rocío de derde en Amparo de zesde, want de familie van mijn moeder kwam uit Valencia, al hebben ze een Italiaanse achternaam…'

'Oké, Martín,' kon ik eindelijk uitbrengen, 'zo is het wel leuk geweest.'

'Maar hoezo? Ik ben nog maar net begonnen.'

'Ik weet heel goed hoe je vader, je moeder en al je broers en zussen heten.'

'Jawel, maar als ik je mijn leven wil vertellen, moet ik bij het begin beginnen.'

'Je hoeft me je leven helemaal niet te vertellen,' protesteerde ik, op woedende en tegelijkertijd verbitterde toon, een getrouwe weergave van hoe ik me voelde. 'Dat kan ik dromen.'

'Helemaal niet!' Hij schreeuwde uiteindelijk terwijl hij naar voren boog en zijn handen naar me uitstrekte alsof hij eventjes vastbesloten was me te wurgen. 'Toevallig kun je het helemaal niet dromen…! Misschien weet je er wel de ballen van!'

Die uitbarsting maakte me pas echt bang. Ik kromp zonder het te beseffen in elkaar in mijn stoel en kon geen enkel argument vinden om tegen zijn geschreeuw in te brengen. Hij kwam langzaam weer tot zichzelf. Moeizaam hervond hij de stereotiepe houding van onbezorgde causeur van het begin, en bood zijn excuses aan.

'Het spijt me heel erg,' zei hij tegen me. 'Ik meen het. Als je wilt moet je gewoon weggaan, maar ik zou graag verder praten.'

'Goed, laten we praten dan, maar zonder dit soort toneelstukjes alsjeblieft… Het lijkt wel zo'n film over huwelijkscrisissen waar we vroeger altijd zo om moesten lachen.'

'Precies ja, vroeger.'

'Omdat zulke films tegenwoordig niet meer gemaakt worden,' verdedigde ik me.

'Nee. Omdat we tegenwoordig niet meer lachen. En ook niet meer praten. Zonder dat toneelstukje waren we nooit begonnen.'

'Nee?'

'Nee. En dat weet je heel goed. Zal ik nog eens inschenken?'

Ik wees naar mijn glas, dat nog halfvol was, en hij schonk zichzelf heel bedachtzaam in.

'Als je wilt, kan ik bij het eind beginnen,' zei hij daarna, en hij keek me in mijn ogen, waar ik onmiddellijk een stokje voor stak terwijl ik dat ogenschijnlijk zo vriendelijke aanbod, dat desondanks een raadselachtig soort dreiging leek in te houden, blind in overweging nam, en ik had graag de moed gehad het te accepteren, al was het alleen maar om er eerder van af te zijn, om een einde te maken aan die vertoning die me nog steeds helemaal niet aanstond, maar mijn hoofd zei nee, en toen ik mijn ogen weer opendeed kreeg ik de indruk dat hij me dankbaar was voor die weigering. 'Goed, nou, ik ging op school bij de piaristen zoals je weet, ik haalde goeie cijfers, was min of meer een goeie zoon, min of meer een goeie broer, werd platonisch verliefd op Claudia Cardinale, zoals de halve wereld, begon me af te trekken toen ik twaalf was en op mijn vijftiende liep ik in een groene loden jas waardoor ik er helemaal uitzag als het perfecte balletje, van mijn voeten, waaraan ik altijd wijnkleurige – zoals we dat toen noemden – leren mocassins droeg, tot aan mijn haar, dat ik met een halve pot brillantine in model bracht, en desondanks ben ik, zoals je eveneens weet, op wonderbaarlijke wijze de enige van mijn broers die niet kaal wordt. Misschien heeft de politiek, behalve dat het mijn leven heeft veranderd, mijn haardos wel gered, want halverwege het voorbereidend jaar voor de universiteit liet ik alle wereldse weelde, inclusief de loden jas, achter me, uit liefde voor Christus.'

'En voor pater Ercilla,' suggereerde ik, terwijl ik mijn eerste glas als leeg beschouwde en onmiddellijk aan een tweede begon, dat me een wankel gevoel van welbehagen verschafte dat in hetzelfde tempo zou toenemen als mijn vermogen me te amuseren met de eerste episode van die monoloog met onbegrijpelijke bedoelingen.

'Nee,' glimlachte hij, 'voor pater Ercilla heb ik nooit liefde gevoeld. Ik bewonderde hem slechts, maar ik bewonderde hem in hoge mate, dat wel. Hij was mijn godsdienstdocent, en hij gaf wonderbaarlijke lessen, fascinerend, hij citeerde Brecht af en toe en hij had het altijd over onrecht, over armoede, over ongelijkheid, en zelfs over de onrechtvaardigheden van het kapitalisme. Het werden mijn favoriete lessen. Ik zat urenlang na te denken over wat hij ons vertelde en over mijn bijdragen aan een volgende discussie, die zo talrijk werden dat mijn vrienden bijna een hekel aan me kregen. Toen hoorde ik dat hij bijeenkwam met een groep... laten we zeggen verontruste leerlingen, buiten de lesuren om, zoiets als het Maria-legioen maar dan in sociale uitvoering...' – mijn lippen, die vanzelf waren gaan krullen tot ze een glimlach vormden, lieten nu een kort lachje ontsnappen – 'lach niet, het was allemaal heel serieus. Er waren theoriebijeenkomsten en expedities met een praktisch karakter, waar ik aanvankelijk bijna minder dol op was dan op die andere, want ik voelde me heel verloren in die afgelegen wijken waar de mensen het zo slecht hadden, het was allemaal zo arm dat ik er gedeprimeerd van werd, de vrouwen van mijn moeders leeftijd leken op mijn oma's, altijd in het zwart gekleed, met die zakdoeken om hun hals geknoopt, en van hun echtgenoten had ik de indruk dat ze nog altijd op het land werkten, al wist ik maar al te goed dat dat niet kon, want ze hadden een hele donkere, gerimpelde huid, en vuile nagels, en ze droegen een alpinopet... Jij hebt nooit zulke mensen gezien, hoe communistisch je vader ook was.'

'Nee,' gaf ik toe, 'dat is waar.'

'Maar je bent natuurlijk ook veel geloviger dan ik, dus jij hoefde niet te zien om te geloven, maar ik wel, ik moest veel blootsvoetse kinderen zien in de winter, en veel krotten zonder water en elektriciteit, en veel mannen die zich voortdurend schuil moesten houden voor de politie, voor ik uiteindelijk geloofde wat ik zag. Daarna begon ik het allemaal veel makkelijker te vinden. We namen voor ze mee wat we konden, geld, gebruikte kleding, zelfs eten, en pater Ercilla praatte met ze, hij stelde zich op de hoogte van wat ieder gezin nodig had, probeerde ze te organiseren, de problemen die zich voordeden op te lossen. Hij was een fantastische vent, dat meen ik, dat vind ik nog steeds, maar hij was priester, en uiteraard droeg hij ook de mis op aan een geïmproviseerd altaar in een huis, of gewoon op straat als het mooi weer was, want die mensen hoorden niet eens bij een parochie, dus bij veel gezinnen waren we niet echt welkom, en andere deden de deur niet eens voor ons open. Een van onze ergste vijanden was een man van zo ongeveer de leeftijd van mijn vader, die werkloos was geworden omdat hij altijd dronken was, of hij was altijd dronken omdat hij werkloos was geworden, geen idee, ik heb er nooit achter kunnen komen wat de oorzaak en wat het gevolg was. Hij heette Fausto en als hij ons zag, beledigde hij ons en hij gooide zelfs met stenen. Hij had een dochter die iets ouder was dan ik, een heel knap meisje, echt heel erg knap, die Lucía heette, een bijzonder eigenaardige naam in die wijk waar alle meisjes Socorro, Antonia of Juanita of zo heetten, namen van het platteland vond ik toen. Maar ze viel me niet op vanwege haar naam, eerlijk gezegd, maar omdat het een stuk was, een ontzettend stuk, echt, en bovendien leek ze een volwassen vrouw, ze was negentien maar ze was altijd helemaal opgedoft, flink opgemaakt, met rode nagels, en lang haar, en zwarte kousen, en ze liep op hakken, ontzettend versleten schoenen, oerlelijk, maar heel schoon. Ze kon je onmogelijk niet opvallen, want ze had fantastische benen, enorme borsten en een ongelooflijk mooie kont, ze was een en al lichaam, en zwarte, enorme ogen die altijd heel erg fonkelden...' Toen stopte hij en keek me aan. 'Dit wist je niet.'

'Nee, omdat je het me nooit verteld hebt.'

'Dat kon ik niet.' En voor ik hem kon vragen waarom niet, legde hij het me zelf uit. 'Ik heb me als een zak gedragen tegenover haar. Ik had er geen belang bij dat je het wist.'

Ik maakte gebruik van de pauze om naar hem te kijken, om te proberen me zijn kwetsbaarheid voor te stellen, zijn verwarring, die bereidwillige ijver om iemand anders te zijn, een beter, ander iemand, die als de motor van een metamorfose had gediend die ik zo goed kende, zo tot in detail had ik die wel duizend keer uit zijn eigen mond vernomen dat ik nu niet ineens ging twijfelen aan de werkzaamheid van mijn oren, en ik had zin om in lachen uit te barsten, hem te onderbreken met een of andere dooddoener, kom op, je moet niet overdrijven, maar ik was onmiddellijk nieuwsgierig naar het verhaal dat tot die zonderlinge bekentenis kon hebben geleid, zo plotseling, zo genadeloos, zo ongelooflijk, en bovendien lukte het me niet de gezichtsuitdrukking van mijn man te ontcijferen. Want Martín keek ook naar mij vanuit zijn hoekige, wat onregelmatige gezicht, zijn haar nog overal even donker, zijn zware wenkbrauwen, zijn vreemde bruingrijze ogen met een dierlijke kleur, de ogen van een groot, katachtig dier, op een vreemde plaats, aarzelend tussen nostalgie en ironie, tussen de verplichting en het genot van de herinnering, een verrassende opeenvolging van inzichten die geen steek veranderde toen hij eindelijk besloot verder te praten.

'Alle meisjes van die wijk zwermden om ons heen als een woedende zwerm bijen, ze achtervolgden ons alsof ze ervan overtuigd waren dat wij hun redding waren. Dat was precies wat we in hun ogen moesten lijken, een hele hoop rijkeluisjongetjes, goed gekleed, met geld en een enorm, slecht geweten, met de universiteit voor ons, en achter ons een familie die in staat was iedere droom te bekostigen van een stel meisjes dat was grootgebracht met niets, of liever gezegd, met het wanhopige verlangen naar een diadeem voor in het haar, een paar oorbellen met pareltjes, een eerstecommuniejurk en meer van dat soort zaken, de meest onbenullige dingen, die mijn zussen in overvloed bezaten. Het klinkt als een goedkoop schotschrift, maar zo was de wereld, en pater Ercilla had nauwelijks een flauw idee van de morele verloedering waaraan hij ons blootstelde met dat streven van hem alle armen van Madrid verlossing te brengen. Want het was moeilijk om weerstand te bieden, hoor, hoeveel liefde voor Christus je ook voelde, hoe wilskrachtig je ook was, hoe bewust je je uiteindelijk ook was van het onrecht, van het kwaad van de armoede, van het goede van de liefdadigheid, er was gewoon geen manier om weerstand te bieden, of in ieder geval kon ik die niet vinden eerlijk gezegd. Aanvankelijk waren ze al dik tevree als we ze meenamen om 's middags iets lekkers te eten, een chocolademilkshake en een crosant, zoals zij zeiden, en dat vonden ze dan helemaal het einde, want ze leden thuis geen honger maar ze zagen nooit een zoet broodje, of bonbons, of gebakjes, dat soort overbodige luxe, en ze waren het spuugzat om iedere dag eenpansmaaltijden te eten, nogal logisch... Op die manier begonnen we, de priesterjongens, zoals ze ons noemden, op die manier begon ik, een chocolademilkshake en een crosant, het eerste meisje dat ik trakteerde heette Socorrito, daarom herinnerde ik me daarnet haar naam, maar ze was nogal lelijk, het arme kind, ik vond haar helemaal niet mooi, en zij moet dat gemerkt hebben want ze wilde niet verder gaan... In die tijd was ik er al achter dat sommigen van mijn broeders in het avontuur, niet allemaal natuurlijk, want de meesten waren echte kwezels die elkaar het voorrecht betwistten misdienaar te zijn in de missen op school, maar sommigen, de oudsten en meest politiek bewusten, die al studeerden maar bij de groep van pater Ercilla bleven omdat ze nog geen betere plek gevonden hadden waar ze politiek actief konden zijn, half en half iets hadden met sommige meisjes uit die buurt. De vroomsten brachten vage verhalen in omloop over doodzonden, ze hadden Dinges met z'n gulp open betrapt terwijl hij met de dochter van de kroegbazin stond te zoenen achter een muurtje, een andere keer hadden ze die en die op de Gran Vía gezien, in een innige omhelzing met een van de andere meisjes, dat soort dingen… Op de theoriebijeenkomsten die we hielden voor we op pad gingen vuurde de pater verschrikkelijke betogen op ons af waarin hij benadrukte dat er niets verachtelijkers was dan het uitbuiten van de behoeftigen, en ons waarschuwde voor de verleiding misbruik te maken van die arme meisjes die nauwelijks meer bezaten dan hun lichaam. Ik weet niet hoe dat bij de anderen was, maar van die laatste zin werd ik altijd geil. Daarna deden we onze jas aan en, allee-hop!, op naar de naastenliefde. Die arme pater Ercilla keek niet verder dan zijn eigen heiligheid, en hij was niet bereid zijn tijd te verspillen met ons in de gaten houden terwijl hij ervan overtuigd was dat de oogst wel groot was maar… hoe was het ook weer? Weinig arbeidskracht?'

'Ik weet het niet. Ik had geen godsdienstles toen ik klein was.'

'Je weet niet wat je gemist hebt,' glimlachte hij.

'Ja,' en ik glimlachte ook, 'dat begin ik ook te beseffen…'

'Nou ja, hoe dan ook… Feit is dat hij de hele tijd heel druk was, met zijn hand laten kussen en zich als onmisbaar voordoen, want één ding is dat ik nog steeds denk dat het een goeie vent was, maar iets anders zou zijn niet erkennen dat hij zich bij die expedities volledig bezatte aan ijdelheid, en wij gingen onze eigen gang en kweten ons goed of minder goed van de taak die hij ons had opgedragen. Deze jongens zijn mijn infanterie, zei hij altijd, en de infanterie, nou, dat is bekend… Naarmate ik ervan doordrongen raakte dat de revolutie en de Heilige Moederkerk erg weinig met elkaar te maken hadden, ontdekte ik langzamerhand hoe de dingen in deze wereld werken. Een meisje dat Mari heette pakte een keer mijn hand en legde die op een van haar borsten, terwijl ze me vroeg waarom we nooit eens een handtasje meebrachten, want zij had al rokken en bloesjes en wat haar nou echt geweldig leek was een handtasje, want ze had er nooit eentje gehad. De week daarop gaf ik haar een tasje dat ik zonder al te veel moeite van mijn zus Rocío had gejat, ze nam me mee naar een braakliggend terrein en ik mocht zo lang als ik wilde aan haar zitten. Toen ik klaarkwam, met mijn broek aan, me tegen haar aanwrijvend, zei ze tegen me dat ze ook geen panty had... Ik zou het je op een andere manier kunnen vertellen, maar zo ging het, en toch ging ik die avond heel voldaan naar huis, er bijna van overtuigd dat ik een goede daad had verricht, want je kunt je niet voorstellen hoe blij ze was met dat tasje, je weet niet half hoe opgetogen ze keek, hoe ze haar armen om me heen sloeg, op wat voor toon ze tegen me zei, wat ben je aardig voor me... Het jaar daarop ging ik zelf naar de universiteit, maar ik bleef nog bij de groep van pater Ercilla, tot februari of maart, dat weet ik niet precies meer, toen ik me bij de Jonge Communisten aansloot. Tegen die tijd had ik al iets met Lucía. Ze was een vriendin van Mari, het meisje van de handtas, en ik gaf haar de kans niet míj te benaderen, ik stuurde het er zonder omhaal op aan. Uiteindelijk was ik toch al van m'n geloof gevallen...'

Hij bleef voortdurend op de uitdrukking in mijn ogen letten onder het praten, in een poging mijn reacties voor te zijn, maar ik wilde zijn relaas niet onderbreken met het vage verhaal van een onduidelijke emotie, die zich uitbreidde, en weer terugtrok, en zich vermenigvuldigde en in zichzelf verstrikt raakte naarmate zijn woorden elkaar opvolgden, al had ik haar kunnen samenvatten in een paar simpele zinnetjes, door hem te vertellen hoe graag ik hem toen had willen kennen, hoe gelukkig ik geweest zou zijn als hij me had kunnen trakteren op een chocolademilkshake en een crosant. Hij had nooit veel losgelaten over die periode. Al sprak hij graag over pater Ercilla en over zijn lessen, hij had slechts een enkele keer, en dan nog terloops, gerefereerd aan de bezoekjes aan die buitenwijk die hij nog niet concreet wilde maken, alsof hij bang was de naam opnieuw uit te spreken, maar ik kon me hem heel goed voorstellen in die rol, want ik kende zijn ouders, zijn broers en zussen, en het huis waar hij toen woonde, dat zó anders was dan het mijne dat het me aanvankelijk meer angst dan ontzag inboezemde, angst om een flater te slaan, iets ongepasts te zeggen, nooit de datums, de liedjes, de verhalen geleerd te hebben waar alle bewoners openlijk herinneringen aan ophaalden. Toen ik hem voor het eerst zag zat hij nog in het vierde jaar, er was nog niet veel tijd verstreken sinds hij zijn liefde voor Christus had opgegeven, zijn uiterlijk kon niet erg veranderd zijn in slechts drie jaar, en ook zijn geest niet, zijn karakter, dat onweerstaanbare charisma van geboren leider dat nu in de kleine ruimte van een gestolen handtas paste zonder ook maar iets van zijn glans te verliezen, en ik verdeed mijn tijd niet met morele overwegingen, ik gehoorzaamde gewoon zijn stem, accepteerde dat het weerzinwekkende weerzinwekkend was, en het onvermijdelijke onvermijdelijk, en het begrijpelijke begrijpelijk, al begreep ik nog niet zo goed waarom ik me zo dicht bij hem voelde staan terwijl ik naar dat relaas luisterde over jaren die we niet samen hadden beleefd.

'Lucía was een stap voor op alle andere meisjes die ik daar leerde kennen. In alles. Dat merkte ik meteen, want de eerste keer dat ik probeerde een cola voor haar te betalen lachte ze me bijna uit, en ze zei dat ik mijn geld beter in mijn zak kon houden, dat dat soort trucjes bij haar niet werkte. Ze was maar anderhalf jaar ouder dan ik, maar ze leek een volwassen vrouw, en ik, ik was net achttien, schrok eerlijk gezegd een beetje, en ik besloot geen tweede poging te wagen. Maar ze was pas negentien, hoe ze dat ook probeerde te maskeren, en bovendien verloor ze me sinds die dag niet meer uit het oog. Ze dook op als ik haar het minst verwachtte, in de alfabetiseringslessen bijvoorbeeld, al kon ze lezen en schrijven, bij de vergaderingen die we bijeenriepen in het café, of gewoon in de deuropening van haar huis, net als ik door de straat liep. Ze ging zelfs zo ver dat ze naar de mis kwam, ondanks het feit dat haar vader haar een flink pak slaag had beloofd als ze zich met de priester zou inlaten. En eerlijk gezegd liet ze zich nergens mee in, want ze nam nooit deel, ze zei nooit iets, ze liet zich alleen maar zien, en ze keek naar me, met een spottend lachje dat me wanhopig maakte, echt, ik werd al helemaal gek als ik haar zag, tegen de muur geleund, haar hele gewicht naar één been verplaatsend om te heupwiegen, in haar eentje dansend, en spelend met een snoer rode kralen dat ze altijd om haar hals droeg alsof zij nergens iets mee te maken had, alsof ze eropuit was me ervan te overtuigen dat als ik haar niet gauw zou neuken, dat mijn einde zou betekenen, alsof ik dat al niet wist... Tot ik op een avond, na een van haar vertoningen, Mari ervan wist te overtuigen met me mee te gaan naar dat braakliggende terrein waar we de eerste keer waren geweest, en zij, ik weet nog altijd niet hoe, daarachter kwam en ons midden op straat de pas afsneed. Ze joeg haar vriendin weg door te zeggen dat haar moeder haar zocht en dat ze maar beter naar huis kon gaan als ze zichzelf een pak rammel wilde besparen, en vervolgens richtte ze zich onmiddellijk verbeten tot mij. En wat is er met jou aan de hand? vroeg ze, en ik antwoordde dat er niets was, dat ik dacht dat zij juist niets van mij wilde weten. Niet zoals die, mompelde ze terwijl ze in de verte wees, en daarna deed ze me min of meer haar voorwaarden uit de doeken. Ik haat deze buurt, zei ze tegen me, ik haat deze huizen, ik haat de hele klerezooi hier... We spraken af voor de volgende dag, bij de uitgang van de metro bij Quevedo, en ik nam haar mee naar een café dat Madison heette en aan de Calle Arapiles lag, ik weet niet of je je het herinnert, een enorme tent, met lampen waaraan een soort glazen stalactieten hingen, en, heel luxueus naar de maatstaven van toen, veel fluweel en rookglas... Ze vond het geweldig.'

'Ik vond dat soort gelegenheden als kind ook zo geweldig,' erkende ik. 'Maar ik ging met mijn moeder vooral naar Californias in de Calle Goya, en ik bestelde altijd flensjes met slagroom, heerlijk.'

'Zij nam ook flensjes, dat weet ik nog, en chocolademelk, en daarna, toen we al een tijdje zaten te praten, informeerde ze of ik nog geld overhad en toen ik ja zei vroeg ze of ik haar wilde trakteren op een cola-tic.'

'En dat deed je.'

'Ja.'

'En daarna mocht je aan haar zitten...'

'Nee. Lucía was slimmer dan de anderen, ik zei al dat ze hun allemaal een stap voor was. Die middag kuste ze me op m'n mond toen ik haar weer naar de metro bracht, en dat was het. Zij wilde geen handtas, geen panty, geen rijke jongen om aan haar vriendinnen te showen. Lucía wilde me in haar netten strikken, maar ik was slimmer dan zij, en toen ik dat besefte werd het een heel ander verhaal, alsof iemand de boel op zijn kop had gezet. En toen ging ik me echt als een zak gedragen.'

'Ook niet,' protesteerde ik, hem zelfs tegen zijn wil in nog verdedigend. 'Tenslotte had ze er zelf om gevraagd.'

'Nee, zo eenvoudig lag het namelijk niet... Aanvankelijk leek dat zo, want ze was heel wispelturig en gedroeg zich onmogelijk, de ene dag deed ze m'n rits in de bioscoop naar beneden en nam m'n pik in haar hand en de volgende dag mocht ik haar niet eens kussen. Ze verzon de hele tijd beledigingen die er niet geweest waren, en soms flirtte ze schaamteloos met andere jongens, en niet alleen in de buurt waar ze woonde, met bekenden, maar zelfs als we in de stad uitgingen en ze teruglachte naar iemand die ze helemaal niet kende, zodat ik groen en geel zou zien van jaloezie. En natuurlijk zag ik groen en geel. Ze wilde me onder de duim houden en een tijdlang slaagde ze daar ook in. Ik was heel erg verliefd op haar, met die belachelijke liefde van adolescenten die verslingerd raken aan een manier van glimlachen, of kijken, of zich bewegen, al heeft degene die glimlacht, die kijkt, of die zich beweegt helemaal niets met hen gemeen, al kan iedereen, behalve zijzelf, in één oogopslag zien dat hun liefde tot mislukken gedoemd is... Maar ondanks alles was ik heel erg verliefd op haar, blind, ziek, dwaas van liefde, tot ik me bij de partij aansloot, de groep van pater Ercilla verliet en mijn leven veranderde, logisch, ik had meer te doen, ik leerde een hele hoop nieuwe mensen kennen, een hele hoop meisjes, geen een zoals Lucía uiteraard, maar toch meisjes, en ik realiseerde me, hoewel ik nog niet in staat was er weerstand aan te bieden, dat ik er meer dan genoeg van begon te krijgen de speelpop van die meid te zijn…' Hij keek nu naar zijn nagels, die hij belangstellend bestudeerde, en hij voegde er nog een zin aan toe, verpakt in een samenzweerderige glimlach, als een ondeugend jongetje. 'Ik ben liever zelf degene die de regels van het spel bepaalt, zoals je weet…'

'Allicht,' bevestigde ik, 'en daar ben ik blij om.'

'Maar goed, laten we niet op de zaken vooruitlopen.' Hij schoot in de lach en ik werd erdoor aangestoken. Ik vermaakte me echt, al was ik bij lange na niet in staat de aard van zijn bedoelingen te achterhalen. 'Oké… waar was ik? Oh ja…! Lucía merkte dat ze me bijna al te verliefd had gemaakt, dat de duimschroeven niet veel strakker meer konden worden aangedraaid, en ze veranderde haar strategie om mijn vriendinnetje met alles erop en eraan te worden. Vanaf dat moment was zij degene die deed of ze jaloers was, die heel belangstellend was en voor me zorgde, me verwende, en om de haverklap informeerde naar mijn familie, naar wat mijn vader deed, waar mijn moeder vandaan kwam, of ik goed met ze op kon schieten, en met mijn broers en zussen, wie die nieuwe vrienden waren met wie ik het nu zo druk had… Toen ik plukrijp was, helemaal aangedaan, geroerd tot op het bot door haar plotselinge liefde, zei ze dat ik me voor haar schaamde, dat ik haar daarom niet meenam naar die vergaderingen van me, dat ik er heel goed op lette dat buiten haar wijk niemand ons samen zag. Ik zei dat ze niet zulke onzin uit moest kramen, dat dat gelogen was, en vanaf dat moment nam ik haar overal mee naar toe… Arme Lucía! Ik was tenslotte gewoon een revolutionair rijkeluiszoontje, dat is wat ik was, Marita had gelijk, een rijkeluiszoontje, net als bijna iedereen. Hoezo zou ik het erg vinden als de anderen haar zagen, het was nota bene hartstikke in om een vriendinnetje uit het proletariaat te hebben, en bovendien was ze zo'n stuk dat de ogen van de jongens van mijn cel bijna uit hun kassen vielen iedere keer dat ze haar zagen…! En zij, ik zei je al dat ze heel slim was, begon zich anders te kleden, afhankelijk van waar ik haar mee naar toe nam, en als we hadden afgesproken met mijn studiegenoten verscheen ze in een spijkerbroek en maakte zich amper op, want die meiden hadden paf gestaan toen ze haar voor het eerst zagen, en ons allebei, zonder onderscheid te maken, de huid vol gescholden, en zij vermoedde dat dat niet handig was, al wist ze heel goed dat ik haar leuker vond als ze eruitzag als… laten we zeggen femme fatale, en ze wist ook dat dat soort commentaar me geen ene bal interesseerde… Hoe het ook zij, hoe verliefd ik ook was, in die tijd was ik al een beetje meer op mijn hoede. Ik vond Lucía nog steeds het lekkerste stuk van de wereld, maar als we samen uitgingen, als we geen mensen ontmoetten, verveelde ik me te pletter met haar. Het had geen zin meer de hele tijd te flirten, het spelletje te spelen van jaloers zijn, ruzie maken en het weer goed maken, dat hadden we allemaal al gehad, en eerlijk gezegd hadden we niets om over te praten, we zaten urenlang te zwijgen, een beetje te friemelen en te zoenen om maar iets te doen... En toen heeft ze echt een fout gemaakt, zich helemaal ver-galoppeerd, want op een dag zei ze tegen me, in andere bewoordingen natuurlijk, zorgvuldig gekozen bewoordingen, romantischer, onhandiger ook, dat we ons verveelden omdat we op dood spoor zaten, en dat we gewoon een huis moesten zoeken, samen gaan wonen, zelfs trouwen...'

'En jij begon 'm te knijpen.'

'Wat heet...!' Ik moest glimlachen toen ik zag dat hij nog steeds een angstig gezicht trok bij de herinnering eraan. 'Logisch. Maar ik hield haar zoveel mogelijk aan het lijntje, om met haar te kunnen blijven neuken.'

'Want je neukte haar...'

'Ja, natuurlijk! Waarom zou ik anders...'

'Oké, maar dat had je nog niet gezegd.'

'Nee. Dat was namelijk uiteindelijk het ergste. Nou ja, het was ook het beste. Het was het beste en het ergste tegelijk. Zij verzette zich, want ja, aangezien ze met me wilde trouwen probeerde ze het zo lang mogelijk te rekken, maar ik had geen zin meer in die fratsen, en ik zei tegen haar dat als we iets hadden, we ook neukten, en anders hielden we er gewoon mee op en even goeie vrienden... Toen zei ze dat ze nog maagd was, en ik ge-loofde het, en ik had het er ontzettend moeilijk mee, want aan de ene kant wilde ik niets liever dan met haar neuken, maar aan de andere kant leek het me onvergeeflijk haar te ontmaagden als ik al wist dat ze me in haar netten wilde strikken en ik niet zeker wist of ik dat wel wilde, wat een min of meer decente manier was om tegen mezelf te zeggen dat ik dat absoluut niet zou laten gebeuren. Het was allemaal heel verwarrend, weet je. Ik hield van Lucía, ik hield van haar maar ik verveelde me met haar, en toch vond ik haar leuker dan wat ook ter wereld, en aan de ene kant kon het respecteren van de maagdelijkheid van een vrouw dan wel ontzettend paternalistisch en reactionair zijn, maar het tegenovergestelde was wat alle rijkeluiszoontjes altijd al gedaan hadden, en ik was een rijkeluiszoontje dat dat juist niet meer wilde zijn... En bovendien was maagdelijkheid in Lucía's wereld verdomme een waar bezit, iets wat echt waarde had, dus ik wist niet wat ik moest doen, zomaar met haar neuken zou zijn of ik haar iets afnam, wat moest ik, ik was pas negentien… Uiteindelijk nam zij de beslissing. We waren op een feest, in een studentenhuis, het huis van Mono, die heb jij nog wel gekend, toch?, en ze nam me mee naar bed en zei het tegen me, ik wil vandaag met je vrijen, nu… Jezus! De tranen sprongen me zowat in de ogen van ontroering.'

'Maar je deed het.'

'Betrapt…' Ik schoot in de lach en dit keer lachte hij met mij mee. 'Natuurlijk deed ik het. Heel voorzichtig, met veel geduld, heel liefdevol… Je weet wel, zoals dat hoort, hè. Heel angstig ook. En ik had er geen spijt van, dat zweer ik je, voor geen millimeter, ik vond het zo lekker dat ik daar ter plekke met haar getrouwd zou zijn. En weet je, misschien was ik wel echt getrouwd als ik er niet achter was gekomen hoe makkelijk ik me had laten bedotten die keer…'

'Want ze was geen maagd.' Ik weet niet waarom, maar dat feit was bijna het enige dat ik van het begin af aan vermoed had, en dat zei ik tegen hem. 'Dat dacht ik al.'

'Nee, natuurlijk niet. Ik had geen flauw idee, en niet alleen omdat ik niets gemerkt had, want dat is flauwekul en bovendien was ik zelf wel maagd en had ik daar m'n handen vol aan, maar omdat ik me niet kon voorstellen dat ze tegen me gelogen had, ik weet niet waarom, maar het was geen moment in me opgekomen, misschien was ik te veel een haantje om daaraan te willen. Maar uiteindelijk kwam ik er toch achter, en op een heel foute manier trouwens… In het begin gingen we altijd neuken bij Mono thuis, maar toen zijn ouders er genoeg van kregen en hem in een soort studenteninternaat stopten, want in het tweede jaar zakte hij voor alle vakken, werd het wat ingewikkelder. Uiteindelijk vonden we toch wel een plekje, en als dat niet het geval was deden we het in de auto, maar een tijdje was het klote, weet je. Ik was net aan het derde jaar begonnen, de auto die ik van mijn broer Nuño had geërfd had het van ouderdom begeven, de flats waar we naar toe konden gaan waren om wat voor reden dan ook niet langer beschikbaar, en Mono kreeg te horen dat als hij weer vrouwen in zijn kamer liet ze hem op straat zouden zetten, en die begon 'm te knijpen… Dus we waren weer terug op het punt waar we waren voordat we neukten, al verveelden we ons nu nog erger, en ik sprak met steeds langere tussenpozen af met Lucía, we zagen elkaar alleen nog in het weekeinde, en soms zelfs dat niet. Toen heeft ze een tweede fout gemaakt, het arme kind… Ze dacht dat het belangrijker was met me te blijven neuken dan sommige dingen voor me verborgen te houden, en op een dag zei ze tegen me dat we naar haar huis konden gaan. Ik was heel blij, want ik dacht dat er niemand was, maar haar vader was er, en al spuugde hij op de grond toen hij me zag, hij zei niets. Later vroeg ze me wat geld om zijn zwijgen af te kopen, en ik gaf het haar, graag zelfs, want ik wilde niet dat haar moeder, een beklagenswaardige vrouw die hen allemaal onderhield door als schoonmaakster bij mensen thuis te werken, er ooit iets van te weten zou komen. Op een keer zei ze tegen me dat ze tot alles bereid was als ze maar niet zo zou eindigen als haar moeder, en ik zweer je dat ik het begreep de eerste keer dat ik die zag... Afijn, we neukten dus in haar bed, dat met een gordijn gescheiden was van de rest van de enige kamer van het huis, die zij woonkamer noemde... Afschuwelijk, vraag me niet om details want dat verdraag ik niet. Vanaf die dag werden heel veel dingen duidelijk voor me, en toen begon Lucía echt een probleem te worden. Want ik was niet bereid met haar te trouwen, ik wilde het niet, ik kon het niet, begrijp je dat?, onze verhouding had geen enkele zin, maar ik durfde haar ook niet te laten zitten, ik durfde de consequenties van die beslissing niet aan nu ik wist waaraan ze was blootgesteld, weet ik veel... Ik vermoed dat ik haar, door haar geen pijn te willen doen, veel meer pijn heb gedaan dan ik gewild had, want ik was als verlamd, niet in staat iets te doen, niet om haar te nemen en niet om haar in de steek te laten, niets, behalve met haar blijven neuken, wat ik nog lange tijd het leukste zou blijven vinden wat je op deze wereld kon doen, maar later zelfs dat niet meer... Dat was het moment waarop het bij me opkwam me serieus met politiek bezig te gaan houden. Om het echt druk te kunnen hebben, om meer dan genoeg excuses te hebben als ik geen zin had met haar af te spreken, om haar helemaal uit mijn hoofd te zetten, om mezelf te rechtvaardigen als ik me als een zakkenwasser gedroeg. Het was het enige wat binnen handbereik lag, het enige wat me interesseerde, het enige waar ik nog in kon geloven. Iedere keer dat Lucía aanstalten maakte zich te beklagen en van me eiste dat ik toegaf dat ik niet meer van haar hield, en huilde, en wanhopig werd, zei ik bij mezelf dat zij niet kon begrijpen, niet kon beseffen dat ik veel belangrijker dingen te doen had. En de volgende dag stond ik 's morgens op een of andere meeting te praten over de uitbuiting van de onderdrukte klassen, over de accumulatie van kapitaal en de mensenrechten, over amnestie en nationale verzoening, ieder naar vermogen en ieder naar behoefte, je weet wel, en dan klapte jij bijvoorbeeld voor me... Op het laatst durfde de arme ziel niets meer te zeggen, ze deed alles wat ik wilde, ze protesteerde nooit als we elkaar een paar weken niet zagen, ze klampte zich aan iedere strohalm vast, ze was tot alles bereid als ze maar hoop kon houden – al was het nog zo weinig – dat haar verhouding met mij uiteindelijk goed zou komen, maar op een dag realiseerde ik me dat zelfs neuken met haar geen compensatie meer vormde. En ik liet haar in de steek. En er bleef me niets anders over dan een geboren leider worden, zoals jij zegt, pater Ercilla in het kwadraat. Nou?'

Ik keek hem zwijgend aan, me heimelijk verheugend over elk van zijn delicten, elk van zijn zonden, het spoor volgend van die langvervlogen wreedheid, ontstaan uit die duizelingwekkende roes van leeftijd en begeerte, de sporen van de schuld die hem ooit bij mij had doen belanden, zo veel jaar geleden, en me hem nu, na al die jaren, opnieuw teruggaf, bezoedelder misschien, maar daardoor zuiverder en completer, op raadselachtige wijze meer mijn liefde waardig, en ik vond geen goede manier om hem te vertellen dat ik het hem nooit vergeven zou hebben als hij met die andere vrouw getrouwd was die hem niet in die mate verdiende als ik hem verdiend had, dat ik hem nooit vergeven had als hij mij ter zijde had geschoven voor hij me zelfs maar kende, dat dat het enige was wat ik hem nooit had kunnen vergeven en dat de rest me allemaal niet kon schelen, want het enige wat voor mij telde was hem in mijn buurt te hebben, dicht bij hem te zijn, en ook ik was bereid iedere prijs te betalen in ruil voor bepaalde voorrechten.

'Ik heb je dit allemaal nooit verteld omdat ik je, als ik eenmaal begon, nog een heleboel meer had moeten vertellen, en toen ik iets met je kreeg in Italië was ik pas vijfentwintig en voelde ik me nog steeds schuldig... Ik was er niet zeker van of je het wel zo leuk zou vinden dat verhaal te horen, want hoe je het ook wendt of keert, de waarheid is dat ik me als een zak heb gedragen tegenover Lucía, en daar valt niets meer aan te doen. Bovendien heb ik haar pas definitief laten zitten vlak voor ik die aanvaring met jou had op die vergadering waar jij er alles aan deed ons voor rotte vis uit te maken, en ik dacht, nou ja, omdat je er uiteindelijk toch ook niet meer via een andere weg achter zou kunnen komen... En later was ik er te lui voor neem ik aan. Het klinkt een beetje pathetisch, hè?, om vreselijke geschiedenissen van vroeger op te gaan biechten die in de loop der tijd volkomen onbetekenend blijken te zijn, dat vind ik tenminste, daarom had ik zo de pest in toen je me vertelde dat je in psychoanalyse was. Maar juist daarom zei ik tegen mezelf, toen ik erachter kwam, dat het je misschien goed zou doen bepaalde dingen te weten. Niet dat ik trots op mezelf ben, laat dat duidelijk zijn, het gaat er niet om dat ik overal overheen zou zijn, als ik aan Lucía denk voel ik me nog steeds een schoft, zonder meer, en toch weet ik nu dat als ik me tegenover haar netjes had gedragen, dat gelijk had gestaan aan het verwoesten van mijn leven... Dus, je ziet, ik heb ook vreselijke geheimen te verbergen' – hij glimlachte – 'maar ze lijken minder erg als je ze hardop vertelt...'

Terwijl ik naar hem luisterde kwam een diep weggezakt gevoel van veiligheid boven, de aangename zekerheid buiten gevaar te zijn, de behaaglijke ongevoeligheid die zich over mijn hele lichaam verspreidde als het kindermeisje mijn gewonde knie verzorgde met een enorme plens jodium en een veel imposanter verband dan strikt noodzakelijk. Ik was nog geen conclusies aan het trekken, ik dacht niet na, ik deduceerde niets, ik zag nog geen verband tussen de feiten, maar ik vond het prettig naar hem te luisteren, dat had ik altijd prettig gevonden, vooral naar de toon waarop hij die avond vertelde, een wonderlijk pure stem die voortsproot uit de vredige coëxistentie van tegenstrijdige emoties, een kalme stem die aan opwinding grensde, een ironische en oprechte stem, helder en vertroebeld door een zekere minimale dosis onmisbare duisterheid, grof en subtiel tegelijk, woorden als geparfumeerde, koele vingers, als zachte, ervaren handen, onverbiddelijk in hun onaangename taak pijnlijke wonden te verzorgen, die nog niet in staat waren mijn eigen verwarring ongedaan te maken, maar die me zo goed deden dat ik die wonderlijke hoeveelheid dingen waar alles wat ik zojuist te weten was gekomen onafwendbaar naar toe voerde bijna had willen bewaren voor een andere keer.

Maar die avond had Martín zin om te praten, en hij vroeg niet naar mijn mening voor hij verderging.

'Jij was mij ook al opgevallen voor ik je leerde kennen. Dat wist je ook niet maar het hoeft niet meteen iets te betekenen, het was onvermijdelijk, in die tijd kenden alle rooien van de Complutense-universiteit elkaar, al was het maar van gezicht, nietwaar?' Ik knikte even en hij praatte verder. 'Je weet dat ik goed bevriend was met je vrijer, Teo...'

'Laten we het daar alsjeblieft niet over hebben,' smeekte ik, terwijl ik mijn handen voor mijn gezicht sloeg in een komische poging te doen alsof ik door wanhoop overvallen werd.

'Waarom niet?' Hij moest lachen. 'Over hem hebben we het toch al wél zo vaak gehad...'

Teófilo Parera, rechtenstudent, jaargenoot van Martín, mijn eerste vriendje, was een soort linkse uitgave van de mensenetende reus uit kinderverhalen. Lang en robuust, nogal dik, had hij heel lang haar, een kroezende, kastanjebruine, eeuwig vieze haardos waarvan de twee voorste lokken kluwens vormden aan weerszijden van zijn gezicht, langs de glooiende helling van een baard die weelderig en onverzorgd was als een braamstruik in de winter, en die zich een weg omhoogbaande om daar te versmelten met een al even overvloedige snor, en zich een weg naar beneden zocht, de kleine woestijn van zijn keel omzeilend, om de rest van zijn lichaam met haar te overdekken. Hij droeg altijd hetzelfde, een meer dan versleten spijkerbroek, een dik wollen overhemd, bedrukt met Schotse ruiten, en een paar bergschoenen die zo imposant waren dat je er bang van werd. De wijze waarop hij tegen het leven aankeek kwam volledig overeen met de monotone gestrengheid van zijn manier van kleden. Ik weet nog altijd niet goed waarom ik iets met hem kreeg, ik vermoed omdat híj iets met mij wilde, en omdat hij de leider was van mijn groep en niemand daar zijn minste wensen leek te durven betwisten.

'Wat een bruut was het, hè? Weet je nog?' Martín genoot met volle teugen van de herinnering aan mijn uitglijders. 'Ik heb nooit meer zo iemand ontmoet. Wat een beest! Maar ik kon het goed met hem vinden, dat weet je, ik vond hem heel grappig, we praatten veel, ik probeerde hem ervan te overtuigen dat de gewapende strijd een strategische fout was en hij zei tegen me dat ik een mietje was, en hij was met geen mogelijkheid op andere gedachten te brengen… Hij paste absoluut niet bij je.'

'Natuurlijk paste hij wel bij me!' protesteerde ik lachend. 'Ik stond ook achter het idee van de gewapende strijd.'

'Nee… Jij was een rijkeluismeisje. Net als ik. Daarom viel je me op.'

'Wanneer?'

'Toen ik hoorde dat je het vriendinnetje van Teo was.'

'Dat kan niet…' mompelde ik. 'Ik kreeg iets met Teo in het eerste jaar.'

'Ja,' bevestigde hij rustig.

'En ik maakte het uit toen ik in het tweede jaar zat…'

'Voor kerst,' preciseerde hij.

'Ja…' bevestigde ik nu. 'Maar de eerste keer van mijn leven dat ik jou zag was in datzelfde jaar, na Pasen…'

'Oké,' glimlachte hij. 'Maar ik had jou al eerder gezien. Al behoorlijk vaak. Dat ik jou niet opviel wil niet zeggen dat jij mij niet opviel. Je weet dat we in dezelfde cafés kwamen.'

'Ik geloof er niets van…'

'Maar het is zo. Ik kende jou wel. En ik kwam er al snel achter wie je was, logisch.'

'Een jonge, onbevredigde erfgename,' hielp ik hem herinneren, erin berustend een ongepubliceerde versie van mijn eigen geschiedenis te accepteren.

'Ja, inderdaad. Wat wil je nog meer? Het was een onweerstaanbare combinatie, en allicht te veel gevraagd van die arme Teo, dat is het eerste wat je niet begrijpt... Hij had het er echt heel moeilijk mee toen je het uitmaakte, al liet hij dat niet merken. Ik kwam hem op een ochtend tegen in een café en toen vertelde hij het me, ik wist wel dat het niets zou worden met die griet, en ik gaf hem gelijk, het is een bekakte trut, Teo, dat zei ik tegen hem, ze weet het leuk te brengen maar het is gewoon een meisje van goeden huize dat probeert ze thuis een beetje op de kast te jagen, niks voor jou, geloof me.'

'Zo!' riep ik uit, verrast als een klein meisje dat zonet de dubbele bodem in de hoge hoed van een goochelaar heeft ontdekt. 'Dat had je me ook nooit verteld!'

'Nee, natuurlijk niet... Maar je kunt het me hoe dan ook niet verwijten, want ik deed niets verkeerds. Jij wilde van hem af en ik hielp je, hij voelde zich ellendig en ik verschafte hem argumenten om er weer bovenop te komen.'

'En jij?'

'Ik dacht soms aan je. Niet de hele tijd, eerlijk gezegd, want je zat op een andere faculteit, ik kende je alleen van gezicht, en nadat je met die dikke gebroken had zelfs dat niet, maar soms moest ik aan je denken, want een tijdlang, toen jullie iets hadden, was ik bijna verslaafd aan de dingen die Teo me vertelde, en daarna ook nog, echt waar, eerlijk gezegd liet ik hem niet met rust, de arme jongen, jij was mijn favoriete tijdverdrijf geworden, het was zelfs zo erg dat het hem begon te irriteren, en al vroeg ik hem heel vaak of hij ons aan elkaar wilde voorstellen, gewoon, zomaar, alleen maar om je van dichtbij te zien, wilde hij dat nooit omdat hij jaloers op me was, echt... Dat moet de enige keer in zijn leven zijn geweest dat hij het bij het rechte eind had. Daarom hebben we elkaar pas zo laat leren kennen. Dat kon ik je al evenmin vertellen, in ieder geval niet in het begin, want toen ik je leerde kennen was ik behoorlijk in het voordeel, ik wist allerlei dingen van je, en ik wilde niet dat je zou denken dat ik die in praktijk had gebracht, wat ik natuurlijk wel heb gedaan...'

'Maar dat had ik juist geweldig gevonden! En dat weet je heel goed. Dat moet je weten.'

'Echt niet, zo zeker was ik daar niet van... Jij leek mij zo te bewonderen, zo vast van plan me te adoreren, een god van me te maken, en ik vond dat allemaal zo prettig, ik weet niet... Goden spelen vals maar niemand komt er ooit achter dat ze dat doen, toch? Bovendien was de verleiding om als de onweerstaanbare man over te komen aanvankelijk te sterk, en daarna, nou ja, jij leek heel wat progressiever dan je in werkelijkheid was, liefje, dus voor hetzelfde geld kwam je aanzetten met dat ik niet eerlijk genoeg tegen je geweest was, je kan het niet weten… De waarheid is dat ik een beetje in het parket zat waar ik het net ook al over had, want ik kon je niet een deel van het verhaal vertellen zonder alles te vertellen, al was ik in dit geval wél bang dat je er uiteindelijk toch achter zou komen. Ik heb Teo sinds ons afstuderen niet meer gezien, maar van andere mensen weet ik dat toen hij erachter kwam dat wij iets hadden, hij tegen iedereen vertelde dat ik de grootste schoft was die er bestaan had, dus je ziet… Ondertussen ging het steeds slechter met mijn verhouding met Lucía, en toch verbleekten alle meisjes in mijn directe omgeving als ik ze met haar vergeleek. En dat leidde tot mijn definitieve ondergang, want de vriendinnen van mijn zus Amparo daarentegen vond ik veel leuker dan ik bereid was toe te geven, al wist ik nog zo goed dat ze onaanraakbaar waren als hadden ze lepra… Het proletariaat was de ver-van-mijn-bed-show maar kon er nog mee door, het was zelfs oké, het was correct, je weet wel, maar de overdreven bekaktheid van die jonge wichten die ervan droomden met een notaris te trouwen, maakte ze, wat een stukken het ook waren, tot de vijand, en op je twintigste kun je niet ongestraft met de vijand naar bed… Dat weet ik zo goed omdat het me lukte er eentje te versieren, ik geloof dat ze het zelfs wel grappig vonden, mijn zus waarschuwde ze altijd, naar die moet je niet luisteren, die is van de Communistische Partij, en zij vroegen me, heel ernstig, of dat waar was, en als ik antwoordde dat het zo was, dan bleven ze me aanstaren met van die grote schrikogen, alsof ik plotseling de duivel in eigen persoon was, en ik speelde het spelletje mee, wees maar niet bang, zei ik tegen ze, als het moment daar is en jullie op een vrachtwagen worden geladen om gefusilleerd te worden, zal ik wel zorgen dat ik op tijd ben om jullie te redden, en dan begonnen ze te gillen, en scholden me uit, maar sommigen vonden het wel een leuk spelletje, weet je, ze vonden het een aantrekkelijk idee dat ik iemand was om bang voor te zijn, en ik vond het leuk dat ze bang voor me waren, zo simpel lag het, ik kreeg al een stijve als ik ze zo in mijn buurt zag rondhangen als muizen die de kat uitdagen en af en toe een haal kregen, niets ernstigs, totdat eentje, mijn lievelingetje en dat wist ze, besloot het spel serieus te nemen… Ze heette María Jesús, maar iedereen noemde haar Machús…'

'Ik kan het niet geloven!' Ik barstte in lachen uit terwijl ik het zei, en hij lachte met me mee.

'Het is echt waar. Wat wil je? Het waren meisjes van de Ierse nonnen, allemaal van héél goeden huize, sommigen steenrijk, en zelfs degenen die niet zoveel hadden – zoals mijn zusje – met een echt kapsel, merkkleding en kwaliteitsmake-up, niet zoals die van mijn arme vriendinnetje, bij wie de mascara doorliep nog geen halfuur nadat ze hem op had gedaan... Bovendien, Machús mocht dan wel een belachelijke naam hebben, maar ze was wel een stuk, net een appeltje, heel ronde ogen, heel volle lippen, een heel knap gezichtje, en klein, maar met flinke borsten en een mooi lichaam. En ga jij ook kerken afbranden? vroeg ze me op een dag, ja, antwoordde ik, maar met jou erin. Toen keek ze me aan alsof ze daar absoluut geen bezwaar tegen had, en ik pakte haar bij haar middel en drukte haar tegen me aan, en ik begon haar te strelen, en dat liet ze toe, en ik kuste haar, en zij kuste mij... Zaterdag geef ik een fuif bij mij thuis, zei ze daarna, waarom kom je niet ook? Amparo kan niet, want die gaat skiën, en mijn ouders zijn dan in Baqueira, ook aan het skiën... Ik weet dat je het niet zult geloven, maar ik zweer je dat ik bijna niet gegaan was alleen maar uit angst dat iemand me zou zien, dat iemand erachter zou komen met wat voor meisjes ik omging, ik had het er ontzettend moeilijk mee, echt, ik lag de hele nacht wakker, maar uiteindelijk verzamelde ik al mijn moed en ging, en daar was zij, ze zat op me te wachten, en ik hoefde haar niet over te halen, weet je, ik hoefde geen mooie praatjes op te hangen om haar week te maken, niet eerst te dansen, haar niet dronken te voeren, ik weet zeker dat iedere andere jongen op dat feest het veel moeilijker gehad zou hebben, maar ik was de duivel, en de duivel laten wachten heeft geen zin, en het maakt niet uit wat hij van nette meisjes denkt, en hij zal er nooit met eentje trouwen, en hij kent de mensen niet die hun kwaad kunnen berokkenen... Laten we gaan, zei ik tegen haar, mijn eerste glas nog halfvol, en omdat zij precies op die woorden had gewacht, voerde ze me aan m'n hand mee naar een slaapkamer, deed de deur dicht, en bleef, heel stil, tegenover me staan, zonder ook maar iets te durven ondernemen, maar zo opgewonden, zo zenuwachtig, dat ze door haar mond begon te ademen, en ik geloof dat ze het niet eens besefte... Toen begon ik rustig haar bloes open te knopen, terwijl ik haar aankeek, ze had een sneeuwwitte kanten bh aan, heel nieuw, heel mooi en heel diep uitgesneden, ik ben dol op dat soort bh's, dat weet je, en een bijpassend slipje, en ik vond haar er zo mooi uitzien, als een ingepakt cadeautje, dat ik haar zonder haar helemaal uit te kleden op bed gooide en haar een hele tijd streelde en beet met haar kleren aan...'

'Hou op, Martín.' Ik keek hem aan en hij glimlachte naar me, om me te laten weten dat hij de betekenis van mijn woorden volledig begreep.

'Je hebt het zwaar, hè?' Ik knikte en hij verwelkomde mijn bekentenis met een schaterlach. 'Ik weet hoe je bent, dus het verbaast me niets, maar je moet nog een flinke poos geduld hebben en aandachtig naar me luisteren, ook al wil je dat niet, want dit is belangrijker dan het lijkt, en het heeft veel meer met jou te maken dan jij denkt... Goed. Nou, Machús bleek wat je noemt een ontdekking. In positieve en negatieve zin. Het positieve was dat het fantastisch met haar was, echt fantastisch, bijna even lekker als de eerste keren dat ik met Lucía had geneukt, in zoverre dat ze me vroeg hem er niet in te stoppen omdat ze maagd wilde blijven, en zij sprak wel de waarheid, en al merkte ik dat ze zich af en toe niet meer in de hand had, dat ik er als ik iets meer zou forceren in zou slagen haar erom te laten smeken, het kostte me geen enkele moeite haar te respecteren, zoals zij zei, want ze maakte het op alle manieren die ze kende goed, en zelfs op manieren die ze zich niet eens kon voorstellen voor ze begon. En ook dat was nog niet het belangrijkste. Want zelfs als ze zich als een min of meer keurig meisje gedragen had, zou ze me al dingen gegeven hebben die ik van geen van die meiden van de faculteit kreeg met wie ik weleens naar bed ging, al die meisjes over wie ik je wel alles vanaf het begin verteld heb. En die dingen brachten mijn hoofd volkomen op hol, al kon ik het idee niet eens verdragen dat dat zo was. Ik zou wel een goeie psychoanalyticus hebben kunnen gebruiken in die tijd. Want Lucía had me midden in een doodlopende steeg gezet, en nu had ik er al twee waar ik moest kiezen, een enorme viersprong voor mij alleen, een communistisch jongetje van goeden huize dat een arm meisje dat erop geilde met een jongetje van goeden huize naar bed te gaan in het verderf had gestort, om vervolgens te vallen voor een meisje van goeden huize dat erop geilde met een communist naar bed te gaan. Dat was het toppunt natuurlijk. En ze hadden allebei dingen gemeen, precies die dingen die mij wild maakten, en precies die dingen die ik nooit zou vinden bij meisjes die bij me pasten. De een ging uiterlijk gekleed als een hoer en de ander ging onder haar kleren gekleed als een hoer. Allebei waren ze evenzeer bereid alles te doen wat ik wilde, de een om gered te worden en de ander om verdoemd te worden. Allebei roken ze heel lekker, en iedere keer dat ze met me naar bed gingen gedroegen ze zich alsof dat iets heel belangrijks was. En het lukte ze mij dat te laten geloven, al was de prijs dat ik me achteraf verschrikkelijk schuldig voelde. En dat ik wist dat ik met geen van beiden een toekomst had. En wil je alsjeblieft niet de hele tijd aan je tepels zitten, want daar word ik zenuwachtig van.'

Ik keek naar beneden, naar mijn handen, en vond ze precies waar hij gezegd had.

'Sorry,' zei ik, terwijl ik ze onder mijn bovenbenen verstopte, 'dat had ik niet door.' Ik glimlachte. 'Vertel verder alsjeblieft.'

Ik kon nog niet raden waar hij naar toe wilde, er ontbraken nog te veel gegevens, maar onder een verlangen dat langzamerhand zo onhoudbaar werd dat het dreigde open te barsten, zo fundamenteel urgent leek het me inmiddels dat hij eindelijk van de bank zou opstaan en heel rustig mijn bloes zou openknopen, me aankijkend om me te dwingen mijn ogen open te houden, strak op de zijne gericht, en niet op zijn handen, groeide inmiddels de behoefte alles te weten, een behoefte die niet minder dringend was, een nieuwsgierigheid die leek op honger of dorst, op de oplossing van zo'n mysterie waarvoor mensen bereid zijn hun leven te geven, en dat voorgevoel, het verontrustende vermoeden dat mijn leven van dat spel had afgehangen zonder dat ik het besefte had, was het enige wat ervoor zorgde dat ik bleef zitten, stil, gespitst op ieder woord dat hij zei, mijn wil opleggend aan een opwinding die zich zo bewust was van haar heftigheid dat ze geen millimeter terrein prijsgaf terwijl ik haar onderwierp met een overwicht dat ik niet van mezelf kende, al bleef ze aanwezig, verborgen, zich schuilhoudend, de hele avond dof kloppend, en zelfs met een verrassende onverschrokkenheid een aantal emoties te lijf gaand die veel sterker waren dan zij. Maar ook dat wist ik nog niet toen Martín weer van wal stak.

'Met Machús heb ik nooit echt iets gehad. Ik zag haar af en toe en alleen maar in aanwezigheid van een bed. Uiteraard was zij absoluut niet geïnteresseerd in een type als ik als echtgenoot, en ik was nog minder geïnteresseerd in een meisje als zij als vriendinnetje, want in dit geval had ik me er wel voor geschaamd me met haar in het openbaar te vertonen. Maar ondanks het feit dat alles glashelder leek, heel zuiver, heel onschuldig, leed mijn geweten bijna nog meer onder die affaire met Machús dan onder mijn verhouding met Lucía, en niet alleen omdat zij de vijand was, want dat was ze, maar daarnaast omdat Lucía en ik vriendje en vriendinnetje waren, we hadden echt een relatie, dat van ons was een officiële verhouding, al ging zij eraan onderdoor, al was ik niet helemaal eerlijk tegen haar, al maakte ik misbruik van haar. In het begin was het andersom geweest, en ik hield van haar, ik had veel van haar gehouden en ik mocht haar nog steeds graag, dat was heel anders... Maar dat met Machús was koud, berekenend, onherroepelijk burgerlijk in de ergste betekenis die dat woord destijds had. Ik voelde me vreselijk, verachtelijk, een verrader, net of iemand me aan mijn haren door de modder sleepte... En zij was ongelooflijk, echt ongelooflijk, dat kun je je niet voorstellen. Zeldzaam smerig, bijna te, zelfs voor mij. Want ik kende haar amper, daar was ik ook niet in geïnteresseerd, we hadden niets gemeen, maar ik zag dat ze er niet onder leed, zij vond het allemaal prima, ze miste helemaal niets, en ze bleef gewoon wachten tot er een jongen zou opduiken die ze geschikt vond om mee te trouwen, en ze vroeg me nog altijd of ik haar wilde respecteren, en om alles te hebben meegemaakt stelde ze me voor haar in haar kont te neuken en ik stemde in, natuurlijk, en ze verdroeg het allemaal zonder klagen, ze was verrukt dat ze maagd bleef en tegelijkertijd neukte, ze maakte grappen over haar toekomstige echtgenoot, de arme jongen, zei ze, en ze plande onze toekomst als eeuwige overspeligen, en ik voelde me een waardeloze zak, ik zweer het, het lijkt flauwekul, maar zo was het, ik kan het niet helpen, en ik wist dat negentig procent van de mannen van welke leeftijd ook alles gegeven zou hebben voor zo'n affaire, dat ik theoretisch beschouwd, in een bevoorrechte positie verkeerde, maar de theorie is één en de praktijk is wat anders, en als het al moeilijk is een dubbelleven te leiden, stel je dan maar eens voor hoe het is een driedubbelleven te leiden, en ik was twintig, en ik was een hypocriet en een klootzak en een bedrieger, maar ik had een ideologie, en een wereldbeeld, en een mensbeeld, die waar waren, die waar moesten zijn omdat ze het enige waren wat me kon redden... Daarom versnelde Machús het proces waarin ik door Lucía terecht was gekomen, en in het derde jaar stortte ik me met al mijn energie op de politiek, ik kreeg duidelijk omlijnde ideeën over wat ik ambieerde, opklimmen binnen de partij, want dat was het enige waardoor ik me goed voelde, het was het enige wat ik voor mezelf en tegelijkertijd voor anderen kon doen, en het vierde jaar was mijn topjaar, ik werkte keihard, ik zat urenlang te vergaderen, ik meldde me aan voor de vervelendste meetings, die plekken waar niemand naar toe wilde, doodarme, verdwaalde bergdorpjes, fabrieken waar zelfs geen minimale vakbondsorganisatie bestond, daar ging ik heen, en de mensen verwonderden zich over mijn moed, mijn durf en mijn vertrouwen, maar het was de moed der wanhoop, en daarom ging het me zo goed af, ik kreeg massale bekeringen voor elkaar, net als Sint-Paulus, en ik kreeg fervente aanhangers, studenten uit het eerste en tweede jaar die naar me luisterden alsof ik God was, met dezelfde ijver, dezelfde onvoorwaardelijke overgave, dezelfde liefde...'

'Als ik naar je luisterde, die ene keer...'

'Als jij naar me luisterde. En ik liet ze van me houden, want ik had geen redenen om van mezelf te houden, en bij het afscheid gaf ik ze mijn zegen aan de toog van een bar, vlak voor ik ging neuken met een prototype van het door de bourgeoisie geprostitueerde proletariaat, en die bourgeoisie was ik zelf, of gewoon met de vijand, wat nog erger was… Ik vond het zelf verwerpelijk, maar ik kon de verleiding niet weerstaan, en zij gaven mij al evenmin de bons, en toch heb ik minstens duizend keer naar m'n voeten gekeken en bij mezelf gezegd, tot hier en niet verder, en besloten overal een punt achter te zetten, er eindelijk mee op te houden, opnieuw te beginnen, met een schone lei, maar je kunt je voorstellen wat mijn voorland was… Een hele hoop ideologisch bewonderenswaardige vrouwen die een kameraad voor in goede en slechte tijden hoopten te vinden, voor de strijd en privé, om zij aan zij te vechten voor een betere wereld… En ik heb het geprobeerd, dat zweer ik, ik heb het minstens duizend keer geprobeerd, echt, net als ik geprobeerd had van Christus te houden, ik stak iedere ochtend een preek af tegen mezelf, ik vervloekte mijn burgerlijke zwakheden, mijn reactionaire mentaliteit, mijn misvormde seksualiteit, ik probeerde het keer op keer, en iedere dag zwoer ik dat het de laatste zou zijn, maar het lukte niet. Misschien trof ik het niet met de partij, dat kan ook zijn, maar die meisjes leken allemaal hetzelfde, allemaal één pot nat… Hen kon ik natuurlijk niet uitkleden, dat lieten ze niet toe. Ze stonden in een mum van tijd naakt naast me, met een vanzelfsprekendheid alsof ze alleen waren en onder de douche wilden stappen, en ze waren allemaal jong, en heel veel waren knap, en sommigen heel knap, maar ze droegen meestal geen bh, en als ze er een droegen was hij glad en vleeskleurig, en ze droegen kinderslipjes, met veel haar aan weerszijden, en ze schoren hun benen meestal ook niet, en als ze ze schoren, droegen ze geen panty's maar maillots, of kousen, en ze droegen nooit schoenen met hakken, zelfs niet als ze naar een bruiloft moesten, en allemaal schoren ze hun oksels met een mesje en gebruikten Williams-deodorant, dezelfde als ik gebruikte… En ik neukte ze, en ik vond het lekker, dat zal ik niet ontkennen, maar ze deden precies het tegenovergestelde als Machús, dat wil zeggen, ik mocht hem erin stoppen en dat was het, en als ik eens iets anders probeerde vroegen ze me of ik gek was geworden en wat ik verdomme wel niet dacht, en ze schrokken, maar hun angst was van een soort dat ik helemaal niet aantrekkelijk vond, integendeel… En toch waren zij mijn toekomst. Want voor het vierde studiejaar erop zat moest ik het uitmaken met Lucía omdat ik niet met haar wilde trouwen, en aan het begin van de vakantie liet Machús me, ondanks al haar voornemens over overspel, weten dat ze niet langer met me naar bed kon gaan omdat ze een vriendje had gevonden met wie ze zou trouwen, en ik kon geen stap meer terug, ik moest hoe dan ook verder, en ik berustte in het opgeven van mijn weinige duistere, echte pleziertjes, want jij, mijn laatste hoop, was ook al verdwenen, zonder ooit echt verschenen te zijn. In het laatste studiejaar zag ik je maar één keer, in de hal van de faculteit. Je stond daar alsof je op iemand wachtte, en ik liep de deur al uit toen het tot me doordrong, en vervolgens durfde ik niet meer naar binnen te gaan om een praatje met je te maken. In die tijd wilde Teo je naam niet eens meer hóren, en ik miste zijn ontboezemingen eerlijk gezegd, want daarvoor, toen hij me op de hoogte hield van zijn seksuele handel en wandel, dacht ik op een gegeven moment dat misschien toch niet alles verloren was, want ik hoorde dingen die absoluut niet strookten met wat jij zei, wat jij deed, wat jij voorgaf te zijn.'

Hij keek me aan alsof het ergste achter de rug was, met een vreedzame, opgeluchte uitdrukking op zijn gezicht die bij machte was de richting van zijn glimlach om te draaien, een uitnodiging eindelijk ook op het toneel te verschijnen die ik niet wilde afslaan.

'Zoals bijvoorbeeld…'

'Zoals bijvoorbeeld dat je dol was op neuken, maar alleen met echte macho's.'

'Dat is niet waar!'

Die aanval, die het gesprek van het ene op het andere moment een heel andere wending gaf, die van de begrijpende rechter die ik tot dan toe ver-persoonlijkt had een plotselinge verdachte maakte die zich niet bewust was van haar schuld, ontnuchterde me met dezelfde doeltreffendheid als een koude douche, maar in minder dan een tel, het minimale tijdsbestek dat ik nodig had om met alle stelligheid waartoe ik in staat was te reageren, kwam ook de herinnering aan die eindeloze reeks mislukkingen boven, de gezonde, gelijkwaardige en humoristische seks die ik met die idioot had die zich gedroeg alsof neuken iets onbelangrijks was, triviaal vermaak voor de dode uurtjes waarin je niets beters te doen had, iets onbenulligs, en ik herinnerde me hoe ik zelf was, even religieus als Martín zegt dat ik ben, alles gevend, alles wat ik had en alles waarvan ik vermoedde dat ik het ooit zou kunnen hebben, in die vergeefse ceremonies die eindigden met het zoveelste grapje dat mijn vriendje niet voor zich kon houden, als hij klaar-kwam met een kort gesnuif dat inhield dat het weer niet zo was, dat er weer niets gebeurd was van wat er had moeten gebeuren, dat ik de dood weer niet in de ogen had gekeken, dat ik mijn lichaam niet was ontstegen, dat de hemel zich niet boven me geopend had en er geen geheim aan me geopenbaard was terwijl mijn lichaam, dat wel, overvloedig zweette met die dikzak erbovenop.

'Alsjeblieft, Fran, we hebben het over Teo! Je zou bijna zeggen dat je niet weet hoe hij was… Als je op zoek was naar raffinement dan had je het niet met hem moeten aanleggen.' Hij lachte alsof hij zich in geen jaren zo vermaakt had, en dat was ook vast zo, maar bovendien had ik het idee dat dat lachen hem ontzettend goed deed na al die zwaarmoedige woorden, en daarom liet ik me door hem meeslepen, en we lachten samen. 'Die arme jongen wist niet meer waar-ie het zoeken moest, hij was totaal de kluts kwijt… Ze doet niet anders dan instructies geven, zei hij tegen me, en vervolgens komt ze met het verhaal aanzetten dat ze er niet van houdt het initiatief te nemen. Godverdomme! Ik mag niet praten, ik mag niet lachen, ik mag 'r niet likken want volgens haar kwijl ik haar onder, als die ooit wel het initiatief wil nemen, weet ik niet wat…'

Op dat punt aangekomen kon hij niet verder praten van het lachen, en ik maakte gebruik van zijn luidruchtige zwijgen om te proberen mijn versie uit de doeken te doen.

'Maar hij kwijlde me ook onder.' Martín keek me aan alsof hij op het punt stond iets te zeggen, maar hij begon weer te lachen. 'Dat heb ik je al eens verteld, en het is echt waar. Ik zweer het. Ik weet niet waarom, maar als hij me bijvoorbeeld een kus in mijn hals gaf, was ik helemaal nat. Het zal wel door zijn baard zijn gekomen, dat zijn spuug er misschien in bleef zitten…' Ik moest zelf even een schaterlach overwinnen om verder te kunnen praten. 'En hij praatte aan één stuk door, hij hield niet op, als een kip zonder kop, hij maakte grapjes, hij gaf mijn borsten namen en dat soort dingen, ik kon me niet concentreren en dan kwam ik natuurlijk niet klaar, en in plaats van me met rust te laten maakte hij zich daar ontzettend druk over en dan zei hij tegen me, laten we erover praten, en dan gaf ik hem instructies, maar omdat hij vragen stelde, laat dat duidelijk zijn… Ik probeerde hem te laten begrijpen hoe ik graag wilde dat hij deed, maar ik durfde ook weer niet al te expliciet te zijn, om hem niet te beledigen…'

'Aha! Nou, hij was beledigd, neem dat maar van me aan… Wat ver-wacht ze van me? zei hij altijd tegen me, dat ik haar als een weerzinwek-kende pooier behandel?, als acteurs in een yankee-film?, alsof we geen kameraden zijn? En hij vertrouwde me zelfs nog ergere dingen toe. Bij-voorbeeld dat je hem als jullie klaar waren met neuken vroeg of hem erin stoppen het enige was wat hij kon, en dat je desondanks, als jullie nog maar amper begonnen waren, van hem eiste dat hij hem er onmiddellijk instopte.'

'Ik wilde alleen maar een beetje opwinding.'

'Dat kan ik me voorstellen, maar wat je bereikte was dat je hem, letterlijk, gek maakte. Ik koos zijn kant, hoor, ik deed alsof ik heel erg geschokt was, en ik zei tegen hem, hoe verzint ze het!, wat wil die meid in godsnaam?, om hem uit zijn tent te lokken en verdere details te horen, maar die kon hij me niet geven omdat hij je niet begreep, hij had er geen flauw idee van wat je wilde, daar kon hij eenvoudigweg niet bij, niets aan te doen… Daarom kreeg ik het voor elkaar dat hij me accepteerde als een soort mengeling van raadgever in hartsaangelegenheden en seksueel adviseur tegelijkertijd, en hij vertelde me uitvoerig over jullie vrijpartijen, wat jij deed, wat hij deed… Hij zei dat je languit op bed ging liggen en geen vin meer verroerde, alsof je dood was, en dat je hem aankeek, en dat hij dan al niet meer wist waar hij moest beginnen. En al die meiden zeggen tegenwoordig dat ze niet langer van plan zijn zich passief op te stellen, dat was zijn favoriete klaagzang, snap jij dat nou? vroeg hij me, plotseling de intellectueel uithangend, want dat is nou precies waar ze over klagen…' Zijn tanden glommen even met een oogverblindend perverse fonkeling. 'Ik zal je bekennen, omdat ik nu toch alles aan het bekennen ben, dat ik hem ideeën aan de hand deed. Misschien wil ze wel dat je haar gebruikt, zei ik eens tegen hem, dat jij de enige bent die instructies geeft, dat je haar behandelt alsof ze een ding is, alsof het je niets kan schelen, of alsof je haar minacht, veel vrouwen vinden dat lekker…'

'En wat zei hij?' vroeg ik alleen maar om mezelf te horen, want ik kon me heel goed voorstellen wat Teo gezegd zou hebben.

'Ik kreeg bijna klappen van 'm, dat begrijp je… Ik hou van d'r, snap je? zei hij tegen me, ik hou van d'r, en ik probeerde hem uit te leggen dat dat er niets mee te maken had, dat hij meer van je kon houden dan van zijn moeder en je tegelijkertijd een stevige beurt geven, dat het net zoiets was als diefje-met-verlos spelen, dat degene die de slechterik speelt dat in het echt helemaal niet hoeft te zijn, ik overlaadde hem met voorbeelden, maar mij begreep hij ook niet en het mag een wonder heten dat we niet op de vuist gingen… Je moet hem begrijpen, Fran, hij vond het walgelijk en contrarevolutionair. Hij liet zich erop voorstaan dat hij kon huilen, zoals alle mannen toen, hij was de nieuwe man, teder, zachtaardig en anti-autoritair.'

'Maar jij was niet zo, zelfs niet in die tijd.'

'Ik was een stalinist, mag ik je daar even aan herinneren, een laaghartig instrument van het apparaat. Dat zeiden jullie, nietwaar?, en dat we een pact hadden gesloten met de rechtse bourgeoisie, dat we het volk hadden verraden, et cetera. Mijn verslaving aan het gezag, mijn onvoorwaardelijke geloof in discipline was meer dan gerechtvaardigd… Maar natuurlijk wist niemand daar iets van, behalve misschien Machús, Lucía niet, dat weet ik zeker. Ik liet me er ook luidkeels op voorstaan dat ik kon huilen. En toch luisterde ik graag naar Teo, ik vroeg hem doorlopend naar details over jou, ik fantaseerde veel over je… En dat waren niet alleen maar seksuele fantasieën, echt niet, hoewel ik soms, als ik die dikke boven de bar zag snotteren, voor mezelf bedacht dat ik je de dag dat ik je te pakken zou krijgen voor flinke tijd de lust zou benemen instructies te geven, zo inschikkelijk zou je worden. Maar ik raakte ook opgewonden van andere dingen, de beschrijving van jullie huis bijvoorbeeld, van je ouders. Ik was meer in hem geïnteresseerd, want ik kende hem van gezicht, van provinciale congressen en dat soort dingen, maar die arme Teo had het veel vaker over je moeder, die bewonderde hij mateloos en volgens mij was hij zelfs een beetje verliefd op d'r, moet je je voorstellen. Later, toen ik je leerde kennen, realiseerde ik me dat hij het niet stommer had kunnen aanpakken, arme Teo…'

'Je weet dat mama hem er niet uit vond zien,' herinnerde ik me voor ons beiden, 'dat was het eerste wat ze zei toen ze jou zag, dat ik nu gelukkig eindelijk eens een vriendje had dat er goed uitzag.'

'Ja… Ik weet dat ze hem er niet uit vond zien, en eerlijk gezegd verbaast me dat niks… Maar hij aanbad haar, hij vroeg zich doorlopend af hoe het toch mogelijk was dat jij zo slecht met haar kon opschieten, zo'n knappe vrouw, zei hij tegen me, echt een prachtvrouw, honderd keer meer de moeite dan haar dochter… Op dat moment begon ik je zelfs sympathiek te vinden, want het leek me ontzettend onrechtvaardig dat je moeder, die al een leven achter de rug had, meer in de smaak zou vallen bij je eigen vriendje dan jijzelf, die nog maar net aan het leven begon. Dat soort dingen heeft me altijd erg geschokt, en daarom vond ik je moeder meteen vanaf het eerste moment dat ik haar zag een ontzettende trul, zelfs nog voor ik ontdekte dat dat precies was wat je van me verwachtte. Maar daarvoor ontdekte ik nog andere dingen, want Teo vertelde me alles in geuren en kleuren, en op een dag vertelde hij me de geschiedenis van je ouders, hoe hij haar had versierd, hoe zij zich had laten versieren, hoe ze een relatie hadden gekregen, je weet wel, het complete verhaal, ik heb het daarna nog talloze keren gehoord. Hij had het van je vader zelf gehoord natuurlijk, een keer dat je hem had uitgenodigd voor het eten en ze na het toetje enthousiast aan de borrel gingen, en die arme dikke, die uiteindelijk een romanticus was, was helemaal enthousiast, hij vond het een geweldig verhaal, het feit dat je moeder voor de bijl was gegaan geilde hem helemaal op, en ik vond het ook een mooi verhaal, al was ik geïnteresseerder in de rol van je vader, en dat zei ik tegen hem, en hij antwoordde, je bent al net als Fran, zij kiest ook altijd zijn kant, misschien is ze wel gewoon verliefd op haar vader, moet je je voorstellen, en hij zei dat gewoon zo, als een grapje, de oen, hij keek niet verder dan zijn neus lang was, maar ik begreep onmiddellijk hoe het zat, ik had alleen maar dat detail nodig om de puzzel compleet te krijgen, om er zeker van te zijn wat jij lekker vond in bed… schat…' Martín wist dat dat zinnetje me tot wanhoop zou drijven en hij sprak het heel langzaam uit, precies op de toon om dat te bewerkstelligen, met een zware, wat hese stem die mijn huid aan de binnenkant liefkoosde, maar nog geen tel later verbrak hij de betovering zelf en sloeg abrupt een andere toon aan om me te waarschuwen dat hij niet bereid was voortijdig de controle te verliezen. 'Ik ontdekte ook dat ik je vader heel graag als schoonvader zou hebben.'

'Jezus!' protesteerde ik gedwee, op dezelfde schertsende toon als waarop hij die laatste uitspraak had gedaan. 'Dan had je weleens iets kunnen ondernemen om dat te bereiken. Je hebt tijd genoeg gehad, dat lijkt me duidelijk.'

'Dat valt nog tegen… Amper twee jaar. Toen jij iets met Teo kreeg zat ik al in het derde jaar en had ik minstens twee vriendinnetjes, mag ik je daar even aan herinneren… En bovendien, later, toen ik aan het vijfde jaar begon, kreeg ik eindelijk één, enig, echt vriendinnetje, Carmen, jij kende haar van gezicht, toch?, want ze deed ook filosofie, al studeerde ze in hetzelfde jaar af als ik… Het was een hele mooie meid, al noemde jij haar het duikelaartje…'

'Ze was een en al kont,' onderbrak ik hem. 'Het was een wonder dat ze rechtop kon blijven staan.'

'… ondanks het feit dat de omvang van haar kont die bijnaam niet verdiende' – ging hij verder alsof hij me niet gehoord had –, 'die zich er niet op toelegde mij op partijbijeenkomsten voor schut te zetten, maar die me erg bewonderde en me in alles gelijk gaf. Ze was van het gekwelde type, je weet wel, ze leed graag, en ik denk dat ze daarom iets met mij begon, om een moeilijke verhouding te hebben, met een moeilijk type, die haar 's nachts uit haar slaap zou houden. Op die manier was ze gelukkig, maar ondanks alles vond ik haar eerlijk gezegd gewoon aantrekkelijk. Maar ik moet bekennen dat noch zij, noch enig ander leuk meisje in die tijd, noch wat voor iets, woord of gebeurtenis ik in al die jaren dat ik aan mijn opleiding voor advocaat bezig was ook tegenkwam, noch Lucía, noch Machús, noch wat dan ook, zo veel indruk op me heeft gemaakt als toen ik jou, met die dikke, onverwacht op die vergadering zag verschijnen. Op dat moment dacht ik dat mijn hart door mijn ribben heen zou breken, dat zweer ik je. Ik was er zo aan gewend met Teo over jou te praten zonder dat ik je ooit van dichtbij had gezien, dat ik bijna het idee had dat je niet echt bestond, dat je gewoon een van mijn fantasieën was, een gespreksonderwerp, een verzonnen personage. Maar het bleek dat je bestond, dat je eindelijk voor me stond, en dat ik je aantrekkelijk vond, jezus, ik vond je verschrikkelijk aantrekkelijk... Ik heb je altijd aantrekkelijk gevonden, dat weet je heel goed, al weet ik ook dat je het niet gelooft, want iedere keer dat je in de spiegel kijkt verwacht je het gezicht van je moeder te zien, dus ja, dat schiet niet op natuurlijk... En toen je ons zo begon te beledigen, en de x van marxist zo keurig uitsprak en al die woede veinsde die je bij lange na niet kon voelen, zo gehaaid, zo gepassioneerd, zo... in staat te vlammen, besefte ik dat ik me niet had vergist, dat je een heel speciale vrouw was, een perfecte vrouw voor mij... Maar ik ging tegen je in zodat je dat allemaal zou beseffen, en óf ik pakte het verkeerd aan, óf je begreep het niet. Ik had er flink de ziekte over in dat je van de ene op de andere dag met de noorderzon vertrokken was, maar ik kon je niet opsporen. Marita en ik waren als water en vuur, de dikke wist niets van je, je had alle sporen uitgewist, en ik kon ook niet zomaar naar je vader toe stappen en naar je vragen, vooral niet omdat ik hem ook niet meer zag. En daarna kreeg ik iets met Carmen, ik had nog steeds half en half wat met haar toen ik naar Italië ging, dat weet je... Toen ik je bij de receptie van dat hotel in Bologna tegen het lijf liep, de plek waar ik het het minst verwachtte, werd ik ontzettend zenuwachtig, echt, en ik zei bij mezelf, vandaag geen stommiteiten, en om te beginnen besloot ik dat het het beste zou zijn die verhalen van Teo te vergeten, te proberen me te gedragen alsof ik niets van je wist...'

'En dat is je gelukt,' zei ik tegen hem. 'En ik had helemaal niet het idee dat je zenuwachtig was, en je haalde ook geen enkele stommiteit uit.' Ik glimlachte. 'Al heb ik tot op de dag van vandaag niet begrepen waarom je zo goed paste in de rol van verleider.'

Hij bewoog zijn hand in de lucht alsof hij het niet prettig vond dat ik hem daaraan herinnerde en ging niet in op mijn commentaar.

'En later op dat feest dronken we behoorlijk, weet je nog?, en toen kon ik me een beetje ontspannen, het allemaal wat beter op een rijtje zetten, ik wist dat ik aan je vader moest denken, niet aan mezelf, niet aan een ideaal tegenvoorbeeld van Teo, maar aan je vader, en daarom deed ik om twee uur, toen alle kraampjes sloten, of er niets aan de hand was en ging ik alsof het de gewoonste zaak van de wereld was op weg naar het hotel, wat aan de andere kant natuurlijk ook zo was, want aangezien we voor één keer op dezelfde plek verbleven… Jij stak je arm door de mijne en drukte je hoofd even tegen mijn schouder, en dat vond ik een leuk gebaar, dat herinner ik me ook nog, ik had je al gekust, en het was me opgevallen dat je je ogen dichtdeed en je hoofd naar achteren gooide, alsof je je helemaal overgaf, en dat vond ik ook leuk, want rond die tijd kon ik nog nadenken, ik kon je gebaren analyseren, je woorden, inschatten hoe ik me moest gedragen, je interpreteren, en ik zei bij mezelf dat het het beste zou zijn je niets te vragen, je zwijgen als een teken van instemming te beschouwen, al besloot ik toen ik de deur van het hotel al opendeed, op het allerlaatste moment, je hand te pakken, en toen durfde ik je niet meer aan te kijken, maar je kneep me even, dat zul je je wel niet meer herinneren' – ik herinnerde het me wel – 'en het schoot door me heen dat dat een goed idee was geweest, en niet alleen vanwege het ogenschijnlijk onschuldige van dat gebaar, maar omdat ik aan je hand zou kunnen afleiden wat je voelde… Toen ik alleen om de sleutel van mijn kamer vroeg, zonder de jouwe te noemen, bewogen je vingers niet. Toen ik je aankeek, glimlachte je naar me. Toen ik naar de lift begon te lopen, liep je achter me aan. Op dat moment begon ik mijn zelfbeheersing te verliezen, en het laatste wat ik nog tegen mezelf kon zeggen was dat dit niet waar kon zijn, dat wonderen niet bestonden, dat ik niet zo veel mazzel kon hebben, dat ik dat niet eens verdiende… Toen de lift halt hield op de zesde etage stapte jij als eerste de gang op, weet je nog?, je jasje hing open, dat had ik losgeknoopt tussen de eerste en vijfde verdieping, maar je hield het niet eens dicht, je keek me alleen maar aan, alsof je zei, waar gaan we naar toe? Toen je de kamer binnen was gegaan bleef je staan, heel stil, naast het bed, terwijl je naar me keek en zonder dat je het besefte door je mond ademde… Je jasje hing open, maar je trok het niet uit, ik deed het uit, en daaronder ontdekte ik een zwarte bh, van Christian Dior, die ik nooit zal vergeten, het zal de laatste herinnering aan deze wereld zijn die mijn geheugen verlaat, een zwarte bh van doorzichtig kant met heel dunne, verticale zwarte streepjes, tot ter hoogte van een lijn die samenviel met je tepel, en kleine, eveneens zwarte stipjes vanaf die lijn… coupenaad heet dat, hè?, tot onderaan…'

'Mijn moeder controleerde mijn laden met ondergoed,' herinnerde ik me hardop, 'en gooide zonder met mij te overleggen alles weg wat oud of verschoten was, of versleten van het vele wassen.'

'Nee, Fran, hou even op zeg… Laat je moeder hierbuiten. Op je vierentwintigste zal je toch wel alleen inkopen zijn gaan doen, mag ik aannemen…'

'Oké,' glimlachte ik, 'je hebt gelijk. Maar het is wel waar dat ik hetzelfde soort dingen kocht als zij droeg, en in dezelfde winkel, want zij had
daar een rekening en dan hoefde ik niet te betalen. Ze had de verkoopsters
uitstekend geïnstrueerd, en... Oké, je hebt gelijk,' zei ik nog eens, toen
ik zag dat hij zijn handen voor zijn gezicht sloeg, 'ik vond hem mooi.'

'Ik vond hem ook mooi. Prachtig. Geweldig. Veel en veel mooier dan
jij je kunt voorstellen. Ik herinner me ook je slipje, echt, met stipjes van
voren en streepjes van achteren, en ik vond je zo mooi, zo mooi...' Ik
stak instinctief mijn hand op om het woord te vragen, maar hij liet me
hem niet onderbreken. 'Ja, oké, ik weet al wat je wilt zeggen, dat ik je
alles meteen uittrok, maar jij was een onvervalste rooie, hoor, en ik wilde
geen risico nemen, en dat was ook niet nodig, want dat was het fantastische, dat je hetzelfde gekleed ging als Machús, hetzelfde als Lucía zich
probeerde te kleden, maar jíj was het, een vrouw die ik overal mee naar
toe kon nemen, een ideologisch bewonderenswaardige kameraad, een
vrouw met wie ik naar hartelust kon neuken zonder me achteraf schuldig
te voelen, een witte raaf, begrijp je dat niet...? En toch was ik me dat aanvankelijk niet bewust, ik dacht nergens over na, omdat ik helemaal gek
was, omdat je me helemaal gek maakte, omdat ik het niet kon geloven, ik
herinner me dat sommige dingen me opvielen, dat je het halssnoer dat je
om had niet afdeed, dat als ik maar met een vingertopje iets aangaf jij onmiddellijk begreep wat ik met je van plan was, dat je me eigenlijk steeds
een stap voor was... Later wel, ik kon die nacht maar moeilijk in slaap
komen en ik moest daar allemaal aan denken terwijl ik keek hoe jij lag te
slapen, ik dacht aan die arme dikke, die zei dat je passief was, de stomme
idioot, en ik dacht aan jou, dat je me zo ontzettend voldaan had geleken
op het eind, en ik dacht heel rustig aan mezelf, voor het eerst sinds lange
tijd.'

'Dat had je me wel verteld...' mompelde ik. We hadden het in het begin veel over seks gehad, eindeloze gesprekken tussen omgewoelde lakens
en lachbuien, en hij begon altijd op dezelfde manier, zich dat halssnoer
van nepbarnsteen herinnerend en de omvang van zijn verbazing, terwijl
hij opnieuw zei dat hij nooit had durven dromen dat ik me zo zou kunnen gedragen, me laten gaan tot ik mezelf helemaal verloor, en ik was niet
verwonderd over zijn verbazing, want, al wilde hij dat nooit geloven, de
waarheid is dat ik net zo verbaasd was. Voor mij was met een man naar
bed gaan altijd iets heel anders geweest, daarom had ik geen voorbeeld
waarmee ik kon vergelijken, daar praatten we veel over, en ik probeerde
hem te overtuigen, zijn reacties te doorgronden, ze hardop te interprete-

ren, en ondertussen vermaakten we ons allebei kostelijk. 'Wat ik nooit had kunnen bedenken is dat het zo belangrijk voor je was. Ik heb altijd het idee gehad dat jij heel zeker bent van wat je doet.'

'Zie je wel?' glimlachte hij. 'Zie je dat ik goeie redenen had om selectief te zijn in wat ik vertelde. Nu lijkt het de grootste flauwekul die je je kunt bedenken, hè?, ik kan me gewoon niet meer voorstellen hoe ik ooit zo stom heb kunnen zijn, maar de eerste keer dat ik je zag was het nog belangrijk voor me, jezus, ontzettend belangrijk, al was het tegelijkertijd onbenullig, gewoon een kwestie van elementair fetisjisme, een restje machismo, een dominante persoonlijkheid, simpelweg iets wat bij het leven hoorde, of zelfs dat niet, een manier van neuken, even onschuldig als diefje-met-verlos spelen... Dat zei ik tegen Teo, maar toen ik het tegen mezelf zei geloofde ik het ook niet. En inmiddels weet ik dat het niet onbenullig is, maar ik weet ook dat ik, hoezeer het ook heeft bijgedragen tot de vorming van mijn karakter, daar niet onder hoef te lijden. Want je zult het wel niet geloven' – hij lachte, en desondanks geloofde ik hem niet alleen, ik was ook blij dat ik het kon – 'maar voor ik je leerde kennen was er een tijd dat ik er erg onder leed, heel erg, echt, ik zweer het je, en ik verloochende mezelf iedere dag, ik probeerde me los te rukken van dingen die zelfs ik niet begreep, zo diep waren ze weggestopt, en ik voelde me ellendig omdat ik geen oplossing zag, omdat ik nooit mezelf en tegelijkertijd helemaal gelukkig zou kunnen zijn, omdat ik nooit controle zou krijgen over dat duistere gebied in mijn hoofd, nooit ofte nimmer, ik zou alles kunnen leren beheersen behalve dat, en hoe ontzettend verliefd ik ook zou kunnen worden op een respectabel meisje, hoe lekker het ook zou zijn om met haar te neuken, alle nachten van mijn leven zou ik me verdomme, voor ik in slaap viel, de dingen herinneren die slechte meisjes met zich laten doen... Soms schoot het door me heen dat ik beter homoseksueel had kunnen wezen, want op het begrijpen van homoseksualiteit waren we allemaal wel goed voorbereid. En het is grappig, maar dat was precies de reden die me ervan weerhield te breken met Lucía, met Machús, al werd het later uiteraard beter, in de eerste plaats omdat je, tegen wil en dank, ouder wordt en het leven tegelijkertijd minder dramatisch, en daarnaast omdat de slechte meisjes zo ver achter me lagen dat ik niet meer ieder moment van de dag aan ze dacht. Bovendien ontdekte ik dat er gewone meisjes bestonden, met wie je huns ondanks plezier kon hebben, die helemaal zo slecht nog niet waren, en ik had het nog altijd heel druk, waar ik nog het meest baat bij had... En plotseling, toen ik al een weg had gekozen waardoor ik vrede met mezelf zou hebben, toen ik het leven niet langer om méér vroeg dan het me kon geven, toen ik al besloten had zelfs de kleinste verdorven fantasie uit mijn hoofd te bannen met dezelfde vriendelijke maar ijzeren discipline die ik bij mijn onderge-schikten toepaste, verscheen jij, en het was alsof ik er op mijn vijfentwin-tigste achter kwam dat de Drie Koningen echt bestaan. Toen begreep ik dat je niet alleen de perfecte vrouw was maar veel en veel meer. Je was de enige vrouw die er voor mij bestond op deze wereld.'

Hij liet even een stilte vallen die ik niet in staat was te vullen met mijn eigen woorden, zo verdiept was ik in een poging te ontraadselen wat er met me gebeurde terwijl ik naar hem zat te luisteren, terwijl zijn woorden een chaotische maalstroom van gevoelens van velerlei aard teweegbrach-ten, en ik herkende de liefde, en ik herkende het verlangen, maar boven-dien groeide in me de verbazing, en de ijdelheid, de verbondenheid en de verbijstering, het begrip, de zekerheid, en een vaag verwijtend gevoel om de jaren dat ik had geleefd in de luwte van een verborgen waarheid, en een gevoel van geloof in mezelf, in alles wat ik was, dat ik nooit eerder gekend had, en door dit alles heen, bijna verscholen achter dwingender emoties, onderscheidde ik weer de contouren van een volwassen vrouw die zich verzoend voelde met haar lot, want de woorden van Martín had-den me, naast nog veel meer dingen, de toekomst teruggegeven.

'Weet je, Fran, jij, met die bijna liturgische ijver waarmee je je erop toelegt de wereld te analyseren, bent ervan overtuigd dat ik jou gered heb. Maar het was andersom, en ik heb je dit allemaal juist nu verteld – nu ik weet dat je je ellendig voelt, nu ik weet dat ik me ellendig voel, nu ik weet dat we ons ellendig voelen gewoon omdat we oud worden en dat ook daar, hoe cru dat ook moge zijn, niets aan te doen is – zodat je dat voor eens en altijd goed tot je door laat dringen. Jíj hebt míj gered, en niet alleen omdat je me alsnog gelijk gaf, jaren nadat ik voor het eerst het ver-moeden had dat jij de ideale vrouw was, maar omdat alleen jij, en de cul-tus die je, met dat verbazende gemak waarmee jij dat soort dingen doet, in het leven riep rond wat ik ben, zin gaf aan mijn bedrog.'

'Je bent geen bedrieger, Martín,' lukte het me uit te brengen, en twee tranen vonden de weg naar mijn ogen, al had niemand ze uitgenodigd.

'Jawel, dat ben ik wel. Of liever gezegd, dat was ik tot jij me verloste van de verplichting toneel te blijven spelen, te blijven werken om niet na te hoeven denken, te blijven beweren dat ik honderd keer in dingen ge-loofde waarin ik nog steeds moeite had te geloven… Want toen je vertel-de dat je verliefd op me was geworden omdat ik je deed denken aan het portret van Lenin dat bij jou thuis hing en waar je tot bad toen je klein was, realiseerde ik me dat het allemaal ergens toe gediend had, en de herinnering aan Lucía drukte niet meer op me, en bij de herinnering aan Machús schaamde ik me niet meer, ik voelde de politieke strijd niet langer als een eeuwigdurende, welverdiende straf, ik zag mezelf niet langer als een lage, ellendige worm, en ik vergaf mezelf niet helemaal, maar ik werd verliefd op je, en ik had weer iets in handen. En de rest was ook perfect, de ontdekking dat die arme Teo het meer bij het rechte eind had dan hij dacht, en de mate waarin je in staat bent te veranderen als je naakt met mij in bed ligt, hoe mooi je wordt van die uitputting van genot, een gave die je van je moeder moet hebben, hoe ellendig je dat ook vindt, en je te leren kennen, en je te herkennen, zo ongelooflijk gecompliceerd als je in elkaar zit, nog erger dan ik, en dat wil wat zeggen, achter dat simpele masker van radicale activiste dat me nooit helemaal op het verkeerde been heeft kunnen zetten, en jouw bedrog te doorgronden, te merken dat je geen harde vrouw bent, en niet gevoelloos, en niet zelfgenoegzaam, want dat is niemand die de moeite waard is, en te ontdekken dat je zo religieus bent ingesteld omdat je bent opgevoed met een onvoorwaardelijke verering van de persoonlijkheid van je vader en de schoonheid van je moeder, en het lelijke eendje bij de hand te nemen dat nooit een zwaan werd en haar ervan overtuigen dat ik haar zo mooi vind... Soms denk ik dat op jou verliefd worden het enige hoogstaande is dat ik in mijn leven gedaan heb, en uiteraard is het de enige waarheid die ik heb om al het andere te rechtvaardigen, mijn houding, mijn verleden, mijn ambities en mijn twijfels, omdat als ik niet bij Lucía was weggegaan, ik nooit met jou had kunnen trouwen, omdat als ik niets met Machús had gekregen, ik je nooit herkend had in wat Teo vertelde, omdat als ik niet zoveel met Teo gepraat had, ik jou misschien nooit ontdekt zou hebben, omdat als ik me niet als een zak gedragen had, ik nooit een geboren leider was geworden, omdat als ik niet veranderd was in wat jij graag in me wilde zien, je nooit zo van me gehouden zou hebben als je van me houdt, omdat als jij niet zo van me gehouden had als je van me houdt, ik een veel minder gelukkig mens zou zijn, en oneindig veel slechter dan ik nu ben.'

Hij liet even een stilte vallen om me aan te kijken, en maakte zijn verhaal af.

'Dat zal geen psychoanalyticus je vertellen. En nu, nu ik eindelijk weer bij zinnen ben na een aanval van verwarring die even belachelijk was, even tragisch als wanneer ik mijn grijze haar had geverfd of ineens een strakke spijkerbroek was gaan kopen, kan ik er nog aan toevoegen dat ik de laatste tijd meer dan voldoende gelegenheid heb gehad vast te stellen dat je nog altijd de enige vrouw op deze wereld bent met wie ik kan leven. En dat weet ik zo zeker omdat ik met heel veel anderen naar bed ben geweest. Veel te veel. Dat wist je al.'

Een week later ging ik nog naar mijn afspraak van iedere donderdag, maar nadat ik me uitbundig geëxcuseerd had dat ik de vorige keer niet was komen opdagen, vertelde ik niets van het gebeurde aan mijn zwijgende gesprekspartner, die me aankeek alsof mijn voorkomen, mijn gezicht, de klank van mijn stem of de woorden die ik uitsprak, er voor het eerst in bijna twee jaar stelselmatige, geplande samenkomsten in geslaagd waren haar echt in verwarring te brengen. Ik ging weg vóór de tijd om was, zeggend dat ik een heel belangrijk etentje van mijn werk had waar ik niet zo nonchalant gekleed naar toe kon gaan, en ik nam op de gebruikelijke manier afscheid, al geloof ik dat zij zich realiseerde dat het voorgoed was.

Inmiddels was alles wat ik de week daarvoor gehoord had me helemaal duidelijk, de woorden die Martín had willen uitspreken en de woorden die hij liever verzwegen had, het verhaal dat hij me verteld had en de verhalen die hij me definitief niet zou vertellen, een ver verleden om de gaten in het recente verleden mee te dichten, een stilte die welluidender was dan zijn stem, een dikke streep, het soort dingen dat wij wél deden. Maar niet alleen om die reden ging ik op zijn aanbod in.

Het idee had al door mijn hoofd gespookt voor ik met de psychoanalyse begonnen was, en dat ik me met tegenzin gewaagd had aan zo'n pittoreske, onverwachte wending was misschien alleen maar om tijd te winnen, om de beslissing me aan een nog veel buitenissiger avontuur te wagen uit te stellen, misschien wel voor onbepaalde tijd, en toch leek dat avontuur me soms zelfs nog veel fundamenteler dan aanlokkelijk, eigenaardige, en gevaarlijke eigenschappen als het gaat om de verfraaiing van een capitulatie. Ik had het zo stellig en zo dikwijls beweerd, dat mijn knieën al begonnen te knikken zelfs als ik het niet eens serieus nam, en ik hoefde er niet eens over na te denken, me alleen maar mijn eigen woorden te herinneren, de nietsontziende uitspraken van andere keren, misschien mijn enige verzameling onwrikbare waarheden die decennialang exact hetzelfde gebleven was. Dat kán toch niet, klonk het moeiteloos in mijn geheugen, je kunt niet een dergelijke beslissing nemen om een tijdelijke crisis te boven te komen, zo'n vergissing is onbegrijpelijk, voor iedereen onrechtvaardig en niemand heeft er wat aan… Maar Martíns stilzwijgen bracht me op het idee dat het leven misschien de enige schappelijke werkelijkheid is, de enige impuls die de moeite van het gehoorzamen waard is.

De avond die ik koos om te praten beloonde hij mijn woorden met woorden, en dit keer waren zij het die me uiteindelijk overtuigden. Hij leek razend enthousiast, en meer nog, tomeloos optimistisch, zelfs daar waar ik iets pessimistischer was, er meer dan ooit heilig van overtuigd dat het allemaal goed zou gaan en nog veel beter – en gelukkig – zou aflopen, zozeer dat hij mijn laatste rationele twijfels wegnam met de absolute zekerheid dat hij me zelf al veel eerder in die richting geduwd zou hebben als ik hem ooit maar de minste hoopvolle aanleiding had gegeven. Het is afgelopen, Fran, zei hij alleen maar, het is afgelopen. De utopie was zelfs geen utopie, de betere wereld is voorgoed om zeep geholpen, dat weet je heel goed, dus je hoeft niet langer perfect te zijn, coherent, feilloos... Hou op tegen de stroom in te zwemmen en ontspan je. Dit is goed, dit moet goed zijn, je zult het zien...

Hij wist ook hoe oud we over twintig jaar zouden zijn, maar dat was het enige wat hij niet hardop wilde zeggen. Wat de rest van zijn inschattingen betreft had hij het echter op wonderbaarlijke wijze bij het rechte eind. In weerwil van de leeftijd van mijn hormonen werd ik in november 1994 zwanger, een paar maanden voor ik veertig werd. Met een beetje geluk had ik, al zou de arbeidswetgeving ook nog zo veranderen, als mijn kind twintig werd de pensioengerechtigde leeftijd nog niet bereikt.

16

Marisa, die zich al buiten bij me had gevoegd, ervan overtuigd waar het leuk zou worden en niet van plan daar iets van te missen – een discrete vriendin is nooit weg, betoogde ze terwijl ze haar arm door de mijne haakte, je kan sputteren wat je wil, maar gezelschap maskeert een hoop – zei tegen me dat ze hem gezien meende te hebben vlak voor Rosa, die als een indiaanse totempaal bij de deur stond om de hypothetische verschijning van Nacho Huertas in de gaten te houden, naar ons toe kwam hollen om te bevestigen dat hij inderdaad zonet binnen was gekomen en dat hij even met Fran had staan praten, maar het dakterras was zo afgeladen vol dat ik hem zelfs als ik op m'n tenen ging staan niet kon ontdekken. Op dat moment was ik bijna dankbaar voor de aanwezigheid van zo veel publiek, want ik moest wel gaan circuleren als ik hem snel tegen het lijf wilde lopen en er is niets minder geslaagds dan alleen circuleren op een druk feest. Ik had echter nog niet eens tijd gehad om in beweging te komen toen we, in een van die open plekken die af en toe in bewegende menigtes ontstaan, even onvoorspelbaar alsof het tot leven gewekte bossen waren, alle drie Fran zagen, en Fran ons zag.

'Javier Álvarez vroeg net naar je, Ana,' zei ze onmiddellijk na de begroeting, 'hij zei tegen me dat hij iets met je wilde bespreken, ik weet niet precies wat…'

'Aha!' riep ik uit, terwijl ik mijn emoties nog naar volle tevredenheid in bedwang hield. 'En waar is hij?'

'Tja… geen idee, met al die mensen hier… Vreselijk! Het wordt elk jaar een beetje erger, ik begrijp niet waar al die genodigden vandaan komen…

Maar je kunt hem makkelijk traceren, hoor, want zijn vrouw is net een stoplicht. Ze ziet eruit alsof ze naar een bruiloft moest, ze heeft een lange jurk aan, oranje, echt knallend, met een bijpassende stola, ik weet niet wat ze in godsnaam in d'r hoofd had…'

Marisa legde een hand op m'n rug, alsof ze met dat gebaar de angst kon bezweren dat ik van het ene op het andere moment zou bezwijmen, en Rosa, die praktischer was ingesteld, ontdeed zich van Fran door te zeggen dat ze dacht dat haar vader haar riep. Toen we met z'n drieën overbleven draaide ik me om, ik weet niet waarom, deed mijn ogen dicht, en ik weet al evenmin waarom ik dat deed, en boog voorover, alsof ik met mijn vingers de punt van mijn schoenen wilde aanraken. Daarna, toen ik weer rechtop stond, draaide ik terug, opende mijn ogen, en deed niet eens meer een poging te doorgronden hoe ik me voelde.

'Wat een lul!' mompelde ik, want ik had de dringende behoefte hem te beledigen, al geloofde zelfs ik niet dat die belediging rechtvaardig was. 'Wat een lul!'

'Nee, Ana… Hij is in ieder geval hier.' Rosa, die veel eerder reageerde dan ik, bood me de bovenmenselijke overvloed aan hoop die haar uitputtende ervaring met teleurstellingen op wonderbaarlijke wijze overleefde. 'Je moet niet de moed verliezen als het nog niet nodig is. Misschien kon hij haar gewoon niet thuislaten…'

'Vast!' Marisa onderbrak haar, en haar toon alleen al sprak boekdelen en maakte overduidelijk dat ze heftig neigde naar mijn versie.

'En waarom níet, hè? Nou?' Rosa ging weer tot de aanval over. 'Er zijn een hoop mensen die het geweldig vinden om naar feestjes te gaan, en als zij er zo eentje is, dan was ze misschien voor niets ter wereld bereid dit feest aan haar neus voorbij te laten gaan. Je hoorde wat Fran zei, dat ze eruitziet alsof ze naar een bruiloft moest.'

'Nee, dan ik…'

Voor ik van huis ging had ik mezelf in een spiegel bekeken en ik had het bijna betreurd dat ik mijn ogen moest losrukken van het stralende beeld dat ze aanschouwden. Ik droeg een nieuwe, lange, zwarte jurk van zachte, glanzende stof, bedrukt met takken en bloemen in dezelfde kleur fluweel. Ik had hem niet zomaar gekocht, ik had er drie hele middagen aan besteed hem uit te zoeken tussen de hangertjes en paspoppen van de helft van de Madrileense winkels, tot ik hem had zien hangen in een etalage, een heel simpele jurk, rechtstreeks geïnspireerd op de kleding die Chinese vrouwen dragen in de decors van Hollywood, met aan de linkerkant knoopjes vanaf de hals tot halverwege m'n bovenbeen, strak en zonder mouwen. Ik was ook naar de kapper geweest, onder het mom van dat ik hoognodig mijn haar eens moest laten bijpunten. Ik had een paar sandaaltjes met hele hoge hakken ergens achter uit de kast opgevist die ik sinds Parijs niet meer gedragen had, en ik had er bijna een uur over gedaan me op te maken met het geduld dat nodig was om zo min mogelijk te laten opvallen dat ik was opgemaakt. Maar hoe zorgvuldig ik ieder detail van de enige die me flatteerden ook had uitgekozen, degene die zeker wist dat ze onweerstaanbaar zou blijken te zijn terwijl ze zich aankleedde, terwijl ze zich kamde, terwijl ze zich opmaakte, was een fortuinlijke vrouw die tegen alle logica in verliefd was geworden, toen ze het al niet meer verwachtte, toen ze er zelfs niet meer naar op zoek was, toen ze daar alleen maar aan durfde te denken in sommige slapeloze nachten om de duivel van de nachtmerries te bezweren, een vrouw die alles verwachtte van een man die alleen maar op haar wachtte, en dat was ik geweest tot op het moment dat ik ontdekte dat ik me had laten paaien door een gênante vlaag van enthousiasme, een late oprisping van mijn vervloekte puberteit, een valstrik van de leeftijd die ik niet had, van het vertrouwen dat de genadige jaren me terecht ontnomen hadden, van de ervaring die me er niet op tijd aan had willen herinneren dat dromen, zoals alle breekbare voorwerpen, voorbestemd zijn om op de grond te vallen en in duizend stukjes uiteen te spatten, en van mijn plotselinge liefde, die egoïstische, onverhoedse en ongelegen passie die zich zonder toestemming te vragen in mijn keel genesteld had. Daarom had ik maar moeizaam mijn blik af kunnen wenden van mezelf voor ik van huis vertrok, maar een paar uur later voelde ik me net zo belachelijk als de slechtst betaalde figurant in een film van Fumanchú.

'Je ziet er geweldig uit, geen onzin kletsen...' Rosa probeerde me mee te trekken, maar mijn voeten bewogen niet. 'Nou, wat wil je? Gaan we hier de hele avond in dit hoekje staan, of kunnen we dan in ieder geval iets gaan drinken?'

Ik liet me zonder protest meevoeren naar de bar en ging er zelfs met een redelijk overtuigende apathie op een vrij plekje tegenaan hangen voor ik begon te drinken. Toen zag ik hem. Hij stond betrekkelijk dicht bij me te praten in een groepje dat bestond uit zijn vrouw, een vriend van hem, ook een geograaf, die de grafieken van de *Atlas* voor ons verzorgde, en nog twee mensen, een man en een vrouw, die ik niet kende. Het orgaan dat in de linkerhelft van mijn borstkas huist en dat hart wordt genoemd, gedroeg zich op dat moment uiterst vreemd, het begon eerst uitzinnig te bonken, alsof het van plan was een afdruk van die heftige bewegingen op mijn verhemelte achter te laten, en daarna viel het plotseling stil, alsof we beide, mijn hart en ik, gestorven waren zonder het zelfs maar te merken. Ongevoelig voor onze opwinding keken mijn ogen naar hem alsof niets ter wereld hun honger ooit nog kon stillen. Ondertussen vingen mijn oren puur ambtshalve het vriendelijke commentaar van mijn vriendinnen op.

'Nou, da-at stelt echt helemaal n-niks voor, zeg...' In andere omstandigheden had ik de minachting van Marisa, die altijd meedogenloos was waar het andermans schoonheid betrof, wel vermakelijk gevonden, maar op dat moment was ik niet in de stemming voor grapjes. 'Dat is er eentje va-an dertien in een dozijn...'

'En dat alleen nog met die *wonderbra* aan,' deed Rosa een duit in het zakje, 'en ze moet vreselijke benen hebben, want haar enkels zijn net zo dik als mijn knieën...'

'Jullie moeten niet zo overdrijven,' onderbrak ik hen uiteindelijk. 'Ze is best leuk om te zien.'

'Oké, maar dat van die wonderbra moet je toch toegeven, het is verdomme geen porem, zeg...'

Ik knikte om te laten merken dat ik het daarmee eens was, en dat was niet gelogen. Ik probeerde haar een tijdje te bestuderen met een objectiviteit die ik maar niet kon opbrengen, hoezeer ik er ook van overtuigd was dat ik geen doeltreffender barricade zou vinden om mezelf te beschermen, maar hoe dan ook vond ik niet dat die arme Adelaida voldoende reden bood om het gebruik te rechtvaardigen van het adjectief waarmee haar man de klank van haar naam systematisch verzachtte. Afgezien van het feit dat haar borsten uit haar decolleté zouden springen bij de eerste de beste elleboogstoot, cultiveerde ze een image van prefab raffinement waarvoor een veel fraaier lichaam dan het hare nodig zou zijn geweest om niet lichtelijk gênant te zijn. Niet heel lang en niet heel klein, over het algemeen slank, maar met dikke benen en meer buik dan de ontwerper van haar jurk – te chic voor de gelegenheid, maar hoe dan ook bijzonder chic – voorzien had, gaf ze me het gevoel dat ik haar eerder gezien had, want ze had veel weg van al die engeltjes van Ferrándiz met wie ik op de middelbare school had gezeten. Ik waagde het te veronderstellen dat ze een meisje was geweest zoals uit de Nestlé-reclames, een ontzettend snoezige adolescent, een hele snoezige studente, een redelijk snoezige jonge moeder, en uiteindelijk een vrouw van ver in de dertig die, in plaats van zich erbij neer te leggen dat haar schoonheid niet met haar had willen meegroeien, besloten had alle consequenties van een radicale omvorming van lolita tot vamp het hoofd te bieden. Het had niet goed uitgepakt, maar ondanks de verrichtingen van haar bh, en misschien wel haars ondanks, was ze nog altijd een snoezig meisje.

'Nou, eigenlijk is het zo'n gek idee nog niet...' Rosa, die een mooie steen gevonden had waaraan ze haar tong kon scherpen, ging onverstoorbaar verder. 'Als ze het zat is haar glas vast te houden, zet ze het gewoon op d'r decolleté.'

'Ja...' – Marisa moest lachen om die opmerking – 'het lijkt wel een sla-ak, zeg, maar dan eentje met een tapkast op z'n rug.'

'We kunnen d'r straks weleens om wat pinda's gaan vragen...'

Op dat punt aangeland kon ik niet anders dan me aansluiten bij hun schallende lach, die zo luid was dat ik nooit gedacht had dat de mijne mijn aanwezigheid zou kunnen verraden, en ik zal nooit weten of hij mijn lach kon onderscheiden van de andere of dat hij zijn hoofd zuiver toevallig draaide, maar hij keek om alsof hij zeker wist dat hij mij zou zien, en hij zag me onmiddellijk. Toen glimlachte hij, terwijl hij me bleef aankijken.

'Als hij het lef heeft hierheen te komen,' mompelde ik, 'dan zal ik hem vertellen dat hij een klootzak is.'

'Nee, Ana, jezus...' Rosa berispte me alsof ze mijn moeder was. 'Straks doe je nog iets stoms. Zie je niet hoe hij naar je kijkt? Hij is er helemaal aan, verdomme, moet je hem zien... Geloof me nou maar. Kom op, Marisa, we gaan.'

'N-n-nu?' De ogen van de aangesprokene lieten, nog beeldender dan haar stotterende vraag, zien dat ze zich niets onrechtvaardigers kon indenken dan haar wegrukken bij een spektakel precies op het moment dat de muziek eindelijk het begin van de eerste akte aankondigde.

'Nee, over twee uur, wat denk je nou? Als we niet weggaan komt hij hier van z'n leven niet naar toe. Bovendien is Nacho misschien wel gekomen, en dan sta ik hier intussen mijn tijd te verdoen...' Toen wendde ze zich tot mij, hoewel haar handen al een gebaar maakten of ze Marisa vooruit wilden duwen. 'En nog iets, Ana... Ik ben een alfa, maar neem maar van mij aan dat het statistisch gezien onmogelijk is dat we alle twee even weinig geluk hebben.'

Ze liep weg alsof ze echt grote haast had, maar ze had nog geen vijf stappen gezet toen ze bijna op een holletje terugkwam, met een gezicht alsof ze het belangrijkste vergeten was.

'O ja! En goed bekeken was jouw idee zo slecht nog niet...' Ze keek me samenzweerderig aan en die blik paste wonderwel bij haar glimlach van ondeugend meisje. 'Als hij hierheen komt, als je even alleen met hem kan praten, noem hem dan maar een klootzak… Eens kijken wat er gebeurt.'

Toen, alsof hij het gefluister van Rosa gehoord had, maakte Javier zich van het groepje los en kwam mijn richting uit en bezorgde me een moment van onvervalste paniek waar ik niet op gerekend had, maar dat gevoel ging onmiddellijk over in een nog veel heftiger ontsteltenis toen ik zag dat de arme Adelaida haar man volgde en dat, achter hen aan, evenmin als Marisa van zins ook maar iets te missen, de auteur van de grafieken kwam.

'Ha, Ana…' Hij maakte van de minimale voorsprong op zijn gezelschap gebruik om ergens een wonderbaarlijke bedstem vandaan te toveren die mijn ziel volkomen uit balans bracht, en ik kon hem niet blijven aankijken. Toen ik voldoende moed bijeen had geraapt om terug te keren naar zijn gezicht vanaf de lentehemel waar ik mijn toevlucht had gezocht, was hij niet meer alleen. 'Je kent mijn vrouw niet, hè?' In die minimale tijdsspanne was zijn stem van register veranderd en nu was zijn toon beleefd en ongedwongen, maar ondanks de doeltreffendheid ervan kon ik horen dat hij nerveus was, veel nerveuzer dan ik eerder gedacht had, en misschien wat aangeschotener dan ik verwacht had. 'Adelaida… Dit is Ana, de grafisch redactrice van de *Atlas*, ik heb je weleens over haar verteld…'

'Ja, aangenaam…' Adelaida, die als eerste haar hand uitstak, miste de curieuze gezichtsuitdrukking, als van panische waardigheid, waarmee haar man onze ontmoeting bezag. Mijn glimlach verraadde daarentegen niets van de mokerslag die mijn eigen waardigheid exact op dat ogenblik verpulverde.

'En Felipe ken je al, toch?' Javier wees naar zijn vriend, die ik inderdaad kende, alhoewel ik uit zijn manier van begroeten en hoe hij tussen de ene en de andere kus naar me keek, afleidde dat hij míj beter kende.

'Nou, eh…' En omdat ik iets moest zeggen, zei ik het eerste wat in me opkwam. 'Hoe vinden jullie het hier?'

Gedurende vijf minuten hield ik een oppervlakkig gesprek op gang over de uitgeverij, het gebouw en mijn eigen werk, een onderwerp dat die arme – dit keer wel – Adelaida nauwelijks scheen te interesseren. Ze probeerde een goede indruk te maken door me vragen te stellen, mijn antwoorden hardop te begeleiden en ze zo goed mogelijk te becommentariëren, en zij was het ook die onbewust een uitweg vond voor ons allemaal toen ze me vroeg waar ergens een wc was.

'Oh!' zei ik, plotseling van m'n stuk gebracht door zo'n simpele vraag. 'Nou eh… Ik geloof dat de dichtstbijzijnde naast de deur is waardoor jullie binnen zijn gekomen, in de linkergang... Als je wilt loop ik even met je mee...'

'Nee, nee.' Felipe was me voor en nam haar bij de arm. 'Ik ga wel met je mee. Mijn sigaretten zijn op, maar ik heb nog een pakje in mijn jas... De garderobe is toch die kant uit...'

Ik bleef alleen achter met Javier toen ik alle hoop daarop al opgegeven had, en ik voelde me alsof ik in tweeën gespleten was, heen en weer geslingerd tussen hele heftige, tegenstrijdige opwellingen, die elkaar teniet leken te doen en me compleet verlamden, want even bleef ik zo verstijfd staan alsof ik in een foto van mezelf huisde. Ik wilde niets liever dan hem aanraken, al was het maar zijn jasje met mijn vingertoppen, en tegelijkertijd deed het me oneindig veel pijn dat niemand me ooit zo vernederd had, en ik wist dat het niet waar was, dat heel wat mensen me heel wat keren slechter behandeld hadden, maar ik had nog nooit zo'n dreun gevoeld, of ik kon me niet herinneren die gevoeld te hebben, en zo op het oog was er niets gebeurd, en dat wist ik, maar ook dat kon me niet schelen, want ik had er alles voor overgehad om me het tafereel dat ik net had meegemaakt te besparen, maar ik had het meegemaakt, en ik wilde niets liever dan hem aanraken al kon ik hem een dergelijke belediging niet vergeven, en zo stond ik daar, verscheurd tussen verlangen en verontwaardiging, totdat hij, in een oprecht en onopvallend gebaar, met zijn ene hand de mijne pakte en zijn vingers even tegen de mijne drukte terwijl hij me aankeek alsof mijn gezicht het enige landschap was waar zijn ogen nooit genoeg van zouden krijgen.

'Ik had ontzettende zin om je te zien...' zei hij tegen me terwijl hij weer terugviel op die wonderbaarlijke stem waar ik nooit meer zonder een rilling naar zou kunnen luisteren, die stem die verborgen zat in een of andere onzichtbare binnenzak van zijn lichaam alsof het een gemerkte speelkaart was, om mij te ruïneren op het moment dat mijn handen bijna leeg waren, die stem die van mij was geweest, die ik gedacht had voor eens en altijd te bezitten en die nu daarentegen van heel ver kwam, omdat ik niet eens met mijn vingertoppen langs zijn jasje had durven strijken toen hij me langzaam onderwierp aan het rigoureuze despotisme van haar wil, en het was die stem, het vermoeden dat ik nooit een wapen zou vinden dat het daartegen kon opnemen, het besef van mijn onmetelijke weerloosheid tegenover het snijdende fluweel van de woorden die hij uitsprak, die me uiteindelijk tot een besluit bracht.

'Je bent een klootzak, Javier,' zei ik tegen hem, en wat moest gebeuren, gebeurde onmiddellijk.

Eerst bleef hij doodstil staan, volkomen beweginloos, verstijfd bijna, en zijn ogen reageerden nauwelijks zichtbaar, ze verwijdden zich alsof een onzichtbaar mes ze voorgoed de troost van hun oogleden had ontnomen. Daarna trok het bloed uit zijn wangen, en vanuit die plotselinge bleekheid bewogen eindelijk zijn lippen.

'Waarom zeg je dat?'

Mijn woorden leken hem zo diep te hebben ontgoocheld en zijn gezicht gaf daar zo feilloos uitdrukking aan dat mijn zekerheid plotseling, als een dove en blinde wees, verdween tussen de gigantische plooien van een immense verwarring, en ik had nog niets bruikbaars verzonnen wat ik eraan toe zou kunnen voegen toen Fran – die altijd zo discreet was behalve nou net die avond, alsof het duiveltje van de misplaatstheid al zijn geduld had geïnvesteerd in het afwachten van precies dat moment om eindelijk en voor één keer de teugels van haar doen en laten in handen te nemen – ons naast elkaar zag staan zwijgen en tot de conclusie kwam dat we wel wat gezelschap konden gebruiken. Haar toenaderingsmanoeuvre was zo overduidelijk dat het in Javier de dosis alertheid losmaakte die nodig was om te begrijpen dat hij mijn hand moest loslaten, maar het lukte me dat gebaar een duizendste van een seconde voor te zijn en met mijn vingers de zijne te drukken op het moment dat ze me al ontglipten. Toen keek hij me aan, en ditmaal moest hij degene zijn die in mijn ogen las dat ik er helemaal aan was, want hij had zichzelf weer op tijd in de hand om gedurende meer dan vijf minuten in zijn eentje met Fran te praten, een dialoog die ik in net zo'n onverbiddelijke stilte volgde als ik naderhand in acht zou nemen, toen de arme Adelaida met Felipe terugkeerde van het toilet en een nieuwe episode van volkomen nietszeggend polyfoon gebabbel over de uitgeverij, het gebouw en ons werk inluidde, dat geen ander doel leek te hebben dan mijn zenuwen het definitief te laten begeven. Ik wist niet waar ik een goed excuus vandaan moest halen om er eindelijk vandoor te kunnen gaan toen Rosa, die ogenschijnlijk toevallig kwam langslopen, mijn hulpeloze blik juist wist te interpreteren. En ik dacht dat er verder niets zou gebeuren, maar toen ik me al voldoende ver van hen verwijderd had om me weer veilig te voelen, sprak Javier met stemverheffing mijn naam uit, en ik draaide me om alsof hij de afstandsbediening in handen had, aan zijn stem gehoorzamend zonder er zelfs maar over na te denken.

'Ik bel je en dan hebben we het erover,' zei hij, en desalniettemin zou die avond zo'n catastrofale epiloog kennen dat ik die opmerking uiteindelijk vergat.

Rosa, menselijk tenslotte onder het indrukwekkende stalen harnas dat haar in staat stelde boven de realiteit te leven alsof het een listig bed van droge bladeren was dat een vaste grond verhulde waarvan alleen zij het bestaan kende, stortte, aan de late kant maar met veel lawaai, in toen ze moest vaststellen dat Nacho Huertas er, voor de zoveelste keer, voor had gekozen haar te ontwijken, zelfs tegen zijn professionele belang in. Marisa was kennelijk al naar huis, of misschien had ze zich aangesloten bij een groepje dat besloten had het feest op eigen houtje voort te zetten, want ik zag haar nergens terwijl ik met moeite het betoog doorstond dat onze gezamenlijke vriendin tussen het drinken door improviseerde en waarbij ze alsmaar onsamenhangender concepten aaneenreeg met een alsmaar lijziger stem, een monoloog die steeds melodramatischer werd, met steeds meer zelfmedelijden en steeds stompzinniger, en ik was niet in staat haar eruit te bevrijden, want als ze me had uitgenodigd deel te nemen, wat ze niet deed, zou ik er hooguit in geslaagd zijn de toon van haar gelamenteer terug te brengen tot het niveau van een meer dan bespottelijke aandoen- lijkheid. Dus beperkte ik me tot drinken, en wat dat betreft lukte het me wel snel op hetzelfde niveau als zij te komen, al drong de betekenis van die wedren pas tot me door toen ik in de knoei raakte met de inhoud van mijn portemonnee bij mijn poging de taxichauffeur die me naar huis had gebracht te betalen, een ontzettend ingewikkelde onderneming, maar niet veel moeizamer dan de opgave de sleutel in het slot van de deur van het portiek te steken.

Terwijl ik in de lift stapte, eindelijk gered, prees ik mezelf gelukkig dat ik in een gebouw woonde dat in elk geval zo oud was dat er in die cabine van hout en glas geen spiegel zat. Ik had geen enkele behoefte mijn eigen gezicht te aanschouwen, maar de motor daarentegen die me naar huis voerde, en dat was de onvermijdelijke andere kant, liep zo langzaam dat ik tijd te over had om op het met fluweel overtrokken bankje te gaan zit- ten en me de stralende vrouw te herinneren die was blijven staan toen ze precies dezelfde afstand in tegenovergestelde richting overbrugde, met hooggespannen verwachtingen van een avond die zo teleurstellend kren- terig was gebleken. Want ik ging alleen terug naar huis en ik voelde me alsof de wereld vergaan was, en op dat moment kon het me niets schelen dat Javier uiteindelijk ten gunste van mij had gereageerd, al kon ik me er nog geen voorstelling van maken hoe wanhopig ik me slechts een paar minuten later aan die weinige aanwijzingen van een nog mogelijke toe- komst zou vastklampen.

'Hallo!'

Ik stond nog niet goed en wel in de hal of die stem laadde het meest ongewenste welkom op mijn gepijnigde schouders.

'Wat doe jij hier?' vroeg ik, in één klap ontnuchterd en mijn buik vol van wat het lot voor me in petto had, terwijl ik mijn eigen huis niet binnen durfde gaan.

'Waarom heb je dat schilderij van de muur gehaald?' vroeg hij op zijn beurt, terwijl hij in de deur van de woonkamer verscheen. 'Het hing daar verdomme prachtig...'

'Wat doe je hier, Félix?' drong ik aan. 'Hoe ben je binnengekomen?'

'Met Amanda's sleutels.' En hij haalde ze uit de zak van zijn spijkerbroek om ze me te laten zien. 'Hé... wat zie je er knap en chic uit! Waar kom je vandaan?'

'Ben je samen met Amanda gekomen?'

'Nee.'

'Dan smeer je 'm nu.'

Ik hing mijn jas op de kapstok, haakte het riempje van mijn tasje eroverheen en liep, met voor mijn toestand bewonderenswaardige reflexen, de woonkamer in zonder hem zelfs maar aan te raken.

'Jezus! Fijne manier om gasten te ontvangen...'

Ik maakte een halve draai midden op het vloerkleed en keek naar hem. Hij stond nog steeds geleund in de deuropening, maar nu met zijn gezicht richting woonkamer, met een spottende uitdrukking die me erop attendeerde dat hij absoluut niet van plan was me serieus te nemen.

'Je bent helemaal geen gast, Félix,' zei ik heel rustig tegen hem, alsof ik mezelf een kalmte kon opleggen die ik niet voelde. 'Ik heb je niet uitgenodigd, ik wist niet eens dat je in Madrid was. Ik heb geen zin om je te zien, ik heb geen zin om met jou of wie dan ook te praten... Ik heb een rotdag gehad en ik wil alleen zijn. Dus smeer 'm.'

'Om deze tijd?' vroeg hij, met een lachje.

'Ja, om deze tijd. Het is pas halfeen, hier is dat niet zo laat, dat weet je best, je bent in deze stad geboren, weet je nog wel? En je hebt een hele hoop familie hier. Als je geen zin hebt om bij je moeder te gaan slapen, ga dan naar een hotel of zoek een bankje in het Retiro-park, maar laat mij met rust.'

Toen werd hij serieus, alsof zijn oren er eindelijk, zelfs tegen zijn wil in, in geslaagd waren de betekenis van de woorden die ik uitsprak correct te verwerken. Ik bleef hem onaangedaan recht aankijken, maar in de roerloze stilte van die provocatie weigerden mijn ogen zich uitsluitend met hem bezig te houden, alsof het beeld van Javier al voorgoed op mijn netvlies gebrand stond, niet van zins zijn verpletterende voorsprong op de verschijning van welke andere man naar wie ik gedurende de rest van mijn leven ook maar zou kunnen kijken op te geven. Met behulp van dat vastberaden, meedogenloze licht, vond ik hem veel ouder dan ik me hem herinnerde, misschien omdat hij nog altijd hetzelfde gekleed ging als toen we van tafel en bed scheidden, een verwassen spijkerbroek, een overhemd van dezelfde stof en bijna even sleets, en een rode zakdoek van Indiase katoen om zijn hals, waar ik smakelijk om gelachen zou hebben als ik zin had gehad om te lachen. Dat detail waarschuwde me bijna net zozeer voor zijn bedoelingen als zijn onverwachte verschijning, want de laatste tijd logeerde hij gewoonlijk bij mij als hij in Madrid was, maar hij had nooit eerder alleen durven opduiken, zonder het beschermende schild van Amanda, en hij had zijn bezoek altijd van tevoren, telefonisch, aangekondigd. Terwijl ik toekeek hoe hij met vermoeide stappen naar de stoel liep waar hij zich in liet zakken, zei ik bij mezelf dat hij geen slechter moment had kunnen uitkiezen om een hernieuwde poging te doen me te verleiden, en dat idee, de eerste optimistische gedachte die ik in vele uren kon oproepen, gaf me de kracht te verduren wat me boven het hoofd hing.

'Waar is het schilderij?' vroeg hij, en ik begreep dat hij de verdwijning van het portret had omgetoverd tot de enige sleutel die in staat was mijn raadselachtige houding te ontcijferen.

'In je galerie.' Ik leunde tegen de muur en sloeg mijn armen over elkaar. 'Ik heb het daar in bewaring gegeven. Als je het niet wilt meenemen naar Parijs kan het daar een tijdje blijven, ze hebben kennelijk ruimte genoeg. Als je het liever wilt verkopen, denkt Arturo wel dat hij een koper kan vinden.'

'Maar, wat is er aan de hand?'

'Gewoon, dat ik het nooit mooi heb gevonden. Toen Amanda nog klein was durfde ik het niet weg te halen omdat jij haar vader bent, en het leek me niet meer dan eerlijk dat ze te midden van herinneringen aan jou leefde. Maar nu woont ze het grootste deel van het jaar bij jou, en dit is mijn huis, en ik woon hier, en ik woon hier alleen, 't is maar dat je het weet. Je hebt geen enkel recht hier naar believen binnen te vallen.'

'Nou ja, het is ook het huis van mijn dochter, nietwaar?' protesteerde hij. 'Ik neem toch aan dat ik wel in haar kamer mag slapen…'

'Nee.'

'Waarom? Ik zal je niet lastigvallen, ik zal niet…'

Op dat moment ging de telefoon. Félix zweeg vreemd genoeg intuïtief toen hij hem de eerste keer hoorde overgaan, zodat het verdere gerinkel en het mechanische geluid van het antwoordapparaat dat aansloeg tussen de muren van de woonkamer weergalmden als een losbarstend alarm.

'Ana?' Ik herkende die stem en sloot mijn ogen. 'Met Javier. Ik neem aan dat je nog wakker bent, het is pas… tien over halfeen. Je moet toch al ruimschoots thuis kunnen zijn, want je bent eerder van het feest vertrokken dan ik, ik heb je zien weggaan. Neem alsjeblieft op… Ik moet met je praten.'

'Aha!' Félix' uitroep dwong me hem aan te kijken. 'Ik begrijp het al…'

'Ana…' Javier drong aan op een toon die duidelijk maakte dat hij ervan overtuigd was dat ik hem hoorde al wilde ik niet reageren. 'Neem alsjeblieft op… Ik heb de hond mee uit moeten nemen om je op deze tijd te kunnen bellen, mijn vrouw kon het niet geloven, hij staat hier naast me, m'n hand heeft het zwaar te verduren want hij wil weg hier, en hij heeft al tegen mijn linkerbeen gepist, als je wil geef ik hem je even, dan kun je hem horen blaffen…'

Tussen het eerste en het tweede geblaf in besefte ik dat ik onwillekeurig glimlachte. Daarna stortte ik me op de telefoon met hetzelfde gebaar dat een drenkeling met trage reflexen gemaakt zou hebben om een reddingsboei te grijpen, en op dat moment vergat ik alles.

'Javier!' gilde ik bijna, en ik gunde hem de tijd niet nog iets te zeggen.

'Wacht even… Ik neem de telefoon in de slaapkamer.'

Ik liep zonder hem aan te kijken langs Félix en rende door de gang naar mijn kamer. Ik deed de deur op slot, vloog naar het bed en nam op.

'Javier?'

'Ja.'

'Er was iemand in de woonkamer, weet je. Mijn…' Op dat moment hield ik abrupt in. 'Een van mijn zusjes, want…' Een barmhartige god gaf me een goed excuus in. 'Ze is haar huissleutels kwijtgeraakt, en aangezien ik ook een setje heb…' 'Wat is er aan de hand, Ana?' Hij verwachtte een onmiddellijk antwoord, maar ik was niet in staat hem dat te geven. 'Waarom heb je me uitgescholden? Wat heb ik gedaan?'

Ik kon hem de waarheid niet vertellen, ik kon hem niet zeggen dat ik een nieuwe jurk had gekocht, en naar de kapper was geweest, en me heel zorgvuldig had opgemaakt, om hem tegen te komen en mee naar een hoek te tronen en te kussen en daarna mee naar huis te slepen en met hem in bed te gaan liggen en hem te neuken met een hartstocht die ik voor ik hem kende nooit gekend had, en dat hij mij daarentegen verraden had, me teleur had gesteld, me had gekrenkt. Dat kon ik hem niet zeggen, maar hij wilde hoe dan ook per se iets te horen krijgen.

'Zo is het wel mooi geweest, Ana,' voegde hij er na een tijdje aan toe, zijn toon, die al bars was, klonk nog een tikje barser, 'als je me klootzak hebt genoemd, neem ik aan dat je me ook een klootzak vond, en ik zou graag weten waarom.'

'Het komt... Nou ja, ik... Ik dacht dat je alleen naar het feest zou komen.'

'En...?'

'Nou, en toen ik zag dat dat niet zo was... Als ik geweten had dat je met je vrouw kwam, was ik thuisgebleven, snap je?'

'Nee, daar snap ik niets van.'

'Nou ja, al snap je het niet... Dat was er met me aan de hand. Ik... Omdat we elkaar na dat weekeinde niet meer gesproken hadden... Ik wist niet of je wel zin had om me weer te zien, hoe moest ik dat weten, en ik dacht... Als je dat graag had gewild, was je alleen gekomen...'

Toen was hij degene die zweeg, en enige tijd hoorde ik alleen maar het geluid van de munten die hij in de gleuf gooide, en af en toe wat geblaf.

'Je had me kunnen bellen,' zei ik nog, want dit keer hield ík de stilte niet langer uit, 'om me te waarschuwen...'

'Dat ik met Adelaida naar het feest zou gaan?' vroeg hij, bijna met een lach in zijn stem, en op dat moment vermoedde ik dat mijn verklaring hem niet alleen geloofwaardig had geleken, maar dat zij hem ook beviel, en ik hoopte uit de grond van mijn hart dat ik gelijk had. 'Maar hoe had ik dat nou kunnen doen? Begrijp je dat niet? Dat is belachelijk. Jou bellen, terwijl je daar werkt, om je te vertellen dat je niet naar het feest van je eigen uitgeverij mocht gaan omdat ik, die toevallig een boek voor jullie maak, mijn vrouw moest meenemen...'

'Dat zal best, maar ik voelde me afschuwelijk,' hield ik aan. 'Ik vind het niet leuk om aardig te moeten doen tegen de vrouwen van de mannen met wie ik naar...' bed ga, wilde ik zeggen, maar ik durfde de tegenwoordige tijd niet te gebruiken. 'Nou ja, hoe dan ook, je had haar ervan kunnen overtuigen dat ze beter thuis kon blijven...'

'Adelaida?' Hij liet een kort lachje ontsnappen om de welwillende hypothese die Rosa uren daarvoor had geformuleerd alsnog, te laat, te bevestigen. 'Jij kent Adelaida niet!'

'Ik ken haar wél,' hielp ik hem herinneren. 'Daarom heb ik me zo beroerd gevoeld.'

'Nou, dat spijt me.' En zijn stem klonk nu weer onweerstaanbaar. 'Ik vond het hoe dan ook heel erg leuk om je weer te zien...'

'Daar ben ik blij om,' erkende ik. 'Ik had erg veel zin om jou te zien.'

427

'En heb je dat nog steeds?' Toen klonk er een pieptoon.

'Ja,' antwoordde ik gehaast.

'Ik heb geen geld meer, morgen…'

Een lange pieptoon nam de plaats in van het enige belangrijke werkwoord van dat gesprek, voor er een korte reeks onderbroken pieptonen klonk, waarna het stil werd. Ik legde de hoorn eindeloos traag op de haak, ging languit op bed liggen en sloot mijn ogen. Ik zou er iets voor gegeven hebben om mijn bewustzijn uit te schakelen, om mijn gevoel de zak te geven, om een mechanisme van niet-zijn in werking te stellen dat sterker was dan slaap. Ik was doodmoe, en toch reageerde ik met de instinctieve snelheid van een gekooid dier toen ik zachtjes op de deur hoorde kloppen.

Ik was van plan hem te zeggen dat hij in Amanda's kamer kon blijven slapen, of op de bank in de woonkamer, of waar hij maar wilde, als hij me maar met rust liet, maar hij stuurde zelf mijn goede bedoelingen in de war.

'Je denkt toch niet dat hij zijn vrouw zal verlaten, hè?' vroeg hij me toen ik voor hem stond. 'Je weet toch dat ze dat nooit doen…'

'Félix, doe me een lol…' verzocht ik hem op mijn beurt. 'Val dood. Maar een flink eind hier uit de buurt.'

Ik sloeg de deur met een knal dicht en bleef ernaast staan tot ik zíjn knal hoorde. Ik liep de gang op en stelde vast dat hij inderdaad weg was en plotseling ontspande mijn lichaam zich, alsof het van plan was me midden in de gang aan mijn lot over te laten, maar ik legde het nog de zieltogende taak op me overeind te houden terwijl ik mijn gezicht schoonmaakte, en het liet me niet in de steek. Vervolgens was in mijn bed storten en in slaap vallen één gelijktijdige handeling. Ik had meer dan genoeg slaap om een hele maand te kunnen doorslapen, maar een aanhoudend, geheimzinnig bellen, ergens ver weg, maakte me wakker toen mijn wekker aangaf dat het pas over vijf minuten acht uur zou zijn. Ik drukte het knopje van het alarm in ondanks het feit dat hij niet rinkelde en draaide me om in bed om weer te gaan slapen, maar het geluid hield aan. Om twee over acht wikkelde ik me in mijn ochtendjas met pagoden en Chinese maagden omdat het uiteindelijk tot me doorgedrongen was dat er iemand aanbelde. Als het een koerier is, zal hij ervan lusten, beloofde ik mezelf terwijl ik me door de gang sleepte, en als het die lul van een Félix is, dan trek ik de bel eruit… Maar aan de andere kant van het spionnetje stond hij, met het kommerlijke aanzien van iemand die tot vlak daarvoor heeft staan bibberen van de kou en met een plastic tasje in zijn hand.

'Hallo,' zei hij, zonder binnen te durven komen. 'Het spijt me heel erg dat ik je wakker heb gemaakt, maar ik heb namelijk bijna een uur in het portiek staan wachten, omringd door een troep terminale zuipschuiten, en toen ik van huis ging had ik me niet gerealiseerd dat het zo koud was… Je hebt een portier die er vroeg bij is, maar hij keek me vreemd aan toen ik binnenkwam, logisch, op zaterdag, en op dit tijdstip… Daarom heb ik aangebeld, want anders had hij de politie nog op me afgestuurd… Oh ja!' Daarop hield hij het tasje in de lucht. 'Ik heb churros gekocht, voor als je zin hebt om te ontbijten en omdat ik toen ze een kwartier geleden opengingen, bedacht dat het daar tenminste aangenaam zou zijn… Ze zijn nog warm maar allereerst wil ik van je weten hoe ik met je om moet gaan om ervoor te zorgen dat je niet boos op me wordt.'

Ik stak mijn linkerhand uit om zijn vrije hand te pakken, die ijzig koud was, en trok hem naar binnen. De churros vielen op de grond toen hij me omhelsde, en ze maakten geen geluid. Al evenmin geluid maakte datgene wat tot dan toe mijn leven was geweest, maar het viel op de grond, net als zij.

Ik had het hem een paar keer gezegd voor we dat uitstapje ondernamen dat in staat zou blijken zich in mijn bewustzijn te rekken en royaal een ruimte van jaren in beslag te nemen, gecondenseerd door de intensiteit waar het alle jaren die ik zonder hem geleefd had aan ontbrak, en ik zei het hem ook die avond, vlak nadat ik het licht had uitgedaan om tevergeefs de slaap op te roepen die tot het ochtendgloren een spelletje met me zou spelen, ik zou alles voor je doen, ik had het hem al een paar keer gezegd, voor die keer, maar pas in de eindeloze uren van die vreemde, serene slapeloosheid, vreemd vredig en genoeglijk, drong het volledig tot me door wat ik hem had willen zeggen met die banale woorden die zoveel weg hadden van de woorden van willekeurig welk cliché, van iedere waarde ontdaan, ik zou alles voor je doen, had ik tegen hem gezegd, en terwijl ik onopvallend zijn ademhaling in de gaten hield in dat hotelbed, in een poging erachter te komen of hij sliep of net als ik wakker lag, terwijl ik de contouren van zijn lichaam probeerde te onderscheiden in een volmaakt, dicht schemerdonker dat grensde aan duisternis, realiseerde ik me dat ik de waarheid had gesproken, dat het waar was dat ik alles voor hem zou doen, en plotseling begreep ik de afhankelijkheid van alle verslaafden, de ontwikkelde, beschaafde alcoholist die bij voorbaat weet dat het glas dat hij naar zijn mond brengt zijn leven voorgoed zal versplinteren in duizend kleine stukjes, en die een slok neemt, de vervuilde, armoedige junk die meer dan genoeg ervaring heeft om te vermoeden dat het oude vrouwtje dat hij al een halfuur achtervolgt op straat niet veel geld in haar tasje zal hebben en dat de kans groot is dat hij als hij besluit haar te overvallen uiteindelijk met zijn cold turkey in de cel zal zitten, en die haar berooft, de moeder van een gezin die dol is op haar man en kinderen, en die al bedacht heeft wat ze voor het middag- en avondeten op tafel zal zetten en haar boodschappentas met wanhopige vingers vastklemt als ze langs een café loopt, en naar dezelfde automaat van iedere ochtend kijkt alsof hij een meedogenloze vijand is, die kan rillen van genot bij haar eigen ondergang en zichzelf voorhoudt dat ze het niet doet, niet doet, niet doet, maar terwijl ze naar zichzelf luistert de glazen deur openduwt, en speelt, plotseling begreep ik hun sidderen, hun verblindheid, het mysterie van hun absolute afhankelijkheid, want ik had tegen hem gezegd dat ik alles voor hem zou doen en dat was waar, en dat had me gedwongen heftiger gevoelens te hebben dan ik ooit gekend had, woorden uit te spreken waarvan ik de betekenis nooit geloofd had, en ik zou niet alleen mijn leven voor hem gegeven hebben, een opoffering die me plotseling banaal leek, simpel, omdat ik ook in staat zou zijn geweest mijn leven voor andere mensen te geven, voor mijn dochter, voor mijn broer Antonio, voor een rechtvaardige zaak, maar voor hem zou ik veel verder zijn gegaan, ver voorbij de grens die ik nog nooit voor iemand had overschreden, voor hem zou ik mijn eigen leven in een hel hebben veranderd, en hebben gebedeld bij de ingang van een kerk, ik zou getippeld hebben zolang mijn benen me konden dragen, ik zou alles verloren hebben, en ik zou gelogen hebben, en ik zou opgelicht hebben, en ik zou bedrogen hebben, en ik zou gestolen hebben, en ik zou gedood hebben, alleen maar voor hem, als hij het me zou vragen. Plotseling begreep ik de afhankelijkheid van verslaafden, het mysterie van hun absolute afhankelijkheid, en ik fluisterde het nog een keer, om het in mijn eentje te horen, ik zou alles voor je doen, en ik begon heel zachtjes te huilen, een toegeeflijk, kalm huilen, ik huilde al was ik niet bedroefd, al was me niets ergs overkomen, al had ik nergens pijn, ik huilde omdat ik leefde, omdat ik zin had om te huilen, maar dat kon hij niet weten. Daarom, en omdat hij net zo wakker was als ik, draaide hij zich om in bed, drukte zich tegen mijn rug aan, sloeg zijn armen om me heen en praatte in mijn oor.

'Niet huilen, Ana...' zei hij tegen me. 'Ik ben heel erg verliefd op je.'

Geen van beiden hadden we tot dan toe ooit de verboden woorden uitgesproken, liefde, minnaar, verliefd, we waren beiden binnen de zwijgende grenzen gebleven van een fijngevoeligheid die gelijkstond aan stilte, aan onbewustheid, aan het minachten van de werkelijkheid. We gedroegen ons alsof we geen van tweeën wisten dat hij met een andere vrouw leefde, alsof om zeven uur 's ochtends afspreken om even te vrijen voor we naar het werk gingen de normaalste zaak van de wereld was, alsof een ontmoeting in de stad op een maandag of woensdag tussen de middag om in grote haast iets te eten en elkaar daarna een heel weekeinde niet te zien ons niet eigenaardig leek, alsof het telefoonbedrijf had verordonneerd dat het onmogelijk was vanaf zijn huis naar het mijne te bellen en we alleen maar over de telefoon konden praten, soms urenlang, vanaf ons respectievelijke werk, alsof we grote voordelen zagen in zijn vluchtige bezoekjes bij mij thuis, als hij 's middags een halfuurtje vrij kon maken of een smoes kon verzinnen om niet meteen naar het zijne te gaan vanaf de faculteit, om Adelaida op te halen, als ze ergens een etentje hadden, we stelden ons daar allebei tevreden mee en we hadden het er niet over, we stelden geen vragen, we beklaagden ons niet. Naderhand, als ik weer alleen was, telde en hertelde ik de rafels van zijn leven die tussen mijn vingers waren achtergebleven, ik bedekte mijn gezicht met mijn handen om een laatste restje van zijn geur op te snuiven, en ik voelde me onbegrijpelijk rijk, en machtig, en fortuinlijk, alsof ik ook niet wist dat ik veel meer dan dat kon begeren.

Alhoewel ik mijn dagelijkse gewoonten, ritme en schema radicaal veranderde om mijn leven in te passen in de gaatjes in het leven van Javier, voelde ik me gedurende die betoverende lente die iets meer dan een maand zou duren nooit vernederd, of geminacht of onderworpen aan het beschamende dubbelspel waaronder de minnaressen van getrouwde mannen lijden. Als ik zijn plannen niet van tevoren kende, ging ik rechtstreeks van mijn werk naar huis, en daar zat ik, nooit tevergeefs, naast de telefoon te wachten tot hij in haast belde vanuit een telefooncel die het geld soms voortijdig inslikte. Ik ging nooit naar buiten voor ik hem gesproken had, al logeerden mijn kleren een nachtje langer dan nodig in de stomerij, al belde er iemand om naar de film te gaan die ik het liefst wilde zien, al wist ik dat ik te laat zou zijn voor de winkels en er in mijn koelkast niets te eten was, dat kon me allemaal niet schelen, vasten, wakker blijven, me elk pleziertje ontzeggen waar hij geen deel van uitmaakte, en ik zou dat mijn hele leven zo hebben volgehouden, de loze tijd van de uren zonder hem opofferend aan het angstaanjagende zelfbewustzijn dat ik alleen nog kon bereiken als hij naar me keek, als hij me aanraakte, als hij tegen me praatte en ieder woord dat hij zei zich als een buigzame maar onnoemelijk scherpe speld in mijn hart boorde, bij machte om me zijn bestaan tot in detail te onthullen. Ik zou dat tot op de dag van mijn dood hebben volgehouden, maar het aanbreken van de zomer, die zomer die zich meedogenloos vijandig zou betonen en tegelijkertijd overweldigend grootmoedig, verstoorde plotsklaps het precaire evenwicht van een moeizaam geluk, alsof het lot zich nog niet voldaan voelde over de hardvochtigheid van de obstakels die het me gedwongen had te overwinnen.

Het ergste was dat ik het compleet vergeten was. Toen Amanda belde, tegen de twintigste juni, om te melden dat ze vakantie had en over vier of vijf dagen terug zou komen naar Madrid, moest ik met geweld een wilskracht oproepen die uiteen leek te zijn gevallen in deeltjes die zo klein waren dat ze niet bestonden, om haar te verzekeren dat ik heel veel zin had om haar weer bij me te hebben en dat ze zich niet kon voorstellen hoe ik haar gemist had. Misschien vertelde ik haar geen leugens, maar ik vertelde haar ook niet helemaal de waarheid, en toen ik ophing, uitgeput alsof ik een complete kathedraal met mijn blote handen had moeten verplaatsen, barstte ik zonder er iets tegen te kunnen doen in huilen uit, al wist ik dat dat er alleen maar toe zou leiden dat ik me ellendiger zou voelen dan ooit. De volgende ochtend, wat gekalmeerd, of meer verzoend met het voornemen me van mijn dochter te ontdoen hoe schandalig dat zelfs mijzelf ook toescheen, belde ik Félix om hem te vragen hoe we de zomer zouden regelen. Ik had geen woord meer met hem gewisseld sinds die achttiende mei, toen ik hem het huis had uitgezet, en ik verwachtte geen enkele medewerking van zijn kant, dus ik was niet verbaasd dat dat ook inderdaad bleek te kloppen. We hadden de vakanties van Amanda altijd verdeeld toen ze nog bij mij woonde, en vorig jaar was het niet anders geweest, maar dit keer zou dat wel zo zijn, hij had het kind weer het hele schooljaar gehad, dat waren al twee achtereenvolgende jaren, de vaderlijke verantwoordelijkheid was hem zwaar gevallen afgelopen lente, en hij stond haar welwillend het hele trimester aan me af. Ik krijg het heel druk, zei hij, ik heb een huis in Cerdeña gehuurd om te schilderen, maar nog voor hij zijn plannen helemaal uit de doeken had gedaan had ik zijn echte boodschap al dubbel en dwars begrepen, nu weet ik dat ik je een oor aan kan naaien, en dat zal ik doen ook, dus antwoordde ik hem dat het me een fantastisch plan leek en dat we in september wel verder zouden praten. Een paar dagen daarvoor had Javier geopperd, in dat taaltje van halve woorden dat we beiden inmiddels beheersten alsof het onze moedertaal was, dat we in augustus misschien een weekje ergens naar toe konden gaan. Onmiddellijk nadat ik Félix had gesproken belde ik naar de faculteit om hem, op dezelfde toon waarop ik hem beschreven zou hebben wat voor schitterende aanblik de lucht bood die ik vanuit mijn raam zag, te vertellen dat Amanda naar huis kwam en dat ze de hele zomer bij me zou doorbrengen. Die middag draaide ik voor het eerst het tropen-rooster, en toen ik om drie uur de uitgeverij verliet, stond hij dubbel ge-parkeerd voor de deur op me te wachten. Ten prooi aan een zwakheid waarin ik nooit gedacht had mezelf te herkennen, voelde ik dat mijn be-nen trilden van angst toen ik naar de auto toe liep, een gevoel dat al bijna vertrouwd was, want tegen die tijd droomde ik al weleens dat hij me ver-liet, en ik werd 's nachts regelmatig rechtop in bed wakker, zwetend als een terdoodveroordeelde, iemand die opgehangen gaat worden en die de dikte van de strop herkent die zijn keel dichtknijpt, een vis die de scherpe punt van de weerhaak voelt die zich in zijn keel boort, en zo voelde ik me toen ik vluchtig zijn lippen kuste, maar hij leek me niet ontstemd, en ook niet bezorgd over het nieuwtje dat ons het leven ongetwijfeld moeilijker zou maken, maar op een vreemde manier opgelucht, alsof hij blij was dat hij niet meer de enige was die voor moeilijkheden zorgde. Desalniettemin en uiteraard bespraken we het onderwerp niet. We bespraken nooit een onderwerp dat ons dwong ons bewust te zijn van het bestaan van iemand anders behalve wij twee.

Amanda keerde de donderdag van diezelfde week terug in Madrid, om negen uur 's avonds, en maakte daarmee een einde aan de meest intense en kortste periode van mijn leven, precies vier dagen, vanaf die eerste maandag waarop ik 's middags vrij was tot op het moment dat ik me aan-kleedde om haar op te halen van het vliegveld, een heftige, onstuimige en overdadige periode als het regenseizoen in de tropen, geconcentreerd en pijnlijk als de tijd voor iemand die de minuten telt die hem nog resten voor zijn vertrek, voor hij de koers verandert, voor hij kwijtraakt wat hij nooit had willen kwijtraken, het waren maar vier dagen, maar als de we-reld op het laatste ogenblik stil was blijven staan, zouden ze hebben vol-staan voor een heel leven, en zo beleefde ik ze vanaf het moment dat Javier de auto rechtstreeks in de ondergrondse parkeergarage tegenover mijn huis zette, zelfs zonder eerst een rondje te rijden om te zien of hij een vrij plekje vond, en me roekeloos aan m'n arm meesleepte voor ik de tijd had het zebrapad te bereiken, eraan voorbijgaand dat hij noch ik tijd hadden gehad om iets te eten, en me in de lift begon uit te kleden alsof ik niet op de vierde verdieping woonde, en zich tegen me aandrukte, mij platdrukte tegen de deur, tot ik hem een minimale adempauze moest vra-gen om de sleutel in het slot te krijgen, en me naar het bed leidde en me erop gooide en zich naast me liet vallen, alsof al die gebaren deel uitmaakten van een noodzakelijk en op onverklaarbare wijze bedreigd ritueel, en het onze enige plicht was dat koste wat het kost te beschermen. Dat gebeurde. We lagen de hele middag in bed, lieten elkaar geen moment los en spraken weinig, we keken elkaar zwijgend aan en misbruikten elkaar systematisch alsof iemand een geheim actieplan op het plafond had genoteerd. Toen hij 's avonds, tegen etenstijd, vertrok, deed zijn afwezigheid me lichamelijk pijn en schrok ik van mijn heftige begeerte, het verbazingwekkende onvermogen van mijn lichaam om zijn honger te stillen met een ander lichaam waarover het zes uur lang de volledige beschikking had gehad. Die nacht droomde ik weer dat Javier me verliet, ik stierf weer die kleine, wrede dood, ik werd weer badend in mijn eigen zweet wakker 's morgens vroeg, maar de volgende dag stond hij weer bij de deur van de uitgeverij dubbel geparkeerd op me te wachten.

'Mijn studenten hebben me verzocht of ik alle examens deze week wil afnemen, 's middags…' zei hij glimlachend tegen me, en ik begreep precies de hoeveelheid geluk die me in de schoot werd geworpen…

De spontane en weergaloze ceremonie van de vorige dag herhaalde zich die middag met erg weinig variaties, en de volgende, en de volgende, alsof hij voor eeuwig in mijn geheugen wilde griffen wat we hadden, en wat we riskeerden, een omnivore, genadeloze begeerte die minder op een afscheid leek dan op de wanhopige vingerwijzing naar een geheim waarvan de naam niet genoemd mocht worden, een persoonlijk mysterie, een vertrouwelijk en uitermate gewichtig woord dat stevig verankerd tussen mijn slapen zou blijven zitten met zulke sterke weerhaken dat geen enkele onvoorziene tegenslag in het dagelijks leven die ooit zou kunnen doen afslijten. Zo voelde ik me toen ik me haastig had aangekleed onder de onverbiddelijk toekijkende klok die me influisterde dat ik te laat zou komen, aan dat soort ketenen zat ik vast toen ik als een gek obstakels ontwijkend in de onverwachte rally José Abascal-María de Molina meereed, dat bewustzijn van mijn lichaam, van de immense wereld die ineens in mijn arme lichaam paste, week geen millimeter toen ik op een informatiebord ontdekte dat de vlucht van mijn dochter vertraagd was en een bos bloemen kocht alleen maar om mijn afwezigheid te verhullen, om te doen alsof ik, met iets in mijn handen, daar op haar stond te wachten terwijl ik me even ver weg voelde alsof ik me nog niet had losgemaakt uit Javiers armen, uit zijn schouderholte.

En toch, toen ik Amanda zag aankomen in een bedrukte jurk met schouderbandjes die sterk leek op de jurk die ik van mijn eerste loon voor haar gekocht had, toen we net in Madrid woonden, voelde ik een brok in mijn keel en een grote ruimte in mijn hart, en ik vroeg me af aan wat voor soort waanzin ik moest lijden, wat voor vergeetachtig, vraatzuchtig virus zich in mijn binnenste verschanst had zonder dat ik het zelfs maar gemerkt had, wat voor enorme hoeveelheid liefde er nodig was om zo veel liefde te kunnen verdringen en, nog altijd even verliefd op die man als een seconde voor ik haar zag, spreidde ik mijn armen zo wijd mogelijk omdat ik geen antwoord op mijn vraag wist, en de tranen welden op in mijn ogen toen ik haar eindelijk weer dicht bij me had. Zij veegde mijn gezicht schoon met haar handen en stond op het punt mee te gaan huilen, maar op het laatste moment vermande ze zich, voor ze me met die bruuske stroefheid van pubers de les las.

'Zo is het wel genoeg, mama!' zei ze, terwijl ze me meetrok. 'We maken ons belachelijk...'

Ik kon haar niet om te beginnen opbiechten dat ik de laatste tijd heel vaak huilde, en dat mijn tranen bijna nooit een teken van droefheid waren. Daarom gaf ik haar zwijgend de bloemen en liet ik haar praten terwijl we de parkeerplaats overstaken. Ik vond dat ze er heel goed uitzag, even lang als met Pasen, maar heel knap, en vooral, heel volwassen, niet alleen in de manier waarop ze zich gedroeg, de ongedwongenheid van mensen die zich met succes staande hebben leren houden in een vreemd land, maar ook in haar uiterlijk. Ze had de amorfe zachtheid van de jeugd voorgoed achter zich gelaten en was veranderd in een jonge vrouw, met een goed gevormd lichaam en een gezicht dat haar ouder deed lijken dan ze was. Vervolgens realiseerde ik me dat toen ik iets met haar vader kreeg, ik maar een paar maanden ouder was geweest dan zij nu, en ik vroeg me af of het waar zou zijn dat ik veel voorlijker was geweest, zoals Félix altijd zei, misschien als troost voor zijn eigen leeftijd. In ieder geval was Amanda zich aan het herstellen van haar eerste mislukte liefde, een geschiedenis die gelukkig luchtiger was dan de mijne, met een schoolvriendje dat Denis heette.

'En ik moest heel vaak denken aan wat jij tegen me gezegd hebt, weet je nog, mama?' zei ze tegen me tussen het lachen door toen we bijna bij Francisco Silvela waren en de beschaving weer inreden. 'Toen hij me liet zitten, weet je nog...?'

'Nee,' gaf ik toe.

'Jawel...!' reageerde ze alsof ze niet kon bevatten dat ik dat vergeten was. 'Je zei tegen me dat je eigenlijk ook niets anders kon verwachten van een jongen met zo'n truttennaam...'

'Oh ja...' Ik lachte met haar mee. 'Nu weet ik het weer... Hé, Amanda, waar heb je zin om te gaan eten? Wil je eerst langs huis om je spullen neer te zetten of ben je zo hongerig dat je liever meteen naar een restaurant wil?' Ze beantwoordde geen van mijn vragen, en ik probeerde zelf antwoord te geven. 'Ik neem aan dat je niet al te veel zin zult hebben in Frans eten, hè? We kunnen iets exotisch kiezen, Chinees, of Koreaans, of Japans... Of naar een Mexicaan gaan, dat vond je toch altijd zo lekker? En we kunnen ook opteren voor de autochtone tak, een Bask, een Asturiër, of gebakken spierinkjes in een Andalusisch tentje, daar kun je erg lekker eten en het is vlak bij huis... En als je dat liever wilt, ben ik bereid een uitzondering te maken en pens te eten. Jij mag het zeggen...'

Er kwam geen enkele reactie en ik keek naar haar en zag dat ze stijf rechtop in haar stoel zat, haar ogen strak op de voorruit gericht.

'Je hebt geen tortilla gemaakt, hè?'

'Nee,' antwoordde ik, nog niet bereid haar korzeligheid echt tot me door te laten dringen. 'Daar heb ik geen tijd voor gehad.'

'Nou, dat had ik nou graag willen eten, tortilla en verse, ingelegde ansjovis en gefrituurde inktvis en salade van gegrilde paprika, dat weet je best...'

Ik had het moeten weten, ongetwijfeld had ik het ook gewoon geweten, dat was het lievelingsmaal van Amanda, het welkom-thuis-banket, een wanordelijke uitstalling van tapas en gerechten tegen middernacht, ik had haar voorliefde voor dat soort maaltijden er zelf ingehamerd, mijn eigen lievelingseten, vier of vijf verschillende schalen op tafel om dan hier, dan daar een hapje te prikken tot je voldaan bent, tot je je gewroken had op de sleur van vermicellisoep en gepaneerde wijting waar mijn moeder me jarenlang iedere avond toe dwong. Ik wist het, en toch was ik het ook volledig vergeten, maar ik voelde me er absoluut niet schuldig over, en ik moest zelfs een voorbarig gevoel van verontwaardiging onderdrukken over de kleinigheid waarvoor mijn dochter me voortijdig op mijn kop zat. Daarom wilde ik haar geen excuses aanbieden.

'Nou goed, ansjovis en paprika, dat lukt me niet meer, al kan ik die morgen voor je maken...' bood ik haar in plaats daarvan aan, op een deels rustige, deels montere toon. 'Maar de tortilla, als je het niet erg vindt om even te wachten... Het is kwart over tien, om elf uur kunnen we rustig thuis zitten eten...'

'Ja, maar daar gaat het niet om, mama...'

'Waar gaat het dan om?' Ze gaf geen antwoord en ik besloot geen aandacht te besteden aan haar achterdocht. 'Nou ja, zo belangrijk lijkt het me niet. We hebben de hele zomer nog. Je kunt iedere avond tortilla eten, tot het je bij wijze van spreken voorgoed je neus uitkomt.'

Drie kwartier later, aan een tafel vol overheerlijke tapas, in de kroeg die ik uiteindelijk zelf had uitgekozen omdat zij koppig bleef zwijgen, bekeek ik haar aandachtig en begreep dat ze, ondanks de indruk die ze wekte, uiteraard geen volwassene was, en zeker niet als ze bij mij was. Toch zou ze in oktober zeventien worden, had ze een keer gemeend verliefd te zijn, en hield ik te veel van haar om te kunnen verdragen dat haar enige bijdrage aan mijn fervente pogingen haar tot onschuldig gebabbel te verleiden een povere serie eenlettergrepige woorden was. In de stilte waartoe mijn bezinning op welke strategie ik zou moeten volgen me dwong, zag ik mezelf plotseling weer voor me toen ik zwanger was, en ik zag haar voor me, zo klein, zo weerloos, zo zwak, blind, en stom, en hulpeloos, de eerste keer dat ik haar in mijn armen hield, en voor het eerst verbaasde ik me erover dat een schepsel dat zo groot was geworden uit mij geboren had kunnen worden, en ik vond het onverklaarbaar, maar zo was het en dat moest een betekenis hebben.

'Amanda...' waagde ik het uiteindelijk te zeggen, en zij antwoordde met gegrom. 'Weet je nog die ene avond dat ik naar Parijs belde...? Ik weet niet meer precies wanneer maar het moet zo rond kerst zijn geweest, want je was pas een paar maanden weg, dus het zal zo'n anderhalf jaar geleden zijn, nee, je zal het wel niet meer weten... Nou ja, je had mijn overschrijving om je balletlessen te betalen niet gekregen, daar praatten we over, en toen vroeg jij me of ik een vriend had, omdat ik nooit thuis was, en ik antwoordde dat dat niet zo was, maar dat we bezig waren met het op de rails krijgen van de *Atlas* en dat ik heel druk was, weet je het nu weer?'

'Ja.'

'En herinner je je dat je tegen me zei dat jij het uitstekend zou vinden als ik een vriend kreeg, al zei je vader altijd dat ik na hem nooit meer met een andere man zou kunnen leven, herinner je je dat ook nog?'

'Ja.'

'En je weet het al, hè?'

'Wat?'

'Dat ik nu een vriend heb.'

'Nou, dat is niet wat ik weet.'

'Wat weet je dan?'

Eindelijk begon ze te praten, zo gehaast, zo razend en over haar woorden struikelend alsof alles wat ze tot op dat moment niet gezegd had in haar keel was blijven steken en haar meedogenloos verwond had, en ook voor mij was er geen mededogen.

'Ik weet dat je je weer gedraagt als een debiel, zoals altijd, dat je iets hebt met een getrouwde man die zich lekker met je zal vermaken door tegen je te zeggen dat hij zijn vrouw in de steek zal laten en die je gewoon zal dumpen als hij je zat is en dan kom je huilend…'

'Ho, ho, ho…' onderbrak ik haar terwijl ik een hand opstak. 'Wie heeft je dat verteld, je vader?'

'Nee, toevallig niet!' gilde ze, alsof mijn suggestie haar diep en diep gekwetst had. 'Toevallig heeft m'n vader me dat niet verteld. Ik heb het van m'n oma, jouw moeder trouwens…'

'Aha…' mompelde ik, terwijl ik al mijn nagels in mijn handpalmen drukte, alsof de fysieke pijn me kon helpen me te beheersen. 'Goh, wat raar, want ik heb mijn moeder helemaal niets verteld, dus rara, hoe zou ze dat allemaal zo goed weten. En ik wist ook niet dat jij ineens zo conservatief was. Ik ken je bijna niet terug, lieverd.'

'Dit heeft helemaal niets te maken met conservatief of niet conservatief zijn…'

'Oh nee? Ik zou toch denken van wel.'

'Nee, toevallig niet, het heeft te maken met slim of dom zijn, mama, en ook… Het is hetzelfde wat oma over oom Antonio zegt, z'n hele leven zo'n ontzettende goochemerd, en op z'n 45ste komen de joints 'm z'n oren uit en heeft hij helemaal niets.'

Ik herkende mijn moeder zo precies in haar woorden dat ik, in plaats van me nijdig te maken over het onrechtvaardige van die aanval, kalmeerde, alsof de bron van het kwaad achterhalen gelijkstond aan het kunnen bezweren ervan.

'En wat zou hij dan moeten hebben? Een huis? Dat heeft hij al. Een vrouw? Hij heeft er altijd verschillenden, dat weet je heel goed. Een stel kinderen? Oh nee. Kinderen hebben biedt geen enkele garantie. En Antonio is veertig, geen 45, en hij is redelijk gelukkig volgens mij. Hij heeft een mooi leven. Ik zou best zo'n leven willen hebben. En het is zo langzamerhand welletjes dat iedere keer als iemand in deze familie een pas uit de maat loopt, Antonio daarvoor moet opdraaien. Ik hou heel veel van mijn broer en ik vind het niet leuk als je zo over hem praat. En joints roken is veel minder schadelijk dan venijn in je bloed hebben.'

Ik was onder het praten geleidelijk ernstig geworden, zonder dat ik dat aanvankelijk echt van plan was geweest, maar zonder uiteindelijk iets te doen om het te vermijden, en Amanda, die dat merkte, reageerde met een stilte die even hardnekkig was als de stilte die de aanleiding was geweest voor dat gesprek. Toen ik besefte dat ik geen millimeter was opgeschoten ging ik met fikse tegenzin opnieuw tot de aanval over.

'Dus je moet niks van mijn vriend hebben, hè?'

'Nee, voor geen meter.'

'Je zou in ieder geval even kunnen wachten tot je kennis met hem hebt gemaakt.'

'Ik ben niet van plan kennis met hem te maken.'

'Ik ben bang dat je geen keus hebt, maar allereerst zou ik weleens willen weten waarom je zo snel van gedachten veranderd bent.'

'Waarom? Nou, omdat ik hier zit te eten en niet thuis, wat betekent dat mijn moeder zich niets meer van me aantrekt, want ze heeft niet eens tijd gehad om een simpele tortilla voor me te bakken...'

Die laatste woorden spuugde ze uit met vochtige, glanzende ogen, alsof ze koorts had of op het punt stond te gaan huilen. Ik zou nooit hebben willen geloven dat ik ooit een tafereel als dit zou moeten aanschouwen, en het kostte me zelfs moeite mijn ogen te geloven, maar dat ik besloot voor eens en altijd een einde aan die flauwekul te maken, was eerder voor haar bestwil dan voor de mijne, want toen ze klein was had ik niet toegelaten dat ze haar vingers in het stopcontact stak, en nu zou ik niet toelaten dat ze volhardde in deze onzin.

'Je bent veel te oud om dit soort scènes te trappen, Amanda. En als mijn leven veranderd is, zal jouw leven, zolang je bij mij woont, ook moeten veranderen, niks aan te doen. Maar de enige die zich tot nu toe nergens iets van heeft aangetrokken ben jij, en dat lijkt me prima. Jij was degene die niet langer tijd voor mij had toen je besloot bij je vader te gaan wonen, en ik heb er niets van gezegd, en toen is mijn leven echt veranderd, en veel meer dan nu, maar ik respecteerde je beslissing, en ik heb je altijd, en altijd is ook nu nog, met open armen ontvangen, al zie jij dat misschien anders. Dat bedoelde ik straks met dat conservatief zijn of niet. En hoe het ook zij, lieverd, het is zoals het is. Als het je niet bevalt, kun je naar mijn moeder gaan en aan één stuk door op me kankeren. Ze zal blij zijn met je gezelschap, daar hoef je niet aan te twijfelen.'

'Je bent heel egoïstisch geworden, weet je dat, mama?' zei ze alleen maar, met een klein, klaaglijk stemmetje, als een zielig, in de steek gelaten baby'tje, wat me veel meer ergerde dan alles wat ze daarvoor gezegd had.

'Nou, weet je, ja, misschien heb je wel gelijk, misschien ben ik wel heel egoïstisch geworden... Maar ik ben zesendertig. Het wordt weleens tijd dat ik me eens een beetje egoïstisch ga gedragen.'

Ze wilde geen antwoord geven, zelfs niet met haar blik, en bleef met de over het tafelkleed verspreide kruimels spelen terwijl ik mijn koffie opdronk, om de rekening vroeg, en die betaalde in de onverbiddelijke stilte die zij zelf had laten vallen. Toen we thuiskwamen bood ik aan haar te helpen met uitpakken en ze antwoordde dat dat niet hoefde, dat ze heel moe was en dat ze het morgen zelf zou doen, maar toen ik haar voorhoofd kuste om haar welterusten te wensen, sloeg ze onverwacht haar armen om mijn middel, en dat simpele gebaar bezwoer het gevaar. Als we niet zo veel jaren samen hadden gewoond, met z'n tweeën, had ik die nacht wakker gelegen, maar ik kende haar goed, ik was haar moeder, en daarom was ik niet verbaasd haar de volgende ochtend om kwart voor acht in de keuken aan te treffen waar ze het ontbijt aan het klaarmaken was.

'Wat doe jij hier nou, Amanda?' vroeg ik haar bijna vrolijk, zodat door mijn woorden heen zou schemeren hoe dankbaar ik haar voor dit gebaar was. 'Jij hoeft toch helemaal niet vroeg op te staan, lieverd, je hebt vakantie… Kruip lekker weer in bed.'

'Ik heb niet zo goed geslapen,' antwoordde ze. 'Ik eh… Het spijt me heel erg van gisteravond, mama, ik bedoel… Ik wil alleen maar dat je gelukkig bent.'

Ik pakte haar bij haar schouders en keek haar aan, en ik deed mijn ogen dicht, en ik deed ze weer open om haar aan te kijken, terwijl ik me erbij neerlegde dat ik geen woorden kon vinden om uit te drukken wat ik voelde, hoeveel ik van haar hield en hoezeer zij deel uitmaakte van het geluk, broos en teer als een glazen bel, waar ik zo vurig naar verlangde, en door wat voor angst ik vanbinnen verscheurd werd iedere keer dat ik aan een eenvoudiger toekomst dacht dan de hachelijke voorraad onwaarschijnlijkheden waarmee ik al bereid was me tevreden te stellen, en hoe ik me niet eens wilde voorstellen dat het leven me ooit zou dwingen een keuze te maken, ik kuste haar en omhelsde haar als toen ze nog klein was, en ik nam haar zelfs in mijn armen om hardop het ideale plan uit te stippelen voor de eerste dag van haar werkelijke terugkeer, maar in een periode die gekenmerkt werd door de grillige onzekerheid van het lot, waarin niets uiteindelijk zijn aanvankelijke betekenis leek te hebben, verontrustte de late bijval van mijn dochter me meer dan haar eerdere vijandigheid, en ik liep de hele dag rond met een knoop in mijn maag en een hardnekkige donkere wolk midden op mijn voorhoofd. Noch de een noch de ander wilde wijken voor de dagelijkse werkdruk, beide weerstonden een uitvoerig bezoek aan de markt en, tot mijn verbazing, bleven ze ongeschonden tijdens de uren die ik in de keuken doorbracht terwijl ik voor Amanda alles klaarmaakte wat ik de vorige middag niet had kunnen of willen doen. Op je dooie gemak koken is de ontspannendste bezigheid die ik me kan voorstellen, maar dit keer, terwijl ik onwillekeurig, en zelfs tegen mijn wil in, moest denken aan wat er nog maar vierentwintig uur eerder was gebeurd, liepen mijn goed bedoelde pogingen volledig op niets uit, zelfs toen mijn dochter in een stralend humeur thuiskwam van een uitgebreide lunch bij haar opa en oma en op een stoel bij me kwam zitten kletsen. Om vijf over zeven ging de telefoon en de knoop trok in één ruk samen alsof hij me doormidden wilde rijten. Ik kon niet opnemen, Amanda zat er dichterbij, maar ze gaf hem me meteen, zonder commentaar en met een overduidelijk vreedzaam gebaar.

'Hallo.' De stem van Javier was als de enige sleutel die bij machte was mijn lichaam te bevrijden van de denkbeeldige ketenen die het gevangen-hielden. 'Wat zijn je plannen voor vanmiddag? Ik dacht dat we misschien wel op een terrasje konden afspreken om een amandelmelk met ijs of zo te drinken…' Ik schoot onmiddellijk in de lach en hij sputterde. 'Waarom moet je lachen?'

'Om die amandelmelk…'

'Hoezo?' En hij sloeg een belerend toontje aan dat hij overduidelijk beheerste. 'Het is gemaakt van aardamandelen, erg lekker en verfrissend, het bevat veel vitaminen…' Ik kon niets meer zeggen van het lachen en hij ging voor ons beiden verder. 'Goed, om halfacht, lijkt je dat wat?'

Toen ik ophing, lachend zoals alleen kleine kinderen en wanhopige minnaars lachen, zei ik tegen Amanda dat het Javier was, en dat ik even een kop koffie ging drinken maar dat ik uiterlijk halfnegen thuis zou zijn, ruimschoots op tijd om haar favoriete maaltijd op tafel uit te stallen en haar daarna mee naar de bioscoop te nemen, naar een Spaanse film die niet in Parijs gedraaid had en die ze dolgraag wilde zien, zoals we die ochtend afgesproken hadden, en zij antwoordde dat ze dat prima vond. Binnen een minuut was ik klaar om weg te gaan, ik pakte mijn tasje en ging naar bui-ten alsof ik jarenlang in een cel had doorgebracht, slechts dromend van lopen over een trottoir. Ik ademde diep de verstikkende, hete lucht van de junimiddag in, met evenveel genot en evenveel zorgvuldige aandacht als ik het meest delicieuze gerecht geproefd zou hebben, en ik merkte dat, los van mijn goede en van mijn slechte bedoelingen, de klonterige, strope-rige, morsige beklemming die tijdens het ontbijt als een verborgen infectie in mijn lichaam was opgenomen, moeiteloos was opgelost in een feestelijk getintel dat veel weg had van het getintel dat toen ik nog klein was in mijn binnenste woedde als de zomervakantie begon.

Om tien voor halfacht was ik bij café Comercial, maar hij zat al op me te wachten aan een tafeltje pal tegenover de metro-ingang, een keuze die me nogal vreemd leek – omdat je er zo te kijk zat – voor een overspelige minnaar, zelfs in een stad met vier miljoen inwoners. Misschien dat ik daarom mijn stoel niet te dicht naar de zijne durfde schuiven, maar hij overbrugde die afstand stoutmoedig door mijn groet te beantwoorden met een lange, hele lange, intense kus, die misschien wel minutenlang duurde, of misschien ook niet, maar het was in ieder geval voldoende om een paradoxaal en ongetwijfeld opzettelijk effect te bewerkstelligen door heel precies de herinnering aan een koortsachtige opwinding op te roepen voor het zeer onrechtvaardige gemis waarvan hij me probeerde te compenseren. De komst van de ober, die een paar keer zijn keel moest schrapen om onze aandacht te krijgen, maakte een einde aan die ostentatieve welkomstpremie, maar nadat hij een whisky met ijs had besteld en ik, uiteraard ter ere van hem, een amandelmelk, kusten we elkaar weer. Toen ik uiteindelijk op kon kijken zag ik, aan het tafeltje naast ons, drie pubers, twee jongens en een meisje van ongeveer Amanda's leeftijd, die zaten te stikken van het lachen, en ik begreep dat ze ons te oud vonden om in het openbaar zo'n radeloze hartstocht tentoon te spreiden. Javier, die de richting van mijn blik ontdekte en die volgde tot hij op hen stuitte, interpreteerde hun uitgelatenheid kennelijk op dezelfde manier als ik, want hij ging rechtop in zijn stoel zitten, pakte mijn hand en glimlachte.

'Wat een ellende, hè?' En zijn glimlach breidde zich onmiddellijk uit tot een onvervalste lach. 'Hier zitten en handjevrijen…'

Ik moest zo lachen dat ik geen antwoord kon geven, en ik knikte instemmend, een gebaar dat op zijn eigen schaterlachen stuitte, dat steeds zwaarder en luider werd, we lachten smakelijk om ons getob, om onszelf, om onze leeftijd en om de manier waarop we elkaar kusten, en het was een bevrijdende lach, ontdaan van sarcasme, van schaamte en van de angst je belachelijk te maken, en ik ontdekte dat die lach me op een vreemde manier voedde, me kracht gaf, en moed, maar dat ik mijn hoofd naar voren boog was geen besluit, het waren mijn lippen die besloten de hand te kussen die in de mijne kneep, zelf merkte ik alleen dat ik in die hele korte tijdsspanne was opgehouden met lachen, en hij lachte ook niet meer toen ik zijn gezicht tegen mijn hoofd voelde, zijn lippen die mijn haar kusten, net als ik mijn dochter kuste toen ze nog klein was, alsof twee volwassen mensen vroeg in de avond schipbreuk konden lijden aan een cafétafeltje.

Maar soms lopen de dingen anders.

Het lijkt onmogelijk, het is ongelooflijk, maar soms gebeurt het.

'Ik heb laatst iets bedacht… Dat heb ik namelijk heel vaak in spionage-films gezien, jij hebt het vast ook weleens gezien, het gaat erom een reeks afspraken vast te leggen, voor iedere dag, twee of drie tijdstippen uitkiezen die speciaal… eh, geschikt zijn, ik heb erover nagedacht, maar jij gaat na-tuurlijk graag naar het strand, hè?' Ik knikte en veroorzaakte een ont-goochelde blik die bijna ogenblikkelijk zijn mondhoeken deed betrekken. 'Dat maakt het wat ingewikkelder, want als je nou bijvoorbeeld om één uur thuis zou zijn… Adelaida gaat meestal uiterlijk om halftwaalf weg met de kinderen, en vaak ga ik ze niet eens ophalen, maar… Afijn, we zouden om halfeen kunnen afspreken… Zou dat erg problematisch voor je zijn?' Ik bewoog nogmaals mijn hoofd, ditmaal om nee te schudden, een glim-lach op mijn gezicht, want ik had geen idee waar hij het over had, maar nooit zou iets te problematisch voor me zijn als hij het vroeg. 'Oké, om halfeen dus. Maar omdat ik noodgedwongen rekening moet houden met het klimaat aan de Golf van Biskaje, en het zal ongetwijfeld de helft van de tijd regenen, zal ik dus wel heel vaak op excursie moeten met dat hondje, ik heb het nog zo vaak gezegd tegen die sufferd, wel badpakken kopen en beweren dat ze graag zwart wil worden en dan gaan we de zo-mervakantie goddomme doorbrengen op de enige plek van dat verrekte schiereiland waar in augustus de zon niet schijnt… Nou ja, we zouden dus nog twee tijdstippen moeten afspreken. Ik denk dat halfvijf 's middags wel goed zou zijn, want 's zomers eet je wel altijd later, maar tegen die tijd ligt iedereen toch te slapen, en het is ook weer niet zo laat dat jij je siësta moet missen, want je bent zo'n slaapkop, dat zou een ramp voor je zijn. En als de afspraak van halfvijf misloopt, zouden we drie uur later kunnen afspre-ken, vlak voor je de hort opgaat, want ik neem aan dat je de hort op zult gaan, om iets te drinken en zo, toch?' – ik knikte opnieuw – 'dat is name-lijk een goeie tijd voor mij omdat ik 's middags altijd thuisblijf om te stu-deren… Ik weet wel dat het een hoop gedoe is, maar in het huis dat Ade-laida gehuurd heeft is geen telefoon en… Ik zou je niet graag een hele maand niet spreken.'

Eindelijk begreep ik de zin van dat betoog, en ik drukte mijn tong ste-vig tegen mijn verhemelte om te voorkomen dat mijn hart via mijn mond uit mijn lichaam zou ontsnappen, en ik keek hem aan, en constateerde dat die vlotte bekentenis van afhankelijkheid de uitdrukking op zijn gezicht geen spat had veranderd. Hij leek even rustig en opgewekt als daarvoor, een kalmte die minstens even verbazingwekkend was als de vanzelfspre-kendheid die hij aan de dag had weten te leggen bij het praten over een onderwerp dat zo nauw grensde aan de verboden woorden, want bij mij daarentegen trilden zelfs m'n nagels toen ik eindelijk durfde in te stemmen met zijn plan.

'Ik denk dat ik het niet uit zou houden...'

Eén augustus was al begonnen en vorderde in fors tempo terwijl wij nog wakker lagen, in mijn bed, en genoten van het lange weekeinde van onvoorwaardelijke vrijheid dat ons, vlak voor het zijn laatste adem uitblies, in de schoot was geworpen door de meest gecompliceerde en intense julimaand die ik ooit heb beleefd. Die maandag, die inmiddels al dinsdag was geworden, had ik niet naar mijn werk gehoeven, maar dat wisten noch mijn ouders, noch Amanda, die de vrijdag ervoor naar Fuengirola waren vertrokken, in bitter medelijden met mijn ongelukkige lot en scheldend op de strikte arbeidsvoorwaarden van de uitgeverij, de enige onderneming in Spanje die haar werknemers verplichtte standvastig op hun plek te blijven als de week begon op een 31ste juli. Die wonderbaarlijke gril van de kalender verleende mij de mogelijkheid Javier enigszins te compenseren voor mijn schrale reactie op zijn onbeperkte aanbod van de afgelopen veertien dagen, want hij had Adelaida ervan weten te overtuigen dat ze veertien dagen eerder dan hij naar Santander vertrok, maar het zou niemand ooit lukken de personeelschef van mijn uitgeverij, die niet toeliet dat welke afdeling ook aan vakantiespreiding deed, ervan te overtuigen dat een publicatie in afleveringen in augustus gewoon blijft verschijnen al werkt er dan niemand in Spanje, en al wisten we van tevoren nog zo goed dat we in één maand acht in plaats van vier nummers zouden moeten afwerken, we hadden een achterstand opgelopen die zo groot was dat we midden in de zomer weer 's middags moesten gaan werken. Uiteraard was dat niet mijn schuld, maar ik kon het niet helpen dat ik me schuldig voelde over de verspilling van die extra uren. De enige keer dat ik tegen Javier durfde zeggen dat we wel erg veel pech hadden, antwoordde hij dat ik me geen zorgen moest maken, dat alleen thuis zijn voor hem al voldoende beloning was, maar die absolutie maakte mijn werkdagen niet korter, die me op het laatst even ondraaglijk onrechtvaardig en uitputtend voorkwamen als die van een dwangarbeider in een steengroeve.

En toch, ook nog voor het vertrek van Adelaida, zagen we elkaar steeds vaker, iedere dag, soms zelfs twee keer, want we konden tussen de middag samen eten en later, tegen het eind van de middag, of 's avonds, weer afspreken, zelfs al wisten we bij voorbaat dat de omstandigheden van die specifieke dag ons noodgedwongen tot kuisheid noopten. Dat soort dagen werd echter steeds zeldzamer, want toen de komst van Amanda, wier na-

444

bijheid we beiden zwijgend verkozen te vermijden, ons uit mijn huis verdreef, duurde het niet lang of we hadden een uiterst efficiënte infrastructuur aangelegd. Foro gaf me de sleutels van zijn huis en zei tegen me dat als ik hem 's morgens waarschuwde, we daar wanneer we maar wilden naar toe konden gaan, en als ik het een vernederend idee vond om meer dan twee dagen achtereen mijn toevlucht te nemen tot zijn huis, riep ik de hulp in van Marisa, die me haar huis nooit weigerde, al mopperde ze nog zo als een klein meisje – nee, buiten is het pas lekker zeg, god nog an toe, 42 graden, ideaal om een eindje om te gaan, echt... – terwijl ze naar de sleutelring in haar tasje zocht. Javier beschikte over de flat van die vriend van hem die in Valencia was gaan wonen, al moest hij die delen met een andere docent van de faculteit en was hij vaak niet bruikbaar, en ook nam hij me af en toe mee naar het huis van Felipe Villar, de auteur die de grafieken verzorgde, die alleen woonde, veel op reis was, en die met een onvergetelijke grootmoedigheid iedere keer dat we zijn telefoon lieten rinkelen onmiddellijk instemde om buitenshuis een biertje te gaan drinken dat wel twee of drie uur in beslag kon nemen, dus gedurende een maand sprongen we van het ene vreemde huis naar het andere, alsof we verhuisd waren naar een bordspel.

Inmiddels was met Javier naar bed gaan voor mij het voornaamste en hoogste doel van mijn hele bestaan geworden, en die zekerheid, het rotsvaste besef dat niets rechtvaardiger, noch wijzer, noch correcter was dan dat doel tot iedere prijs na te jagen, hielp me iedere dosis morsigheid die me de weg zou kunnen versperren moeiteloos verteerbaar te maken. Maar, misschien wel omdat dat zo belangrijk voor me was, ik slaagde er nooit in op een vanzelfsprekende manier met een concreet voorstel te komen. De sleutels van Foro, die van Marisa, brandden in mijn handen terwijl ik omtrekkende bewegingen maakte, zinnen begon die ik nooit af durfde maken, nou, als je wilt... zei ik tegen hem, misschien zouden we... ik weet niet, wat wil jij graag...? Javier was niet directer dan ik, al had hij meestal wel een zinnetje voorhanden, maar hoe het ook zij, net zoals we geleerd hadden met halve woorden te communiceren, leerden we heel snel op de gedachtepuntjes te leven, en achteraf, als ik naar mijn eigen huis terugkeerde en ijverig naar een film op tv zocht om te kunnen doen alsof ik gegrepen was door het verhaal en mijn instemmende reactie op Amanda's commentaar te kunnen beperken tot eenlettergrepige antwoorden, bedacht ik dat het misschien beter was zo, want onze relatie zou veel meer op een traditionele verhouding hebben geleken als we gekozen hadden voor het gemak van hotels of van gemeubileerde appartementen

445

die je per week kunt huren, in plaats van ons aan elkaar te binden in die moeizame afwisseling van geleende huizen.

Met Javier naar bed gaan was de enige belangrijke daad in mijn bestaan geworden, maar dat had niet zozeer te maken met het genot als wel met de seks op zich, met het soort intimiteit dat alleen seks kan verschaffen aan twee mensen die niet samenwonen. Want wat er in die onbekende bedden gebeurde, met verrassend vreemde lakens, was waar, en daarom zou niets het ooit kunnen veranderen, of aanvallen, of verloochenen. Zelfs al was het daarna anders gelopen, nooit had ik die huivering kunnen vergeten, een op raadselachtige wijze instinctieve en algehele blijdschap, het irrationele genot – zo zuiver primair was het – dat ogenblikkelijk en over mijn hele lichaam omhoogkroop vanaf de eerste centimeter huid die op een bed in contact kwam met de blote huid van die man aan wie ik op dat moment niet kon twijfelen, van wie ik op dat moment alles wist, aan wie ik op dat moment alles te danken had, een man die ik al zo liefhad als ik nog nooit iets had liefgehad in mijn leven, zozeer dat ik uiteindelijk een manier vond om het hem te zeggen.

Die avond realiseerde ik me dat we ondanks alles al een stel waren, met onze tics en rituelen, onze rechten en plichten, die vage gemeenschappelijke belangen die typerend zijn voor ieder stel dat echt een paar vormt, afgezien van hun onuitgesproken situatie of van een expliciet wettelijk statuut, en over die ontdekking was ik buitengewoon verheugd, al had ze bijna die avond van de dertigste juli verpest, die me inmiddels de vooravond van al het goede leek. We waren naar de vroege filmvoorstelling geweest want ik moest op tijd naar huis om mijn koffers te pakken, die zonder mij met mijn vaders auto zouden meereizen, en om die van Amanda in de gaten te houden, die in staat was verscheidene hutkoffers te vullen met al haar bezittingen als niemand haar van het tegendeel overtuigde, maar we zagen af van de mogelijkheid een taxi te nemen op de Gran Vía, want nadat de meedogenloze airconditioning in de zaal ons had doen rillen van de kou in onze stoelen, was de temperatuur buiten, op dat precieze moment waarop de warmte zich neerlegt bij haar terugtocht en geleidelijk oplost, als onzichtbare rook, te aangenaam om niet terug te wandelen. Juist toen we langs de metro-ingang van Callao liepen, stuitten we letterlijk op Juan Carlos Prat, een Venezolaanse fotograaf die ik had leren kennen toen ik net weer voet aan de grond had gezet in Spanje en die ik vaak opdrachten had gegeven, in die tijd en daarna. Hij was een geweldige vakman, consciëntieus en met een groot verantwoordelijkheidsgevoel, maar hij voelde zich vreemd genoeg verplicht mij telkens als hij me zag te bedanken voor werkelijk iedere reportage die hij voor me gemaakt had, met een overdaad aan kussen, aanrakingen en omhelzingen die me benauwde, en dit keer was het niet anders, want hij had me nog niet in de gaten of hij rukte me zo ongeveer van Javiers arm los om de zijne om me heen te slaan. Wat ik nooit had gedacht was dat dat gebaar gevolgen zou hebben, want Kroelie Prat, zoals Rosa hem pleegde te noemen, was een jonge, lange, donkere, heel knappe jongen, maar hij was zo overdreven duidelijk een nicht dat geen van de gebaren waarmee hij me zijn aanhankelijkheid betuigde ook maar in de verste verte ooit tot de categorie twijfelachtig zou kunnen toetreden. Dat dacht ik en desalniettemin, toen ik me eindelijk van hem had losgerukt, liep Javier, die onze ontmoeting in absoluut stilzwijgen had bijgewoond, zonder me aan te kijken naast me verder, en zijn rechterarm wilde niet reageren op mijn linkerarm toen die een poging deed zich weer om hem heen te krullen.

'Wat is er?' vroeg ik hem.

'Niets,' antwoordde hij, terwijl hij zijn handen in zijn zakken deed.

Tussen Callao en het Red de San Luis liepen we op een bijna behoedzame afstand, alsof we elkaar helemaal niet kenden, hij met zijn blik gericht op een punt ergens in de verte, ik terwijl ik met mezelf wedde dat ik het bij het verkeerde eind had, mezelf in stilte voorhield dat ik onmogelijk zo veel geluk kon hebben, terwijl ik steeds opnieuw alles de revue liet passeren wat ik gezegd en gedaan had sinds we de bioscoop verlaten hadden en geen andere mogelijke reden kon vinden voor die onverklaarbare chagrijnige bui die bij iedere stap die hij deed erger leek te worden, en toen we Hortaleza inliepen vroeg ik het hem nog een keer.

'Wat is er, Javier?'

'Niets.' En hij onderstreepte die bewering met een ongeduldige blik. 'Er is niets.'

De stoep werd veel smaller, en de stroom mensen die ons tegemoetkwam in de richting van de Gran Vía dreef ons uiteindelijk uiteen. Een groot deel van het traject legden we in ganzenmars af, hij voorop, zonder om te kijken, en ik erachter, terwijl ik me erover verbaasde hoe mooi ik zijn nek kon vinden, tot we bij de hoek van Mejía Lequerica kwamen, op een steenworp afstand van mijn huis. Ik kon hem niet zo laten gaan. De gedwongen pauze benuttend van een rood stoplicht, drukte ik hem tegen de muur, en terwijl ik hem met twee handen gevangenhield, keek ik hem aan.

'Ik doe geen stap meer voor je me vertelt wat er aan de hand is.'

'Dat zou jij mij moeten uitleggen.'

447

'Ik zou niets liever willen, maar ik heb geen idee.'

'Nee? Dan is het zeker een hobby van je.'

'Wat?'

'Je in de armen storten van de eerste de beste eikel die uit de metro komt.'

'Hé!' glimlachte ik, maar hij lachte niet mee, hij leek echt boos. 'Ik heb me in niemands armen gestort.'

'Nou en of, en niet zo'n beetje ook.'

'Niet een beetje en niet een boel.' Ik liet de greep van mijn handen een beetje verslappen van puur plezier. 'Het was juist precies andersom. Ik had er niets mee te maken. Die vent is altijd zo klef, wat wil je, op de uitgeverij noemen ze hem Kroelie, dus ga maar na…'

'Dat wist ik niet. Je hebt hem niet aan me voorgesteld.'

'Natuurlijk heb ik hem wel aan je voorgesteld! Ik heb tegen je gezegd dat hij fotograaf was en Juan Carlos heette…' Plotseling leek het me zo belachelijk nog meer van dit soort verklaringen af te leggen, dat ik z'n arm pakte en de straat met hem overstak. 'Wat ben jij een uilenbal, Javier!'

'Oh! Nou ben ik nog een uilenbal ook.'

'Inderdaad, een ontzettende uilenbal… Want het is toch ongelooflijk dat je je inmiddels nog niet realiseert dat ik er niet eens op uit ben je te bezitten.' Ik hield abrupt mijn mond en omhelsde hem, zodat hij me niet zou ontsnappen. 'Het enige wat ik wil is jou toebehoren.'

Dat begreep hij wel. Toen was hij degene die mij aankeek, die mij omhelsde tot hij me pijn deed, en me kuste, en daarna lange tijd met zijn rechterhand mijn hoofd tegen het zijne gedrukt hield, zijn linker stevig rond mijn middel.

Die handen lieten me de hele avond niet meer los, ze hielden me vastgeklonken aan zijn herinnering terwijl ik mijn koffers pakte, en die van Amanda, terwijl ik vredig sliep en zelfs daarna, want ze weken geen millimeter terwijl ik afscheid van mijn dochter nam in het portiek van mijn huis, ze bleven bij me in de chaotische drukte van de laatste ochtend op het werk, en ze waren nog sterker aanwezig, nog dringender, nog steviger, tijdens het jaarlijkse afscheidsetentje dat Fran alle teams van haar afdeling placht aan te bieden, het laatste obstakel, een afspraak waar ik me zo snel mogelijk aan onttrok, zelfs zonder de koffie af te wachten. Rosa voegde zich op het laatste moment bij me, toen ik al met een collectieve kus afscheid nam vanuit de deuropening van Mesón de Antoñita.

'Ga je naar huis?' vroeg ze. 'Zet mij er dan even uit bij de metro op de Avenida de América, wil je, ik heb al m'n schulden afbetaald en kom er net achter dat ik geen cent meer op zak heb…'

Toen we eenmaal in de taxi zaten, en in de kolossale opstopping waarin de bedrijfsetentjes op de laatste werkdag meestal eindigen, legde ze haar elleboog op de rand van het opengedraaide raampje, liet haar hoofd op haar linkerhand zakken, draaide zich naar me toe en zuchtte diep, alsof ze doodmoe was.

'Wat een ellende, meid! Ik zweer je dat ik absoluut geen zin heb om dit jaar op vakantie te gaan… En dat terwijl ik volkomen uitgeput ben, echt…'

'Gaan jullie naar Cercedilla?'

'Uiteraard, vanmiddag nog, naar mijn schoonmoeder, een opwindend idee… En jij? Wat ga jij doen?'

'Ik ga dinsdag naar Fuengirola, naar de bungalow van mijn ouders, met Amanda, mijn twee zussen, mijn twee schoonbroers en mijn vijf neefjes en nichtjes. Ook niet slecht.'

'Maar jouw ouders waren toch gescheiden?'

'Ja, maar omdat ze een fortuin hebben uitgegeven aan de bouw van een soort paleis in een luxe wooncomplex, en geen van beiden bereid is daar afstand van te doen, en ze allebei dol zijn op de Costa del Sol en op elkaar het leven onmogelijk maken, brengen we de zomervakantie dus met z'n allen door. Er is niets veranderd ten opzichte van vroeger behalve dat mijn vader nu in de kamer van mijn broer Antonio slaapt, die gelukkig evenveel vierkante meters heeft als de vroegere echtelijke slaapkamer, want anders hadden ze moeten verbouwen. En omdat er nog steeds vier of vijf kamers over zijn, kan Antonio als hij zich zwak betoont en verschijnt, en dat zal niet gebeuren, zich installeren waar hij wil…'

'Jaja… En Javier?'

'Die gaat naar Santander.'

'Jezus!' Ze moest lachen. 'Verder weg was er niet, zeker.' Ik reageerde niet en ze riep zichzelf snel tot de orde. 'En hij gaat met het hele gezin.'

'Ja.' Ik kon niet nalaten haar een klein beetje te zieken vanwege die noord-zuidafstand. 'Hij gaat ook dinsdag… Zij zijn er al twee weken.'

'En kun je er nog een beetje tegen?'

'Ja.' Ik keek haar aan en stuitte op een sceptische blik die me ondanks alles logisch leek. 'Ik kan er goed tegen. Nog wel. Echt…'

Eerlijk gezegd wist ik niet precies hoe goed ik ertegen kon, want ik deed mijn best daar niet over na te denken, op een trapeze te leven, vrolijk schommelend vlak boven de werkelijkheid. Ik analyseerde met eindeloze zorg en een geduld waarvan ik nooit had gedacht dat ik het zou kunnen opbrengen ieder woord van Javier, al zijn reacties, zijn gebaren, speurend naar een aanwijzing die me in staat zou stellen na te gaan wat hij voelde, wat zijn bedoelingen waren, wat zijn plannen met me waren, maar ik had nog nooit de mogelijkheid onder ogen durven zien dat onze relatie zou vastlopen terwijl de tijd voortging, misschien omdat ik de kracht niet eens had me dat voor te stellen. Ook had ik nog nooit durven denken wat ik daarna tegen Rosa zei, en toch besefte ik onder het praten dat ik het echt geloofde, en ik was onmetelijk blij het te horen.

'Volgens mij is-ie gewoon smoorverliefd op me. Ik denk er maar liever niet te veel over na, maar ik ben er bijna zeker van dat het zo is, en hij lijkt me niet het type…' dat zo'n dubbelleven eindeloos kan volhouden, wilde ik zeggen, maar op dat punt begaf zowel mijn stem als mijn moed het. 'Afijn… Je zult het niet geloven, maar gisteravond kwamen we Juan Carlos Prat op straat tegen, en je weet hoe zoenerig die is, en hij werd jaloers…'

'Jaloers op Kroelie?' Ik knikte en ze begon te lachen. 'Nou, dan moet het wel helemaal mis met hem zijn.' Ze laste even een pauze in voor ze me de vraag stelde die ik al vanaf het begin van dat gesprek verwachtte. 'En wat denk je dat er gaat gebeuren?'

'Uiteindelijk…? Ik weet het niet. Maar vooralsnog is het enige waar ik absoluut zeker van ben dat ik ontzettend verliefd op hem ben, echt smoor, verliefder kan niet… Het enige wat me nu interesseert is dat dit niet ophoudt, dus ik zet hem niet onder druk. We hebben het er nooit over.'

'Ja…' Ze knikte instemmend voor ze me een afgezwakte, maar daarom niet minder afgezaagde versie voorschotelde van het eentonige betoog dat de hele wereld me de laatste tijd voortdurend fanatiek leek te willen inpeperen. 'Mannen zijn nu eenmaal lafaards.'

'Dan kun je net zo goed zeggen dat alle mannen eenarmig zijn, Rosa… Je zult er hebben die eenarmig zijn, en je zult er hebben met twee armen.'

'Oké… Ik zeg al niets meer.'

En inderdaad deed ze haar mond niet meer open tot de taxi stilhield naast de metro-ingang, een paar minuten later.

'Zorg een beetje voor jezelf,' raadde ze me aan nadat ze me gedag had gezegd.

'Dat zal ik doen,' beloofde ik, terwijl ik naar haar zwaaide.

Vier dagen later, toen ik in de Talgo zat die, meer dan voortrazen, me onverbiddelijk verwijderde van een rode auto die zich op datzelfde moment in een bijna exact tegenovergestelde richting voortbewoog, zei ik bij mezelf dat dat natuurlijk nog niet zo'n gek voornemen was, vooral omdat er niet veel anders te doen viel dan een beetje voor mezelf zorgen tijdens de meedogenloze periode die op het punt stond aan te vangen. Maar goed eten, goed slapen, in zee zwemmen, zonnen, iedere middag doelloos een eindje wandelen, urenlang lezen en iedere avond naar de zomerbioscoop gaan, activiteiten die in andere periodes van mijn leven voldoende zouden zijn geweest om een persoonlijke definitie van vermaak te ontwikkelen, werden tot een soort ondraaglijke verplichting gedurende de loodzware dagen die ik liever in ledigheid, zonder iets te doen, zou hebben doorgebracht, gewoon naast de telefoon zittend, in een huis dat ik altijd geweldig had gevonden en dat me nu voorkwam als een soort gevangenis, en op een plek die te veel op een tuin leek om zo naadloos in het silhouet van de verdroogde woestijn te passen die mijn ogen teisterde. Ik was zo niet-aanwezig in mezelf, in de ruimte en op de plek die mijn lichaam innam, dat ik niet eens last had van de warmte, alsof de hete, maar noodzakelijkerwijs in te ademen lucht van die lange julisiësta's was veranderd in het wachtwoord van een nauw omschreven tijd die geen thermometer me zou helpen terugkrijgen. Op dat moment werd ik voor het eerst bang, bang dat die vakantie nooit voorbij zou gaan, dat deze beangstigende variant van niet-zijn de leidraad aangaf voor de rest van mijn niet-bestaan, dat mijn blik voorgoed zou blijven haken aan het beperkte spectrum van grijstinten dat ik waarnam, alsof een zieke wereld plotseling al zijn kleur verloren had, zijn glans, zijn inhoud, die alleen terugkeerden, wonderbaarlijk heftig, fel, stralend, wanneer de telefoon ging op de afgesproken tijdstippen, halfeen en halfvijf 's middags, halfacht 's avonds.

'Ik mis je ontzettend, Ana.' Dat was het eerste wat hij tegen me zei op elf augustus, bij verrassing, rond siëstatijd. 'En ik weet echt niet wat ik ermee aan moet, hoor, want eerlijk gezegd dacht ik dat ik er wel beter tegen zou kunnen. Maar ik moet veel aan je denken, de hele tijd… Overmorgen moet ik naar Madrid, want ik moet opdraven in een van die cursussen van de Complutense, in El Escorial, zo'n interdisciplinair niemendalletje, over het landschap… Afijn, ik haat die mode van de zomeruniversiteiten, dat weet je, en als ik er niet onderuit kan komen ben ik een week chagrijnig alleen al van het idee dat ik midden in de vakantie moet werken, en toch heb ik dit keer heel veel zin om naar Madrid te gaan, echt, gewoon om daar een paar dagen te zijn, ook al ben jij er niet… Want jij zult wel niets te doen hebben in Madrid, overmorgen, hè?'

'Ik weet het nog niet…' antwoordde ik hem na een tijdje, toen ik mijn ademhaling weer onder controle had.

Ik veronderstel dat op dat moment alles al besloten was, hoe hij vervol-

451

gens ook bij laag en bij hoog zou hebben volgehouden dat hij het zichzelf nooit zou vergeven als ik mijn vakantie onderbrak alleen maar om hem te zien, hoe vaak hij me er ook aan herinnerd had dat Fuengirola een heel eind was, hoe bitter hij zich ook beklaagd zou hebben over het feit dat hij zo zwak was geweest me van zijn plannen op de hoogte te stellen, ik veronderstel dat ik op dat moment al besloten had dat ik niets anders te doen had dan een paar dagen naar Madrid gaan, maar ik durfde die avond geen beslissing te nemen, en de volgende ochtend was ik er ook niet toe in staat, terwijl ik neurotisch de voordelen en de risico's van die ongenuanceerde overgave overwoog, en tegen het eind van de middag had ik het zelfs nog niet eens durven opperen, en ik veronderstel dat ik al wist dat ik zou gaan, maar ik weet ook dat ik niet goed wist wat ik moest doen tot ik, na het eten, vanuit de keuken zo'n oorverdovend gekrijs hoorde dat ik het glas waarin ik een afdoende dosis moed probeerde te vinden halfvol liet staan en naar de woonkamer rende om te kijken wat er aan de hand was.

Toen ik binnenkwam overstemde Amanda, die me riep – mama, snel, mama, moet je dit zien – met moeite een oorverdovend tumult van commentaar dat zich vreemd genoeg bewoog tussen geschater en verontwaardiging. Alle volwassen bewoners van het huis zaten aan de televisie gekluisterd, in beslag genomen door het verloop van een scène waar ik aanvankelijk niets van begreep. Een lelijke, nogal dikke puber verweerde zich als een gepijnigde kolos in de drie paar armen van evenzovele mannen die haar vasthielden en die, hoewel ze in alle opzichten in het voordeel waren, niet konden verhinderen dat ze centimeter na centimeter vooruitkwam, waarbij ze het hele gewicht van haar lichaam naar voren liet vallen terwijl ze als een woeste stier met haar hoofd stootte, in de richting van een doel dat ik nog niet kon onderscheiden. Haar mond vertrokken in een groteske grimas door een eeuwigdurende schreeuw, haar lange, steile haar nat van tranen, bleef het meisje maar krijsen en huilen, waarschijnlijk op het randje van een heftige aanval van hysterie, en aanvankelijk dacht ik dat het ging om de overlevende van een of andere ramp, of om een radicale actievoerder van welke signatuur ook, zo bovenmenselijk was de inspanning waarmee ze zich tegen haar vijanden verzette, maar toen bewoog de camera naar links en toonde het verbijsterde en geschrokken gezicht van een populaire zanger die er ongetwijfeld nooit rekening mee had gehouden dat hij een dergelijke reactie zou uitlokken, en toen realiseerde ik me dat de mannen die haar vasthielden geen politieagenten waren maar veiligheidsbeambten, en toen ik haar uiteindelijk kon horen, begreep ik alles. Ten prooi aan een hartstocht die haar zozeer beheerste dat ze de grens ervan zelf misschien niet eens kende, uitte dat meisje zich in een taal die volstrekt niet bij haar leeftijd paste, en niet bij haar smaak en haar manier van zijn die je kon afleiden uit hoe ze gekleed was, en ze sprak woorden uit waar de heftigst gekwelde heldin van een soapserie goed mee voor de dag zou kunnen komen, zinnen die rechtstreeks uit een goedkoop romannetje afkomstig leken, en desalniettemin kreeg ik kippenvel van ontroering toen ik ze hoorde, en ik was me ervan bewust hoe een paar tranen opwelden in mijn ogen terwijl ik naar haar keek, terwijl ik haar stem hoorde die vervormd was van wanhoop, terwijl ik voelde dat ze me bij ieder gebaar riep, kijk naar me, zei ze tegen die idioot die weigerde haar ter wille te zijn, die zijn hoofd wegdraaide en een plastic, lege glimlach toonde en het pijnlijke tafereel dat hij teweegbracht van miezerigheid niet waard was, kijk naar me, alsjeblieft, één keertje maar, ik smeek het je, alsjeblieft, je hoeft maar één keer naar me te kijken en dan zal ik hier weggaan, ik smeek het je op m'n knieën, waarom wil je niet naar me kijken?, toe nou, kijk naar me, alsjeblieft, kijk naar me...

'Heb je de plaatselijke krant vandaag gekocht, papa?' vroeg ik toen de reportage afgelopen was, mijn blik nog strak op de tv gericht.

'Ja.' Mijn vader zocht tussen een hele stapel tijdschriften die over de grond verspreid lagen, naast zijn leunstoel, en vond hem onmiddellijk. 'Waarvoor heb je hem nodig?'

'Hier staat toch de dienstregeling van de Talgo in?' vroeg ik weer, terwijl ik al door de laatste pagina's bladerde en tegelijkertijd vanuit mijn ooghoeken de ongeruste blik van mijn moeder opving.

'Ja, ik dacht het wel... Maar waarom...?' Mijn vader die ergens anders zat met zijn gedachten, zoals bijna altijd, interpreteerde mijn belangstelling volkomen verkeerd. 'Wat leuk! Je wil toch niet beweren dat Antonio morgen komt...'

'Nee...' antwoordde ik, toen ik de trein van halfelf al had uitgekozen. 'Maar ik ga morgen naar Madrid.'

De kalender had ons plots in de herfst doen belanden, maar de hemel van die tweeëntwintigste september was bij het ontwaken helderblauw gekleurd, een voorbode van de stralende strafexercitie van de zon die zich vol overgave en zonder de klok respijt te gunnen, ver voor de middag, zou storten op de kale contouren van de droge aarde, die weerbarstige reeks zanderige toppen, kale, volstrekt naakte bergen, die me die ochtend inderdaad de meest fantastische plek op aarde leken. We zaten te ontbijten, in de eetzaal van het hotelletje, een vroegere veranda die nu beglaasd was

en van waaraf je naar alle kanten uitkeek over het onveranderlijke landschap van de woestijn, en Javier, die al twee koppen koffie had gedronken
terwijl hij de inhoud van een tas vol schriften en apparaatjes controleerde
en aantekeningen maakte op een schrijfblok, leek zo verdiept in het ons
omringende gebied dat hij me plotseling aankeek alsof mijn aanwezigheid
hem verbaasde.

'Het spijt me, maar vandaag zullen we een beetje moeten werken,' zei
hij tegen me. 'Ik hoop dat je er geestelijk op bent voorbereid om een paar
uur te lopen. Uiteindelijk is het jouw schuld dat ik hier niet eerder naar
toe kon, dus...'

Hij begon te lachen maar ik kon niet meelachen, want het moment was
aangebroken om eens wat risico's te lopen.

'Javier... Wat je vannacht tegen me zei, hè...'

Hij was klaar met het verzamelen van de spulletjes in zijn tas, deed die
dicht, leunde achterover in zijn stoel en bleef rustig zo zitten terwijl hij
me aankeek, zijn armen over elkaar en met een glimlach die teder en spottend tegelijk was.

'Wat?'

Ik kruiste mijn vingers onder de tafel tot ze er pijn van deden, voor ik
het hardop herhaalde.

'Dat je heel erg verliefd op me bent.'

'Ja,' zei hij instemmend, alsof ik hem al iets gevraagd had.

'Is dat waar?'

'Ja,' zei hij nogmaals, op dezelfde toon waarop hij ook gereageerd zou
hebben als ik hem gevraagd had of hij echt Javier Álvarez heette.

'Oh!' mompelde ik. 'Nou, eh... Ik wilde je zeggen dat ik ook heel erg
verliefd op jou ben...' En toen was ik stil, alsof ik mijn leven lang geen
woord meer zou kunnen toevoegen aan wat ik zojuist gezegd had, maar
toen herinnerde ik me dat ik hem al heel vaak gezegd had dat ik alles voor
hem zou doen. 'Nou ja, dat wist je al. Maar omdat we het er nooit over
gehad hadden...' – en toen begon ik wel te lachen – 'wilde ik het ook
zeggen.'

Hij keek me zwijgend aan, met dezelfde tedere, spottende glimlach als
eerder, gedurende seconden die zich rekten tot het minuten leken, of
gedurende minuten die zo snel vervluchtigden alsof het seconden waren,
een zo ongrijpbare tijdspanne dat de klank van zijn stem, toen die hem
verbrak, me deed opschrikken als het geluid van een schreeuw.

'Heb je me verder niets te vragen?'

Ik dacht na over de betekenis van die uitnodiging tot ik een formulering vond waardoor ik haar kon accepteren en tegelijkertijd kon afslaan.

'Dat durf ik niet.'

'Oké.' Hij stond op, hing de tas om zijn schouder, en keek me opnieuw aan. 'Hoe dan ook, we zullen er iets aan moeten doen... Vooruit, ga maar een jasje halen boven, het is vast koud buiten.'

We kwamen de hele dag niet op het onderwerp terug, niet 's morgens, toen we een paar uur meer dan een paar uur wandelden, niet tijdens het middageten, dat veranderde in een minutieus college over de functie en aard van al die geheimzinnige instrumenten die ik hem had zien gebruiken zonder dat ik hun werking begreep, en ook niet na een heel korte siësta – zo gehaast dat ik er niet zeker van durfde te zijn dat er definitief iets tussen ons veranderd was, alsof we ons tegelijkertijd ontdaan hadden van onze laatste jas, een onzichtbare, hele dunne beschermingslaag die van pure hitte verdampte en ons veel naakter achterliet dan toen we ons nog met stiltes beschermden –, en niet op de terugweg naar Madrid, die heel snel ging, want we waren ruimschoots op tijd vertrokken om de zondagmiddagfiles te vermijden, maar toen Javiers auto stilhield voor het portiek van mijn moeders huis, om ongeveer acht uur 's avonds, draaide ik me naar hem toe om hem voor de tweede keer die dag iets te zeggen wat hij ongetwijfeld al wist.

'Javier... Ik wil graag dat je weet dat mocht je besluiten er iets aan te doen, je altijd op me kunt rekenen, waarvoor, wanneer en hoe ook. Alles wat ik heb, mijn huis, mijn spullen, mijn salaris, ikzelf... Nou ja, dat wist je al. En bedankt... Voor alles.'

Hij strekte een arm naar me uit, legde zijn hand in mijn nek, trok mijn gezicht naar zich toe en kuste me. We namen afscheid zonder nog iets te zeggen, en ik trad de beproeving die me bij mijn moeder thuis wachtte in een vreemde gemoedstoestand tegemoet, aan de ene kant euforischer dan ik ooit gedacht had dat iemand kon zijn, desalniettemin vreselijk teleurgesteld bij het idee dat dit weekeinde al voorbij was, en tegelijkertijd doodsbenauwd voor de gevolgen waarmee de rest van de dag mijn schouders nog zou kunnen belasten, die al te zwaar beladen waren met heftige emoties om ook nog het bijkomende gewicht van de schuld zonder wankelen te kunnen torsen, een dreiging die ik handig ontweken had sinds afgelopen woensdag, toen ik uiteindelijk, en met vertraging, de meest afschuwelijke reeks berichten hoorde die mijn dochter over het geheugen van mijn antwoordapparaat had kunnen uitstorten.

Amanda was zojuist gezakt voor het toelatingsexamen van de balletacademie waar ze de laatste twee jaren lessen had gevolgd, maar dat, hoe vreselijk ook, was nog niet eens het ergste. Florence, haar docente, bezield door iets waarvan ik aanvankelijk niet goed wist of ik het nu als oprecht of wreed moest classificeren, had haar in een uitgebreid gesprek toevertrouwd dat ze eerlijk gezegd niet dacht dat ze genoeg talent had om de top te bereiken. Mijn dochter had gereageerd zoals te verwachten was van een meisje van haar leeftijd, dat wil zeggen dat ze compleet was ingestort, met alle verbittering, twijfel aan haar eigen kunnen en ervaring in tegenslag die je in zeventien jaar kunt verzamelen. Hoewel ze wist dat ze zonder problemen zou worden toegelaten op scholen die minder hoge eisen stelden, had ze besloten op te houden met dansen, want het vooruitzicht een middelmatige danseres te zijn was niet voldoende compensatie voor het offer van strenge diëten, de uren aan de barre en de wonden aan je voeten, de normale martelgang waartoe de dans haar leven gereduceerd had.

En terwijl ik me er al jaren op had voorbereid dit verhaal te horen te krijgen, voelde ik me net zo verslagen als zij, en ik moest mijn handen stevig vasthouden om de verleiding te weerstaan haar te bellen voor ik de kalmte herwonnen had die onmisbaar was om overtuigend te beweren dat er niets aan de hand was, dat ze haar hele leven nog voor zich had om een clementer en rechtvaardiger roeping te vinden, dat ik blij was dat ik een dochter had die niet op haar dertigste zou zijn opgebrand, en dat het belangrijkste was dat ze zich op iets anders richtte, dat ze een studie ging doen en de volgende keer een goede beslissing nam.

'Je bent nog niet eens met je opleiding begonnen, Amanda, je hebt nog een heel jaar, en het geluk dat je duidelijke ideeën hebt over wat je wilt. Dat is namelijk niet bij iedereen van jouw leeftijd zo, en vaak zijn dit soort tegenslagen de dingen die mensen voorgoed vormen...'

'Ik voel me afschuwelijk, mama' – ze hoorde me niet eens, al haar wilskracht in beslag genomen door het verhaal van haar eigen pijn – 'klote, ik voel me alsof ik nergens goed voor ben, echt, alsof ik helemaal niks kan... En ik wil hier niet blijven. Ik wil naar huis. Nu meteen, morgen. Ik haat deze stad, ik haat Florence, ik haat de Parijse Opera...'

'Oké, prima, uitstekend, maak je maar geen zorgen... Ik ga morgen meteen naar je school om te kijken of ze nog plek hebben in het voorbereidend universitair jaar, en als dat niet zo is vind ik ergens anders wel een plek voor je... Ik ken een hoop docenten, vanwege die schoolboeken van de uitgeverij, dat weet je. Het zal geen enkel probleem zijn, Amanda, geen enkel probleem. Volgens mij zijn ze nog niet eens begonnen...'

Om halftien de volgende ochtend stond mijn dochter al ingeschreven op het Lope de Vega, waar ze op school had gezeten voor ze naar Parijs vertrok. De adjunct-directrice, die ik puur uit beleefdheid belde nadat alles geregeld was, alleen maar omdat Javier zich gehaast had haar eerst te bellen toen hij zich herinnerde dat ze bij elkaar hadden gezeten in de gemeenschappelijke colleges van geografie en geschiedenis, deelde me mee dat de lessen pas de eerste week van oktober zouden beginnen. Toen ik Amanda belde om haar dat allemaal te vertellen, leek ze eindelijk te kalmeren, maar zij vertelde mij in ruil daarvoor dat Félix al een ticket voor haar had gekocht voor een vlucht die aanstaande zaterdag in Madrid zou aankomen, rond lunchtijd.

'Oh, liever, wat een pech!' En het was wat je noemt pech, want al ruim twee weken geleden hadden Javier en ik gepland precies dat weekeinde op excursie naar Los Monegros te gaan. 'Ik ben zaterdag niet in Madrid. Ik moet naar een congres van de uitgeverij... Nou ja, het maakt ook niet uit. Ik bel nu meteen oma dat zij je af gaat halen. Je kunt tot zondagavond bij haar blijven. Als ik weer in Madrid ben kom ik je meteen ophalen en dan gaan we samen hiernaar toe, goed? Je hebt toch nog een week vakantie...'

Op dat moment realiseerde ik me niet dat ik het al niet eens meer nodig had gevonden even te overdenken wat ik zou doen, weggaan met Javier of thuisblijven om mijn dochter te troosten in het moeilijkste moment van haar leven, en toen dat tot me doordrong, was het even of de grond onder mijn voeten werd weggeslagen, maar ik regelde alles onmiddellijk en zei tegen mezelf dat Amanda tenslotte voorgoed naar huis kwam, en dat ik nog tijd genoeg zou hebben, maanden, jaren, om haar schadeloos te stellen voor die gerechtvaardigde desertie. Mijn moeder dacht daar anders over, maar toen ik geen zin meer had om naar haar te luisteren hing ik gewoon op. Terwijl ik drie dagen later het kleine stukje overbrugde dat de liftdeur van haar voordeur scheidde, wist ik al dat het nu niet zo gemakkelijk zou zijn. Van dichtbij was ze veel gevaarlijker.

'Acht uur 's avonds, fraai hoor... Je zult wel tevreden zijn!'

'Waar is Amanda?' vroeg ik, als enige reactie, terwijl ik behoedzaam de hal betrad.

'Die is naar de film met haar tante Mariola en haar neefjes en nichtjes... Tja, wat moet ze, haar moeder heeft nooit tijd...'

'Zo is het wel genoeg, mama.'

'Nee. Het is helemaal niet genoeg, helemaal niet...' Ze ging me voor naar de woonkamer en wees op een stoel, pal tegenover de stoel die zij uitkoos om op te gaan zitten, als een niet mis te verstane voorbode van de martelsessie die ze voor me in gedachten had. 'Ana Luisa, kindje, wat is er toch met je? Ik begrijp er niets van… Je bent altijd al van lotje getikt geweest, dat is waar, impulsief en van lotje getikt, en een uilskuiken, het spijt me dat ik het moet zeggen, maar het is niet anders, een ongelooflijk uilskuiken, dat ben je, dat straalt ervan af… Maar je was altijd een uitstekende moeder, eerlijk is eerlijk, dat heb ik vanaf het begin gezegd, vanaf dat je Félix in de steek liet en in je eentje voor Amanda zorgde, een voorbeeldige moeder, dat is de waarheid, maar nu… Hoe kun je nou zoiets doen? Weet je hoe je dochter eraan toe is? Gebroken, ziek, bedroefd, helemaal kapot, maar jij… Ja hoor! Mevrouw denkt alleen maar aan naar bed gaan met die klootzak die…'

'Mama!' krijste ik. 'Nog één woord, en ik sta op en ga weg.'

'Nou, ik zal zeker…' Ik stond op en liep in de richting van de kamerdeur. 'Ik zal het je eens even heel duidelijk vertellen, dat dit helemaal nergens toe leidt, dat hij een spelletje met je speelt, dat je jezelf belachelijk maakt, dat hij zijn vrouw nooit…'

Ik stapte de overloop op terwijl ik de deur achter me dichtsloeg met een klap die het eind van haar betoog barmhartig verminkte, en barstte, leunend tegen de deur, in tranen uit, van woede, van vermoeidheid, en omdat ik dat vervloekte zinnetje zo zat was dat me tot in alle uithoeken van mijn leven bleef achtervolgen als een bloedhond die feilloos getraind was om me vroeger of later met zijn tanden te verscheuren.

Maar soms lopen de dingen anders.

Het lijkt onmogelijk, het is ongelooflijk, maar soms gebeurt het.

Dat weet ik omdat op twaalf oktober, een feestdag, vroeger de Dag van het Ras, om kwart voor twee 's nachts de bel ging, precies op het moment dat ik net dacht in slaap te zijn. Amanda was bijna een uur daarvoor naar bed gegaan, en daarom sprong ik haastig uit bed, deed mijn ochtendjas met pagoden en Chinese maagden aan en holde door de gang zonder er zelfs maar over na te denken wie er voor de deur zou staan, er alleen maar op gefixeerd dat ze niet wakker zou worden van een tweede keer bellen, en toen ik opendeed stond Javier daar, belachelijk ingepakt in een grijze regenjas in een heldere vollemaansnacht.

'Ik maak je altijd wakker…' zei hij, terwijl hij binnenkwam. 'Het spijt me.'

'Dat geeft niet,' verzekerde ik hem, glimlachend. 'Ik zou willen dat je me iedere nacht wakker maakte.'

'Ja?' vroeg hij met een glimlach, terwijl hij zijn linkerhand onder mijn badjas liet glijden, nog geen tel voor hij mijn lippen kuste. 'Dan bof je… Want ik heb Adelaida net verteld dat ik bij haar wegga.'

458

REGISTERS EN KAARTEN

Toen Marisa me erop wees dat er iets vreemds met mijn ogen was, realiseerde ik me, op het moment dat ik tijdens het wegrijden dat belachelijke excuus fabriceerde over het mascaraborsteltje en het wattenschijfje doordrenkt met remover, dat ik me al veel beter voelde en er zelfs geen spijt van had dat ik in mijn eentje even gerouwd had in de badkamer, alsof ik aanvoelde dat dat intieme, nutteloze ritueel tegelijkertijd het einde in zich sloot van de slechtste periode van mijn volwassen leven, de afschuwelijke tirannie van een zwakte die zich sterk had gemaakt in mijn binnenste en tot een bijna definitieve uitputting had geleid. Hoewel er al tweeëneenhalve maand was verstreken sinds mijn zusje Natalia mijn uitnodiging voor een lunch had beloond met een zowel triviale als verbijsterende ontboezeming, het definitieve bewijs van de favoriete manier waarop mijn man zijn vrije tijd doorbracht, en hoewel zij er genoeg van had gekregen om mij tijdens familie-etentjes met haar ogen te ondervragen, moet ik zeggen dat ik alles rigoureus onder controle had, en elk stukje, elk detail, elk onderdeel van het plan dat ik al bijna tijdens de rit maakte, om het daarna beetje bij beetje te vervolmaken, had zo moeiteloos de voorziene plaats ingenomen dat het leek alsof ik eindelijk de rente kon innen van dat immense geloofskapitaal dat ik eerder zonder enig resultaat in het lot had geïnvesteerd. De enorme hoeveelheid werk die de inhoudsopgaven van de serie, als de meest ingewikkelde puzzel, elke ochtend op mijn tafel deponeerden, hielp me om na te denken en mezelf 's avonds, thuis, onzichtbaar te maken, want niets is overtuigender dan te melden dat je uitgeput bent als de vermoeidheid moeiteloos in elke trek van je gezicht te lezen valt. Ik had steeds gedacht dat het het beste zou zijn om, meteen nadat ik mijn man de vrijheid had teruggegeven om in zijn eigen bed met andere vrouwen te neuken, met de kinderen op reis te gaan, en omdat de deadline van het laatste deel van de *Atlas* samenviel met de eerste week van april, had Fran besloten dat we de paasvakantie vijf dagen eerder konden nemen dan gepland was. Vader Ignacio, die precies op dat moment uit zijn hoofd zijn agenda van telefoontjes moest doornemen, had het uitstekend geleken, en op school had de onderwijzer van zoon Ignacio, die me al had gewezen op bepaalde tekenen van een mysterieuze verzoening van de jongen met de wiskunde, geen enkel bezwaar tegen mijn project om het tweede trimester met vier lesdagen in te korten, en hij keek me niet eens afkeurend aan toen ik aankondigde dat ik van plan was van mijn man te gaan scheiden. Er was zelfs een moment waarop ik meende, terwijl hij me vertelde dat hij ook gescheiden was en me moed insprak voor de toekomst, dat hij me goedkeurend aankeek, en ik weet niet of ik het goed had, maar ik verliet zijn kamer in een uitstekende stemming, want of dat duwtje in de rug nu gemeend of gespeeld was geweest, ik stelde het vanbinnen zeer op prijs. De kinderen vonden het uiteraard prachtig dat ze met mij naar Rome zouden gaan. Ik had geluk gehad met de vluchttijd, met de ligging van het hotel en zelfs met de tarieven die ik bij het reisbureau had gekozen, en daarom raakte het me zo toen, op een vredige, zonnige ochtend in de maand maart, terwijl absoluut alles met afgemeten, rustige, bedaarde pas naar zijn einde liep, de stem van Adela mij via de intercom liet weten dat er een telefoontje was van ene Nacho Huertas, fotograaf.

Ik hoefde zelfs mijn stem niet te forceren om mijn secretaresse te vragen tegen hem te zeggen dat ik het erg druk had, dat ik hem zou bellen wanneer ik een ogenblik tijd had, en daarna twijfelde ik er geen moment aan dat ik niet zozeer het juiste als wel het enig mogelijke had gedaan, maar ik kon niet voorkomen dat er herinneringen kwamen en dat ik een tijdje fantaseerde over de verwarring waarin mijn antwoord een man moest hebben gestort die nu zou moeten begrijpen dat ik hem afwees, en ik stelde me zelfs een laatste ontmoeting voor, een laatste bijeenkomst waarin ik degene zou zijn die besliste, die koos, die de controle had, en toch, voordat ik mezelf ook maar durfde voorstellen dat een laatste wip nog niet zo slecht voor me zou zijn, gaf ik mezelf met de vingers van mijn geheugen een draai om de oren en verbood me met succes op die weg verder te gaan, hoe onschadelijk die, omdat het alleen maar fantasie was, zelfs mij ook toescheen. Ik heb niet teruggebeld, toen niet en nooit, en ik verwachtte niet dat Nacho opnieuw zou bellen, maar dat deed hij wel, een week later, en toen sprak ik met Ana, vroeg haar of ze hem duidelijk uit mijn naam wilde bellen, hem wilde zeggen dat ik het vreselijk druk had en dat zij bereid was een eventueel probleem op te lossen, en ik dacht dat dat voldoende zou zijn, want Ana bevestigde datgene wat we allebei al wisten, dat Nacho geen enkel probleem had maar alleen met mij wilde praten. Ik was vastbesloten hem dat nooit meer toe te staan toen, diezelfde middag bij mij thuis, in de zitkamer, terwijl Lobezno in de ondergrondse tunnels verwoed op zoek was naar de gekke geleerde die hem een tegengif kon geven voor het gif dat zijn gemuteerde ingewanden verlamde, nadat het Júbilo al in een soort dodelijke slaapzucht had gedompeld, de telefoon ging en ik hem oppakte zonder ook maar enige nieuwsgierigheid naar de stem die ik aan de andere kant zou horen.

'Nee maar, Rosita, eindelijk!' begon hij, maar ik was al immuun voor zijn verkleinwoordjes en die uitgelaten toon irriteerde me meer dan ik ooit had kunnen denken, dus antwoordde ik niet, waar zit je toch? hield hij aan, ik zit naar een tekenfilm te kijken met mijn kinderen, liet ik hem weten, wat leuk!, ja, inderdaad, we vermaken ons dus uitstekend... In de stilte die hierop volgde vroeg ik me af of hij te ver zou durven gaan, maar ik had geen geluk, zo te horen heb je geen zin om met me te praten, zei hij alleen, ja, dat heb je goed gehoord, antwoordde ik, en ik legde de hoorn erop zonder afscheid te nemen, maar het drong niet tot me door welke effecten de groenachtige vloeistof uit de glazen ampul had waarmee de mens-wolf op het punt stond zichzelf te injecteren in zijn behaarde en stervende arm, ik kon niet vaststellen of het hem terugbracht naar dat leven dat hem zo nu en dan ontglipte, want ik keek op de klok en zei tegen mezelf dat het niet zo slecht zou zijn om me een keer op tijd klaar te maken, en ik was kalm toen ik opstond, kalm en tevreden over mezelf, en dat gevoel bleef bij me toen ik de deur van de badkamer sloot, het hield me gezelschap terwijl ik douchte, terwijl ik me aankleedde, terwijl ik wat rouge opbracht met een kwastje, maar toen ik het mascaraborsteltje in mijn hand had, realiseerde ik me dat mijn ogen te veel glansden, en hoewel mijn gezicht me al jaren niet meer verrast, zelfs niet als ik mijn haar laat knippen, moest ik toegeven dat ik op het punt stond in tranen uit te barsten.

Ik besefte echter dat mijn plan een ernstige tekortkoming had, en hoewel ik voor ik de deur uitging de envelop pakte die al bijna twee maanden in de la van mijn schrijfbureau lag, tussen de foto's van de kinderen en de ongeordende rekeningen, hoewel ik er zelfs een van die postzegels op plakte die ik altijd in mijn portemonnee heb, begreep ik dat ik die afscheidsbrief nooit had moeten schrijven, een net zo armzalige valstrik als die liefdesbrieven die de pijnlijkste en heftigste kroniek hadden gevormd van mijn vertwijfeling over Nacho Huertas. Want tussen de waardigheid van het verzet en het lage karakter van de lafheid ligt niet meer dan één stap en er bleef me niets anders over dan diezelfde avond nog met Ignacio praten, ik kon niets anders doen dan hem alles recht in zijn gezicht te zeggen voordat ik weg zou gaan. Dat was de eerlijke prijs van de vrede.

Nadat ik ontdekt had dat Rosa heel vreemd deed en Fran nog vreemder, moest ik me afvragen of het niet aan mij lag, of ik me niet eerder op een merkwaardige manier gedroeg. Ik had er genoeg reden voor, dat was duidelijk.

Na mijn werk was ik langs het reisbureau gegaan om de tickets en het reisprogramma op te halen. De volgende ochtend zou ik aan een extra week vakantie beginnen naar Cartagena de Indias, Colombia, niets minder. Omdat het de laatste keer was, maakte het me niet uit om wat geld over de balk te smijten, en het klonk natuurlijk fantastisch, hoewel ik die plaats niet gekozen had wegens de exotische schoonheid van de naam, maar omdat het de plaats was die het verst weg lag van de vakantieclubs in Spaanstalige landen. Dat detail, waaraan Alejandra Escobar nooit ook maar enige waarde had gehecht, leek mij nu fundamenteel, want ik kon geen enkele echt belangrijke beslissing nemen als ik niet alles kon begrijpen wat ze tegen me zeiden. Ik wist al dat zij, hoewel ik vastbesloten was onder haar naam te reizen, nooit meer helemaal ik zou worden en dat ik voor altijd meer ik zou zijn dan ooit, maar deze intieme verzoening met mijn identiteit begon, in plaats van me gerust te stellen, op het moment dat ik de tickets in mijn tas stopte de donkerste schaduwen over mijn geweten te werpen, en hoewel ik ze toen ik het huis uitging op het haltafeltje achterliet, meer om ze uit het gezicht te verliezen dan uit angst ze echt te verliezen, ging dat onheilspellende voorgevoel met me mee de auto uit, als mijn schaduw met me mee het restaurant binnen en nam naast me plaats, tussen Rosa en Fran.

Ik had me er al bij neergelegd dat die duistere en onuitstaanbare stem die mijn handelingen bij voorbaat leidde net zozeer de mijne was als de beslissing die hem loochende, en ik onderscheidde hem niet tussen de meer of minder sombere warboel van kreten, grappen en waarschuwingen die sinds enkele dagen tussen mijn slapen donderden, een doordringend koor dat ik met succes had weten te beheersen tot op dat moment, dat het laatste was, waarvan de toon zich verhoogde tot een oorverdovend kabaal terwijl ik naar de kleine, verfijnde en uitgelezen menukaart van dat restaurant keek, alleen om ergens naar te kijken. Toen, juist omdat er daarna geen ander moment zou zijn, vond ik geen manier om de zwartste voorspellingen te ontwijken, die vragen die geladen waren met een vertrouwde minachting die ik alleen heb kunnen verzamelen gedurende 41 jaar leven met mezelf, waar ga je heen, Marisa? vroegen die stemmen me, waar ga je heen, kind?, wat ben je toch dom... en aanvankelijk probeerde ik te antwoorden, naar Colombia, zei ik, maar ze geloofden me niet. Naar Colombia...? herhaalden ze meedogenloos, nee. Je gaat veel verder, of je blijft dichterbij, hoe je het maar bekijkt, want in werkelijkheid hoef je helemaal niet weg uit Madrid, je koopt elke dag de krant, dat zou genoeg moeten zijn, 125 peseta, niet meer, de pagina's met kleine annonces staan vol met advertenties van opwindende mannen die je alleen maar gelukkig willen maken, jonge, knappe, nuchtere mannen, getraind om je in je oor te fluisteren dat je een heel speciale vrouw bent, blond, blond, blond... Hou op, hou op, hou op, dat is het niet, dat is het niet, dat is het niet, ach, nee?, natuurlijk is dat het, nee, dat is het niet, wel, dat is het wel, jouw huis ademt, Marisa, het ademt eerst lucht in, als een mens, en blaast die dan weer uit, heel langzaam, dat zijn de oude, houten balken en het rieten vlechtwerk dat het stucwerk steunt, dat heeft mijn neef Arturo mij een keer verteld, en hij is architect, de muren zakken elke dag in de grond, oude huizen houden nooit op te beklinken, jouw huis ademt, Marisa, als een mens, te veel stilte, in absolute stilte hoor je de geluiden beter, dat heeft er niets mee te maken, en bovendien ga ik niets verkeerds doen, ik ga naar Colombia, op vakantie, een week, dat is alles, je gaat alleen, ja, alleen, en wat dan nog?, niets, het is altijd hetzelfde, dat weet je, vakanties alleen, Kerstmis alleen, verjaardagen alleen, iemand zal je begraven, dat is wel zeker, ze zullen je niet laten wegrotten in een appartement op de derde verdieping van de Calle Santísima Trinidad, een van de buren zal de brandweer bellen of zoiets, maak je geen zorgen, hou je mond, dat wil ik niet, hou allemaal je mond, nu meteen, dat willen we niet, hou je mond, ik ga naar Colombia, nee, niet naar Colombia, ja, naar Colombia, naar Colombia, naar Colombia... Goed dan, naar Colombia, en wat verwacht je daar te vinden? In het ergste geval, dat weet je wel, helemaal niets, het is altijd zo geweest, altijd, behalve die ene keer, en wat had je een geluk!, een getrouwde Tunesiër van achtentwintig met twee kinderen, die nauwelijks kon lezen en twee minuten nodig had om klaar te komen, en je hebt nooit meer iets van hem gehoord, natuurlijk niet, want lelijke, blonde, alleenstaande vrouwelijke toeristen daar zijn er genoeg van, hij zal zelfs geen tijd hebben gehad om zich je naam te herinneren, natuurlijk niet, want hij heeft ook nooit geweten hoe je echte naam was, kortom, wat een avontuur!, hou je mond, ik wil niet, je begrijpt het niet, natuurlijk begrijp ik het, ik was erbij, weet je dat niet meer?, laat me met rust, dat is het niet, dat is het wel, ik ga naar Colombia, Foro houdt van je, hou je mond, Foro houdt van je, en wat dan nog?, ik doe niets verkeerds, ik ga een week op vakantie, dat is alles, Foro houdt van je, dat weet ik wel, het leven presenteert de rekening voor de fouten die stommelingen als jij maken, dat is niet waar, dat is het wel, Foro houdt van je, stommeling, ik ga naar Colombia, in Columbia houdt niemand van je, dat is het niet, dat is het wel, maar ik ben niet verliefd op Foro. En in de plotselinge stilte van het absolute niets zei ik het nog eens in gedachten, herhaalde ik het langzaam, de lettergrepen benadrukkend alsof ik het hardop zei. Ik ben niet verliefd op Foro.

Misschien, als je nu blijft, ben je dat over een jaar wel... Die solitaire stem, de belangrijkste, de duisterste, liet zich nu horen op een toon die sterk verschilde van de toon die hij gewoonlijk koos om mij te kwellen. Hij beledigde me niet, stommeling, stommeling, stommeling, hij maakte geen misbruik van zijn overwicht over mij, hij wilde me niet uitschelden. Toen begreep ik dat ik deze stem niet had kunnen onderscheiden van de andere doordat hij tot op dat moment niet had willen ingrijpen in die ondraaglijke, galmende foltering. En hij voegde er geen woord aan toe, maar projecteerde een serie duidelijke beelden, kleine, vredige beelden, op het gekwelde scherm van mijn geheugen. Twee oude, vuile, bruine schoenen, vervormd door het gebruik, op het punt bij de naden open te barsten, netjes naast elkaar geplaatst aan het voeteneind van mijn bed, met de bijbehorende sok erin, als de schoenen van een kind dat naar bed is gegaan in afwachting van de komst van de Drie Koningen. De foto van een puber in een plastic hoesje, in een leren portefeuille die zo versleten was dat hij van karton leek. Twee rode jurken, een korte, die ik bij toeval in een etalage had ontdekt toen ik door de Calle Goya naar huis liep, en de andere veel eleganter en nauwsluitender, met schouderbandjes, de eerste lange jurk die ik ooit van mijn leven heb gehad. Een picknickdoos van wit plastic, met een geel deksel, op een papieren tafellaken dat over een ijzeren tafel ligt van die uitspanning in het Casa de Campo, die recht voor het meer staat. Een ventilator die langzaam boven mijn bed beweegt in de benauwende duisternis van de zomernachten. Een muziekdoos zoals niemand mij ooit heeft gegeven.

De nekplooi van mijn kind mat zes millimeter.

De dienstdoende arts bewoog de detector van de echograaf over de huid van mijn buik, die nog maar net opbolde in de zestiende week van mijn zwangerschap, toen hij dat feit hardop meldde, op strikt neutrale toon. Ik geloof dat ik op dat moment de kille, plakkerige aanraking van de doorzichtige gel niet meer voelde waarmee hij mijn buik had ingesmeerd voor hij begon, en het was uiteraard zo dat ik op dat moment eindelijk, haarscherp, onmiskenbaar het hoofd van mijn kind onderscheidde, weergegeven op een meer dan reusachtige schaal op een enorme monitor die pal tegenover de onderzoektafel stond waar ik op lag. Links ervan was het hoofd van Martín – die er met open mond naar zat te kijken – bijna even groot. Ik hoorde dat, nekplooi, zes millimeter, en een verpleegster, die net zo ingespannen naar het scherm tuurde als wij, schreef iets op een formulier waarop ze eerder alleen mijn naam had geschreven, mijn beide achternamen en mijn leeftijd, Francisca Antúnez Martínez, 39 jaar. Links van me zat een assistent-geneticus er zwijgend bij, en bijna zonder nadenken vroeg ik haar, wat houdt dat in? Ze keek me glimlachend aan voor ze antwoord gaf, dat wil zeggen dat het geen down is.

De god in de witte jas begon de detector sneller te bewegen, terwijl hij op dezelfde neutrale, maar vriendelijke toon een hele reeks woorden uitsprak die ik moeiteloos begreep. Eens kijken, zei hij, om te beginnen, hart, longen, lever, linkernier… wacht, even kijken… en rechternier, de verpleegster schreef alles zorgvuldig op, zonder hem ook maar één keer te onderbreken, blaas, ging hij verder, geslachtsdelen… Toen richtte hij zich tot mij. Wilt u beiden het geslacht weten? Ik durfde amper te knikken maar Martín antwoordde luidkeels, ja, dat willen we. Het is een jongetje, zei hij heel onnadrukkelijk, mooi zo!, mijn man kon een enthousiaste kreet niet onderdrukken, en alle aanwezigen moesten glimlachen. Dit is een penis, vervolgde de geneticus, terwijl hij me vanonder zijn bril aankeek, en één… en twee testikels, en hij ging rustig verder, nu gaan we naar het hoofd, één ruggengraat, normaal ontwikkeld, schedeldak compleet, gezicht… we zien nu zijn gezicht, verklaarde hij, en dat was zo. In de grijzige massa van een vloeistof die er ogenschijnlijk eigenaardig lobbig uitzag, waarin dat kleine wezentje rondzwom zonder het te beseffen, als een eenvoudig kikkertje dat tevreden is met zijn eenvoud, waren op dat moment de oogkassen te zien, de minuscule uitstulping van een neus, de lijn van de mond. Ik keek naar hem zonder het helemaal te kunnen geloven, primipara op leeftijd heen en weer geslingerd tussen paniek, die maar niet wilde afnemen, en de ontroering te constateren dat het kind dat ze

467

nog niet had gevoeld daadwerkelijk bestond, voorbij de wazige massa van de eerste, standaardecho's, het bestond omdat het een gezicht had, omdat ik het zag. We gaan de hartslag meten, zei de arts op dat moment, en hij voegde er nog wat onontcijferbare getallen aan toe voor hij de detector van mijn buik nam en hem opborg in het apparaat waar hij de hele tijd met zijn linkerhand op had zitten trommelen. Het ziet er allemaal prima uit, zei hij tegen me, nu gaan we vruchtwater afnemen.

De geneticus die links van me zat smeerde me opnieuw met gel in en plaatste de detector van een andere echograaf exact boven de foetus. De dienstdoende arts boog zich over me heen met een grote injectiespuit in zijn gehandschoende handen. U voelt er niets van, legde hij me uit, alleen maar een prik. Het jongetje, want nu was het inmiddels een jongetje, maakte zulke onbeholpen bewegingen dat het grappig was om te zien, als een slechte danser in een film die in slowmotion is opgenomen. Tot de naald mijn buik doorboorde. Toen, terwijl op de echograaf het scherpe uiteinde ervan aan de andere kant van mijn buikwand zichtbaar werd, lag hij ineens stil, onbeweeglijk, alsof hij dood was. Waarom beweegt hij niet meer? vroeg ik. Hij is wel klein, maar hij is niet dom, antwoordden ze, er is zojuist iets vreemds zijn territorium binnengedrongen en hij neemt het zekere voor het onzekere… Daarna, toen de spuit vol zat met een wittige, wonderlijk troebele vloeistof en de naald van het scherm verdween, begon mijn zoon, die er nog geen weet van had dat zijn moeder heel tevreden was over zijn instinct, weer te bewegen om het gezag over zijn territorium weer te heroveren. Als ik alleen was geweest had ik op dat moment mijn tranen de vrije loop gelaten die ik tegenhield, onbeweeglijk tot stilstand gekomen, vlak achter mijn ogen, maar ik heb me er altijd erg voor geschaamd te huilen in het gezelschap van vreemden.

Terwijl ik op de anderen zat te wachten, aan het tafeltje in dat restaurant, las ik keer op keer het rapport dat ik uit de brievenbus had gehaald voor ik van huis ging. Daarin stonden alle resultaten van het prenatale genetische onderzoek, stuk voor stuk vastgelegd, met de details die ze een paar weken eerder niet verstrekt hadden, toen ik had opgebeld en ze me beknopt geïnformeerd hadden dat alles goed was en dat er geen twijfel meer over mogelijk was dat het een jongen was. Nu kon ik daarentegen een hele lange lijst van onbegrijpelijke namen lezen en herlezen tot ik hem vanbuiten kende, al die onbekende syndromen die bemoedigend werden uitgesloten door het woord dat er rechts van stond, negatief, negatief, negatief, al die onvermoede eiwitten die gelukkigerwijs erkend werden in dezelfde kolom door een heel ander woord, maar met hetzelfde aantal lettergrepen, positief, positief, positief, en de samenvatting van de uitgebreide echografie, longen, ja, hart, ja, lever, ja, linkernier, ja, rechternier, ja, schedeldak, ja, gezicht, ja. Want we hadden zijn gezicht gezien.

Ik geloof dat geen enkele afspraak waartoe ik me ooit in mijn leven verplicht zag, inclusief die psychoanalyse op donderdag die al eeuwen geleden leek, me ooit zo zwaar is gevallen als dat etentje, al had ik het onmiskenbaar zelf geregeld als een feestelijke, zelfs triomfantelijke gebeurtenis. De *Atlas* was klaar, die hadden we tot een einde gebracht. Ik was er nooit een moment bang voor geweest dat we het niet voor elkaar zouden krijgen, maar we hadden het voor elkaar gekregen en dat diende gevierd te worden. Desondanks had ik helemaal geen zin om daar te zijn, meer om mijn team voor hun inspanningen te bedanken dan om te eten, en ik kon bijna niet wachten om naar huis te gaan en Martín die wonderbaarlijke reeks miraculeuze formules te laten zien, al die negatieven en positieven, die ja's en die nee's die zijn vertrouwen op het juiste moment beloonden, een zekerheid die de overhand had gekregen over al mijn twijfels, over al de zijne, zelfs zo dat hij, lang voor de resultaten van de vruchtwaterpunctie bekend waren, mijn zwangerschap al bij iedereen had aangekondigd terwijl ik het nog niemand had durven vertellen. En toch zou ik diezelfde avond het onderwerp met de anderen moeten bespreken, want er zou ongetwijfeld een moment komen waarop ik misbruik van ze zou moeten maken. De uitgerekende datum van mijn bevalling viel in de vakantie, de eerste week van augustus, maar ik had al besloten mijn zwangerschapsverlof helemaal op te nemen, net als iedere secretaresse, wat betekende dat ik pas in december weer op het werk zou verschijnen. En werk zou er genoeg zijn. Dat zou het tweede nieuwtje die avond zijn.

Ik had nog niet besloten waar ik zou beginnen toen Rosa me voor de tweede keer een sigaret aanbood terwijl Ana eindelijk de nog vrije plaats rechts van me innam. Ben je gestopt met roken? vroeg ze me, verwonderd. Ja, antwoordde ik, en bovendien moet ik jullie het een en ander vertellen…

Ik had het nooit makkelijk gevonden met mijn moeder de stad in te gaan, maar die middag stond ik op het punt haar alleen in het pashokje achter te laten, met de twintig of vijfentwintig modellen badpak die ze de een na de ander had afgekeurd nadat ze zorgvuldig had bestudeerd wat voor uitwerking ze op haar lichaam hadden. Ze bezorgden haar allemaal een buikje omdat ze een buikje had, van allemaal kreeg ze een gerimpeld decolleté omdat ze een gerimpeld decolleté had, geen een deed haar taille uitkomen omdat ze geen taille meer had, maar ik keek wel link uit haar dat hardop te vertellen want ik was niet van plan om voor wat of wie ook het stralende gevoel van welbehagen op het spel te zetten dat me als een goeie dronkenschap, hardnekkig en eeuwigdurend, ver verheven boven de hoofden van de armzalige bewoners van deze aardkloot deed zweven, al die zielige mensen die zich tot wanhoop lieten drijven in de paskamer van een winkel aan het begin van het seizoen. Toen ik het aan de rest vertelde, om mijn laatkomen te rechtvaardigen, vroeg Rosa me of ik mijn twee weken vakantie ook zou benutten om ergens heen te gaan, en ik antwoordde van niet, omdat ik geen cent te makken had. Dat was even volkomen juist als dat het me niets kon schelen dat ik het niet had, een conclusie die Marisa hardop trok uit de toon waarop ik mijn armoedebekentenis deed. Eerlijk gezegd zou geen enkele reis naar de meest fantastische plek op deze of een andere planeet me meer kunnen bekoren dan het plan dat Javier en ik hadden uitgestippeld voor de komende twee weken en dat bestond uit ons in huis opsluiten om veel te neuken, veel te lezen, veel films op tv te zien, veel ongezonde dingen te eten na middernacht en onmiddellijk daarna ergens veel glazen nationale likeur te gaan nuttigen. Dat was de definitie van geluk, en ze kostte niet veel.

De scheiding van Javier had hem geruïneerd, maar ik had nooit gedacht dat iemand zo kon genieten van het betalen van rekeningen als ik daar in die tijd van genoot, toen ik, net als daarvoor, alle kosten voor mijn huis bleef betalen, al sliep hij nu iedere nacht in mijn bed en was Amanda weer terug in de slaapkamer aan het einde van de gang. In iedere peseta waar ik afstand van deed school een kleine triomf, die het midden hield tussen een beloning en een provocatie, en aan het eind van de maand, als het saldo van mijn bankrekening bijna in het rood stond, mompelde ik, in plaats van me zorgen te maken, mij krijgen jullie er niet onder... De arme Adelaida had zich meedogenloos opgesteld, en de desbetreffende kantonrechter – die mijn oude intuïtie bevestigde dat de hogere klassen van welke Staat ook, hoe seculier en progressief deze ook beweert te zijn, het niet kunnen verkroppen als mensen scheiden – had haar een tijdelijke alimentatie toegekend voor een periode van tien jaar, ondanks het feit dat ze in de praktijk niet alleen een werkende vrouw was, maar zelfs een zakenvrouw. In het voorlopige vonnis werd tussen de regels door erkend dat het wettelijk was toegestaan financiële genoegdoening toe te kennen voor het geestelijk leed van eiseres, en dat deze, door de telefoon op te nemen, de post uit de brievenbus te halen en iedere keer dat er gasten waren eten op tafel te zetten, op fundamentele en onweerlegbare wijze had bijgedragen aan het professionele succes van gedaagde, en bijgevolg recht had te delen in zijn verdiensten. Mijn eerste reactie toen ik die reeks nonsens las was in lachen uit te barsten, en ik maakte zelfs grapjes over de vergoeding die Angustias van me zou kunnen eisen als ze zou besluiten niet langer mijn hulp te zijn, maar eerlijk gezegd was het helemaal niet zo grappig, en iedere keer dat Javier eraan dacht, werd hij ziedend van woede. Desalniettemin kon zelfs zijn trefzekere betoog over het verrotte imperium van de conservatieve krachten dat listig was opgesmukt met vage feministische formuleringen geen seconde verpesten van een onoverzienbaar nieuw en kostbaar tijdperk.

Hoewel het gegeven dat hij iedere maand amper een kwart van zijn salaris in handen kreeg mijn geliefde dwong heel veel te reizen, om deel te nemen aan alle conferenties, ronde tafels, congressen of doctoraalcursussen die zijn vrienden hem maar konden bezorgen op welke faculteit geografie ook, binnen of buiten Spanje, en hoewel ik bijna nooit met hem mee kon, was het enige wat tegen die tijd, toen we al zes maanden samenwoonden, maar niet wilde deugen eerlijk gezegd de cijfers. Amanda had Javier uiteindelijk moeiteloos geaccepteerd, en ze had op beslissende wijze een bijdrage geleverd aan de aanpassing van Adelaida's kinderen aan een situatie die voor hen onherroepelijk conflictiever was dan voor haarzelf, al waren zij er drie maanden later van op de hoogte dan mijn dochter. Ondanks deze en andere voorzorgsmaatregelen was het in het begin verre van makkelijk. Javier junior, de oudste, was elf en heel welgemanierd, maar hoewel hij heel veel van zijn vader hield, dacht ik soms dat hij mij haatte. Carlitos, de jongste, was net zeven en bij hem had ik daarentegen de indruk dat hij mij vanaf het eerste ogenblik net zo leuk vond als ik hem. Maar ze waren alle twee dol op Amanda, die met hen naar de bioscoop ging, en hamburgers eten, en voetballen in het park, en die afsprak met haar jongere neefjes en nichtjes voor sessies verstoppertje waarbij het hele huis in beslag werd genomen zonder zich er ooit over te beklagen dat zij altijd moest zoeken, en die hen 's avonds griezelverhalen vertelde, en die elke twee weken afzag van plannen voor het weekeinde die veel aanlokkelijker voor haar moesten zijn dan die geïmproviseerde werkzaamheden als perfect kindermeisje. Ik liet haar op alle mogelijke manieren blijken hoe erkentelijk ik haar was, door haar zakgeld te verhogen en haar 's avonds later thuis te laten komen, maar, hoewel ze natuurlijk dankbaar was voor mijn concessies, wilde ze meteen haar positie duidelijk maken aan me, ik ben ook een dochter van gescheiden ouders, mama, ik weet heel goed hoe erg het is.

Op ieder ander moment van mijn leven had die summiere bekentenis me zo veel pijn gedaan als alleen maar een bittere, onloochenbare waarheid pijn kan doen, maar mijn liefde voor Javier, die me aan de ene kant merkwaardig bewust had gemaakt van de waarde van dingen, van het verstrijken van de tijd, van de kleine huiselijke genoegens, van de leeftijd van mijn lichaam, en zelfs van de dood die op een dag zou komen en me alles wat ik bezeten heb zou ontnemen, had me tegelijkertijd in een merkwaardig soort gevoelloosheid gedompeld waar het zaken betrof die mijzelf, mijn liefde voor hem, niet direct raakten, zozeer zelfs dat het me steeds meer moeite kostte verontwaardiging te tonen tegenover de wereld die ons herbergde. Op raadselachtige wijze gespleten in een edelmoedigheid die zo groot was dat zij tot zelfverloochening leidde, en zo'n heftig egoïsme dat het me verhinderde aandachtig te kijken naar wat er om me heen gebeurde, kon ik geen enkele belangstelling opbrengen voor alles wat ik automatisch deed, gehoorzamend aan een routine die nauwelijks draaglijk was omdat zij zo alledaags was, als het me niet noodgedwongen dichter bij de herinnering, de naam, het lichaam van die man bracht. Onder die voorwerpen van mijn desinteresse bevond zich uiteraard het etentje om het einde van de *Atlas* te vieren. Voor ik bij het restaurant kwam had ik al besloten onmiddellijk na het toetje naar huis te gaan, zonder ook maar de minste alcoholische verlenging te accepteren, maar eerlijk gezegd heb ik er nooit spijt van gehad dat ik erbij was, want over mijn nabije toekomst, hoezeer ik ook weigerde daaraan te denken, hing een ondubbelzinnige, snel naderende, angstaanjagende dreiging, en juist die werd door Fran bezworen in de pauze die voorafging aan de komst van het tweede gerecht.

'Wat zeg je?' zei Ana glimlachend. 'Ik heb geen rooie cent...'

Toen ik haar hoorde, voelde ik hoe mijn benen het plotseling begaven, hoewel ze geen enkel gewicht hoefden te dragen.

'Nou ja, het lijkt je niet zoveel te kunnen schelen.' In de manier waarop Marisa haar antwoord mompelde, meende ik een vage wrok te bespeuren.

'Nee, het maakt me eerlijk gezegd helemaal niets uit.'

Ana, die bleef glimlachen, keek me aan.

'Nou, het gaat mij wel iets uitmaken,' zei ik, zonder dat ik het van plan was geweest, en ze keken me allemaal tegelijk aan, maar geen van hen durfde iets te vragen. 'Ik ga van Ignacio scheiden.'

'Dat lijkt me heel goed.' Ana knikte instemmend.

'M–mij ook,' voegde Marisa er onmiddellijk aan toe, haar hoofd bewegend op het ritme van haar woorden. Fran zei niets, maar maakte een soortgelijk gebaar, en ik waardeerde elk van deze tekenen, hoewel ik maar al te goed wist dat ik er niets aan zou hebben wanneer ik tegenover mijn echtgenoot stond.

'Goed…' vervolgde ik niettemin, want het enige wat nog zin had was doorgaan tot het eind, en omdat het hardop doornemen van mijn plannen mij een merkwaardig gevoel van troost gaf. 'Daarom ga ik naar Rome met de kinderen, om ze hier even weg te halen, want… Ignacio weet het nog niet. Ik had hem een brief geschreven, het bekende werk, lieve Ignacio, wees niet meteen verbaasd dat ik begin met je lieve te noemen want op het moment dat ik deze woorden schrijf hou ik echt van je, maar ik kan niet meer met je samenleven… Nou ja, jullie kennen dat wel. Ik dacht erover hem morgen op de post te doen, op het vliegveld, maar ik heb me net gerealiseerd dat dat belachelijk is. Ik ben van plan vanavond met hem te praten, of morgen, voor we vertrekken, tijdens het ontbijt, ik weet niet… Misschien was die brief toch niet zo'n slecht idee, want ik krijg het eerlijk gezegd helemaal benauwd als ik aan dat gesprek denk…'

'Maak je niet druk,' zei Ana, terwijl ze een hand op mijn arm legde, 'in de loop van de tijd word je vanzelf harder.'

'Maar, echt waar, jij houdt het huis…' veronderstelde Marisa hardop.

'Nee, nee…' en ik bewoog mijn hand door de lucht om twee keer te ontkennen, alsof alleen die veronderstelling al genoeg was om doodsbang te worden. 'Nee, natuurlijk niet. Ik vind dat huis vreselijk. Ik vind die straat vreselijk. Ik vind de portier vreselijk. Ik vind de buren vreselijk en ik vind die zogenaamde status vreselijk… Ik wil terug naar de wijk waar ik ben opgegroeid, tussen Recoletos en Hortaleza, min of meer. Barquillo, Fernando VI, Almirante, Conde de Xiquena, Bárbara de Braganza, Piamonte… De straat maakt me niet uit, maar ik wil een huis met drie meter hoge plafonds. Ik wil Ignacio overhalen om het appartement te verkopen en het geld te delen, en als hij dat niet wil, zal ik zeggen dat hij mijn deel van me moet kopen, hoewel hij dan een lening zal moeten sluiten, want wat ik niet wil is dat hij me in termijnen betaalt, want dat zal hij proberen, dat weet ik want ik ken hem. Maar door de reis naar Rome is mijn banksaldo nogal… uitgeput, en nu de *Atlas* klaar is… Ik weet wel dat ik niet dood zal gaan van de honger, maar in elk geval…'

'We worden buren…' Ik had geen tijd om aandacht te schenken aan de opmerking van Ana, want de stem van Fran kreeg op wonderbaarlijke wijze de overhand op die van Ana.

'Maak je geen zorgen over het geld. Er is werk…' zei ze alleen, en toen keken we haar allemaal tegelijk aan, hoewel niemand iets durfde te vragen. 'Kijk me niet zo aan, dat wisten jullie toch wel?'

'N-nee,' antwoordde Marisa na een tijdje.

'Jawel,' hield Fran vol. 'Ik heb jullie maanden geleden al verteld dat er een project was.'

'Ja-a, maar projecten, projecten… godallemachtig, er gaan altijd weet ik hoeveel projecten rond, maar van projecten naar daden…'

'Goed, maar dit gaat door. Er is maar één ding waar ik mee zit, maar eerst… Nou, hoe gek zijn jullie op muziek?'

'Zo gek als nodig is,' verzekerde ik haar, terwijl ik merkte dat ik veel beter begon te ademen.

'Een geschiedenis van de muziek?' veronderstelde Ana hardop, en de ondervraagde bevestigde dit met een glimlach, die onmiddellijk beloond werd met een andere die nog stralender was.

'De westerse beschaving van de koebel tot de koebel,' resumeerde ik mompelend, terwijl ik plotseling voelde dat ik hartstochtelijker van muziek hield dan van wat ter wereld dan ook.

'Precies,' bevestigde Fran, 'maar het beste weten jullie nog niet… 220 afleveringen.'

'Vier jaar!' schreeuwde ik.

'En een half…' corrigeerde Marisa me. 'Alles bij elkaar…'

'Vierenhalf jaar,' vatte Ana samen, het ritme van de lettergrepen met haar vuisten op de tafel begeleidend en een uitbundig intense uitdrukking op haar gezicht.

'Hoe lijkt het jullie?'

'Heel goed.'

'Fantastisch…'

'Wanneer beginnen we?'

'Ja…' Fran was zelfs in de omstandigheid dat ze de bijzonderheden kon geven. 'Met de verlenging die we moesten toevoegen toen Planeta-Agostini ons de titel van de *Atlas* afpikte, lopen jullie contracten op 1 mei af. Jullie kunnen per 1 mei een nieuw contract krijgen. Het gaat een beetje snel, maar als we na de paasvakantie beginnen, kunnen we met kerst verschijnen. Oktober zou beter zijn, maar dat halen we niet, dat is duidelijk. Maar voor we verdergaan, ik heb jullie al gezegd dat er één ding is waar ik nog mee zit. Ik heb het voorstel erdoor gekregen op één voorwaarde. In theorie zit bij de prijs van elk deel een cd ingesloten met werk van de betreffende componist, en dat wordt natuurlijk gewoon gekocht, dat hoeven we zelf niet te doen, maar daarnaast geven we bij elk nummer een cd-rom cadeau. Het is uiteraard geen echt cadeau, maar dat maakt niet uit, ik heb hier in de begroting al rekening mee gehouden. Het probleem is niet de prijs, maar de cd-rom op zich,' en ze draaide zich helemaal naar links. 'Kun jij dat aan, Marisa?'

'Kom n-nou, natuurlijk…' antwoordde ik, zonder de verbazing te verbergen die die vraag bij me teweegbracht. 'Dat m-moest er nog bij komen. Ik zou morgen kunnen beginnen. Ramón is al een paar jaar met dat stokpaardje bezig en het is eerlijk gezegd net zoiets als oliebollen bakken, serieus, als je er één gezien hebt, heb je ze allemaal gezien… Het is duidelijk dat ik dubbel zoveel werk zal hebben, de anderen niet, want ik neem aan dat we het ma-ateriaal van de delen opnieuw zullen gebruiken' – Fran knikte – 'maar ik wel, want die cd-roms moet je ontwerpen, net als een boek, en je moet dummy's maken, en hoewel ik van plan ben de pa-agina's aan de schermen te koppelen, zullen we moeten kijken of het kan… een voor een… Bovendien zullen we n-nieuwe apparatuur nodig hebben, en in elk geval een cd-schrijver, en…' – ik maakte een inschatting voor mezelf – 'ik, om te beginnen, een medewerker, want ik kan het niet allemaal tegelijk doen. Maar het lukt wel. Echt…' – en toen ik me realiseerde dat ik opnieuw de meest karakteristieke uitdrukking van Foro ging herhalen, hield ik op slag mijn mond. 'Echt…'

'Dat van die medewerker is duidelijk…' Fran glimlachte opgelucht tegen me. 'Een paar dagen geleden had ik het er met Ramón over en hij zei dat het beter zou zijn om er twee mensen bij te halen. Als je terug bent van vakantie kun je mensen gaan zoeken.'

'Ik…?' vroeg ik, deze keer echt verbaasd. 'Moet ik mensen gaan zoeken?'

Er viel een stilte waarin ze me alle drie tegelijk aankeken, met dezelfde uitdrukking, die op dezelfde manier uitdrukte dat ze de betekenis van mijn laatste vraag niet begrepen.

'Als je wilt, kan ik mensen gaan zoeken,' antwoordde Fran, toen ze ten slotte begreep wat ik haar precies had gevraagd. 'Of Rosa kan het doen, maar dat zou een beetje onzin zijn want Rosa noch ik weet wat je van die mensen mag verwachten, wat ze moeten kunnen…'

'N-nee, nee…' verzekerde ik, nadat ik een lachbui had onderdrukt, een innerlijke reactie op het ongekende beeld van mezelf als manager met brede bevoegdheden. 'Ik zal de mensen zoeken. En ik zal heel streng zijn…'

Mijn opmerking ontketende een luid gelach, dat zich onmiddellijk voortzette in een geanimeerd gesprek in drie stemmen over de geschiedenis van de muziek in het algemeen en de onze in het bijzonder, een veelvoud van lukraak gestelde vragen waar nog geen concreet antwoord op te geven was, waar gaan we beginnen?, hoeveel gaat elke aflevering kosten?, welk criterium gaan we aanhouden?, wijden we meer dan één nummer aan de echt belangrijke componisten of wordt het één aflevering per musicus?, hoeveel verwachten jullie er te verkopen?, wie kiest de stukken voor de cd's?, komt er tv-reclame?, hoeveel netten...? Rosa leek heel tevreden, en Ana zelfs enthousiast door het vooruitzicht om weer als een paard aan het werk te kunnen gaan na die minimale vakantie waaraan de herinnering al voor het einde ervan uitgewist zou zijn, terwijl Fran elke vraag beantwoordde met een geduldige glimlach die in tegenspraak was met de eentonigheid van haar antwoorden, dat weet ik nog niet, daar heb ik nog niet over nagedacht, dat durf ik je nog niet te zeggen, dat zullen we ook nog moeten beslissen... Ik, daarentegen, was niet zo zeker van wat ik voelde. Ik was nooit een medewerkster op contractbasis geweest. Mijn verre verleden als opmaakster had me verzekerd van een vaste baan, en mijn inkomen was niet afhankelijk van de vraag of ik wel of niet aan een concreet project werd toegewezen. En die geschiedenis van de muziek leek aan de ene kant een promotie in te houden, en een flinke, want die cd-roms zouden mij veranderen in de baas van mijn eigen team, maar zou me tegelijkertijd bijna definitief verbinden met Foro want Ana was niet van plan hem weg te sturen, en als je boven de veertig bent is vierenhalf jaar een lange tijd. Wanneer we bij de postmoderne koebel zouden komen, zoals Rosa het noemde, zou ik al bijna 46 zijn, voorbij het punt waarop het nog verstandig lijkt belangrijke beslissingen te nemen. Zo dacht ik er toen in elk geval over, terwijl ik mezelf tegelijkertijd dwong de rust en de harmonie te waarderen waarin ik had samengewerkt met Fran, met Rosa en met Ana in de drie jaar die we over het maken van de *Atlas* hadden gedaan, en de conflicten en spanningen die misschien zouden zijn voortgekomen uit mijn betrokkenheid bij een ander team als dat project, dat inmiddels ook mijn project was, uiteindelijk niet geslaagd was.

'Wat is er, Marisa?' Fran maakte abrupt een einde aan mijn overpeinzingen. 'Heb je er geen zin in?'

'Ja, jawel...' en ik protesteerde met beide handen om mijn bevestiging te benadrukken. 'Ik heb er ontzettend veel zin in. Het is alleen... Nou ja, ik ben gewoon een beetje aan het rotzooien de laatste tijd. Jullie zouden het n-niet begrijpen, maar... Ik weet n-niet. Ik moet iets doen, maar ik weet niet wat...'

'Dat had ik al gemerkt,' zei Ana.

'Ik ook,' voegde Rosa eraan toe. 'Je doet heel vreemd, meid... Ik wed dat het een man is.'

De innerlijke stilte, die me de kans had gegeven om na te denken over de voor- en nadelen van die uitdaging, die echte uitdaging die me plotseling oneindig onbelangrijk leek, eindigde als bij toverslag toen mijn oren die vraag opvingen doordat alle stemmen die in mijn hoofd leefden plotseling en tegelijk één enkel woord gilden, als een absoluut bevel, als een meedogenloos ultimatum, als een luidruchtige formule van verwachting en van verachting, vertel, schreeuwden ze, praat, drongen ze aan, zeg het, spreek zijn naam uit en het zal echt zijn, alleen dat wat genoemd kan worden bestaat, vertel het, praat, zeg het, praat, durf het aan, praat, vertel het nu, praat, praat, praat...

'Je bent toch niet zwanger?'

Ik stond op het punt de handdoek in de ring te werpen, de versterkingen van mijn bewustzijn definitief neer te halen, mezelf over te geven aan de waarheid alsof het het meest troostende en zachtste medicijn was, toen Fran mij aanviel met een felheid die zeer ongewoon voor haar was.

'N-nee,' antwoordde ik toen ik het kon. 'N-nee dat is het niet...' Toen keek ik Rosa aan. 'En ja. Het is een man.'

'Ah!' Mijn blik concentreerde zich vervolgens op de ogen die de mijne ontweken en aandachtig een stukje tafelkleed bestudeerden dat zich links van mij uitstrekte. 'Nou, ik wel.'

'Ik ben wél zwanger,' zei ik nog eens, terwijl ik opkeek, om iedere twijfel definitief uit de wereld te helpen. 'Dat is het tweede wat ik jullie moest vertellen. Uiteraard is het geen toeval, geen ongelukje of zoiets. We wilden dat kind, en, nou ja, nu komt het dus. Het is trouwens een jongetje. Hij gaat Martín heten, naar zijn vader.'

'Gefeliciteerd Fran!' Ana boog zich over me heen en gaf me een zoen. Ik verwachtte dat gebaar niet, dat een ambigue doeltreffendheid bleek te bezitten, want het was voldoende om me te kalmeren, maar alleen ten koste van een blos op mijn wangen, die kleurden om niks, als die van een schoolmeisje.

'Gefeliciteerd!' zei ook Rosa, terwijl ze m'n hand pakte over de tafel heen. 'Ben je blij?'

'Ja,' bekende ik, me nu weerloos overgevend aan het blozen. 'Heel erg blij. Al vond ik het in het begin maar matig. Eerlijk gezegd was ik doodsbang. Ik word nou eenmaal veertig over twee weken, en het is de eerste, dus… Maar ik heb een punctie laten doen en nog een heleboel tests, en nu voel ik me veel beter. Het kindje is prima in orde. Alles. Hij heeft zelfs hele lange dijbenen…'

Ana schoot in de lach.

'Jij hebt hem toch gemaakt…' zei ze tegen me. 'Wat had je dan verwacht?'

'Feilloos, zoals a–alles,' voegde Marisa eraan toe. 'Het is geweldig, Fran.'

'Ja,' gaf ik toe, 'het is inderdaad geweldig. En ik ben heel blij dat jullie het zo opnemen want, nou ja… Jullie zullen me een handje moeten helpen.'

Toen bogen Ana en Rosa zich gelijktijdig over de tafel heen, bereid ieder feit dat ik ze wilde toevertrouwen te behandelen, als twee ervaren moeders die niet de minste twijfel wilden laten bestaan over hun ervaring. Ik had ineens het gevoel dat ik me zojuist bij een club had aangesloten waarvan ik het bestaan tot dan toe niet had vermoed, en ik vond het een tamelijk eigenaardige ervaring.

'Wanneer is de bevalling?' vroeg Ana als eerste.

'De eerste week van augustus,' antwoordde ik, en ik was haar zwijgen voor met een glimlach. 'Niemand is perfect. Ook ik niet.'

'Niets aan de hand.' Rosa pakte opnieuw mijn hand. 'Ik kreeg Clara half september, dat is nog erger, ik moest het de hele zomer uithouden. En aan de andere kant, het valt in de vakantie, dat is een goeie zaak.'

'Je kunt half juli naar de kust gaan,' opperde Ana toen.

'Nee,' antwoordde ik, mijn ontkenning kracht bijzettend met m'n hoofd. 'Ik wil dat mijn kind in Madrid geboren wordt. Al moet ik twee maanden met mijn benen omhoog liggen.'

'Dat is een wijs besluit. Ik baal er nog steeds van dat Amanda Parisienne is…'

'Dat doet er verder niet toe.' Rosa riep ons op zachte maar ongeduldige toon tot de orde. 'Ben je van plan om…'

'Het w-was me al o-opgevallen dat je er zo k-knap uitzag, Fran,' kwam Marisa ertussen, en ze verweerde zich tegen Rosa voor die de tijd had ons opnieuw tot de orde te roepen. 'Da-at doet er wel toe. Dat is belangrijk…'

'En bovendien is het waar.' Ana knikte om te laten merken dat ze gelijk had. 'Dat gebeurt altijd. Als het goed gaat, doen zwangerschappen je ontzettend goed, echt…'

'Mag ik even wat zeggen?' Rosa kwam terug op het onderwerp, om te laten zien dat haar enthousiasme voor de organisatie en leiding die me de eerste tijd van de *Atlas* zo vaak aan het enthousiasme van Marita had doen denken weer helemaal terug was. 'Ben je van plan je zwangerschapsverlof op te nemen?'

'Ja,' antwoordde ik. 'Volledig.'

'Uiteraard,' stemde Marisa in.

'Natuurlijk,' voegde Ana daaraan toe.

'En de mensen uit het bestuur… weten die het?' Ik antwoordde Rosa door te knikken, iedereen wist het sinds die middag. 'En hoe hebben ze gereageerd?'

'Nou…' antwoordde ik. 'Heel verschillend. Mijn broer Miguel bijvoorbeeld vindt het best. Antonio daarentegen raakte bijna buiten zichzelf, want volgens hem kunnen we het ons niet permitteren…' Die kan de klere krijgen! zei iemand, en ik ging verder. 'Het kan me niet schelen. Ik ga het helemaal opnemen, wat ze ook zeggen. Ik wil hem zo lang mogelijk de borst geven. Maar dat maakt de zaken er voor ons niet gemakkelijker op.'

'N-nee.' Marisa boog zich met glinsterende ogen naar me toe, alsof ze iets gehoord had wat haar uit haar tent lokte, een geheimzinnige remedie voor de verdoving of wat het ook was die haar verre van die tafel hield, heel erg in zichzelf gekeerd, vanaf het moment dat ze had verkondigd dat de geschiedenis van de muziek de komende jaren onze eigen geschiedenis zou zijn. 'Waarom? Ik kan thuis in een vloek en een zucht een werkplek voor je in orde maken.'

'Is dat zo?' vroeg ik haar, nog zonder er zeker van te zijn of dat idee me wel aanstond.

'Kom op zeg, tuurlijk. Je hebt thuis toch telefoon? Nou, meer hebben we niet nodig. Als je niet meer naar kantoor komt, pak ik je computer, zet hem neer waar jij wilt, en binnen een kwartier heb ik je aangesloten op alle terminals van de afdeling. Je hoeft niet eens te bellen. Je kunt met ons communiceren via het Net. En iedere pagina bekijken, ieder omslag, iedere tekst, in minder tijd dan we kwijt zouden zijn om over de gang naar je kamer te lopen. Dat is afgesproken. Het is doodsimpel.'

'En ik kan je wel vertellen dat pasgeborenen het makkelijkst zijn…' Rosa sprak me moed in vanaf de andere kant van de tafel. 'Tussen de ene en de andere borstvoeding heb je tweeënhalf uur om te doen wat je wilt. Ze slapen de hele dag.'

Tot op dat moment was het niet eens bij me opgekomen de tijd dat ik borstvoeding gaf te combineren met het werk. Ik dacht veeleer aan een totale breuk, vier maanden absolute afwezigheid, een minimale maar onmisbare termijn voor een leerproces waarvoor ik veel banger was dan voor de bevalling, hoe iedereen in alle gesprekken ook altijd op de proppen kwam met de bijzonder twijfelachtige theorie van het instinct. Ik had er geen rekening mee gehouden tussen de ene en de andere borstvoeding te werken, en ik wist niet eens of ik het wel wilde. Ik probeerde stilletjes een beslissing te nemen en Ana had het uiteindelijk door.

'Dat wil zeggen, als jij het wilt,' zei ze tegen me. 'Als je liever verdwijnt, verdelen wij het werk gewoon met z'n allen.'

'Nee,' antwoordde ik ten slotte, mezelf weer kennend. 'Ik geloof dat ik dat niet zou kunnen. Dat van m'n computer mee naar huis nemen lijkt me een uitstekend plan. Als ik niet wil, kan ik hem altijd uit laten staan.'

'Allicht.' Ana gaf me gelijk voor ze zich over de tafel heen boog om Marisa strak aan te kijken, die recht tegenover haar zat. 'En mijn scanner? Zou ik die ook mee naar huis kunnen nemen en de beelden over het Net versturen?'

'Kijk niet zo naar me,' zei ik, terwijl ik moest lachen om de paniekerige uitdrukking die het gezicht van Marisa had veranderd in een carnavalsmasker. 'Het is maar een grapje.'

'Ja, ja… Zo begint het, en stra-aks…'

'Straks niets,' hield ik vol. 'We hebben geeneens geld om de kinderen die we samen hebben te onderhouden… We passen niet eens goed in het huis. Dus om er nou nog een te krijgen…'

'Maar je hebt het overwogen,' drong Rosa aan.

'Nee, echt niet,' sprak ik haar tegen, en ik was eerlijk, maar ze geloofden me geen van allen. 'Echt niet, nou moeten jullie even ophouden. Ik meen het, we zijn niet bepaald in de stemming voor dat soort flauwekul… Maar stel dat de situatie verandert, dan zou ik het misschien over een paar jaar eens kunnen gaan overwegen. En niet omdat ik er zo'n zin in heb, dat is het niet echt, want ik moet er eigenlijk niet aan denken, ik word al niet goed van het idee dat ik dan weer met zoogcompressen in m'n bh moet lopen, maar omdat, nou ja… Ik zou dit nooit tegen Amanda kunnen zeggen, want die zou het precies andersom interpreteren, ze zou het nooit begrijpen, maar de waarheid is dat het niets met haar te maken heeft, ik ben dol op m'n dochter, en ik zal altijd evenveel van haar blijven houden, daar ben ik van overtuigd, en ook dat mijn relatie met haar altijd uniek zal blijven, en zelfs speciaal, om alles wat we samen hebben meegemaakt, dat zal nooit veranderen, al krijg ik een drieling, maar wat me soms ontzettend kwaad maakt... Ik weet niet. Dat ik een dochter heb met die zak van een Larrea en dat ik geen kind met deze, die echt de man van mijn leven is...' Rosa en Marisa ontvingen deze laatste zin met luid applaus. 'Krijg de hik, jullie, ik meen het serieus... Maar nu voel ik me veel te lekker om het lot op de proef te durven stellen, en het heerlijkste moment van mijn leven breekt aan als Amanda naar Parijs gaat om haar vader te zien in een weekeinde dat de kinderen van Javier niet bij ons zijn. Ik zweer jullie dat ik op dat moment het gevoel heb dat als er van iets te veel is in deze wereld, dat nou juist kinderen zijn. Maar hoe het ook zij, af en toe denk ik dat als dingen anders waren gelopen, in een andere tijd, met een ander salaris, dat ik het dan geweldig zou vinden een kind te hebben met de achternaam Álvarez.'

'Je bent stapelgek, Ana!' Rosa keek me hoofdschuddend aan, met dezelfde ontmoedigde blik die ze te voorschijn zou hebben getoverd als ik zojuist verteld had dat ik kanker had in een terminaal stadium. 'Je hoort het, Fran, niks wegdoen, je positiekleren niet, de wieg niet, de kinderwagen niet, het badje niet... Dat hebben we nodig voor we bij Béla Bartók zijn aangeland.'

'Helemaal niet!' protesteerde ik.

'Jawel! Je zult het zien.' En ze wendde zich tot de andere twee. 'Om hoeveel zullen we wedden?'

'Geen cent...' antwoordde Marisa. 'En n-natuurlijk kan ik je scanner thuis installeren en je op het Net aansluiten. Daar hoef je geen seconde aan te twijfelen.'

'De grote tovenaar heeft gesproken,' nam ik mijn toevlucht tot de gebruikelijke grap in een poging het onderwerp af te sluiten. 'Amen. Ik krijg geen kinderen meer. Is dat duidelijk?'

'Voor het geval dat, zal ik toch maar niks weggooien...'

Zelfs Fran moest lachen, maar ik liet hen verder rustig in de waan. Want het was waar dat ik het niet overwogen had, hoezeer ik ook aanvoelde dat er misschien een moment zou komen waarop ik het zou overwegen, maar het idee was nog zo vaag, zo ontzettend ver weg en wazig, dat geen enkele grap over het onderwerp me op de kast zou kunnen krijgen, zelfs niet terwijl ik bij voorbaat wist dat niemand ter wereld zo goed wist als ik hoezeer de dingen anders kunnen lopen.

'Hoe het ook zij' – ik probeerde via een omweg weer bij Bartók uit te komen – 'eerlijk gezegd heb ik niet eens een zwangerschap nodig om jullie te bekennen dat de muziek me het leven gered heeft. Ik meen het, Fran. Ik zal je vertellen dat ik al hier en daar aan het rondkijken was, en eerlijk gezegd was ik nog niet veel tegengekomen.'

'In Santillana zijn ze bezig met een geïllustreerde schoolencyclopedie.' Rosa kwam tussenbeide om te laten zien dat ik niet de enige vrouw aan tafel was met een vooruitziende blik. 'Maar ze gaan heel weinig buiten de deur laten doen.'

'Ja, dat weet ik.' En het was waar dat ik het wist. 'Alleen politiek en de actualiteit, zoals gebruikelijk. En verder is er nog een doe-het-zelfhand-boek…'

'Ja, dat ben ik ook te weten gekomen, maar ik geloof dat ze dat recht-streeks vanuit het Engels gaan vertalen, dat ze gebruikmaken van het voordeel van de fotolitho's.'

'Ja, die mode zal ons nog duur komen te staan.'

'Nee hoor. Wij hebben altijd nog de kruissteek.'

'En de cursussen Engels voor wanhopigen.'

'En stofferen voor iedereen.'

'En de praktische keuken…'

'Oké.' Fran onderbrak de opsomming van de minder voorbeeldige episoden van ons werkend bestaan gedecideerd. 'Vooralsnog kunnen we proosten op de uitvinder van de muziek…'

Ze schonk zichzelf een bodempje rode wijn in en nam met het gebrui-kelijke aplomb het heft in handen. Daarna, terwijl ik al naar een excuus zocht om hen niet te vergezellen naar de bar waar we dit soort feestelijke bijeenkomsten meestal besloten met een onbepaald aantal *mojitos*, brachten ze de rekening. Fran betaalde met de creditcard van het bedrijf, liet een fooi liggen die precies één tiende deel van het totaal bedroeg, en stond op.

'Ik ga naar huis,' kondigde ze aan, toen ze haar jasje al aanhad. 'Ik ben doodop, ik val om de haverklap om van de slaap. En bovendien, nu ik niet mag roken, en niet drinken…'

'Ja…' Rosa, met een plotseling sombere blik en met trillende vingers die geen raad wisten met de sluiting van haar tasje, knikte, terwijl ze Joost mag weten waarvandaan een ontzettend geforceerde ogenschijnlijke kalm-te te voorschijn toverde. 'Dat had ik ook de eerste maanden… Oké, ik ga ook naar huis.'

'En ik…'

Marisa was niet alleen de eerste die iedereen kuste, maar ook de eerste die, verrassend genoeg, een taxi aanhield, ondanks het feit dat ze niet ver-der van het restaurant woonde dan ik. Fran bood aan me af te zetten, maar ik antwoordde dat het de moeite niet waard was. Vervolgens, terwijl ik begon te lopen, lukte het me niet om meer dan één vezeltje van mijn gedachten te wijden aan die gigantische hoeveelheid angst die boven de tafel had gehangen gedurende het hele etentje, als een wolk die zijn eigen gewicht niet kon dragen, de angst van Rosa, duidelijk omlijnd en dichtbij, bijna grijpbaar, de angst van Fran, duister en warm, bekend, de angst van Marisa, onbekend en ernstig, en misschien daarom wel de lastigste van allemaal. Maar ik kende geen angst meer. Bij voorbaat het aantal inschattend van de beste dagen die ik nog te goed had in het leven, vergat ik hen bijna, en ik overwoog zelfs even mijn fonkelnieuwe weelde te vieren door ook een taxi te nemen, al was ik op nog geen kwartier van mijn huis.

Toen ik de deur van het portaal opende, was ik al gewend aan het idee van de plotselinge ongehoorzaamheid van mijn vingers, die autonome, onbeheersbare, afschuwelijke trilling, die me veranderd had in een soort uit vorm zijnde invalide, precies op het moment dat ik er wanhopig behoefte aan had om in conditie te zijn, maar ik had er geen rekening mee gehouden dat mijn hart zich plotseling zou aansluiten bij die eigenaardige poltergeist als een tijdbom met een defect mechanisme. Niettemin was dat wat er gebeurde, tot het punt waarop de krankzinnige frequentie van de slagen, een ware neurose van het hart, mij echt aan het schrikken maakte. Dat ontbrak er nog net aan, dacht ik, dat ik nu een hartaanval zou krijgen, en ik nam de lift naar de tweede verdieping, hoewel ik me die gemakzuchtige verleiding dagelijks verbood.

Voordat ik de huisdeur opendeed, bleef ik even staan, op de overloop, en staarde zonder met mijn ogen te knipperen naar het gaatje van het kijkglas, alsof ik verwachtte dat het van het ene moment op het andere groter zou worden om mij te laten zien wat er binnen gebeurde. Ik hoorde de zeer zwakke, verre echo van de televisie in het huis van de buren, of misschien in mijn huis, en ik geloof niet dat ik me ooit slechter heb gevoeld. Toen ik de sleutel in het slot stak, waarbij ik mijn rechterhand met mijn linkerhand ondersteunde, deelde mijn lichaam zich vanbinnen al duidelijk in twee helften, twee verschillende eenheden, van elkaar gescheiden door de effecten van een krachtige ijzeren vuist die mijn maag beetje bij beetje samenkneep tot hij hem vaardig had opgedeeld in twee afzonderlijke magen, één boven en één onder, aan twee kanten van een verlenging van niets die nauwkeurig samenviel met de grenzen van mijn middel. Op dat moment dacht ik dat ik het nooit voldoende zou betreuren dat ik de kans om te zwijgen tijdens die maaltijd onbenut had gelaten, want de bekentenis die, zonder mij te raadplegen, aan mijn lippen was ontsnapt, had mij twee uur lang ondergedompeld in een werkelijkheid die sterk verschilde van de werkelijkheid die mij wachtte achter de deuren van de zitkamer, die ik nu moeiteloos kon onderscheiden dankzij de lamp, die brandde, alsof vertellen dat ik van Ignacio ging scheiden hetzelfde was als reeds van hem gescheiden zijn, alsof het hetzelfde was om het hardop tegen mijn vriendinnen te zeggen als tegen hem te zeggen, recht in zijn gezicht.

Ik kan het niet, zei ik bij mezelf terwijl ik door de gang liep, ik kan het niet, waarschuwde ik mezelf terwijl ik de deur opende, ik kan het niet, herhaalde ik toen ik me in een stoel liet vallen, rechts van de bank waarop hij, in pyjama, televisie zat te kijken, door het smalle spleetje dat zijn oogleden, die bijna overwonnen waren door de slaap, nog openlieten.

'Hoe was het?' vroeg hij me, en ik keek hem aan en begreep dat ik het wel zou kunnen.

'Goed. Luister, Ignacio... Ik... Ik had je een brief geschreven, maar goed... Ik moet je iets zeggen, en ik ben blij dat je nog niet naar bed bent want... Het is beter zo...' Hij zei iets tegen me wat ik op dat moment niet wilde begrijpen, en ik ging door met praten, mijn blik strak op het patroon van het vloerkleed gericht. 'Dit heeft geen enkele zin meer, Ignacio. Ik had veel liever gehad dat dit moment nooit was gekomen, maar... Niemand heeft schuld... Ik hou veel van je, je bent de vader van mijn kinderen, en een geweldige vent, serieus, ik denk dat ik altijd van je zal houden, je bent als een broer voor me, maar juist daarom wil ik niet met je blijven samenleven.' Ik hief mijn hoofd op en mijn ogen keken recht in andere, wijd geopende ogen, in een gezicht dat zowel vertrouwd was als vreemd uitgezet van verbazing. 'Ik denk dat het beter is als we gaan scheiden.'

'Maar... waarom?' wist hij uit te brengen, na een stamelend begin. 'We zijn toch heel gelukkig...'

'Ignacio!' riep ik uit, en hoewel geen enkele reactie minder passend zou zijn geweest, barstte ik in lachen uit.

Toen ik mijn hand opstak om een taxi aan te houden, had ik de kracht niet meer om in mijn eentje te blijven debatteren met al die stemmen die mijn eigen stem waren en geen stem, want ze zouden niet hebben bestaan als ik had kunnen beslissen niet naar ze te luisteren. Mijn karakter is veel meer dan zwak, en misschien verklaart dit voldoende waarom de dobbelstenen een verleiding voor me vormen, waarom ze me altijd hebben verleid. Ik ben niet zo goed in het weerstaan van verleidingen.

Daarom, en hoewel ik al had besloten wat ik ging doen, want dat gebaar van een taxi aanhouden had geen andere bedoeling dan me een paar minuten voorsprong geven op Ana, zorgen dat ik bij mijn telefoon zou zijn voordat zij erin zou slagen de hare te pakken, besloot ik, toen ik de hoorn al in mijn hand had, de volgorde van die twee telefoontjes om te draaien, de dobbelstenen voor de laatste keer te gooien. Eerst Foro, zei ik bij mezelf. Als hij niet bij de derde keer opneemt, ga ik naar Colombia, en er gebeurt ook niets, hield ik vol, het is niet meer dan een week, een reis als elke andere. Ik hoorde geen enkel argument tegen dat vertrouwelijke en tamelijk geschifte pact, maar de telefoon ging ook niet meer dan één keer over, hoewel het al halfeen was.

'Hallo?'

'Hallo, met mij… Ik weet wel dat het een beetje laat is, maar… Luister, ik heb uiteindelijk besloten dat ik morgen niet op reis ga, want… Nou ja, we kunnen samen gaan in de paasvakantie, als je wilt, hoewel ik niet weet of je eigenlijk wel zin hebt om naar Jaén te gaan…'

'Heel veel.'

'Ja?' Het was voorbij, zei ik bij mezelf, het was voorbij, geen enkele kerst meer alleen, geen enkele verjaardag meer alleen, geen enkele vakantie meer alleen. 'Luister, Foro… Ik weet dat het heel laat is, maar… Zou je nu in de auto kunnen stappen om bij mij te komen slapen?'

'Natuurlijk,' antwoordde hij, met een zachtaardigheid die ik niet verdiende. 'Ik ben er zo.'

Daarna draaide ik het nummer van Ana, en het lot verleende mij de kleine gunst me de mechanische middelen van het antwoordapparaat ter beschikking te stellen waar ik vreesde de stem van Javier Álvarez te horen.

'Ana? Met Marisa… Er is niets aan de hand. Ik wilde alleen dat je weet… Nou, de vriendin van Foro, weet je wel…? Nou, dat ben ik.'

Toen ik ophing, glimlachte ik, maar in mijn keel welde, zonder dat ik er iets aan kon doen, een wrange, zeer bittere smaak op.

Martín was al naar bed, maar hij sliep niet. Tegen het hoofdeinde gezeten, leunend tegen een geïmproviseerd bouwsel van hoofdkussens en kussentjes, las hij een aan één kant bedrukt velletje dat ooit ongetwijfeld deel had uitgemaakt van de wanordelijke berg papier die ik nu op de sprei zag liggen, het gerechtelijk vooronderzoek van een proces misschien, of een vonnis. Hij zei niets maar hij zette zijn bril af en glimlachte naar me, bij wijze van begroeting. Ik ging naast hem zitten, op de rand van het bed, en strekte mijn arm uit naar het nachtkastje om een sigaret uit zijn pakje te vissen, maar hij hield mijn arm tegen voor deze de afstand overbrugd had.

'Wat is de stand van vandaag?'

'Drie.'

'Daar geloof ik niks van.'

'Ik zweer het... Ik wilde niet roken tijdens het etentje omdat we iets te vieren hebben...' Toen haalde ik mijn eigen aan één kant bedrukte velletje te voorschijn en begon hardop te lezen. 'In alle geanalyseerde metafases afkomstig uit de kweek van aanwezige cellen in het monster verkregen uit een vruchtwaterpunctie, zijn 46 normale chromosomen aangetroffen, waarbij het geslachtschromosoom van het type xy is...' Ik pauzeerde alleen even om de sigaret aan te nemen die hij tussen mijn lippen stopte.

'Gefeliciteerd,' mompelde hij, terwijl hij me een kus gaf en tegelijkertijd vuur.

'Jij...' – het eerste trekje is altijd het lekkerst geweest, schoot het door me heen terwijl ik inhaleerde – 'ook.'

Uiteindelijk liep ik het hele stuk, en toen ik thuiskwam ging ik direct naar bed. Terwijl ik langs de woonkamer liep, moet het me zijn opgevallen dat het rode lampje van het antwoordapparaat knipperde, maar dat realiseerde ik me pas later, toen Javier, die al half sliep, op de overvloed aan kussen waarmee mijn lippen de nabijheid van zijn rug vierden, reageerde met een onsamenhangende zin, bijna onverstaanbaar door de slaap. Er heeft... iemand... zei hij, ik weet niet... Ik omhelsde hem, en pas toen herinnerde ik me dat ik zelf een rood lampje had zien knipperen voor ik voelde dat ik wegzakte. Op de broze grens van het onderbewuste kon ik nog net bedenken dat het simpele vermoeden dat er op dat apparaat de hele nacht een bericht kon sluimeren dat voor mij bestemd was, een paar maanden geleden nog maar voldoende was geweest om me uren uit mijn slaap te houden, en ik weet niet of ik nog tijd had om te glimlachen.

Want soms lopen de dingen anders.

Ik weet dat het onmogelijk lijkt, dat het ongelooflijk is, maar soms gebeurt het.

GEMEENTELIJKE P.O.B.
ACHTERSTRAAT 2
9450 HAALTERT
TF. 053/834474

INHOUD